칭기스 칸으로 더 잘 알려진 13세기의 몽골 군사 지도자 테무진은 중세 시기 최대의 세계 제국을 건설했다. 오늘날 그는 민족 영웅으로 숭배되고 있다. 거대한 그의 상이 울란바토르 교외에 버티고 서 있다.

몽골은 중세판 총력전을 펼쳤다. 1258년 칭기스 칸의 후예 훌라구가 바그다드를 포위했는데, 그의 병사들이 압바스 할리파를 죽이고 수많은 귀중한 필사본을 티그리스강에 던져 강물이 잉크로 인해 검어졌다.

1차 세계대전 때 포격당한 뒤 세심하게 재건된 이퍼르의 직물회관은 중세 말 유럽 상인(특히 잉글랜드 양모 무역에 손을 댄 사람)의 엄청난 부의 증거물이다.

1307년 프랑스 신전기사단원들의 고백을 상술한 양피지 두루마리 원본. 이 고백은 파리대학 학자들이 심리했고, 그들의 의견은 단원들의 무시무시한 범죄에 대해 유죄 판결을 내리는 데 도움을 주었다.

파리의 생트샤펠은 고딕 건축의 눈부신 성과였다. 루이 9세가 예수의 가시관 등 자신의 기독교 유물 안치소로 주문한
이 예배당의 거대한 스테인드글라스 창과 하늘로 치솟은 천장은 지상에서 바로 천국으로 들어가는 느낌을 불러일으켰다.

북웨일스의 카이르나르번성은 잉글랜드왕 에드워드 1세가 유명한 공학자 겸 건축가인 '명인' 자크에게 맡겨 건설했다. 이것은 최첨단 요새 설계에 콘스탄티노폴리스 성벽의 기미를 섞었으며, 웨일스 민족 신화를 잉글랜드왕의 식민 활동을 위해 동원하고자 했다.

15세기 산타마리아 델피오레의 '두오모'를 건설하는 동안 400만 개의 벽돌이 자기 자리에 놓였다. 이 돔을 건설하는 일은 여러 세대 동안 건축학적 난제였는데, 결국 필리포 브루넬레스키가 풀었다.

Il non essent registrantes
et futuris ministrantes que
vident et que audiunt.
et illa que eueniunt in diuersis

que non viderunt nec saunt.
per scripturas edocemur.
si nos bene recordemur que sunt
bona vt amemus quid ve malu

흑사병의 첫 파도는 1347년에서 1351년 사이에 유럽 인구의 40퍼센트 이상을 죽였다. 이 무시무시한 사망률은 수십 년 동안의 대중 소요와 사회 격변으로 이어졌다. 그러나 그것은 또한 중세의 발명과 탐험의 짜릿한 새 시대를 열었다.

GIOVANNI BOCCACCIO

흑사병에서 영감을 얻은 가장 유명한 예술 작품의 하나가 《데카메론》이다. 전염병을 피해 피렌체에서 탈출해 나온 등장인물들이 말한 이야기 모음이다. 사진은 우피치 미술관 옥외에 있는 이 소설의 작가 조반니 보카치오를 묘사한 19세기 조각상.

얀 판에이크가 그린 〈아르놀피니 부부의
초상화〉는 부유한 상인과 그 신부를 묘사했다.
원근법과 그림자를 장난스럽게 구사한 것은
그가 필력의 전성기에 있음을 보여준다.
그는 흔히 유화의 발명자로 일컬어진다.

〈구세주〉는 경매에서 가장 비싸게 팔린
그림(저자가 책을 쓴 시점 기준)이다.
그 가치의 상당 부분은 이것이 레오나르도
다빈치의 작품으로 밝혀졌다는 데 있다.
다빈치는 문예부흥기의 박식가로서 그의
천재성은 중세와 우리 시대를 연결하고 있다.

1453년, 오스만 술탄 메흐메드 2세가 콘스탄티노폴리스를 포위했다. 이 프랑스 그림은 메흐메드가 이 고대 도시의 성벽을 겨누게 한 거대한 대포를 보여준다. 이 동로마 수도 함락은 동부 지중해의 무역을 더욱 어렵게 만들었고, 대신 대서양을 건너는 탐험을 자극했다.

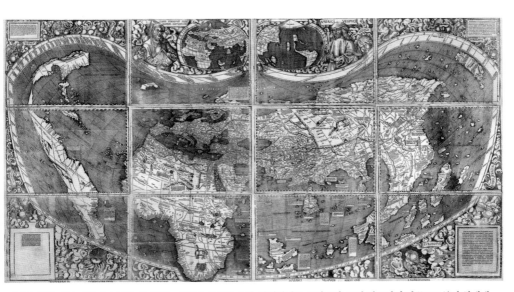

1507년 독일 지도 제작자가 만든 이 지도는 대서양 서쪽의 육지, 아메리카를 보여준다. 또한 인도양이 남쪽으로부터 항해해 들어갈 수 있음을 보여준다. 이 두 가지는 모두 중세 말 유럽인에게 최신의 지리적 발견이었다.

마르틴 루터는 나중에 종교개혁이
되는 것의 지적 설계자였다.
가톨릭 교리와 부패에 대한 그의
매서운 비판은 중세 로마 교회에
회복할 수 없는 타격을 가했다.

1527년 로마는 미래의 신성로마 황제 카를 5세가 양성한 군대에 약탈당했다. 피터르 브뤼헐(아버지)의 이 파노라마는
악명 높은 제국 군대가 가한 끔찍한 유혈 사태를 슬쩍 비추는 정도다. 이 중세 세계는 이제 막바지에 다다르고 있었다.

중세인들

중세인들

서로마 몰락부터 종교개혁까지,
중세 천년사를 이끈 16개 세력

댄 존스 지음 | 이재황 옮김

책과함께

제1권 | 차례

일러두기

• 이 책은 Dan Jones의 POWERS AND THRONES(Apollo, 2021)를 우리말로 옮긴 것이다.

• 옮긴이가 덧붙인 설명은 〔 〕로 표시했다.

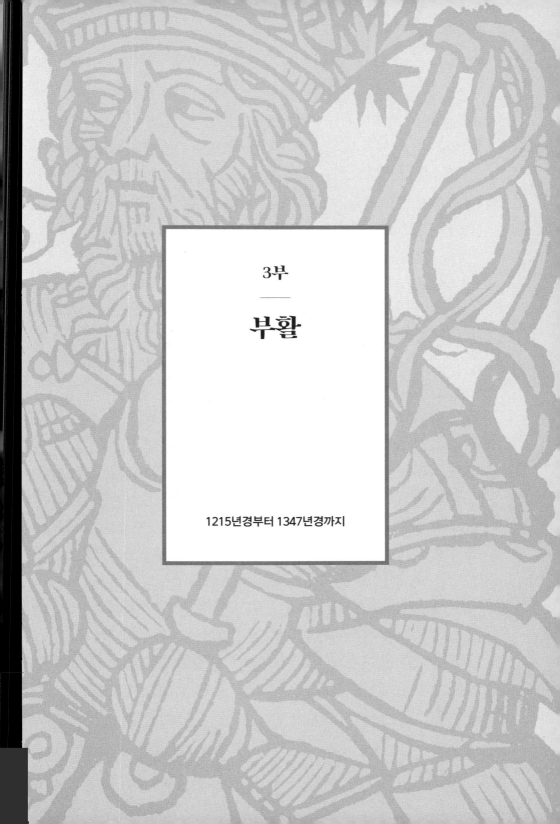

3부

———

부활

1215년경부터 1347년경까지

9장
몽골인들

그들은 왔고, 그들은 무너뜨렸고, 그들은 불을 질렀고,
그들은 칼을 휘둘렀고, 그들은 약탈했고, 그들은 떠나갔다.
— 아타말리크 주바이니, 몽골인에 관하여

1221년 초의 서늘한 시기에 나일강 삼각주의 대도시 다미아트에 동방에서 이상한 소식이 전해졌다. 다미아트는 당시 국제 십자군이 장악하고 있었다. 그들은 4년 동안 이집트 술탄을 상대로 지루한 군사 작전을 벌이고 있었고, 그들이 이 도시를 점령하기는 했지만 달리 할 수 있는 일이 많지 않았다. 이집트에서 싸우는 것은 덥고 돈이 들고 성가시고 비위생적임이 드러나고 있었다. 아이유브 술탄 알카밀은 끄떡없이 카이로에 버티고 있었고, 그를 제물로 삼아 무언가를 더 얻어내는 것은 어려울 듯했으며 심지어 불가능할 듯했다. 많은 비용을 들이고 많은 생명이 희생되었지만 전반적인 상황은 결국 돌파구를 찾지 못했다. 그러나 다미아트에 도착한 편지들은 모든 것을 바꿀 수 있을 듯했다.

이 편지들은 안티오케이아 공작 보에몬도 4세가 십자군에게 전해준 것이고, 거기에는 페르시아에서 인도 서해안까지 뻗친 교역로에서 장사하

는 향신료 상인들이 십자군 국가들에 전한 소문들이 담겨 있었다. 이 상인들이 전한 엄청난 이야기에 따르면 '인도왕 다비드'라는 매우 강력한 지배자가 중앙아시아의 이슬람 왕국들을 강타하고 나아가며 자기 앞에 있는 모든 것을 날려버린다는 것이었다. 소문은 다비드왕이 이미 페르시아의 샤흐(왕)를 물리치고 사마르칸드와 부허러(모두 현대의 우즈베키스탄), 가즈니(현대의 아프가니스탄) 같은 거대하고 부유한 도시들을 점령했다고 했다. 그러나 그는 만족하려면 아직 멀었다. 그는 지금 가차 없이 서쪽으로 나아가며 도중의 이교도들을 박살 내고 있었다. 한 역사 기록자는 이렇게 들었다고 한다. "지상에 그에게 맞설 수 있는 세력은 없다. 그는 신의 징벌을 집행하는 자, 아시아의 망치로 받아들여지고 있다."[1]

다미아트에서 이 놀라운 군사 정보를 입수한 사람은 아코의 주교 자크 드비트리였다. 그는 근면한 학자 성직자로, 편지에 대한 사랑이 각별해서 양피지로 만든 주교 모자(오늘날 벨기에 나뮈르의 주립고미술박물관에 소장되어 있다)를 쓸 정도였다. 드비트리는 자신이 읽은 것을 믿을 충분한 이유가 있었다. 대략 비슷한 시기에, 몇 달 전 다미아트 바깥에서 싸우다 붙잡혀 갔던 작은 무리의 십자군이 다행히 도시로 돌아와, 믿기 어렵지만 비슷한 내용의 체험담을 말했기 때문이다.

그들은 이집트에서 술탄의 병사들에게 붙잡혀 전쟁포로로 바그다드의 압바스 할리파 궁정에 보내졌다. 거기서 그들은 더 먼 동쪽에 있는 강력한 왕을 위해 일하는 사절에게 인간 선물로 주어졌다. 바로 그 강력한 군주가 다시 자신의 힘과 아량에 대한 증거물로서 그들을 다미아트로 돌려보냈다. 신기한 이야기였다. 이 십자군의 체험은 유럽인의 언어가 쓰이는 곳에서 아주 먼 나라를 갔다 온 것이기 때문에 그들은 자기네가 본 것과 자기네가 만난 모든 사람에 대해서도 제대로 알지 못했다. 그러나 정황으로 보아 그들을 살려준 사람이 바로 다비드왕이라고 생각하는 것이 합리적일 듯했다.

자크 드비트리 대주교는 이 소식을 서방 곳곳에 널리 퍼뜨렸다. 교황, 오스트리아 공작, 파리대학 총장 같은 고위직에 있는 사람에게 직접 편지를 썼다.[2] 십자군은 살았다고 그는 공언하고, 다비드왕이 이집트 술탄을 쳐부수는 일을 도우러 오는 것이라고 했다. 드비트리와 그 밖의 비슷한 부류의 성직자들은 여러 가지 기독교의 예언을 전쟁포로들이 털어놓은 명백히 흥미로운 목격담과 뒤섞어 다비드왕이 신화 속 기독교도 전사이자 지배자의 후예인 사제왕 요한이라고 판단했다.

그들의 조상들은 사제왕 요한이 잘 알 수 없는 '삼인도三印度'라는 곳의 지배자이며, 수십 명의 왕이 이미 그에게 공물을 바치고 있다고 말했다. 그들은 요한이 "우리 폐하의 명예에 걸맞은 대군을 거느리고 십자가의 적에게 굴욕적인 패배를 안기기 위해"[3] 예루살렘으로 올 것이라고 예측했다. 그들에게는 안타깝게도 이런 일은 일어나지 않았다. 이유는 간단했다. 사제왕 요한이 존재하지 않았기 때문이다.

그러나 이제는 그의 아들(또는 아마도 손자)이 그 임무를 수행하기 위해 오고 있다고 생각되고 있었다. 정보 보고와 예언의 조합이 믿을 수 있다면 십자군은 곧 알렉산드리아를 점령하고 이어 다마스쿠스를 점령하며 그 뒤에 다비드왕과 합류해 큰 승리를 거두고 예루살렘으로 휩쓸고 들어가리라고 기대할 수 있었다.

마침내 일이 풀려가기 시작했다.

물론 그렇지 않았다. 다비드왕의 증원군 도착이 임박했다는 소식에 기운을 낸 다미아트의 십자군이 술탄 공격에 나서 승리를 향한 진격을 시작했지만 그들은 허무하게 패배하고 흘러넘친 나일강의 물속에 빠져 익사했다. 그리고 그 이후에 추가로 여러 집단의 십자군이 성지로 왔지만 그들은 다비드왕의 흔적조차 찾을 수 없었다. 승리가 임박했다는 예언은 환상으로 드러났고, 곧 다비드왕의 이름은 더 이상 언급되지 않았다.

그러나 이 모든 것에도 불구하고 다비드왕에 대한 소문이 완전히 허구는 아니었다. 무적의 지배자가 동방에서 막을 수 없는 기세로 진군해 오고 있다는 인도의 향신료 상인과 십자군 전쟁포로의 말은 거짓이 아니었기 때문이다. 그들은 다만 자기네 앞에 있는 사람들이 어떤 사람인지 알지 못했을 뿐이었다.[4]

그들이 사제왕 요한의 손자이자 서방 기독교 세계의 구원자 '다비드왕'이라고 생각했던 사람은 사실 칭기스 칸이었다. 몽골 스텝의 빈털터리 유목민 소년에서 당대의 가장 성공한 정복자로 올라선 사람이었다. 칭기스 칸은 20년 사이에 무자비하고 분명히 무적인 몽골 전쟁 조직을 만들어냈으며, 이어 그것을 한반도에서 메소포타미아에 이르는 자기 주위 세계에 풀어놓았다. 그는 그 과정에서 중앙아시아와 서아시아의 정치 구조를 찢어버렸고, 동방 세계의 거대 제국 두 개를 멸망시켰다. 중국의 금金나라와 페르시아의 호라즘이다. 그리고 그것으로 그치지 않았다.

칭기스가 일어선 13세기 초부터 그가 정복한 거대 국가가 공식적으로 커다란 네 덩어리로 나뉜 1259년까지 몽골인은 세계에서 가장 큰 연속된 땅덩어리의 제국을 통치했다. 그들이 세계의 패권국으로 군림한 기간은 150년밖에 지속되지 않았지만, 그 기간에 그들이 이룬 성과는 고대 마케도니아, 페르시아, 로마의 그것과 필적할 만했다.

그들의 방식은 현대 이전의 다른 어느 세계 제국과 비교해도 더욱 잔인했다. 몽골은 도시 전체를 완전히 파괴하고 모든 주민을 쓸어내며 광대한 지역을 폐허로 만들어 한때 붐비던 대도시를 연기가 나고 쓸쓸한 곳으로 만드는 데 주저하지 않았다. 그들은 그런 곳을 자기네가 원하는 대로 재건설하거나 아니면 간단히 지도에서 지워버렸다.[5]

그러나 몽골인의 도살, 낭비, 민족 절멸과 비교될 수 있는 것은 그들이 서아시아까지 이르는 아시아 전역의 무역과 교류 양상을 새롭게 가동시켰다는 사실이다. 그들은 자기네가 정복한 영토에 엄격한 치안 질서를 강제함으로써 역사가에게 때로 '팍스몽골리카'(몽골에 의한 평화)로 알려진 비교적 평화로운 시기를 만들어냈다. 이에 따라 육상 탐험의 장대한 여행이 가능해졌고, 기술과 지식과 사람의 동서 간 이동이 더 쉬워졌다. 또한 세계 역사상 최악의 세계적 유행병이 전파될 수 있도록 하기도 했다(이에 관해서는 13장에서 다룰 예정이다).

몽골인은 세계 제국의 행정 수단을 창출했다. 세계 규모의 우편 체계, 보편 법전, 합리화된 십진법 체계의 군사 개혁, 대도시 계획에 대한 매우 가혹하지만 효율적인 접근법 같은 것이다. 그들의 제국 조직은 확실한 표준이 되었다. 그런 규모로는 로마의 멸망 이후 나타나지 않았고, 아마도 19세기가 되기까지는 다시 나타나지 않았다.

그들은 기독교 이전 로마 이래의 어떤 제국보다도 더 종교 교리에 대해 대체로 관용적이었으며(칭기스 칸이 이슬람교의 관습인 할랄에 따른 동물 도살을 금지하기는 했다), 몽골의 지배가 드리워진 지역의 현지 관습을 허용하는 데 비교적 유연했고, 종교 지도자들을 종파나 신앙에 차별을 두지 않고 존경했다.

이런 성과들과 그 밖의 것으로 인해 역사가들은 몽골의 칸이 중세 금융 혁신에서 미국 건국자들의 세계관 형성에 이르기까지 모든 것의 원조라고 말하고 있다. 당대에 그들은 부러워하는 칭찬의 대상이면서 동시에 아주 깜짝 놀랄 공포의 대상이었다. 몽골을 빼고 중세와 서방 세계의 형성을 이야기하는 것은 불가능하다. 따라서 우리의 출발점은 그들의 시조일 수밖에 없다. 바로 칭기스 칸이 되는 스텝의 가난한 소년 테무진이다.

칭기스 칸

(비록 완전히 신뢰할 만하지는 않지만) 칭기스 칸의 생애에 관한 가장 가까운 시대의 기록인《몽골비사秘史》에 따르면 이 위대한 정복자는 본래 "상천上天에 의해 운명이 정해진 보르테 치노(푸른 늑대)"가 코아이 마랄(흰 암사슴)과 결혼해 내려온 핏줄의 자손이었다.[6] 그의 조상 가운데는 수십 킬로미터 밖을 볼 수 있는 외눈박이도 있었고, 지금의 북몽골에 해당하는 굴곡진 평원에 살던 유목 부족 전사도 많았다. 그들은 천막을 치고 계절에 따라 옮겨 다녔으며 살아가기 위해 사냥과 습격에 의존했다.

그리고 1162년 무렵의 어느 시기에 이 세계에, 나중에 칭기스 칸이 되는 아기가 성스러운 부르칸칼둔산 부근에서 태어났다. 그는 "오른손에 한 줌의 핏덩이를 쥐고"[7] 태어났다고 한다. 그의 이름은 테무진이라 지어졌다. 보르지긴 가문의 유명한 전사였던 그의 아버지가 몽골의 숙적인 타타르족을 상대로 싸우고 있었고, 그 이름의 중요한 포로를 잡았기 때문이다.

그러나 테무진이 아홉 살 때 타타르족이 그의 아버지를 독살했다. 소년과 그의 여섯 형제자매는 어머니 호엘룬이 도맡아 기르게 되었다. 상황은 더욱 힘들어졌다. 부족이 이들 가족을 돌봐주지 않고 내쫓아 버렸기 때문이다. 그들은 야생 과일이나 몽골 스텝 토산의 마멋이라는 땅다람쥐 같은 작은 동물을 잡아 먹고 살았다. 그럴듯한 인생의 출발은 아니었다.

다행스럽게도 테무진과 그의 가족이 어려운 시기를 맞았을 때 스텝의 상황이 보기 드물게 온화했다. 중앙 몽골 소나무 숲의 옛 나무에 대한 연구는 테무진이 커가고 있던 바로 그 시기에 이 지역이 15년 연속으로 날씨가 따뜻하고 비가 많이 왔음을 보여주었다.[8] 1100년 동안 이 지역의 날씨가 그렇게 좋았던 시기는 없었다. 목초지에 풀이 잘 자랐고, 그것에 의지해 사는 사람과 동물 역시 마찬가지였다.

테무진과 그 가족은 들판에서 어려운 시기를 살아남았고, 소년은 10대 중반이 되자 말을 타고 싸우고 사냥하고 살아남는 법을 배웠다. 그와 그 가족은 마침내 부족 집단 속으로 돌아갈 수 있게 되었다. 테무진은 동물들을 얻어 키우고 우유를 얻었고, 보르테라는 소녀와 결혼했다. 그의 일생 동안 그의 게르(동물 가죽으로 만든 몽골 전통의 천막)를 찾게 되는(때로는 동시에) 수십 명의 처첩 가운데 첫 부인이었다.

신체가 강건하고 정력적이며 고양이처럼 쏘는 듯한 눈을 가진 그는 유목 사회에서 자리를 차지해나가기 시작했다. 그러나 쫓겨났던 일은 이후 줄곧 그의 지도력에 영향을 주는 방식으로 그를 만들어갔다. 테무진은 특이할 정도로 억세고 자제력이 강한 사람이 되었으며, 다른 무엇보다 충성심을 가장 중요시했다. 그는 배반과 거짓의 기미만 보여도 절대 용서하지 않았으며, 자신을 거부하거나 저항하거나 방해하는 사람에게는 잔인하게 대응했다.

스텝의 부족 생활의 중심에는 동물을 기르고 탈취하는 일이 있었고, 정치는 부족 사이의 복잡하고 수시로 변하는 동맹에 따라 조직되었다. 부족 사이의 전쟁은 일상다반사였고, 테무진은 이 일에서 뛰어난 솜씨를 보였다. 20대 중반이 되자 그의 명성은 매우 높아져, 그는 카묵몽골로 알려진 부족 연맹의 칸(지도자)으로 추대되었다. 그것은 중요한 자리였고, 테무진은 이 자리에 오름으로써 이웃 부족과의 전쟁에 나갈 때 수만 명의 기마 전사를 소집할 수 있었다.

그런 전쟁들 가운데 가장 극적인 것이 어릴 적 친구이자 의형제였던 자무카가 이끄는 경쟁 부족 연합과의 싸움이었다. 그는 자무카를 물리치고 마침내 그의 배신에 대한 벌로 그를 죽였다. 12세기가 끝나갈 무렵 테무진은 그 지역에서 가장 능숙한 지도자 가운데 하나임이 입증되었다.

그의 성공 요인은 단순하지만 효과적인 것이었다. 그는 개인적인 싸움의 재능과 결혼(둘 다 스텝 지역 외교의 필수 도구였다) 외에 전통적인 몽골 부족과 군사 조직에 대한 몇 가지 급진적 개혁 방법을 우연히 찾아냈다. 7세기에 티격태격하는 아라비아반도의 부족들을 통합한 무함마드와 마찬가지로 테무진은 씨족의 유대와 혈연이 도움이 되는 때도 많지만 그렇지 않은 경우도 많음을 알았다. 그리고 그것 대신에 자신과의 직접적인 유대 관계를 강화함으로써 그 구성 요소보다 훨씬 강력한 전체를 만들어낼 수 있음을 알았다.

그러려면 몇 가지 단순하지만 중요한 실무 단계가 필요했다. 하나는 그의 군사 조직에 강력한 능력주의 요소를 도입하는 것이었다. 몽골 사회는 관습상 가문과 재산을 바탕으로 한 부족 위계에 따라 조직되어 있었다. 테무진은 이 전통을 확 부숴버렸다. 그는 자신의 협력자와 자기 군대 장교를 능력과 충성심이라는 엄격한 잣대로 선택했다.

그런 뒤에 휘하 장교에게 규격화된 병사 부대를 지휘하도록 맡겼다. 기층 단위는 아르반(십호)이라는 10명으로 이루어진 부대였다. 6명은 경무장한 기마 궁수, 4명은 보다 중무장한 기마 창수 槍手였다. 10개의 아르반이 하나의 주운(백호)이었다. 10개의 주운이 하나의 밍간(천호)이었다. 그리고 가장 큰 단위인 1만 명의 부대는 투멘(만호)이었다. 군대는 전체로서 통합되는 데 결정적인 것이지만, 이들 부대는 부족 집단별로 편제된 것이 아니었다. 가족과 가계는 무시되었다.[9] 병사는 한번 부대에 배치되면 옮길 수 없었다. 죽음을 각오해야 했다. 그러나 말을 타고 나가 함께 승리를 거두면 그들은 돈과 여자와 말을 모을 수 있었다. 이 세 가지는 스텝에서 가장 수요가 많은 교환 수단이었다.

테무진은 그의 군대 바깥에서도 사회를 자신의 휘하에 한데 묶는 방법에 집중했다. 여기서 그는 동로마의 유명한 황제 유스티니아누스와 닮은 구석이 있었다. '자삭' 혹은 '야사'로 알려진 법전은 몽골 지배하의 모든 사람에게 같은 신민의 것을 훔치거나 서로를 노예로 삼지 말고, 관용과 친절의 엄격한 예의를 보여주며, 무엇보다도 칸의 권위에 복종하고, 강간과 남색男色, 천둥 속에서 빨래하는 것과 수원지에서 소변보는 것을 경멸해야 한다고 요구했다. 테무진이나 그의 법전을 거스르는 사람은 누구든 용서 없이 가혹하고 통상 치명적인 벌이 가해졌다. 보통 사람은 죄가 있을 경우 칼로 목을 베었으며, 고위 관리나 지도자는 등뼈를 부러뜨려 죽였다 (피를 흘리지 않고 죽게 하려는 것이다).

가혹은 모든 몽골의 행위의 특징이었다. 테무진과 그의 장군들은 원정과 정복 과정에서도 엄격하고 끔찍할 정도로 잔인한 전투 규칙에 따라 작전을 벌였다. 몽골의 지배에 즉각 복종하는 사람이나 도시는 모두 자기네 일원으로 받아들였다. 그러나 저항과 반발의 기미가 조금이라도 보이면 대학살과 초토화가 따랐다. 몽골의 사절을 박대한 적은 몽골이 자기네를 끝까지 따라오리라는 것을 각오해야 했다. 자기네 재물이 얼마나 되는지를 속인 공동체는 떼죽음으로 책임을 져야 했다. 때로는 기괴하고 본보기를 보이는 방식이었다.

이는 두 가지 목적에 이바지했다. 첫째로, 그것은 일종의 심리전이었다. 테무진은 적이 즉각 항복하지 않으면 즉각 죽게 될 것임을 알아차린다면 그가 접근해가기만 해도 무너질 가능성이 높다는 것을 깨달았다. 둘째로, 완전히 복속한 적 이외에 모조리 절멸시키는 것은 테무진이 비교적 적은 병력을 동원해 벌이는 전쟁에서 승리를 보장했다. 정복된 지역의 치안 유지를 위해 많은 병력을 남길 필요가 없었기 때문이다.

그러나 공포에 의한 지배가 있었다면, 몽골이 살려준 사람에 대한 놀랄 만한 수준의 관용도 있었다. 몽골에 항복한 씨족과 부족은 몽골 사회에 적극적으로 합류했다. 남자는 군대에 들어갈 수 있었고, 여자와 아이는 기존의 공동체에 편입되었다. 한편 대부분의 종교 신앙이 허용되었다. 몽골 세계가 바깥으로 확장되기 시작하면서 갈수록 중요해지는 사실이다. (테무진은 대부분의 종교 신앙에 매혹되었고, 언제나 그것을 몽골의 무속적 토속 종교의 경쟁자로 보기보다 유용한 것이 추가되었다고 보았다.[10])

따라서 테무진은 이른 시기부터 몽골 세계의 특징으로 압도적인 군사력뿐만 아니라 매우 높은 정도의 강제된 사회적 응집력도 있다고 생각했다. 그 이후 세계 역사상의 많은 독재자도 비슷한 생각을 가졌다. 그러나 테무진과 같은 정도의 압도적인 성공으로 자기네의 목표를 추구하거나 달성한 사람은 거의 없었다.

1201년 무렵에 테무진의 카묵몽골은 스텝의 자기네 지역에서 가장 강력한 부족 연합이 되었다. 5년 뒤 테무진은 메르키트족, 나이만족, 타타르족, 위구르족 등 주변의 다른 모든 세력을 물리쳤다. 그들은 모두 테무진에게 고개를 숙였다. 그의 이름은 1206년 칭기스 칸(대략 '사나운 지배자'의 뜻)으로 바뀌었다. 쿠룰타이로 알려진 고위 부족장 회의에서 그의 이례적인 정복 위업을 인정해 그에게 준 칭호다. 《몽골비사》는 이렇게 썼다. "호랑이의 해(1206년)에 펠트 벽 천막의 사람들이 충성 맹세에 나가게 되었을 때 그들은 모두 오논강†의 수원지에 모였다. 그들은 꼬리가 아홉 달린 (테무진의) 흰색 기를 들었고, '칸'이라는 칭호를 (그에게) 바쳤다."[11] 칭기스는 많은 별명을 얻었다. 그가 이끄는 몽골인은 스텝의 공포였기 때문이다. 절망에 빠진 한 적은 이렇게 썼다. "우리가 그들과 만나 죽기로 싸운다 해도 그들은 자기네의 검은 눈 한 번 깜짝하지 않을 것이다. 뺨에 화살을 맞고 검은 피를 앞으로 뿜어내면서도 물러서지 않는 이 강인한 몽골인들과 싸우는 것이 권할 만한 일이겠는가?"[12] 다음 세기에는 수백만 명의 사람이 같은 질문을 스스로에게 하게 된다.

칸들의 행진

1206년의 승리 이후 칭기스 칸은 영토를 몽골 평원 너머 먼 곳까지 널리 확대했다. 북중국에서 그는 서하와 금 왕국을 공격했다. 전투에서 중국의 적을 격파하고 전투원과 비전투원 할 것 없이 수십만 명을 학살했다.

1213년, 그가 보낸 병사들은 중국의 만리장성을 세 군데에서 뚫고 들어간 뒤 금나라 수도인 중도를 향해 내려갔다. 그곳은 1215년 포위되고 점령되고 약탈당했다. 금 황제 선종은 몽골에 항복하지 않을 수 없었고, 수도와 자기 왕국의 북쪽 절반을 포기한 채 500여 킬로미터 바깥의 변경(현대의 카이펑)으로 달아났다. 그것은 비참한 굴욕이었고, 이후 금 왕조는 다시 회복되지 못했다. 그러나 칭기스 칸과 몽골인에게 그것은 또 하나의 승리일 뿐이었다.

그 뒤 그들은 서쪽으로 향해 서요(이슬람권에는 카라키타이로도 알려졌다)

---

† 이 강은 몽골 북쪽에서 북으로 흘러 현재의 러시아로 들어가 실카강이 된다.

를 겨냥했다.《몽골비사》에 따르면 칭기스는 서요를 "베어 썩은 통나무 무더기로 만들었다."[13] 1218년이 되면 몽골 군대는 동쪽으로 한반도 방향을 향했고, 다른 방향에서는 중앙아시아와 페르시아인의 땅을 시야에 두었다.

이 시기에 페르시아와 그 주변 많은 지역의 지배자는 호라즘인이었다. 한때 맘루크였으나 독자적인 거대 제국의 주인으로 일어선 튀르크인으로, 이 제국은 중앙아시아의 부유한 도시와 실크로드를 끼고 있었다. 1218년, 칭기스 칸은 그들의 지도자인 호라즘 샤흐와 무역 거래 협상을 계획해, 몽골 관리 100명으로 이루어진 외교 대표단을 그에게 파견했다. 불행하게도 대표단은 호라즘 샤흐의 궁정으로 가는 길에 호라즘의 도시 오트라르(현재의 카자흐스탄)에 들렀다. 이들 전원은 간첩 혐의로 즉결 처형되었다. 말할 것도 없이 칭기스에게 이것이 좋을 리 없었다. 그는 "잘못을 보상하기 위한 복수를 할 것"을 맹세했고, 이 방침을 극단적인 편견에 싸인 마음으로 실천했다.

칭기스가 호라즘인을 상대로 벌인 원정이 결국 5차 십자군의 귀에 들어간 일과 같은 것이었고, '다비드왕'의 원정으로 개작되었다. 1219년, 한 개략적인 추산으로 70만 병력†으로 평가되는 군대가 (현재의 타지키스탄과 키르기스스탄에 걸쳐 있는) 알라이산맥을 넘었다. 이렇게 시작된 2년간의 원정으로 호라즘이 무너지고 그 도시들은 파괴되었으며 호라즘 샤흐는 목숨을 구하기 위해 도망쳤다. 그는 몽골인을 피해 중앙아시아를 떠나 인도로 가서 다시 돌아오지 못했다.

---

† 페르시아의 역사 기록자 라시둣딘의 이 추산은 분명히 병적인 과장이다. 이 시기 몽골의 전체 병력은 15만 명이 되지 않았다. 몽골 군대의 간소함은 사실 그들의 핵심적인 전술적 이점 가운데 하나였다.

중앙아시아의 몇몇 큰 도시가 칼을 맞았다. 메르브(오늘날의 투르크메니스탄 소재), 헤라트(아프가니스탄), 호라즘의 수도 사마르칸트(우즈베키스탄), 니샤푸르(이란) 같은 곳이다. 페르시아의 학자 아타말리크 주바이니는 몽골의 공격을 피한 희귀하고 운 좋은 사람의 말을 인용하며 이렇게 썼다.

그들은 왔고, 그들은 무너뜨렸고, 그들은 불을 질렀고, 그들은 칼을 휘둘렀고, 그들은 약탈했고, 그들은 떠나갔다.[14]

메르브 약탈은 특히 흉악했다. 메르브는 아마도 20만 명이 살고 있었을 국제적인 대도시였고, 황량한 대지의 아름다운 오아시스였다. 주요 국제 교역로가 여럿 지나가는 곳이었으며, 많은 훌륭한 자체 제조 공장들이 있었다. 배후지에는 최첨단 농업 관개 시설로 물을 대는 농경지가 수두룩했다.[15]

칭기스는 아들 톨루이를 보내 이 도시의 항복을 요구했다. 톨루이의 명령은 언제나와 마찬가지였다. 메르브가 즉각 몽골의 권위에 항복하지 않으면 도시를 폐허로 만들겠다는 것이었다. 톨루이는 자기 아버지를 실망시키지 않았다. 메르브가 저항하자 톨루이는 자신의 군대를 도시 주위에 포진시켜놓고 모든 시민에게 소유물을 몽땅 가지고 평화롭게 떠나라고 권했다. 그들에게 안전을 약속했다. 그러나 그들은 안전하지 않았다. 수천 명이 도시에서 나오자 그들은 약탈당하고 살해되었다. 그리고 도시가 약탈되었다. 값나가는 모든 것은 남김없이 빼앗겼다. 관개 시설은 다시 그대로 만들기 위해 연구된 뒤 파괴됐다. 메르브의 성벽 역시 마찬가지였다. 지하실과 하수도에 숨어 있던 소수의 시민도 발각되어 학살되었다. 그리고 몽골인은 자기네에게 저항할 사람이 한 사람도 없다는 데 만족했을 때

다른 곳으로 옮겨 갔다.

그들은 호라즘 땅 곳곳에서 같은 일을 반복했다. 행태는 큰 차이가 없었다. 도시를 파괴하고 산성을 조직적으로 포위 공격했으며, 그런 끝에 마침내 제국 전체를 자기네 손아귀에 넣었다. 몽골 총독이 모든 곳에 배치되었고, 그들에게 맞서는 반란은 충격적인 수단을 통해 진압되었다. 대량 참수는 흔한 일이었고, 많은 도시에서 머리와 몸통을 따로 산처럼 쌓아 장식하고 그것이 한데서 썩어가도록 방치했다. 수십만(어쩌면 수백만) 명의 사람이 살해당했다. 대부분 민간인이었다. 무수한 사람이 몽골 군대에 징병되거나 몽골로 보내져 노예가 되어, 일꾼으로 쓰이거나 성적 착취를 당했다.

지도자를 잃고 무력해진 호라즘인은 공포에 질려 복종했고, 그들의 나라는 파괴되었다. 호라즘 국가 내부의 구조적 취약점(이 나라는 이란계 민족과 튀르크계 민족 사이의 파벌싸움과 종파 분열로 갈라져 있었다)을 감안하더라도 이것은 징벌 같은 경험이었다.

1221년 칭기스는 자신의 목표를 이루었고, 군대를 이끌고 몽골로 돌아갈 준비가 되어 있었다. 그러나 그는 호라즘을 상대로 이룬 모든 것에도 불구하고 조용히 돌아갈 생각이 없었다. 약탈자에게는 모든 것이 먹잇감으로 보였고, 몽골 장군들에게는 아직 뜯어먹을 것이 많았다. 칭기스는 페르시아를 복속시킨 뒤 병력을 나누었다. 그 자신은 고국을 향해 동쪽으로 천천히 움직이면서 아프가니스탄과 인도 북부를 습격하고 약탈했다. 한편 그의 두 정예 장군 제베와 수부에테이는 더 서쪽과 북쪽을 향해 카스피해를 돌아서 캅카스와 기독교 왕국인 아르메니아·조지아로 밀고 들어갔다. 여기서 그들은 늘 하던 식으로 했다. 도시 전체를 도륙 내고 그 주민에게 무시무시한 천벌을 안겼다. 제베와 수부에테이는 윤간을 명령하고, 임신부의 신체를 훼손해 배 속의 아기를 난도질했으며, 고문과 참수를 자행했다.

1222년 여름에 그들은 조지아의 기오르기 4세와 전투를 벌여 두 차례 승리했다. 기오르기는 심한 부상을 당했고, 그 상처로 죽었다. 얼마 뒤에 기오르기의 동생이자 계승자인 루수다니 여왕은 교황 호노리우스 3세에게 편지를 써서, 자크 드비트리 같은 사람들이 교황에게 주입한 왜곡된 '다비드왕' 이야기는 대폭 바로잡아야 한다고 알려주었다. 신앙심과는 거리가 먼 몽골인은 적을 속이기 위해 그저 기독교도 시늉을 할 것이라고 여왕은 호노리우스에게 말했다. 그들은 "야만적인 타타르 민족으로, 외관이 끔찍하며 늑대만큼 게걸스럽고 (…) 사자만큼 용감합니다."[16] 그들은 사실상 대적할 수 없었다. 이 무렵 몽골인은 이미 여왕의 왕국을 지나간 뒤였다. 이때 그들은 정복을 중단한 것이 아니었고, 한 세대 뒤에 일을 마무리 짓기 위해 돌아온다.

제베와 수부에테이 두 장군은 조지아에서 러시아 스텝으로 달려 나아갔다. 그들은 크름(크림)반도에 접근했을 때 베네치아 공화국에서 파견한 사절들을 만났다. 베네치아인은 불과 몇 년 전 콘스탄티노폴리스를 향한 4차 십자군에서 그들이 이득을 추구하는 데서 몽골인만큼이나 잔인할 수 있음을 보여주었다. 베네치아인은 타협을 봤고, 흑해 크름반도에 있는 수익성 좋은 솔다이아(오늘날의 수다크) 식민지의 그들의 무역 경쟁자 제노바인을 몽골인이 공격해주기로 했다.

이를 시작으로 베네치아 도제와 몽골 칸 사이의 오랜 협력 관계가 이어졌다. 이것은 14세기까지도 이어졌고, 유명한 마르코 폴로의 모험(10장 참조)은 이를 바탕으로 한 것이었으며 베네치아 공화국은 이를 통해 매우 부유해졌다. 악마도 함께 말을 달릴 수 있을 듯했다.

크름반도에서 겨울을 난 제베와 수부에테이는 이제 칭기스가 있는 곳으로 돌아가기 위한 긴 우회 이동을 시작했다. 도중에 그들은 스텝의 여러 튀르크계 부족과 싸워 승리했다. 쿠만인 및 킵차크인 같은 사람들이었다. 그런 뒤에 그들은 북쪽으로 방향을 잡아 키이우로 향했다.

그들이 드니스테르(드네스트르)강을 따라 전진하고 있다는 소식이 혼비백산한 쿠만인을 통해 키이우루시인 사이에서 확산되었다. 몽골인이 정확히 어떤 사람들인지에 대해서는 여전히 큰 혼란이 남아 있었지만 말이다. 박식한《노브고로드 연대기》의 저자도 그들이 "우리의 죄를 벌하기 위한" 신의 채찍으로 보내졌다는 것만 알고 있었다. 그 외에 그는 이런 말을 할 수 있을 뿐이었다. 그들은 "알 수 없는 민족이다. (…) 그들이 누구인지 아무도 정확히 알지 못하고, 어디서 왔는지도 모르고, 어떤 언어를 쓰는지도 모르고, 어떤 종족인지도 모르고, 종교가 무엇인지도 모른다. 그러나 그들은 이 사람들을 타타르인이라 부른다."[17] 그러나 이 알 수 없는 방문객이 골칫덩이임은 분명했다. 노브고로드 공작 '용자勇者' 므스티슬라프, 키이우 대공 므스티슬라프 3세, 할리치 공작 다닐로 등 러시아 군주의 연합은 군대를 동원해 그들을 쫓아내려 했다. 이것이 무모한 짓이었음은 말할 필요도 없다. 그러나 군주들이 자기네와 협상하기 위해 파견된 몽골 사절 열 명을 처형한 바보짓은 결국 자살이나 마찬가지였다.

1223년 5월 말, 루시 군주들은 칼카강(현재의 칼치크강) 부근에서 몽골군을 따라잡았다. 그들은 몽골군 후위 부대의 전사 1000명쯤을 죽일 수 있었지만, 제베와 수부에테이의 주력 부대를 만나자 궤멸되었다. 러시아 병사의 90퍼센트가 전투에서 살해되었고, 군주 세 사람은 생포되었다. 몽골인은 러시아인이 건방지게도 자기네 사절들을 처형한 사실을 똑똑히 기억하고 있었고, 잔인한 복수를 했다. 키이우의 므스티슬라프 3세와 그의 두 사위를 융단으로 말아 몽골 지도자들의 게르 마룻바닥 아래에 처넣었다. 그러고는 그 위에서 승리 축하 만찬을 열었다. 그들은 승리 잔치의

떠들썩함이 귓가를 울리는 가운데 짓눌리고 질식해 죽었다.[18]

몽골군은 이때는 오래 머물지 않아서 루시의 땅을 당시 엄청나게 확장된 제국의 영토로 추가하지 않았다. 그러나 그들은 루시인을 보았고, 스텝의 유럽 쪽 끝에 있는 목초지도 보았다. 조지아의 경우와 마찬가지로 그들은 나중에 다시 돌아왔다.

한편 칭기스 칸과 그의 장군, 병사에게 고향인 몽골로 돌아가는 여정은 매우 길었고, 누구든 마주치기만 하면 거의 싸우려 들고 자기네의 승리를 떠벌리기 위해 풍성하고 고주망태가 되는 잔치를 열면서 더 길어졌다. 그러나 그들은 1225년에는 자기네 고향에서 사람들과 재회할 수 있었다.

거기서 그들은 자기네가 만들어낸 새로운 세계를 살펴볼 수 있었다. 이제 칭기스는 60대 초반이었고, 그는 동쪽의 황해에서 서쪽의 카스피해에 걸친 영토의 주인이었다. 그 크기 자체만으로도 거의 초현실적이었다. 같은 세기에 글을 쓴 이라크 역사 기록자 이븐알아시르는 "이 타타르인들이 고금을 통틀어 들어보지 못한 일을 했다"라고 단언하고, 독자가 자기네의 눈을 믿을 수나 있을지에 대해 의문을 표했다. "맹세코, 오랜 시간이 흐른 뒤에 우리 후손 누구라도 이 사건에 대한 기록을 보면 받아들이기 어려우리라는 데는 의문의 여지가 없다."[19] 그리고 단순한 정복의 광대함과 함께 제국주의라는 맛있는 과일이 더해졌다. 몽골은 부족민이 꿈에서조차 생각할 수 없을 정도로 부유해졌다. 정복군은 그들 앞에 수천 마리의 빼앗은 말을 몰고 왔다. 금과 은, 노예와 데려온 기술공, 새로운 외국 음식과 독한 술 등 모든 것이 여러 달 거리의 정복된 땅으로부터 쏟아져 들어왔다.

특별히 문화적으로 독단을 가지지 않았던 몽골인은 자기네가 갔던 땅으로부터 기술과 관습을 열심히 거둬들였다. 중국인 배 목수와 페르시아인 공성 기술병이 군대에 징발되었다. 위구르인 필사자가 행정 조직에 발탁되었고, 새로운 공식 문자가 제국 전역의 행정을 위해 채용되었다. 1227년, 칭기스는 지폐를 발행했다. 패배한 중국의 금 왕국이 시행한 제도를 베낀 것이었다. 보조 화폐로는 은과 비단이 사용되었다.

바로 그해인 1227년, 사나운 정복자가 죽었다. 8월 하순이었다. 그가 죽은 이유는 지금 알 수 없다. 그러나 다양한 여러 가지 설명이 중세 동안에 나왔다. 칭기스가 벼락을 맞았다, 독화살을 맞았다, 포로 왕비가 치명적인 상해를 입혔다(그의 잠자리에 들여보내질 때 질 속에 면도날을 숨겨 가지고 들어갔다고 한다) 등 가지가지였다.[20] 어느 말이 맞든, 그는 침대에서 죽었다. 그리고 그의 마지막 명령은 적절했다. 그는 자신의 후계자들에게 몽골 제국의 수도로 쓰기 위해 카라코룸이라는 새 도시를 건설하도록 요구했다. 그리고 탕구트인의 황제인 서하 말제末帝와 왕족을 대량 처형하라고 지시했다. 당시 그의 군대가 맞서 싸우던 상대였다. 그들은 말뚝에 묶여 난도질 당했다.

칭기스의 시신이 지금 어디에 묻혀 있는지는 그의 죽음의 원인과 마찬가지로 불분명하다. 그가 자신이 묻힌 것을 고의로 비밀에 부쳤기 때문이다. 묻힌 곳을 알아볼 수 없게 말들로 짓밟게 했으며, 그런 뒤에 매장 역부들이 살해된 듯하고 그들을 살해한 자들 역시 살해되고 마무리한 사람들까지 살해되었기 때문이다. 이 단계에서 칭기스가 세계 지배를 위한 공격으로 목숨을 날려버린 사람의 수는 전혀 계산이 불가능하다.

마르코 폴로는 몇 세대 뒤에 되돌아보면서 칭기스가 "진실성이 인정되고 엄청난 지혜를 가졌으며 말을 잘하고 용감하기로 유명했다"라고 주장했다.[21] 이 평가는 포함된 것만큼이나 많은 것이 빠져 있다. 그러나 칭기스 치세에 이루어진 번개 같은 영토 확장과 문화적 도약 이후, 13세기의 유일한 세계 초강대국으로서의 몽골의 미래는 확고해진 것으로 보였다. 이제 보아야 할 것이라고는 그들 패권의 다음 단계를 누가 감독할 것인지뿐이었다. 그리고 그들이 얼마나 멀리까지 갈 수 있을지도.

'타타르인' 속에서

칭기스가 죽고 14년이 지난 1241년 부활절 직후, 몽골 군대가 서방으로 돌아왔다. 그들은 중부 유럽과 동유럽에서 벌어진 전투에서 두 차례의 놀라운 승리를 거두었다. 불과 72시간의 시차를 두고 거둔 두 승리는 전체 대륙 몽골화의 무대를 마련한 일로 보였다.

4월 9일, 바이다르와 카단이라는 몽골 장군들이 (오늘날의 폴란드 남부에 있는) 레그니차 부근에서 폴란드, 체코, 신전기사단 연합군을 격파했다. 그들은 돌니실롱스크 공작 '경건자' 헨리크를 죽이고 그 머리를 꼬챙이에 꽂아 공포에 질린 레그니차 주민들 앞을 행진했다. 전투가 마무리된 뒤 몽골군 분견대가 죽은 적 전투원들의 오른쪽 귀를 잘라냈다. 전리품으로 몽골에 보내려는 것이었다. (커다란 자루 아홉 개를 꽉 채울 정도로 귀가 많았다.)

이틀 뒤인 4월 11일, 헝가리를 휩쓸던 별도의 더 큰 몽골군 부대가 트란실바니아의 무히 전투에서 벨러 4세 왕에게 마찬가지로 참혹한 패배를 안겼다. 벨러는 자기 군대 대부분을 잃고 목숨을 구하기 위해 달마치아(달마티아)로 달아날 수밖에 없었다. 폴란드 역사 기록자 얀 드우고시는 미쳐 날뛰는 몽골 군대의 무시무시한 모습에 몸서리를 쳤다. "그들은 내키는 대로 불을 지르고 죽이고 고문을 가했다. 감히 그들에게 맞서는 사람이 아무도 없었기 때문이다."[22] 벨러 같은 지도자들이 겁을 먹고 달아나자 몽골군은 동유럽 일대에서 마구 날뛰었다. 그들이 일으킨 공포에 대한 소문이 금세 퍼졌다. '타타르인'(애초부터 부정확한 이름이었던 '타타르인'은 이제 '지옥'을 나타내는 라틴어 타르타루스Tártărus에 대한 말장난으로 타락했다)의 '라틴' 세계 침략에 두려움을 느낀 교황 그레고리우스 9세는 자신이 행동에 나서야겠다고 결심했다.

그는 2년 가까이 신성로마 제국 황제 프리드리히 호엔슈타우펜을 상대로 한 십자군에 대한 정치적 지지를 모으기 위해 노력해왔으나, 이제 방향을 바꾸었다.[23] 그는 6월에, 성지, 발트해, 콘스탄티노폴리스의 로마니아 왕국, 호엔슈타우펜가의 신성로마 땅에 가기로 약속한 십자군에게 그들의 서약을 변경해 헝가리로 가서 몽골군과 싸우라는 교서를 발표했다. 벨러와 헝가리인에게는 유감스럽게도, 사실상 아무도 교황의 호소를 마음에 두지 않았다. 1241년에 이루어진 십자군의 숫자 자체가 그것을 말해준다. 예수 탄생 기념일이 다가오고 지나갔다. 3월 무렵에 몽골군은 달마치아로 죄어 들어가고 있었다. 바로 벨러를 찾아내 잡기 위해서였다. 상황은 매우 좋지 않아 보였다.

그러다가 갑자기 몽골이 추적을 뚝 멈췄다. 그들은 말머리를 돌려 저 멀리로 달려갔다. 자기네 제국의 중심부 쪽으로 되돌아간 것이다. 명백한 절멸의 위기에서 동유럽은 갑자기 몽골로부터 해방되었다. 마치 연민을 보인 신이 손을 아래로 뻗어 자신의 백성을 괴롭히는 자들을 지상에서 뽑아낸 듯했다.

크로아티아의 역사 기록자 토마 아르히자콘에 따르면 몽골이 이렇게 갑작스럽게 떠난 이유는 헝가리 스텝이 광대하기는 하지만 몽골의 장기 군사 작전에 필요한 거대한 말의 무리를 먹일 수 있는 충분한 목초를 제공할 수 없었기 때문이다.[24] 그러나 몽골의 정치 또한 급격한 전환을 겪고 있었다. 칭기스의 셋째 아들이자 최고 칸 계승자인 오고데이가 1241년 12월 말 죽었다. 그리고 몽골에는 일시적인 권력 공백이 있었다. 분별 있는 장군들과 관료들은 새 지도자로의 이행을 보기 위해 함께 고국으로 향했다.

몽골은 서방을 포기하지 않았다. 이탈리아와 독일의 부는 여전히 호라즘 제국이나 북중국 도시들의 부와 마찬가지로 매력적이었다. 그러나 당분간 몽골인은 멈출 수밖에 없었다.

이 이상한 휴지기에도 불구하고 몽골은 1240년대에 여전히 세계 육지의 거대한 영역을 지배했다. 오고데이가 통치한 14년 동안 그들은 끊임없이 영토를 확장했고, 중국과 이슬람계 신민들로부터 채용한 새로운 포위전 기술을 실전에 배치했다.[25] 아제르바이잔, 이라크 북부, 조지아, 아르메니아가 모두 몽골의 지배하로 들어왔고 카슈미르 역시 마찬가지였다. 셀주크의 소아시아가 다음번 침략 예정지였다.

중앙 스텝 지역의 유목 부족과 루시의 군주들은 모두 가혹함의 정도를 달리해서 처벌을 받았다. (이중 성벽을 갖추고 있던 키이우를 포함해서) 키이우루시의 거의 모든 도시가 약탈당했다. 랴자니(랴잔, 모스크바 남동쪽 약 250킬로미터)의 파괴에 대해 한 연대기 기록은 이렇게 말한다. 몽골인은 "매우 아름답고 부유한 이 성스러운 도시를 불태웠다. (…) 그리고 신의 교회들은 파괴되었다. (…) 그리고 도시에서 살아남은 사람은 하나도 없었다. 모두가 죽었다. (…) 그리고 죽은 사람을 조문할 사람조차 아무도 없었다."[26] 몽골 제국은 이제 그 어느 때보다도 커졌다. 그리고 이 제국은 과거 오랫동안 서로 단절되어 있던 세계의 여러 지역을 연결시켰다. 그 결과 13세기 중반 이후 대담한 탐험가들이 낯선 새로운 지역으로 들어가기 시작했고, 자기네가 본 것을 기록하고 중세를 통틀어 볼 수 없었던 규모의

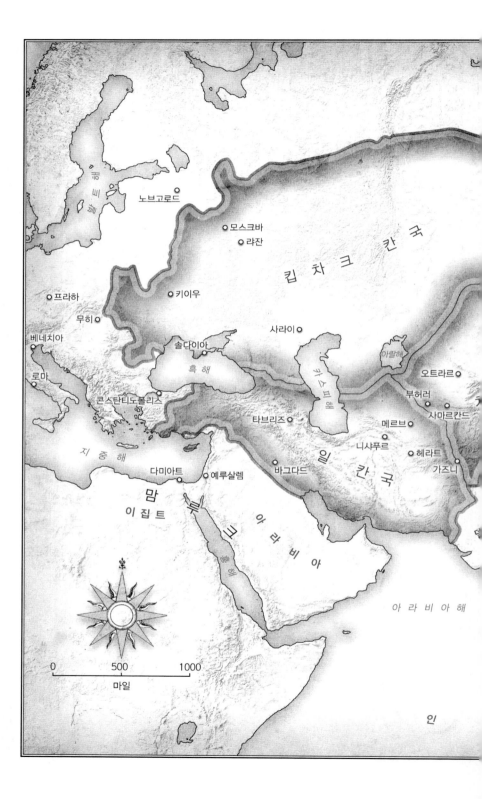

노브고로드

모스크바
랴잔

킵 차 크 칸 국

프라하

무히

키이우

사라이

베네치아

솔다이아

아랄해

오트라르

로마

흑 해

카스피해

부허러

사마르칸트

콘스탄티노플리스

타브리즈

메르브

니샤푸르

헤라트

지 중 해

일 칸 국

가즈니

다미아트

예루살렘

바그다드

맘

이 집 트

루 크 아 라 비 아

아라비아해

아 라 비 아

0   500   1000

마일

인

몽골 제국의 최대 판도
(1280년 무렵)

바이칼호

부르칸칼둔산
카라코룸

몽골

대 원

대도

변경

조어성

남 송

일본

발해

벵골만

남 중 국 해

태 평 양

한 초강대국의 통제하에 만들어진 이국적인 상황들을 묘사했다. 몽골인은 세계를 파괴했지만, 또한 세계를 탐험할 수 있게 열어놓았다. 로마 시대에도 동아시아는 단독 여행자에게 그림의 떡이었다. 중국에서 들어오는 비단과 기타 상품은 겨우 간접무역을 통해 들어오는 것이었고, 인도라고 더 많은 지식이 있는 것이 아니었다. 이제 몽골의 패권 아래서 그 모든 것이 바뀌게 되었다. 적어도 한동안은 말이다.

13세기에 새로운 땅으로 들어간 일부 중세 여행가는 자기네 여행에 대한 기록을 남겼다. 이에 따라 오늘날에도 우리는 그들의 눈을 통해 몽골 세계 안의 삶을 일별할 수 있다. 그런 사람 가운데 하나가 빌럼 판루브루크라는 프란체스코회 소속의 플란데런인이다. 그는 1253년 콘스탄티노폴리스를 떠나 동방으로 가서 몽골을 방문한 뒤 1255년 십자군 국가인 트리폴리로 돌아왔다. 한 세대 뒤의 사람이 베네치아 상인 마르코 폴로였는데, 그는 훨씬 오래 외국에 머물며 멀고 넓은 지역을 여행했다. 그는 사반세기 동안 칸의 나라에 머물렀다. 그러나 이 대담한 무리의 선구자는 조반니 다피안델카르피네라는 이름으로 불린 이탈리아의 탁발수도사 출신 사제였다. 그는 몽골인의 실생활에 관해 서방 최초의 기록을 남긴 세계여행자였다.

조반니 다피안델카르피네는 1245년 몽골을 방문하기 위해 출발했다. 그는 교황의 궁정을 떠나 잠시 프랑스의 리옹에 머물렀다. 그는 교황 인노켄티우스 4세의 서한을 가지고 갔다. 대大칸(카간)에게 기독교 국가에 대한 공격을 포기하고 기독교로 개종할 것을 고려해보라고 촉구하는 내용이었다. 그의 행동에 "신이 적잖이 화가 나 있"기 때문이다.[27] 이것은 희망에 부푼 임무였고, 아마도 쓸데없는 일이 될 듯해 보였다. 그러나 조반니는 도중에 큰 어려움을 겪었음에도 불구하고 일을 밀고 나아갔고, 그 보상은 오래 남을 이야기였다.

조반니는 몽골로 가기 위해 처음에는 프라하와 폴란드를 경유했고, 루시 땅을 지나며 키이우로 향했다. 5년 전에 몽골인들은 이 도시를 초토화시켰다. 주민의 90퍼센트가 살해당했고, 주요 건물 대부분이 불에 타 사라졌다. 조반니가 도착했을 때 본 것은 흔적뿐이었다. 그러나 이 지역에 몽골의 지배력이 미치고 있음은 의문의 여지가 없었다.

조반니가 들어간 지역의 루시 군주들은 모두 불안스레 몽골의 서방 군 최고사령관인 칭기스 칸의 손자 바투의 이동 지휘소를 알려주었다. 그가 길을 더 가려면 바투의 승인이 필요하다는 것이었다. 조반니 역시 몽골 세계에서 일을 해내려면 선물과 소비재에 대한 그들의 천성적인 애호에 호소해야 한다는 말을 자주 들었다. 그와 그의 수행원들은 폴란드산 비버 모피를 잔뜩 가지고 갔으며, 그것은 공물을 요구하는 모든 사람에게서 환영을 받았다.

조반니는 1246년 부활절 기간에 바투를 만났다. 이 만남은 최소한 학습 경험이었다. 서방 사람은 주둔지만 들어가려 해도 13세기판 공항 보안 검색을 거쳐야 했다. 그들은 조반니 일행에게 두 개의 커다란 불 사이를 지나가라고 요구했다. "너희들이 우리 주인에 대해 나쁜 짓을 할 생각이거나 어떤 독극물을 가지고 있다면 불이 그것을 가져가 버릴 것이다."[28] 그들은 또 일행에게 바투의 알현 장막 문지방을 직접 밟지 말라고 험악한 말로 경고했다. 몽골인은 그것을 매우 상서롭지 못한 일로 보기 때문에 그렇게 하는 사람은 모두 처형한다는 것이었다. 바투를 만난 조반니는 그가 현명하고 신중하지만 무서운 사람임을 알게 되었다. "바투는 자기 백성에게는 매우 훌륭하지만, 그들은 그를 매우 두려워한다."[29] 이것이 몽골인의 통치의 핵심이었다. 너그럽게 하면서도 공포로 제어하는 것이었다.

조반니 일행은 바투의 주둔지에서 잠시 머문 뒤 카라코룸을 향해 계속 가야 한다는 말을 들었다. 그곳에서는 새로운 칸인 오고데이의 아들 구육이 곧 즉위할 예정이었다. 이는 재미있을 듯도 했지만 귀찮은 일이기도 했다. 잡곡으로 만든 몽골의 간식과 궁정 잔치에서 나오는 많은 술은 그들에게 맞지 않았다. 특히 오늘날도 몽골에서 사교를 위해 주로 쓰이는 알코올 발효 마유주馬乳酒에는 도대체 정이 붙지 않았다.† 그래서 그의 일행은 메스꺼워하거나 불편해하거나 아주 냉담해했다.

그리고 그들의 여행은 놀라운 역참驛站 체계를 이용했음에도 불구하고 여러 달이 소요되었다. 역참은 오고데이 치하에서 제국 우편 조직의 일환으로 만든 것인데, 이를 이용하면 지친 말을 하루에 최대 일곱 번까지 갈아탈 수 있어 관리는 자기 몸만 허락하면 하루 종일, 그리고 날마다 말을 타고 빠르게 이동할 수 있었다.

여행이 길긴 했지만 놀라운 일도 무척 많았다. 몽골이라는 민족은 조반니를 매혹시켰고, 그들의 외모, 습관, 풍속은 놀라움을 안겨주었다. 조반니는 이렇게 썼다. "타타르인은 대부분의 사람들보다 눈이 더 길고 뺨이 더 넓다. 그들의 뺨은 턱에서 상당히 돌출되어 있고, 코는 납작하고 중간 크기이며, 눈은 작고 눈꺼풀이 눈썹 쪽으로 치켜 올라가 있다. 그들은 대체로 허리가 가늘고 (…) 거의 대부분 보통 키다. 턱수염이 많은 사람은 별로 없고, 일부는 성긴 콧수염이나 턱수염이 있는데 그것을 거의 다듬지 않

---

† 현대에 말을 타고 몽골 스텝을 여행하는 서방 여행가들이 많은 사랑을 받은 이 진미에 대해 이렇게 쓰고 있다. "유목민 가족들은 게르에 마유주 통을 놓고 사발로 떠서 마신다. 그들은 새끼가 있는 암말을 한 줄로 죽 묶어놓는다. 필요할 때 젖을 짤 수 있도록 하기 위해서다. 말젖은 거품이 이는 치즈맛의 유백색 요구르트 비슷하다. 엄청나게 역하다."

는다."[30] 그는 몽골의 종교가 흥미롭기도 하고 오싹하기도 했다. 일신론적이었지만 무속적이고 우상숭배적이며 점성술에 집착하고 사형에 처해지는 미신(고의로 불에 칼을 집어넣거나, 땅에 음식물을 뱉거나, 서로 뼈를 공격하거나, 천막 안에서 소변을 보면 사형이었다)으로 가득 차 있었다. "그러나 사람을 죽이고, 남의 땅을 침범하고, 부정한 방법으로 남의 물건을 손에 넣고, 간음을 하고, 남에게 상해를 입히고, 신으로부터 받은 명령에 어긋나게 행동하는 것은 그들 사이에서 죄가 되지 않았다."[31]

그는 자신이 만난 몽골인의 여러 가지 신기하고 모순되는 성격 특성 때문에 혼란스러웠다. 그들은 신체적으로 원기왕성하고, 주인에게 고분고분하고, 관대하고, 잘 다투지 않고, 서로 간에 화목했다. 그러나 거만하고 불손하며, 외부인에게 적대적이고 기만적이며, 때와 불결에 개의치 않고, 술을 마구 퍼마시고, 말 그대로 모든 것(쥐, 이, 개, 여우, 늑대, 말, 심지어 사람까지도)을 먹으려 했다. 그리고 그는 몽골 여성이 특히 매혹적임을 알게되었다. "기혼, 미혼을 불문하고 여성 역시 남성과 마찬가지로 능숙하게 말을 타고 달린다. 심지어 화살통에 활을 꽂고 가는 것도 보았으며, 여성은 남성만큼이나 긴 시간 말을 탈 수 있다. 더 짧은 등자를 쓰고, 말을 아주 잘 다루며, 온갖 것에 신경을 쓴다. 타타르 여성은 모든 것을 만든다. 가죽옷, 신발, 각반, 가죽으로 만드는 모든 것이다. 여성이 수레를 몰고, 그것을 수리하며, 낙타에 짐을 싣고, 자기네가 하는 모든 일을 빠르고 활기차게 한다. 여성은 모두 바지를 입고, 그 가운데 일부는 남성과 똑같이 활을 쏜다."[32]

조반니 일행은 몽골인이 정복한 지역들을 통과하며 여러 주일 동안 여행했다. 그들은 길을 가면서 "수많은 파괴된 도시, 파괴된 성채, 많은 황폐한 마을"을 보았다.[33] 그들이 몽골에 도착했을 때는 여름이었다. 그리고 계획했던 대로 구육이 칸으로서 환호를 받는 모습을 목격할 수 있도록 제때에 제국 궁정에 도착했다. 그들은 귀빈으로 새 칸의 숙영지에 받아들여졌다(결국 마유주 대신 맥주를 받았다). 주인 쪽은 흥분하면서도 초조해하고 있었다. 그곳은 세계 각지에서 온 손님으로 북적거렸다. 서방에서도 많은 대표단이 왔다. 러시아인, 헝가리인, 프랑스인, 라틴어를 쓰는 사람, 기타 등등.

모든 것의 한가운데에 구육의 천막이 있었다. 좋은 비단으로 감싸였고, 금빛 기둥이 떠받치고 있었다. 그러나 그것을 슬쩍 훔쳐보기란 어려웠다. 너무 가까이 기어갔다가는 누구라도 칸의 경비병들에게 발가벗겨져 치도곤을 당하기 십상이었다.

조반니는 비버 가죽보다 더 귀한 것을 가져오지 못해 난처했다. 다른 손님들이 가져온 산더미 같은 귀중한 선물이 나무 수레 50대쯤을 채웠다. 그는 생명의 위협도 느꼈다. 칸에게 경의를 표하기 위해 온 러시아 군주 하나가 자신의 천막에서 죽은 채 발견되었기 때문이다. 그는 마치 독살된 것처럼 잿빛 얼굴로 몸을 뻗고 누워 있었다. 그러나 며칠간 걱정스럽게 기다리던 끝에 조반니는 마침내 구육 알현을 허락받았다. 새 칸은 "나이가 마흔에서 마흔다섯, 또는 그보다 조금 더 되어 보였다. (…) 키는 보통 정도였고, 매우 현명하고 엄청나게 똑똑하며 매우 진지하고 몸가짐이 엄격했다. 그래서 아무도 그가 웃거나 농담을 하는 것을 쉽게 볼 수 없었다."[34]

칸은 통역을 통해 조반니에게 그의 주인인 교황에 대해 물었다. 교황은 어떤 사람이고, 그는 몽골어를 하는지 아라비아어나 루테니아어(루시인 사이에서 공통적으로 쓰인 슬라브계 언어)를 하는지 알고 싶어 했다. 라틴어는 구육에게 너무도 국지적인 언어라고 생각되었던 듯하다. 그러나 조반니는 칸이 교황의 지배 영역에 대해(또는 사용 언어에 대해) 어떤 구상이 있다는 분명한 인상을 받았다. 구육이 서방으로 돌아가는 여행에 몽골인 친구들(조반니는 그들이 첩자나 정찰병일 것이라고 확신했다)을 붙여주겠다고 고집했기 때문이다. 그러나 이 일에서 그가 할 수 있는 것은 별로 없었다.

구육은 교황에게 보내는 답신을 받아쓰게 했다. 세례를 받으라는 교황의 제안을 거부하고, 이 로마 교회 지도자가 자신에게 머리를 조아리든지 아니면 언짢은 결과에 직면하든지 하라고 무뚝뚝하게 명령했다. 이 편지들이 아라비아어는 물론 라틴어로도 번역된 뒤 조반니는 물러 나왔다. 그와 일행은 비단 안감의 여우털 외투를 받았다. 그런 뒤에 자기네가 왔던 쪽으로 돌려보내졌다. 그들 앞에는 역참들을 다시 한번 거치는 매우 긴 여정이 있었고, 조반니는 더 많은 밤을 눈 속에서 자면서 떨어야 했다.

그가 키이우로 돌아오자 그곳에 있는 러시아인들은 깜짝 놀랐다. 그들은 마치 그가 죽었다가 살아 돌아온 것이나 마찬가지였기 때문이라고 말했다. 그러나 조반니는 죽지 않았다. 그는 일생일대의 여행에서 살아남았다(그리고 때로는 그것을 즐겼다). 그의 세대 유럽인에게 비로소 개방된 땅이었다.

그리고 1247년 중반에 그는 유럽으로 돌아와 리옹에 있는 교황에게 칸의 서한을 전하고 자신의 경험담을 이야기했으며 임무 수행에 대한 보상을 받았다. 몬테네그로의 안티바리(현재의 바르) 대주교로 승진한 것이다. 그는 교황 특사로 프랑스왕 루이 9세에게 파견되었는데, 루이는 몽골과 관련된 모든 것에 예민한 관심을 보였다. 조반니는 이후 5년밖에 더 살지 못했다. 아마도 여행 때 고생을 해서 수명이 줄어든 듯하다.

그러나 그는 죽기 전에 자신이 본 것에 관해 썼다. 동방의 새 제국에서 발전하기 시작한 새로운 세계(그리고 거기에 도사리고 있는 위험)에 대한 묘사였다. 그는 사람들이 자신을 몽상가나 거짓말쟁이라고 하지 않을까,

그것만이 두려웠다. 자신이 써 내려간 체험담은 당시로서는 말 그대로 거의 믿기 어려웠기 때문이다.

제국의 분열

수많은 모험적인 외교관과 선교사가 금세 조반니의 뒤를 따랐다. 거의 같은 시기에 포르투갈의 로렌소라는 사람이 동방으로 가는 일을 맡았으나 그의 이후 소식은 알려진 것이 별로 없다. 1247년, 도밍고회 탁발수도사인 생캉탱의 시몽과 롬바르디아의 아셀리노가 페르시아에 주둔한 몽골 지역 사령관 바이주를 찾아갔다. 1249년에는 롱쥐모 형제(앙드레와 자크)가 프랑스왕과 교황의 선물과 편지를 들고 카라코룸으로 갔다.[35] 그리고 1253년에 또 다른 프란체스코회 탁발수도사가 몽골을 향해 떠났다. 이번에는 이교도를 개종시킨다는 전망을 안고서였다. 그것은 프란체스코 성인 추종자의 근본적인 의무 가운데 하나였다.†

　이 끄트머리의 탁발수도사는 빌럼 판루브루크라는 플란데런인이었다. 그는 조반니와 마찬가지로 자신이 본 것을 일기에 생생하게 기록했다. 프랑스왕 루이 9세에게 올리는 보고서 형식으로 정리했다. 빌럼 수도사는 조반니와는 좀 다른 경로를 택했다. 그는 콘스탄티노폴리스를 출발해 흑해를 건너고 상업 항구 솔다이아로 갔다. 전에 제노바의 무역 식민지였다가 지금은 몽골의 통제하에 있는 곳이었는데, 그곳에서는 이탈리아 상인

---

† 프란체스코 성인은 직접 이교도를 예수의 길로 개종시키는 일에 매달렸다. 그는 1219년 5차 십자군의 전선을 방문하는 동안 바로 이집트의 아이유브 왕조 술탄 알카밀을 개종시키려 할 때 인상적인 방식으로 안내를 했다.

집단이 활발하게 사업을 하고 있었다. 그 역시 서방의 칸 바투를 만났다. 그는 바투와 함께 볼가강을 따라 내려가며 5주를 보낸 뒤 몽골을 향해 떠났다.

도중에 빌럼은 조반니의 눈을 사로잡았던 몽골의 바로 그 여러 가지 낯선 관습을 기록했다. 더러움과 추함, 몽골 여성의 힘과 근면, 복잡한 미신, 사회적 폭력과 걸핏하면 내리는 사형 처분, 마유주(이때 몽골 제국 안의 많은 기독교도가 종교적 이유에서 그것을 마시기를 거부하고 있었다)의 고약함, 선물에 대한 집착, 관음증이 있기는 하지만 서방에 대한 무지(빌럼이 만난 한 사람은 교황의 나이가 500살이라는 말을 들었다고 했다), 보편화된 천둥에 대한 두려움, 쥐까지 잡아먹는 혐오스러운 잡식성, 남녀 모두가 선호하는 이상한 머리 모양 같은 것이다. 빌럼은 조반니와 마찬가지로 장거리 여행의 불편으로 간간이 고통을 당했고, 역시 아프거나 감기에 걸리거나 목마르거나 배고팠던 일이 많았다. 그러나 조반니와 마찬가지로 그는 멈추지 않았다.

1253년 예수 탄생 기념일 이틀 뒤에 빌럼은 칸의 숙영지에 도착했다. 카라코룸 성벽 바로 바깥이었다. 그는 유럽의 생드니 대수도원 같은 경이로운 곳에 비하면 초라하다고 생각했지만, 그럼에도 불구하고 그곳은 매우 국제적이고 여러 문화가 뒤섞여 있었다. 불교 사원이 열두 곳, 이슬람 사원이 두 곳, 기독교 교회가 하나 있었다. 구육은 죽었고, 사촌 몽케가 자리를 이어받았다. 그 밖에는 호시절이 여전히 한창 만개해 있었다. 몽골의 수도는 매우 부유했고, 지구촌 곳곳에서 온 상인과 사절이 모여드는 중심지였다. 인도의 고관이 사냥개나 표범을 수레에 태운 말들의 행렬을 이끌고 거리를 행진해 나아가는 모습을 보는 것은 드문 일이 아니었다.

그곳에는 또한 서방과 기독교도 출신도 약간 있었다. 몽케의 개인 비서로 일하고 있던 네스토리우스파 기독교도, 궁정 금 세공사로 일한 기욤 드뷔시에라는 파리 사람, 여러 언어를 알고 널리 여행했지만 몽골 오지에 갈 분명한 의사가 없는 듯한 배질이라는 잉글랜드인, 헝가리에서 몽골군에게 포로로 잡혀 그들의 나라로 끌려와 요리사로 일하고 있는 파샤라는 상냥한 프랑스 소녀 같은 사람이었다.

빌럼은 이런 유럽인을 만나 위안을 받긴 했지만, 그의 여행은 불신자를 개종시킨다는 자신의 임무에 비추어 보면 완전한 성공이라고 보기 어려웠다. 그는 여러 달 동안 머물며 몽케에게 직접 예수의 말을 전도하려고 최선의 노력을 기울였다. 몇 차례는 얼버무리는 대응을 당했고, 결국은 칸으로부터 훈계를 들어야 했다. 칸은 술을 잔뜩 마시고는 서방 사람이 대개 퇴폐적이라는 얘기를 늘어놓았다. 너무 훈련이 되지 않아 동방의 표준에 미달한다는 것이었다.†

몽케는 몽골의 모든 똑똑한 지도자가 그랬듯이 자기네 군대가 복속시킨 여러 문화의 가장 좋은 부분을 받아들이고 변형시키는 일을 아주 좋아했다. 그러나 그는 자기네 것이 최고라는 주장의 증거를 별로 제시하지 못하는 설익은 신앙으로 개종하는 일에는 뛰어들지 않으려 했다. 몽케는 이렇게 말했다. "신은 너희에게 성서를 주었는데, 너희는 그것을 준수하지 않는다. 반면에 우리에게는 점쟁이를 주었는데, 우리는 그들이 말해주는 대로 하고 평화롭게 살고 있다."³⁶

이렇게 좌절을 당한 빌럼은 1254년 7월 마침내 황궁을 떠났다. 걸판진 한차례의 잔치를 벌인 후였다. 그는 몽케가 루이 9세에게 보내는 서한을 가지고 갔다. 프랑스왕이 즉각 칸에게 복속하는 것이 가장 좋으리라고 그에게 권하는 내용이었다. 어느 시기에든 몽골이 불가피하게 그 역시 잡으

---

† 오늘날까지도 이어져오는 흔한 주제다.

러 갈 것이기 때문이다. 몽케는 루이에게, 자신은 "영원한 신의 권능으로 해가 뜨는 곳에서 해가 지는 곳까지의 온 세계가 기쁨과 평화 속에서 하나가 될 때"에야 멈출 것이라고 말했다. 몽골의 전쟁 조직 앞에서 지형은 보호막이 되지 못할 것이라고 그는 경고했다. "영원한 신의 명령을 듣고 이해한 뒤 네가 그것을 준수하려 하지 않고 (…) '우리나라는 멀리 떨어져 있고, 우리의 산악은 험준하며, 우리 바다는 드넓다'라고 말한다면 (…) 무슨일이 일어날지 우리가 어떻게 알겠는가?"[37]

몽케가 강·온 양면의 온갖 위협을 가하기는 했지만 결과적으로 몽골은 프랑크인의 왕국으로 쳐들어오지 않았다. 어쨌든 빌럼 판루브루크는 긴 여정을 거쳐 서방으로 돌아와, 1254년 말에 성지로 십자군 원정을 나가 있는 루이 9세를 찾아갔다. 그는 루이에게 더 이상 수도사에게 자신이 했던 것과 같은 여행을 시키지 않는 것이 매우 합리적일 것이라고 권했다. 이제 그 위험이 아주 명백해졌기 때문이었다. 그러나 그는 자신이 동방에서 한 경험으로부터 그들 모두가 배울 것이 아직 많다고 덧붙였다. 특히 십자군 운동과 관련해서다. 그는 이렇게 썼다. "우리 촌민이(왕이나 기사는 말할 것도 없고) 타타르 군주들이 움직이듯이 길을 갈 자세가 되어 있고 비슷한 식사에 만족한다면 온 세계를 정복할 수 있다고 확신을 가지고 말씀드립니다."[38] 그러나 그런 일 역시 일어나지 않았다. 동방의 십자군 세계가 붕괴 직전이었기 때문이다. 그리고 더 중요하게는 몽골 세계 역시 급격한 변화가 이루어지려 하고 있었기 때문이다.

1258년, 몽골 군대가 바그다드를 약탈했다. 이슬람 세계 최대 도시 가운데 하나가 늘 그렇듯이 야만적인 방식으로 파괴되었다. 몽케의 동생 훌라구와 한인漢人 장군 곽간이 이끄는 군대가 도시의 방어벽을 뚫고 들어가 수만(어쩌면 수십만) 명의 민간인을 학살했다. 전 세계에서 가장 훌륭한 도서관으로 정평이 있던 바그다드의 바이툴히크마('지혜의 집')는 철저히 약탈당했다. 철학, 의학, 천문학, 기타 많은 분야의 수천 권의 논문과 책이 티그리스강에 던져졌다. 수백 년에 걸쳐 그리스, 시리아, 인도, 페르시아의 언어를 아라비아어로 번역한 것이었다. 너무 많은 책이 던져져 강물이 그 잉크 때문에 검게 변해 흘렀다고 한다.

더욱 충격적이게도 훌라구가 압바스 할리파 알무스타심을 처형했다. 알무스타심은 몽골이 접근해올 때 항복을 거부하는 잘못을 저질렀기 때문에 어찌할 수가 없었다. 순나파 이슬람 세계의 최고 영적 지도자는 융단에 말려 말들에게 짓밟혔다. 이렇게 해서 750년의 우마이야 타도 혁명까지 거슬러 올라가는 역사를 가진 왕조의 불빛이 꺼졌다(4장 참조). 몽골인의 무자비에는 한도가 없는 듯했다. 그리고 그들이 파괴하기 어려울 정도로 성스러운 것은 이 세상에 없었다.

그러나 이듬해, 적수가 없고 만족을 모르던 몽골 제국이 심하게 흔들렸다. 몽골 군대의 일부가 시리아와 팔레스티나를 침공해 십자군 국가의 기독교도를 겁주고 일부는 다시 동유럽으로 가서 폴란드의 크라쿠프를 약탈해 그들이 다시 진격을 시작한 것처럼 보인 바로 그 순간에 동방에 재난이 터졌다. 1259년 8월, 몽케가 쓰촨의 조어산(댜오위산) 산성을 포위 공격하다가 죽었다. 이곳은 중국 남부의 송 왕조에 속한 성채였다. 그의 죽음이 이질이나 콜레라에 걸린 때문인지, 화살에 맞은 때문인지, 공성 사다리에서 떨어진 때문인지는 역사가 사이에서 논쟁이 있다. 그것을 확실히 알 수 있을 것 같지는 않다.[39] 그러나 어느 말이 맞든 몽케는 죽었다. 그의 죽음의 결과는 혼란과 내전, 그리고 결국 몽골 제국의 분열을 초래해, 칸국으로 알려진 네 개의 지역 정권으로 나뉘었고, 각각 자체의 분명한 성격과 정치적 목표를 발전시키게 된다.

　이것은 결코 짧고 급격한 과정이 아니었다. 몽케가 죽은 직후 갈등은 먼 동방에서 최고 칸 자리 승계를 노리는 후보자들 사이에서 일어났다. 몽케의 동생들인 쿠빌라이와 아릭보케가 통치권을 놓고 4년 동안 싸웠다.[†] 1264년에 쿠빌라이 칸이 승리했다. 그러나 문제는 전혀 끝난 것이 아니었다. 쿠빌라이가 겨우 지배권을 세우자 (죽은 오고데이의 아들이자) 그의 조카 카이두가 도전했다. 이것이 갈등을 촉발해 거의 40년을 시끄럽게 이어졌다. 한편 권력 공백 속에서 국지적인 분쟁이 터졌다. 바그다드의 도살자 훌라구 칸과 서방 사령관 바투의 동생 베르케 사이에서다. 바투는 조반니 다피안델카르피네와 빌럼 판루브루크의 글에서 중요하게 다뤄졌지만 이미 1255년에 죽었다.

　이 갈등의 상세한 내용이나 경쟁을 했던 칭기스 칸의 손자 및 증손자의 성적을 가지고 여기서 지체할 필요는 없다. 진실은 13세기 전반에 그렇게 드넓은 땅덩어리에서 매우 효율적으로 기능했던 몽골 제국이 그 지도 원리(단일하고 논란의 여지가 없는 지도자의 권위에 대한 확고한 충성심)가 도전을 받으면서 한데 묶을 수 없음이 드러났다는 것이다. 오고데이 치세에 만들어진 이례적인 역참 통신 체계는 수천 킬로미터 떨어진 곳에서 싸우고 있는 지휘관들이 서로 연락을 유지할 수 있게 한 것이었는데, 이는 그 지휘관들이 대칸의 이득이나 제국 자체의 이익보다 자신의 이득에 더 관심을 가지는 쪽으로 결심을 하면 아무 소용이 없었다.

　게다가 몽골인은 어떤 의미에서 자기네가 지닌 적응성의 희생자였다.

---

† 이 갈등은 '톨루이 내전'으로 알려졌다. 그것이 (칭기스 칸과 아내 보르테 사이의 넷째 아들) 톨루이의 두 아들 사이의 경쟁이었기 때문이다.

중국, 중앙아시아, 페르시아, 러시아 스텝에 파견된 지역 지휘관은 두 세대가 지나면서 전체로서의 몽골 영토라는 개념에 대한 애착보다는 제국 안에서 자기네의 영역에 대한 애착을 더 강하게 느끼기 시작했다. 일부는 게르의 펠트 아래서 사는 것보다 도시에서 사는 것을 더 선호하게 되었다. 일부는 지역의 종교를 받아들여 고국의 무속적 토착 종교를 버리고 티베트 불교나 순나파 이슬람교를 신봉했다.

이것은 아마도 당연한 수순이었을 것이다. 강력한 로마 제국조차도 지역 지휘관이 앞서거니 뒤서거니 현지인을 따라가는 것을 막지 못했다. 13세기에 그것은 몽골 제국이 영원히 몽골로 머물 수 없다는 얘기였다.

1260년 무렵의 위험한 시기 동안에 떠오른 네 개의 칸국은 그럼에도 불구하고 어떤 기준으로 보더라도 거대한 권력 집단이었다.

첫 번째의, 그리고 개념상 선임자는 중국을 중심으로 하고 대원으로 알려진 나라였다. 그것은 1271년 쿠빌라이 칸이 세웠고, 명백히 중국적 특성과 문화를 지녔다(또는 빠르게 그렇게 되었다). 그들은 유교와 중국 특유의 기술적 발명 능력을 받아들였다. 쿠빌라이는 수도를 카라코룸에서 옛 금나라의 성채 중도 외곽에 특별히 건설한 도시로 옮겼다. 이 새로운 수도는 칸발릭 혹은 한자어 이름으로 대도라 했다. 원 왕조의 쿠빌라이와 그 자손들은 바로 여기서 자기네 제국의 권력을 중국을 넘어 티베트, 한반도, 동부 러시아, 동남아시아 등지로 투사하고자 했다. 이 도시는 아직도 존재한다. 상당히 많은 변화를 겪은 모습이지만 정치적인 역할은 변함이 없다. 바로 베이징이라 부르는 곳이다.

대원의 서쪽에는 다른 세 몽골 승계 국가가 있었다. 차가타이 칸국은 그 지배자들이 칭기스 칸의 둘째 아들 차가타이의 자손이라서 그런 이름이 붙었는데, 대체로 중앙아시아 지역과 일치하는 곳에 있었다. 동쪽으로 알

타이산맥으로부터 서쪽으로 아무강까지다. 이 칸국은 유목민적이고 부족적이며 매우 불안정한 성격을 유지했고, 경쟁하는 지배자 사이에서 계속 요동쳤다. (14세기에 이 나라는 분열되고 줄어들었다가 모굴리스탄으로 알려진 정치체로 변신했다.) 그리고 여러 세대에 걸쳐 그 지배자들은 훌라구와 그 가계 사람들이 한때 페르시아의 호라즘 제국이었던 곳에 세운 몽골 일 칸국 지배자들과 충돌했다.

일 칸국은 압바스 할리파국을 깨부수고 바그다드를 파괴했으며 페르시아, 이라크, 시리아, 아르메니아, 소아시아 동반부를 장악해 최소한 일시적으로는 서아시아의 주역 노릇을 했다. 이것이 그들로 하여금 특히 서방 사람들에 대해 흥미를 갖게 했다. 그들은 당연히 십자군 세계의 정치에 휘말렸고, 그 결과로 서방의 많은 사람이 옛날 다비드왕 공상을 되살리며 몽골을 그리스도의 종으로 만들 수 있다고 스스로를 속이려 했기 때문이다.

1262년, 빌럼 판루브루크의 카라코룸 여행에 대한 기록을 읽은 프랑스의 루이 9세는 이집트의 새 이슬람 지배자 맘루크를 상대로 기독교-몽골 동맹을 맺자는 가당찮은 방안을 가지고 일 칸 훌라구를 설득하고자 했다. 훌라구는 그 꿈에 약간 빠져 자신이 최근 시리아에서 하샤신 종파를 몰아냈다고 루이에게 자랑했다. 이 종파는 산악 지역에 살면서 이 지역 모든 종교의 정치 지도자들에 대한 기습 테러 공격을 감행하는 것으로 유명한 은둔적인 시아파였다. 그는 이어 자신에 대해 "믿을 수 없는 사라센인에 대한 강력한 파괴자, 기독교도의 친구이자 지지자, 적에게는 열렬한 투사이고 친구에게는 믿음직한 친구"라고 묘사했다. 그리고는 자신이 "바빌로니아의 쥐새끼"[40]라고 폄훼한 맘루크를 정말로 깨부술 것이라고 루이에게 맹세했다.

그러나 결과적으로 훌라구와 그 후계자들은 맘루크를 상대로 매우 제한된 성과만을 거뒀다. 맘루크는 그들 자신이 스텝 유목민의 후예로서 전투에 잘 훈련되고 숙달되었으며, 결과적으로 레반트에서 몽골 팽창의 한계를 지운 방벽 노릇을 했다. 그들은 이집트, 팔레스티나, 그리고 마침내 시리아의 대부분을 확보하고 13세기 말에는 몽골이 북아프리카나 아라비아반도로 몰려드는 것을 좌절시켰다.

이것이 의미하는 바는 일 칸국의 몽골인이 사실상 옛 페르시아 제국의 최근 지배자가 되었다는 것이다. 그리고 그들이 이 역할에 익숙해지면서 그들은 점차 세계의 이 부분을 다스린 다른 모든 최근 지배자처럼 보이고 들리기 시작했다. 1295년, 일 칸 가잔은 불교에서 순나파 이슬람교로 개종했다. 훌라구의 증손자로서는 상당한 결단이었다. 1258년 압바스 할리파국을 말 그대로 종식시킨 것이 바로 훌라구였기 때문이다. 이 역설은 차치하고, 가잔은 교양 있고 멀리 내다보는 지배자였다. 그러나 그가 죽은 뒤 14세기 전반기에 일 칸의 권위가 점차 무너지기 시작했고 지역의 시시한 아미르들이 나름의 권력을 행사하기 시작했다. 14세기 중반이 되면 이곳은 거의 몽골 국가라고 보기 어려웠다.

이제 칸국이 하나 더 남았다. 이른바 킵차크 칸국†이다. 앞서 조반니 다피안델카르피네와 빌럼 판루브루크 같은 여행가들의 몽골 제국 횡단 부분에서 봤듯이 그들은 러시아 스텝 지역인 서부 지역이 지역 지휘관 바투의 통제하에 있음을 발견했다. 13세기가 저물어가면서 이 지역은 독자적인 칸 지배하의 독자적인 칸국이 되었다. 그 지배자들은 칭기스 칸의 후예로서, 그 맏아들 조치 계통이었다.

---

† 그 영어 명칭이 'Golden Horde'인데, 이 이름은 16세기부터 이 러시아 스텝의 칸국에 소급해 붙여졌다. 그러나 그것이 서방 칸의 금색 천막에서 나온 이름인지, 아니면 튀르크어 단어 오르다orda(사령부)나 라틴어 아우룸aurum(금)에서 나왔는지는 전혀 분명치 않다.

차가타이 칸국에서 그랬듯이 몽골 지배층은 한 해의 상당 부분을 유목민의 생활 방식에 따라 보냈다. 그러나 그들이 도시 생활에 아주 소홀한 것은 아니었다.[41] 정복 기간 동안 약탈당했던 러시아의 일부 대도시가 재건되었고, 또 어떤 것은 완전히 새롭게 건설되었다. 20세기에 세계의 이 부분을 지배하게 되는 소련 독재자들과 마찬가지로 킵차크 칸국의 몽골 지배자들은 특수 목적으로 건설한 주거지를 선호했다. 그 가운데 가장 유명한 것이 신·구 사라이다.

흑해와 카스피해 사이 아흐투바 강변에 자리 잡은 신新사라이는 14세기 말의 이슬람교도 여행가 이븐바투타가 보기에 번성하고 우아한 수도였다. 그는 이곳에 대해 약간 상세하게 묘사했다. "가장 멋진 도시 가운데 하나였다. 광대한 면적에 주민이 꽉 들어찼으며, 시장은 훌륭하고 거리는 넓었다." 그는 도시의 폭이 한나절 거리라고 판단했으며, 그 안에는 "대성당 열세 곳과 이슬람 사원 여럿"이 있었다. 여러 외국인이 사는 도시에 걸맞았다. "주민들은 민족이 다양했다. 이들 가운데 몽골인은 이 나라의 주민이자 지배자이며 일부가 이슬람교도이고, 아스인(즉 오세트인)은 이슬람교도이며, 킵차크인·체르케스인·러시아인·그리스인은 모두 기독교도다. 각 민족 집단은 각기 별도의 구역에 살며, 시장도 따로 있다. 이라크, 이집트, 시리아, 기타 여러 곳 출신의 상인과 방문객이 담으로 둘러쳐진 한 구역 안에 산다. 담은 자기네 재산을 보호하기 위해 친 것이다."[42]

이곳은 정말로 국제적인 장소였다. 실크로드의 주요 통로 가운데 하나를 통제하고 있는 도시다웠다. 다음 장에서 보겠지만 몽골인은 대체로 13세기 이후 이 통로를 통해 이루어진 세계 무역의 호황을 가져온 사람들이었다. 그리고 킵차크 칸국은 비단, 향신료, 귀금속과 보석, 모피, 소금, 동물 가죽, 노예 등 수많은 상품의 거대한 중개 시장으로, 또한 종교와 문화의 도가니였다. 이븐바투타가 지적했듯이 몽골 칸들은 이슬람교로 개종했다. 그러나 그들은 기독교에 매우 관대했고, 정교회의 토지에 세금을 면제해주고 성직자들의 몽골 군대 복무 요구를 그만두었다. 사실 그들은 러시아 성직자들에게 자기네의 영혼을 위한 기도를 요청했다. 마찬가지로 킵차크 칸국의 칸들은 자기네를 대군주로 인정하고 공물을 바치는 루시의 군주들과 평화로운 거래를 할 마음이 있었다.

그들 가운데 하나가 키이우와 블라디미르 대공인 러시아의 영웅 알렉산드르 넵스키(1220~1263)다. 그는 지금 정교회의 성인이다. 넵스키는 킵차크 칸 사르타크와 매우 친밀한 관계를 형성했고, 사르타크를 스웨덴과 독일에서 오는 기독교도 군대가 자신의 영토를 침범하고 자신을 로마 교회의 궤도로 편입시키려는 것을 막으려는 자신의 시도에 필수적인 동맹자라고 생각했다. 이 우정은 정치적 실용주의를 종교적 연대의 위에 놓았다. 기독교도와 이슬람교도가 언제나 쉽게 친해지기 어려운 십자군 운동의 시대였다. 그리고 그것이 완전히 이례적인 것은 아니었다.

몽골 침공의 충격이 점차 사그라진 뒤 13세기 중반부터 킵차크 칸국과 루시 토착 군주들은 서로 비교적 쉽게 거래를 했다. 몽골은 공물과 군역을 제공받았고, 그 대가로 군주 사이의 평화를 지켜주고 돈이 벌리는 그들의 교역망에서 몫을 챙겨주었으며 서방의 적으로부터 그들을 보호해주었다.

반면에 킵차크 칸들은 이 시기의 상당 부분을 일 칸국의 몽골 친척들과 불화해 싸우는 데 소모했다. 일 칸들은 캅카스에서의 그들의 영토적 야심에 심각한 위협으로 나타났으며, 실크로드의 서로 다른 부분을 통과하는 상업적 운송에서도 경쟁자였다.

몽골인이 몽골인과 싸우고 바깥 세계의 군주를 받아준다는 이 기묘한 상황은 여러 가지 측면에서 칭기스 칸이 옹호했던 모든 것과는 정반대였다.

그리고 천천히, 그러나 확실하게 몽골 대 몽골의 폭력은 한때 세계의 채찍이었던 제국의 종말을 가져오게 된다.

칸들의 최후

칭기스 칸이 죽고 100여 년 뒤인 1336년(또는 그 직전), 유명한 몽골 정복자 가운데 마지막 사람이 우즈베키스탄의 한 튀르크계 유목민 사회에서 태어났다. 그는 커서 엄청나게 지적이고 군사적으로 숙달되고 신체가 강건했지만, 젊은 시절의 탈선으로 오른쪽 다리와 손에 화살을 맞아 평생 불구가 되었다. 그의 이름은 테무르였다('절름발이 테무르'를 의미하는 페르시아어 티무리랑Tīmūr-i Lang을 거쳐 영어의 태멀레인Tamerlane으로도 불렸다). 그는 칭기스의 핏줄은 아니지만, 그 옛 전사가 세계를 몽골의 지배하에 넣은 이래 누구보다도 그에 가까이 다가간 사람이었다.

테무르가 한 남자로 성장한 1360년대에, 한때 몽골 제국이었던 것은 산산조각이 난 정치체의 모음으로 각기 쇠퇴해가고 있었다. 13장에서 보겠지만 흑사병으로 시작된 전염병의 파도는 세계의 다른 곳만큼이나 호되게 몽골 정치체들을 후려쳤다. 그리고 이것이 여러 칸국을 괴롭힌 유일한 문제는 아니었다.

동아시아에서는 원 왕조가 깡마르고 고함을 지르는 스텝 유목민 문화에서 판에 박힌 중화 제국 전제정으로의 변신을 완성했다. 폭압적이고 편집증적이며 황궁 담장 안의 절망적인 퇴폐와 만연한 비역질에 관한 주장들로 점철된 정치 체제였다. 홍건적의 난으로 알려진 오래 끌고 매우 폭력적이었던 반란은 1351년에서 1367년 사이에 일어나 결국 지역 세력으로서의 원 왕조를 무너뜨렸다. 1368년에 새 왕조 명이 권력을 잡았고, 원나라의 잔여 세력은 다시 몽골 스텝으로 달아났다. 그들은 그곳에서 북원으로 알려진 작고 눈에 띄지 않는 잔존 국가를 이루어 17세기까지 명맥을 유지했다.

쇠망은 동아시아로만 국한되지 않았다. 페르시아에서는 몽골계 일 칸국이 1330년대가 되면 이론의 여지가 없는 마지막 일 칸이 1335년에 죽으면서 작은 군벌 영지 조각으로 분해되었다. 테무르가 태어난 것과 거의 같은 시기였다.[43] 킵차크 칸국은 갈수록 파벌과 내분으로 쪼개졌다. 테무르가 태어난 차가타이 칸국도 사실상 분할되었다. 칭기스나 오고데이나 심지어 쿠빌라이에게도 이것은 모두 받아들일 수 없는 일이었을 것이다. 몽골의 승계 국가들은 더 이상 한때 그들이 구성 분자였던 초강대국과 조금이라도 닮은 구석이 없어졌다.

그러나 테무르는 화려하게(일시적이었지만) 그 시절로 되돌렸다. 그가 처음 전쟁터에 나간 1360년부터 15세기 초 그가 죽기까지의 사이에 테무르는 대몽골 제국의 들쭉날쭉한 파편을 모아 자신의 카리스마적 지배 아래 다시 짜맞추었다. 그가 패권의 길로 나아간 과정은 낯익은 것이었다. 테무르는 전쟁 능력과 외교적 재능을 무기로 중앙아시아 부족사회에서 입신한 뒤 눈길을 밖으로 돌렸다. 그는 여러 민족으로 이루어진 대군을 모으고 자극해 멀리까지 다니며 그 진군 앞에 복종하기를 거부하는 상대를 두려움에 떨게 했다.

그는 역사를 직접 언급하며 자신의 침략을 정당화했다. 자신은 비록 칭기스의 후예가 아니었지만, 50명 가까운 그의 처첩 가운데 두 명은 칭기스 가문 출신이었다. 테무르는 선인先人이 긁어모았던 것을 자신이 복구할 권리가 여기에서 나온다고 주장했다. 그는 칭기스의 쿠레겐(사위)을 자처했다. 그는 칸은 아니었지만(그저 중앙아시아 본국의 꼭두각시 칸의 이름으로 행동한다고 주장했다) 아미르알카비르(대大아미르)의 칭호를 가지고 있었고 몽골 귀족의 고압적인 태도를 지니고 있었다.[44]

이에 따라 테무르는 몽골 역사에서 자신의 위치를 잘 인식하고 있었다. 그리고 역사가 무엇을 요구하고 성취를 위해 어떤 역사적 방법을 써야 하는지도 알았다. 테무르 치하에서 대학살과 고문이 다시 한번 표어가 되었다. 도시가 파괴되었다. 머리가 잘려 나갔다. 시신이 짐승의 그것처럼 햇볕 아래서 썩어가도록 방치되었다. 노예 무리가 자기네 고향에서 끌려가 테무르의 나라로 가서 다시 돌아오지 못했다. 수십만(어쩌면 수백만)의 민간인이, 세계의 절반이 몽골 지배의 기치 아래 뭉친다는 불가능한 일이 정치적 성공의 모습이라는 테무르의 야망을 충족시키고 그의 믿음을 확인하기 위해 죽었다.

수십 년 동안 중앙아시아, 남부 러시아, 서아시아를 상대로 원정을 벌인 끝에 네 개의 옛 칸국 가운데 세 개가 테무르의 지배권 아래로 들어왔다. 차가타이 칸국, 일 칸국, 킵차크 칸국이다. 결국 명 왕조만이 그에 맞서 버티고 있었다. 게다가 그는 싸우면서 서쪽으로 밀고 나아가 소아시아 깊숙이까지 들어갔고, 한때는 유럽을 향해 치고 들어갈 기세였다.

이때 그가 방대한 땅을 정복했다는 소식이 거의 비슷한 정도로 기독교도 왕들을 우려하게 하고 자극했다. 그러나 많은 사람이 사제왕 요한 환상의 최신판에 사로잡혀 테무르의 이름에 떨고만 있는 것이 나은지 그를 기독교로 개종시켜 그들 공동의 적(특히 최근 부상해 동부 지중해의 이전 동로마 속주 상당 부분을 차지한 튀르크계 오스만)을 격파하는 데 동원하는 것이 나은지 혼란스러워했다.

당연하게도(이전에도 흔히 일어났던 일이다) 그들의 희망은 물거품이 되었다. 테무르는 결코 기독교도의 친구가 아니었고, 그 자신을 제외한 다른 누구의 친구도 아니었다. 때로 그는 자기가 지배하는 지역에 있는 기독교 공동체를 평화롭게 내버려두고 세금과 특권에 대한 공물만 요구했다. 그러나 또 어떤 때는 순나파 이슬람교도인 지하드 전사 노릇을 하고 싶어 했다(물론 그는 생각이 내키면 다른 이슬람교도를 죽이는 것을 전혀 서슴지 않았다). 분명히 그는 페르시아와 중앙아시아의 네스토리우스파 기독교도를 박해해 사실상 절멸시켜버렸다.

테무르는 1405년 죽었을 때 (표면적이기는 하지만) 놀라울 정도로 칭기스의 족적을 따랐다. 그는 서아시아를 포함하는 아시아 대륙 거의 전역을 두려움에 떨게 하고 자신의 직접 지휘 아래 복종하는 방대한 제국으로 한데 묶었다. 그리고 보물과 예술적 재능의 매우 급속한 재분배를 이루어 중앙아시아에서 문화적·지적 황금시대를 위한 무대를 마련하였다.

이 과정에서 그의 수도 사마르칸드가 전리품을 바탕으로 성장하고 유명해졌다. 이전의 카라코룸이 그랬듯이 말이다. 이 도시는 13세기 칭기스의 공격 이후 쇠약해졌던 고갈 상태에서 구조되었다. 도시계획이 다시 만들어지고 다시 건설되고 주민이 다시 들어왔다. 다른 나라에서 잡혀 온 기술공과 예술가가 그곳으로 옮겨져 이 거대한 제국의 재단장 작업을 맡았다. 그들은 사마르칸드를 화려한 기념비적 건축물, 궁궐과 공원, 성벽, 성문, 이슬람 사원, 조각상으로 채웠다.[45]

그러나 13세기에 그랬던 것과 똑같이, 피로 조립된 테무르의 제국은 내구성이 없었다. 중세가 마감되던 15세기 말이 되면 모든 것이 허물어져버렸다. 테무르 왕조(몽골인 가운데 테무르 계열이 그렇게 알려졌다)는 자기네가 이룬 것을 거의 유지할 수 없었다. 명나라는 중국을 지배했다. 아크코윤루(흰 양)로 알려진 순나파 튀르크 부족 연합은 페르시아와 메소포타미아를 휩쓸었다. 우즈벡 부족이 중앙아시아에 들끓었다. 1390년대 테무르의 침략으로 심하게 무너진 킵차크 칸국은 15세기에 결국 산산조각이 나서 독립적인 몇몇 '타타르' 칸국만 남겼다. 그 가운데 둘만이 중세 이후까지 살아남았다. 때로 소小타타르로 불리는 크름 칸국과 현대의 카자흐스탄과 대략 일치하는 카자크 칸국이다. 아프가니스탄과 인도 북부에서 테무르는 그의 후손 바부르를 통해 중요한 제국의 유산을 남겼다. 바부르는 16세기 초 카불에 무굴 제국을 세웠다. 그러나 무굴이 근세 초 동방에서 강력한 세력이 되기는 하지만, 그들이 몽골의 상속자임은 어렴풋이 알 수 있을 뿐이었다.

칭기스와 마찬가지로 테무르의 가장 큰 재능은 정복과 팽창이었다. 자신의 생애를 넘어 여러 세대 지속될 수 있는 안정되고 통일된 초강대국을 건설하는 것은 그의 장기가 아니었다. 그러나 공정하게 말하자면 그것은 그의 주요 목표도 아니었다.

그렇게 200년도 되지 않는 사이에 몽골인은 동부 스텝에서 날뛰어 전체 유라시아 세계를 지배하다가 안으로부터 파열하고 잠시 재통합했다가 다시 분해되었다. 그들의 이야기는 참으로 이상하며, 그리고 아마도 중세 전체를 통틀어 가장 잔혹한 이야기일 것이다. 칭기스 칸이 개척하고 완성한, 그리고 테무르가 능숙하게 모방한 몽골의 정복 방식은 20세기의 공포 독재를 예고하는 것이었다. 권위적인 지배자가 발광한 개인적 야망에, 그리고 이데올로기를 비현실적으로 전 세계에 널리 퍼뜨린다는 목표에 이바지하기 위해 수백만 명의 민간인이 무분별하게 살해되었다. 그저 역사상 대주의로 탕감할 수 없는 지독한 유혈 충동 및 잔인성과 함께 몽골인은 또한 세계의 모습을 심각하게 바꿔놓았다. 좋고 나쁜 양쪽으로 모두 말이다.

어떤 경우에 변화는 근본적인 정치지리학과 관련된 것이었다. 도시를 완전히 불태우고 대신 새로운 도시를 세우거나 아예 없애버리는 몽골인의 성향은 사실상 전체 지역의 판을 새로 짠 것이었다. 동아시아에서 그들의 정복은 '광역권 중국'이라는 오래 이어진 관념을 만들어냈다. 한 제국(또는 유사 제국) 권력이 거대한 땅덩어리를 지배하고, 지금의 베이징에서 통치하며, 스텝으로 뻗어나가고 서로 다른 수많은 민족집단을 포괄하는 것이다. 서아시아에서는 처참하게 부서진 바그다드가 몰락해 중요한 위치를 아제르바이잔의 타브리즈(현재의 이란령)에 넘겨주었다. 중앙아시아에서는 사마르칸드가 테무르의 약탈에 힘입어 중심적 지위로 뛰어올랐다. 러시아에서는 모스크바라는 교역의 주변부가 지역의 유력한 교역 중심지가 되었다. 처음에는 킵차크 칸국의 몽골인으로부터 안전한 거리에서 상인이 장사할 수 있는 곳이었는데, 이후 킵차크 칸의 협력자가 되고 16세기에는 아시아 서쪽의 유력 국가가 됐다. 그 지배자는 차르로 불리며 전체 루시의 지배권을 주장했다.[46]

그리고 물론 종교 문제도 있다. 몽골의 종교 교리에 대한 초기의 자유방임적 태도는 십자군 시대의 편협한 신앙에 맞닥뜨리면서 변화한 듯하다. 현대의 한 학자는 그것이 매우 훌륭한 역사적 사례를 제시해, 일반적으로 서방, 그리고 구체적으로 미국 헌법에 내재된 종교적 자유의 원칙이 칭기스 칸의 철학에 뿌리를 두고 있다고까지 주장했다.[47]

그러나 그와 함께 몽골인은 유라시아 대륙의 종교적 구성에 광범위한 변화를 가져왔다. 일 칸국, 차가타이 칸국, 킵차크 칸국의 몽골 지배자는 이슬람교로 개종함으로써 톈산산맥으로부터 내쳐 캅카스까지 뻗쳐 있는 광대한 이슬람 권역을 함께 만들었다. 캅카스에서는 다시 동부 지중해의 튀르키예 및 아라비아반도 왕국과 북아프리카로 이어진다. 중앙아시아와 러시아 남부가 오늘날 강한 이슬람 색채를 띠는 것은 상당 부분 몽골 시대에서 기인한다.

그리고 이것이 시간이 지난 뒤에 비로소 볼 수 있었던 것만은 아니다. 역대 몽골 칸에게 '다비드왕'이 되고 기독교로 개종하기를 간청했던 서방의 기독교 군주들과 프란체스코회 탁발수도사들은 이 방대하고 오만한 제국 권력의 종교적 정체성이 세계 종교의 균형에 지속적인 영향을 미칠 것임을 깨달았다. 그들이 몽케 칸 같은 사람을 설득하는 데 성공해 세례를 받게 했다면 오늘날 아시아에는 이슬람 사원의 뾰족탑보다 더 많은 교회 뾰족탑이 있었을 것이다. 그리고 미국-이란이나 러시아-튀르키예 같은 현대 국가 사이의 관계도 상당히 다른 모습이었을 것이다.

그러나 그것은 추측이다. 분명한 것은, 그리고 더 세밀한 조사가 필요한 것은 몽골인이 세계 무역과 여행망을 바꿔놓았다는 것이다. 그 바탕에는 몽골인의 엄청난 영토적 야심과 그들의 정복 규모가 지평선 너머 수천 킬로미터 밖을 여행하고 다시 돌아와 그 이야기를 할 수 있게 만들었다는 사실이 놓여 있다. 그들의 중앙아시아, 페르시아, 키이우루시 재편은 19세기의 어떤 제국주의적 팽창만큼이나 무자비했다. 그러나 19세기의 식민지 쟁탈전과 마찬가지로 세계 지도상에서의 몽골의 잔혹한 발호는 그럼에도 불구하고 세계적 무역 및 정보망을 열었고 그것이 서방의 역사에서 새로운 시대를 이끌었다.

그들의 수단은 무시무시했지만 그들이 초래한 변화는 놀랍고도 획기적인 것이었다. 정말로 이 교역의 변화는 분명히 이 책에서 다루는 이야기에 몽골이 끼친 가장 중요한 부분일 것이다. 따라서 이제 우리가 다룰 내용은 그들 유산의 바로 그 부분이다. 동방과 서방 출신의 대담한 상인, 학자, 탐험가가 몽골 정복 이후 우후죽순처럼 나타나 사상과 물건과 부를 교환하고 서방의 세계와 서방의 정신을 개조한 이야기다.

10장

상인들

✤

신과 이익을 위해.
– 토스카나 상인 프란체스코 디마르코다티니의 좌우명

1298년 9월 초, 전투 준비를 갖춘 두 함대가 아드리아해에서 서로를 향해 접근했다. 지금의 크로아티아인 본토와 코르출라라는 달마치아의 큰 섬 사이의 해협이었다. 모두 빽빽하게 병사를 태운 수십 척의 매끈한 갈레아 선이 유럽의 두 주요 해양 국가의 깃발을 휘날리고 있었다. 바로 베네치아 공화국과 제노바 공화국이었다.

이탈리아반도의 반대쪽(베네치아는 동북쪽, 제노바는 서북쪽)에 위치한 이 야심 찬 자립 도시들은 거의 50년 동안 반목하고 있었다(피사 공화국이라는 또 다른 경쟁자도 있었다). 그들은 성지와 콘스탄티노폴리스에서 싸웠다. 그들은 흑해의 항구들과 에게해 및 아드리아해의 섬들 부근에서 싸웠다. 그들은 바다의 패권을 다투었고, 아주 거칠게 싸웠다. 승리는 그저 이웃에게 자랑하고 약탈할 수 있는 것 이상을 가져다줄 수 있었기 때문이다. 베네치아인, 제노바인, 피사인은 서방의 유수한 상업 세력이 되고자 경쟁했다.

14세기로 접어들 무렵 이것은 작은 보상이 아니었다. 세계 무역이 급증하고 있었다. 상품과 사치품이 이전에 인류 역사 전체에서 보기 드물었던 속도로 세계를 반 바퀴 돌고 있었다. 이 시대의 상업적 지배권은 다퉈볼(그것도 목숨을 걸고) 가치가 있었다.

코르출라해협에서의 충돌은 일방적인 유혈 충돌이었다. 우쭐할 정도로 유명한 귀족 가문의 일원이었던 제노바의 뛰어난 제독 람바 도리아는 상대인 안드레아 단돌로(4차 십자군 때 콘스탄티노폴리스를 불태웠던 옛 도제 엔리코 단돌로의 친척이다)에 비해 훨씬 적은 배를 거느렸다. 그러나 도리아는 운이 좋았고, 조류가 그의 편이었다. 갈레아선들이 근접하자 휘하 선장들이 베네치아 배들을 얕은 물 쪽으로 몰았고, 많은 적선이 그곳에서 좌초했다. 제노바 병사들은 궁지에 몰린 적선에 승선해 마음껏 살육을 하고 포로를 잡은 뒤 베네치아 함대 거의 전부를 침몰시켰다.

이 싸움에서 베네치아 병사는 7000명이나 죽었다. 단돌로 제독은 생포되었다가 수감 중에 자살했다. 패배의 수치를 안고 살 수 없었던 것이다. 그의 굴욕적인 패배 소식이 베네치아 본국에 전해지자 당국은 화평을 청하지 않을 수 없었다. 코르출라 전투는 베네치아의 호시절로 기억되지 않는다. 그러나 이상하게도 제노바의 승리로도 기억되지 않았다. 대신에 달마치아 해안 앞바다 공해상의 이 유혈 충돌은 베네치아의 전쟁 포로 가운데 한 사람과 가장 밀접하게 연결된다. 그는 상인 가문 출신의 전직 모험가였다. 그는 당시를 살던 어느 누구보다도 더 멀리 세계를 여행해, 많은 특이한 일을 보고 여러 놀라운 사람을 만났다. 생존자이자 마술사로서 그는 들려줄 너무도 놀라운 이야기가 있었다.

그리고 코르출라 전투에서 포로가 된 뒤 그는 그 이야기를 할 기회를 얻었다. 그는 피사의 루스티켈로라는 동정적이고 재능 있는 직업 작가와 함께 수감되었다. 루스티켈로는 감방 친구의 기억을 이끌어냈고, 후손들을 위해 이를 기록했다. 그 결과물이 지금도 매년 수천 부씩 팔리고 있는 아주 인기 있는 여행담이었다. 물론 그 상인은 마르코 폴로다. 그리고 그의 이야기는 당연히 중세 전체를 통틀어 가장 유명한 것 가운데 하나였다.

1253년 베네치아의 한 상인 집안에서 태어난 마르코 폴로는 코르출라 전투에 참전했을 때 마흔다섯 살이었다. 그는 장성한 뒤의 생애 대부분을 유럽 바깥에서 보냈다.

상인이었던 그의 아버지 니콜로 폴로와 숙부 마페오 폴로는 몽골 궁정에 간 유럽인 가운데 선구자였다. 그들은 1260년 쿠빌라이 칸을 찾아가는 첫 여행을 했다. 동로마 황제가 돌아온 콘스탄티노폴리스를 떠나기 위해 그곳에 있던 사업체를 접은 뒤였다.† 그들은 동아시아에 진출하면서 몽골이 서방 상인에게 호의적이고 서방의 왕 및 교황과 외교 서신을 교환하는 데 관심이 있음을 알아차렸다. 그래서 니콜로와 마페오는 이후 10년 동안 동방과 서방 사이를 오갔다.

그들은 1271년 베네치아를 떠나 여행에 나설 때, 당시 10대였던 마르코를 데리고 갔다. 그것이 놀라운 여행의 시작이었다. 마르코 폴로의 회고록(지금 우리에게는《동방견문록》으로 알려졌지만 본래는《세계에 대한 묘사》로 불렸다) 서문은 이렇게 주장했다. "신이 아담을 만드신 이후 (…) 오늘날에 이

---

† 1261년, 주로 소아시아 서부에 기반을 둔 작은 그리스계 제국 니카이아의 공동지배자 미하일 팔라이올로고스는 콘스탄티노폴리스의 서방계 로마니아의 마지막 황제 바우더베인(보두앵) 2세를 쫓아냈다. 이제 미하일 8세가 된 그는 콘스탄티노폴리스의 시계를 4차 십자군 이전으로 되돌리고자 했다. 건물을 수리하고 교회에서 정교회 의식을 복구하며 그 세기 초 불명예스러운 행동을 했던 사람(특히 베네치아인)에게 폭력적인 복수를 했다. 폴로 형제는 이 혁명을 예측하고 미리 자기네 자산을 팔았고, 이에 따라 자산 압류와 파산을 면했다.

르기까지 마르코 폴로만큼 (…) 세계의 여러 지역과 그 매우 놀라운 일을 그렇게 많이 알고 탐험한 사람은 하나도 없었다. 기독교도든 이교도든, 타타르인이든 인도인이든 아니면 다른 어떤 인종이든 말이다."[1] 루스티켈로가 이야기에 솜씨 좋게 집어넣은 과장이었다(그는 잉글랜드왕 에드워드 1세에 관한 아서왕 이야기 같은 로망스를 쓰면서 많이 팔리는 책을 만드는 재주를 갈고닦았다). 그러나 사실과 아주 동떨어진 얘기는 아니었다.

앞서 9장에서 보았듯이 폴로 가족이 13세기에 칸들의 나라로 간 최초의 유럽인 여행자는 아니었다. 1240년대 이후 사절과 전도자의 행렬이 계속해서 동방을 향해 떠났다. 이미 살펴본 조반니 다피안델카르피네나 빌럼 판루브루크 같은 사람이 많았다.

조반니 다몬테코르비노는 1290년대에 칸발릭(베이징)으로 파견되었다. 교황의 명령으로 이 도시의 첫 대주교로 취임하기 위해서였다. 그는 몽골 치하 중국에서 20년 가까이 성공적으로 임무를 수행했다. 자신이 세운 교회에서 설교를 하고 사람들을 개종시켰으며, 신약성서를 몽골어로 번역했다. 비슷한 시기에 톨렌티노의 톰마소는 아르메니아, 페르시아, 인도, 중국을 돌며 줄기차게 전도를 하다가 인도의 타네(오늘날 뭄바이 대도시권의 일부다)에서 신성모독으로 재판을 받고 처형되었다. 이슬람교 당국에 자신은 무함마드가 지옥의 불길에 던져졌다고 믿는다는 말을 했기 때문이었다. 그 뒤 1318년에서 1329년 사이에 포르데노네의 오도리코는 중국과 인도 서부로 긴 전도 여행을 떠났다. 조반니 데마리뇰리는 1338년에서 1353년 사이 원 왕조의 마지막 황제 토곤테무르의 영적 조언자로서 파견되었다.

그러나 마르코 폴로는 이런 다른 여행자와 질적으로 달랐다. 다른 사람들은 거의 예외 없이 탁발수도사였다. 도밍고회 또는 프란체스코회 성직자로서, 가장 큰 책임은 신의 말을 전하는 것이었고 로마 교회의 안위를 지키는 것이었다. 그리고 그들에게 여행 과정에서 겪는 고난은 그들의 영적 소명의 일부였다. 그러나 폴로 가족은 기독교도이기는 했지만 성직자는 아니었다. 그들은 영혼 구제를 위해 고국에서 수천 킬로미터 떨어진 곳에 간 것이 아니었다. 그들은 상인이었다. 이윤을 추구하는 장사꾼으로, 구체적으로는 부유한 몽골 귀족에게 귀금속을 팔고 사업과 국제 외교에서 무소속 중개인 노릇을 했다. 게다가 그들은 베네치아인이었다. 서방에서 가장 무자비하고 대외 지향적인 상업 국가 가운데 하나의 시민이었다. 마르코의 동방 여행은 탁발수도사의 여행과는 상당히 다른 것이었다. 그는 구원을 찾아서가 아니라 돈을 찾아 동방으로 갔다.

폴로 가족이 동방으로 가는 여행은 많은 사람에게 익숙한 경로를 거쳤다. 1271년 그들은 베네치아에서 배를 타고 콘스탄티노폴리스로 갔고, 흑해를 건너 아르메니아의 트라페준타(트라브존)로 갔다. 그들은 낙타를 타고 긴 육지 여행으로 페르시아를 통과한 뒤 중앙아시아로 들어갔고, 계속해서 상도(이것이 변형되어 영어의 재너두Xanadu가 되었다)에 있는 칸의 여름 궁궐로 향했다.

상도에는 여행을 시작한 지 3년 반 만에 도착했다. 이 호화로운 주거지는 대리석으로 지어지고 금으로 장식되었으며, 기묘한 외국인 식객이 많았다. 산 동물을 제물로 바치고 유죄 판결을 받은 범죄자의 살을 씹으며 식사 시간에 요술을 하는 마술사, 불을 숭배하고 땅바닥에서 자는 머리를 박박 민 수많은 고행 수도사 같은 사람이었다.[2]

그리고 물론 그곳은 또한 칭기스의 손자 쿠빌라이 칸 자신의 여름철 주거지였다. 쿠빌라이는 "신민 수로 보나 영토의 크기로 보나 보물의 양으로 보나, 지금 세계에 살고 있거나 과거에 존재했던 사람 가운데서 가장 강력한 사람"³이었다. 이것은 마르코의 말이었고, 그가 늙은 쿠빌라이를 극구 칭찬한 것이었다. 마르코에게 그의 인생을 완전히 바꾸어놓을 기회를 제공한 것이 바로 이 최후의 위대한 칸 쿠빌라이였기 때문이다.

젊고 집요하고 영리하고 문화적으로 민감하고 낯선 환경에서 자신만만했던 마르코는 궁정에 들어가자마자 쿠빌라이의 눈길을 사로잡았으며, 칸의 명예 수행원 자리 하나를 차지했다. 이것은 미지의 세계로 들어가는 거보巨步였으나, 마르코는 성공을 거두었다. 특히 새로운 언어를 쉽게 익히는 그의 능력 덕분이었다. 《동방견문록》은 이렇게 주장했다. "그는 타타르인의 풍습에 관한 지식을 엄청나게 습득했고, 네 개의 언어와 그 쓰기 방식을 익혔다."† 니콜로와 마페오가 보석과 금을 거래하느라 분주한 동안에 마르코는 순회 관원으로 고용되어 칸의 주문에 따라 "가장 흥미로운 일, 가장 먼 곳에서 일어난 일"을 수집했다. 공식 외교 업무를 수행하고 몽골 제국 가장 변경 사람들의 특이한 일과 사소한 과오를 예의 주시했다. 그가 궁궐로 돌아오면 쿠빌라이 칸은 언제나 그런 일들에 대해 물었다.⁴

마르코가 쿠빌라이를 위해 수집한 다양한 이야기는 《동방견문록》의 상당 부분을 차지하며, 그것은 쿠빌라이를 즐겁게 했듯이 유럽인도 경탄하게 만들었다. 중국 동부, 미얀마, 말레이시아, 스리랑카, 인도 서부, 페르시아의 여러 대도시에 대한 묘사와 함께 러시아와 '암흑 지대'(얼굴이 흰 부족이 거의 언제나 밤인 곳에 살고 모피를 위해 덫으로 야생 동물을 잡는 곳이다)에 관한 이야기도 있다. 마르코는 특히 이상한 종교 숭배와 음식물, 성적 습관, 묘한 질병, 기괴한 신체 특성에 관심을 기울였다. 또한 동·식물상과 지형

---

† 오늘날 서방의 아이들은 중국이 지배하는 21세기를 예견한 중산층 부모로부터 중국어 수업을 들으라는 압박을 받고 있는데, 그런 전통이 적어도 마르코 폴로의 시대까지 거슬러 올라간다는 것을 알면 위로가 될 것이다.

을 주의 깊게 살폈다. 그러나 가장 그의 눈길을 끈 것은 장사였다. 그의 아버지와 숙부가 자신보다 몽골 제국에서 그의 집안의 실제 사업에 더 직접적으로 연관되어 있었지만, 마르코 역시 이득을 찾는 베네치아인의 눈을 감은 적이 없었다.

마르코는 자신이 가는 거의 모든 곳에서 사업 기회에 관해 기록했다. 그는 아프가니스탄의 셰베르간(시바르간)에서 최고의 말린 멜론 사탕을 수출한다는 사실을 발견했다.[5] 발흐(역시 아프가니스탄) 부근 시골에서는 루비가 엄청나게 산출되었는데, 높은 가격을 유지하기 위해 생산과 해외 판매가 엄격하게 제한되었다.[6] 카슈미르에서는 산호가 "세계의 다른 어느 지역보다 더 높은 가격으로"[7] 판매된다고 그는 말했다. 중국 서북부의 쿠물(하미)은 포주와 매춘을 바탕으로 경제가 호황을 누리고 있었다.[8] 그가 '수차우'로 알고 있던 곳(현대 중국 간쑤성의 쑤저우)은 맛있는 대황大黃의 변종이 많았으며, "그 물건을 구한 상인들은 (…) 이를 세계의 모든 지역으로 운송"[9]했다. '고우자'에서는 아름다운 깁과 금란金襴을 생산했다.[10] 최고의 장뇌는 자와(자바)에서 난 것이었다.[11] 가장 좋은 진주는 인도와 스리랑카 사이 포크해협에서 전문 굴 채취자로부터 가져온 것이었다.[12] (인도 케랄라주에 있는) 콜람에서는 좋은 염료인 쪽이 생산되는데, 그것은 유럽에서 웃돈이 붙어 팔린다고 했다.[13]

마르코는 장사와 관련된 정보 수집에 매우 열심이어서, 자신이 보지 못한 장소가 지니는 교역상의 이점까지도 기록했다. 최고의 상아와 용연향은 인도양 건너 마다가스카르와 잔지바르에서 오는 것이고, 예멘의 아딘(아덴)은 말, 향신료, 마약을 최고의 이문을 남기고 거래할 수 있는 곳이라고 그는 말했다.[14]

그러나 마르코는 '킨사이'(동부 중국 상하이 부근의 항저우)에 최고의 찬사를 보냈다('킨사이'는 임금이 임시로 와 있는 곳인 '행재行在'를 음역한 것으로, 남송의 수도 항저우가 임시적이라는 의미에서 불리던 명칭이 이어진 것이다). 그는 그곳이 지구상에서 가장 멋진 곳이라고 생각했다. 그곳에는 거리, 운하, 시장, 광장이 많고 '무수한' 가게가 있었다.

그는 '킨사이'를 좋아했다. 그는 살아 있는 동물이 거저나 다름없는 가격으로 팔리고 그 자리에서 도축도 해주는 신선물 시장을 찬미했다. 그는 높은 건물의 1층을 차지하고 있는 가게에서 팔리는 과일, 생선, 현지의 술, "향신료, 장신구, 마약, 진주"를 만끽했다. 그의 추정으로 4~5만씩이나 되는 장꾼과 장사치 무리가 매일 벌이는 야단법석에 탄성을 지르기도 했다. 또한 그는 효율적인 시정市政에 감탄했다. 민정 경찰력이 범죄, 사기꾼 장사치, 폭력 집회를 단속했다. 시간을 알리는 징이 울리고, 거리는 금이 아니라 실용적인 벽돌과 돌을 바닥에 깔아 배달원, 마차, 보행인이 도시를 효율적이고 빠르게 이동할 수 있었으며 낮 동안의 어느 순간에도 빠르고 손쉽게 장사할 수 있도록 도왔다.

킨사이는 지폐, 향수 냄새가 나는 여자, 분주한 작업장, 마찰 없는 거래가 특징인 상업 중심지였다. 그곳은 베네치아 바깥의 베네치아였다. 그곳에서 160만 가구(마르코는 그렇게 말했다)가 "장대하고 아름다운" 환경에서 살았다. "주민들로 하여금 자신이 천국에 살고 있다고 착각하게 할" 수 있는 곳이었다.[15] 마르코는 제노바의 감방에 앉아 자신의 회고록을 구술하면서도 눈만 감으면 그곳으로 돌아갈 수 있는 듯했다.

마르코 폴로가 남긴 일화들의 분위기와 외국에 관한 세부 정보만으로도《동방견문록》은 읽을 만한 가치가 있었다(지금도 마찬가지다). 그러나 14세기 초에 그의 글은 단순히 동양 골동품 창고를 채우는 것 이상의 중

요성을 지니고 있었다. 《동방견문록》은 그저 중세판 사회 예비 체험기만
은 아니었다. 그것은 귀중한 상업적 지식으로 가득 찬 책자였다. 앞에서
본 내용이 보석이나 상아나 대황을 거래하고자 하는 진취적인 상인을 위
한 특정한 안내의 사례다.

그러나 마르코는 상인들이 장사할 때 예상되는 더 광범위한 환경에 대
해서도 자세히 적었다. 인도에서 팔 말을 수송하는 분주한 시장이 있는 페
르시아에서는 여러 지역의 사람들이 "잔인하고 피에 굶주려 (…) 끊임없
이 서로를 죽인다"라고 말했다. 그러나 그들은 상인과 여행자는 내버려두
었는데, "그들에게 과중한 벌금"¹⁶을 물리는 몽골인에 대한 두려움 속에
살고 있기 때문이다. 지폐가 사용되는 중국에서는 거시경제에 대한 진보
적인 태도로 인해 칸이 "세계의 그 누구보다도 부유"¹⁷했다. 제국 각지의
주요 도로에는 길가에 나무들이 심어져 안전성과 함께 간선로의 미관도
증대시킨다고 그는 보았다.¹⁸ 이 모든 것이 중요한 이유는 그것이 팍스몽
골리카 아래서 상업을 중심으로 하고 세계적으로 연결된 새로운 세상이
활기를 띠고 있음을 보여주기 때문이다. 그것은 칸들에 의해 평정되고 치
안이 유지되는 거대한 무역 지대였다.

마르코는 몽골 정권의 복음을 전하는 사람이었다. 그들은 엄격하고 가
혹했음에도 불구하고 평화를 지키고 상업이 안전하고 확실하게 번성하도
록 만들었다. 지금까지 상상할 수 없을 정도로 넓은 영토에서 말이다. 기
독교의 서방을 동방의 중국 및 인도와 직접 연결시켰으며, 이슬람권 페르
시아를 통과하는 육로 여행을 안전하고 안정적인 것으로 만들었다. 이것
이 완전히 호의적인 평가는 아니었다. 학살당한 수백만 민간인과 그 가족
에게 13세기의 몽골의 진군은 경제적 기적이기보다는 참혹한 비극이었
다. 그러나 선악 관념 없이 이윤을 추구하는 장사꾼의 세계관에서 칸들은

호황을 이끌어냈다. 그리고 마르코가 생각하기에 동방 무역은 유럽의 대담한 사업가가 기회를 잡으라고 있는 것이었다. 특히 선진적인 이탈리아의 도시 공화국의 상인에게 말이다.

마르코 폴로는 중요한 요점 하나를 파악하고 있었다. 그리고 어떤 의미에서 몽골에 관한 그의 생각은 옳았다. 그러나 그가 모든 것을 이야기하지는 않았다. 13세기에 도약을 한 것이 장거리 교역 하나만은 아니었기 때문이다. 본향 가까운 곳에서도 중요한 변화들이 일어나고 있었다.

마르코가 살아 있는 동안과 그 이후 시기에 서방 세계는 광범위한 경제적 변화를 겪었다. 점점 정교해지는 교역 방식과 금융 기업이 만들어지고 새로운 시장이 열렸다. 이 시기에 일어난 변화에 역사가들이 붙인 이름은 '상업혁명'이며, 이는 마땅하게 거창한 용어다. 13~14세기에 일어난 일은 경제적으로 19세기의 '공업혁명'이나 우리가 살고 있는 시대의 '디지털혁명'만큼이나 중요했다. 상업혁명은 권력을 황제, 교황, 왕이 아닌 새로운 대리인의 손에 쥐어주었다. 그것은 상인이 중세 사회와 문화에서 두드러진 지위를 차지할 수 있게 했다. 그것은 도시에서 상인이 새로 발견한 정치적 지위와 독립을 지배할 수 있게 했다. 미술과 문학의 기호는 상인 계급의 습속으로 인해 변했다. 그들은 후원자 노릇을 할 수도, 창작자 노릇을 할 수도 있었다. 정치권력과 전쟁은 상인의 돈에 좌지우지되었다.

역사가들이 자주 반복하는 상투 어구 중 하나가 중세 세계는 세 집단의 사람으로 이루어졌다는 것이다. 기도하는 사람, 전쟁하는 사람, 일하는 사람이다. 그러나 13세기 이후에는 계산하고 옮기고 저축하고 소비하는 사람도 고려에 넣어야 한다. 이제 이 장의 나머지 부분에서는 상인의 부상과 그들이 중세와 현대 세계에 끼친 공헌에 대해 살펴보겠다.

불경기와 호경기

거래는 인간 사회 자체만큼이나 오래된 것이다. 20만 년 이상 전, 동아프리카(현대의 케냐)의 석기시대 사람들은 (연장과 무기를 만들 수 있는 단단한 화산유리인) 흑요석을 150킬로미터가 넘는 거리까지 운반해 교환했다.[19] 청동기시대에 아시리아의 진취적인 상인들은 주석, 은, 금, 고급 천, 양모 같은 상품을 현대의 이라크, 시리아, 튀르키예 사이 수백 킬로미터를 가로지르며 거래했다. 그들은 거래 내용을 점토판에 기록했으며, 상인 행렬의 보호와 안전한 통과를 위해 자기네가 지나가는 땅의 지배자들과 협상을 했다.[20]

서기전 5세기에 그리스 역사가 헤로도토스는 몇 차례의 성공적인 장거리 무역 여행을 묘사했다. 그는 자신의 《역사》에서 콜라이오스라는 사람이 선장이었던 배 이야기를 한다. 그 배의 승무원들은 그리스에서 '타르테소스'(에스파냐 남부)까지 모험을 하고 돌아온 최초의 그리스인이었다. "그들이 돌아왔을 때 화물로부터 (…) 얻은 수익은 우리가 믿을 만한 정보를 갖고 있는 다른 어떤 그리스 상인이 얻은 이득보다 더 컸다."[21] 500년 뒤인 로마 제국 전성기에 지중해 세계는 제국의 감독 아래 무역이 활기를 띠었다. 단일한 정치·경제적 시장 안에서 이전에 없던 정도로 연결되었다. 이 무역 지대 안에서 상품과 사람이 멀리 시리아, 스코틀랜드 저지, 북아프리카, 아르덴 숲까지 여러 곳 사이에서 '마찰 없이', 그리고 대량으로 이동했다.

제국은 무역에 큰 이점을 제공했다. 안전하고 좋은 상태의 도로는 약탈을 당할 가능성이 낮았고, 믿을 수 있는 주화와 상업적 분쟁을 해결할 수 있는 법체계도 있었다. 그리고 보통 사람들이 참여할 수 있게 했다. 농민은 군대를 먹일 곡물을 생산하고, 부유한 도시인은 값비싼 도기와 수입된 향신료를 찾았으며, 작업장과 가정에서는 자기네의 허드렛일을 해줄 노예를 찾았다.

흥미롭게도 육상과 해상을 통해 많은 교역이 이루어졌음에도(특히 제국의 첫 200년 동안에 그랬다) 로마인은 상인을 그리 높게 평가하지 않았다. 사고파는 일은 귀족에게 적합하다고 생각되는 직업이 아니었고, 상류층의 경제생활은 언제나 시골의 사유지를 관리하는 일이 중심이었다.[22] 세금 징수와 화폐 주조 이외에 로마 국가의 재정적 도구는 여전히 비교적 개발되지 않은 상태였다. 그러나 추후에 돌아보니 매우 명백한 일이었지만 로마 황제들은 그 시대에 유별나게 강력하고 다양한, 그리고 제국이 붕괴할 때 매우 아쉽게 생각되는 무역권을 감독했다. 로마의 교역은 로마의 통일성에 의존했기 때문이다. 로마가 쇠퇴하고 그 권위가 사그라들자 매우 빈번한 장거리 교역을 위한 기초 조건이 급격하게 악화했다.

물론 로마를 승계한 '이방인' 국가들이 완전히 교역 없이 꾸려나갈 수는 없었다. 그러나 로마의 도시와 정치적 지평이 축소되자 한때 분주했던 지중해 경제가 느슨해졌다. 교역은 마을 대 마을 수준으로 쪼그라들었다. 로마 이후 서방과 인도·중국 사이의 장거리 교환은 서아시아와 중앙아시아의 정치적·종교적 격변으로 악화되었다. 특히 동로마-페르시아 전쟁, 이슬람 세력의 흥기, 머저르인의 동유럽 약탈 같은 것이었다. 사치품은 수입하기가 더 어려워졌다. 세계 무역은 상당히 위축되었고, 지중해와 이전 로마 속주 일대의 지역적 교역 역시 마찬가지였다.

알려진 세계의 나머지와 비교할 때 6세기 이후 유럽은 상업적 오지가 되었다. 발트해 지역의 모피, 프랑크인의 칼, 노예 외에는 수출할 것이 별로 없었다.[23] 중세 초 전체를 모든 사업이 무로 돌아가고 인간의 진보가 동면에 들어간 '암흑' 시대로 폄훼하는 것은 잘못이겠지만, 서방 역사의 큰 틀에서 중세는 경제 발전의 침체기였다. 그것이 수백 년 지속되었다.

그러나 사업은 서서히 회복되었다. 대략 1000년 무렵부터 유럽의 인구는 농업 생산 급증에 발맞추어 증가했다. '중세 온난기'는 농민에게 축복이었고, 넓은 면적의 땅이 새롭게 경작지가 되었다. 삼림 벌채와 늪지대 배수를 통한 것이었다. 떠돌이 이교도인 슬라브인으로부터 땅을 빼앗아 기독교인이 경작했다. 카롤링 왕조 때 시작되어 십자군 때도 지속된 과정이었다.[24] 새로운 경작 기술이 개발되었다. 중리重犂는 토양의 품질을 향상시켰고, '삼포식三圃式' 윤작輪作 제도는 지력 고갈을 막았다.

조선술 또한 발전해 바다를 통한 장거리 항해를 보다 안전하고 빠르게 했다. 그 항해는 노르드인처럼 노예 포획과 수도원 약탈을 위한 것일 수도 있고, 외국 시장에서 물건을 사고팔기 위한 것일 수도 있었지만 말이다. 그리고 샤를마뉴 시대 이후 서방 기독교도 군주는 서서히 더 큰 왕국을 욕심내기 시작했다. 그것을 더욱 깊숙한 왕권의 통제 및 통치 아래 종속시키고, 그렇게 함으로써 더 긴 육상 교역 여행을 더 안전하고 더 확실하게 했다(적어도 이론상으로는 그랬다).

교역망이 더 먼 곳으로 확대되기 시작하면서 사업을 더 쉽게 하도록 돕는 기관도 나타나기 시작했다. 11세기에 시장은 유럽 각지의 도시에서 성장하고 확장되기 시작했다. 주 단위, 월 단위, 연 단위로 예측할 수 있는 시기에 열렸다. 여기서 잉여 곡물은 포도주, 가죽, 가공된 금속, 가축과 교환될 수 있었다. 이런 것들은 이동하는 상인이 유통시켰다. 이후 200년 동안 시장과 특설 장터(본래 시장은 종교적 축일 및 휴일과 관련이 있었다)가 유럽의 경제생활에서 점점 더 중요한 부분이 되었다. 시장의 성장과 함께 주화 제작이 급증했고, 화폐 주조를 위한 은과 동 채굴도 늘었다.[25]

한편 서방 곳곳의 성장하는 도시에서는 기본적인 금융 서비스가 특히 유대교도 상업 연결망을 통해 제공되었다. 9세기에서 11세기 사이에 서방 각지의 유대인은 장거리 교역뿐만 아니라 대금업貸金業에서도 두각을 나타냈다. 그들은 옛 로마 세계 전역에서 소금, 의류, 포도주, 노예 같은 상품을 실어 날랐다.[26] 물론 유럽의 유대인은 자기네 세계의 거시경제 구조에 대한 이런 선구적인 공헌을 한 것에 감사 인사를 받지 못했다. 오히려 그들은 의심과 조롱의 대상이 되었고, 폭력적인 박해의 분출을 불러왔다. 그것은 십자군 운동 시기에 가속되었고, 13세기 말 서유럽 곳곳에서 일어난 집단학살과 추방의 물결로 최고조를 이루었다.† 그럼에도 불구하고 중세 경제 대부활에서 유대인의 공헌은 지대했다.

그리고 제1천년기가 끝나갈 무렵에 서서히, 그러나 확실하게 서방 경제가 눈에 띄게 되살아나기 시작했다. 다시 활기를 띤 중세 세계에서 가장 유명한 교역 중심지로 떠오른 곳 가운데 하나는 파리 동쪽에 있는 샹파뉴 백국에서 찾을 수 있었다.

(프랑스 왕권으로부터 끈질기게 독립을 유지한) 이 백국은 12세기 이후 매년 잇달아 특설 시장이 열리는 곳이 되었다. 라니, 바르쉬르오브, 프로뱅, 트루아 등 네 도시에서 일정에 따라 여섯 차례의 주요 시장이 열렸다. 각각의 시장은 6주에서 8주 동안 열렸다. 이들은 샹파뉴 사람이 매주 찾아가 장을 보는 시장보다 훨씬 큰 것이었다. 샹파뉴는 유리한 지리적 위치를 차지하

---

† 1290년 잉글랜드왕 에드워드 1세는 자기 왕국에서 유대인을 쫓아냈다. 프랑스에서는 여러 왕이 유대인을 장기간 추방하는 법령들을 통과시켰다. 필리프 2세는 1182년에, 루이 9세는 1254년에, 필리프 4세는 1306년에, 샤를 4세는 1322년에 시행했다. 유대인은 아라곤과 카스티야에서는 1492년에 추방되었다.

고 있었다. 라허란던의 의류 제조업자가 동로마와 이탈리아를 통해 들어온 외국산 사치품 판매자 및 발트해 지역에서 온 모피 상인과 뒤섞였다.[27]

여기에 온 모든 사람은 샹파뉴 백작의 권력으로 보호를 받았다. 백작은 시장을 허가함으로써 그들이 사기를 당하거나 싸움에 휘말리지 않도록 보장하고, 분쟁을 해결하는 공정한 절차가 마련되도록 확인하며, 빚을 갚지 않고 달아난 자를 추적하는 책임을 졌다. 샹파뉴 특설 시장은 곧 수백 킬로미터 밖의 상인까지 끌어들였다. 많은 거래를 안정적이고 안전하며 일정한 장소에서 할 수 있다는 전망에 이끌린 것이다.

처음에 상인들은 많은 양의 상품과 견본을 가지고 왔고, 그것을 이들 도시 안과 주변에 특별히 지은 창고에 보관할 수 있었다. 그러나 시간이 지나면서 샹파뉴 특설 시장은 오늘날 우리가 '증권 거래소'라고 부르는 것과 더 비슷한 형태로 진화했다. 통화, 신용, 계약이 이리저리 넘어가고 실제 상품은 미래의 어느 시기에 인도되었다(인도되지 않기도 했다). 부유한 회사, 은행, 정부를 대신해 전문화된 대리인에 의해 많은 거래가 이루어졌다. 13세기 말이 되면 샹파뉴나 플란데런의 특설 시장에서는 이탈리아 기업 연합의 대표들이 서북 유럽의 여러 양모 생산자 및 의류 제조업자의 대리인과 거래를 하는 모습을 볼 수 있었다. 그들은 대금을 미래의 어느 시기에 열리는 시장에서 몇 달 또는 심지어 몇 년 앞당겨 청산한다는 지불 일정을 계약서로 작성했다.[28]

샹파뉴 특설 시장과 같은 종류의 시장이 그곳에만 있었던 것은 아니었다. 인근 플란데런에서도 이퍼르 같은 도시에서 대규모 거래를 유치했다. 이퍼르에는 중세 말에 북적거리는 의류 제조업이 일어났다. 그러나 이들은 그 시대에 가장 오래 지속되고 가장 잘 알려진 것으로, 국제 상업 탄생기의 전조였다.

공화국의 등장

샹파뉴와 플란데런 특설 시장의 가장 눈에 띄는 고객 상당수는 이탈리아 도시 공화국에서 알프스산맥을 넘어 그곳에 온 사람들이었다. 그 가운데 가장 확실한 상승세에 있던 것이 베네치아였다. 라세레니시마(가장 고귀한 자)라는 별명의 이 도시는 로마 시대에는 존재하지도 않았는데, 6세기에 석호潟湖와 그곳의 섬들 주위에 정착지가 만들어졌다. 처음에는 라벤나 총독을 통해 동로마의 지배를 받았으나, 9세기에 베네치아 도제들이 동로마의 감독을 뿌리치고 아드리아 해안을 따라 자기네의 독립적인 권력을 세우기 시작했다.

베네치아인은 초기에 소금과 유리를 생산했는데, 중세가 깊어가면서 할 수 있는 더 나은 사업이 있음을 발견했다. 전문적인 중간상인이었다. 그들은 지리적 축복의 이점을 살리고 의지할 농경지 없이 살아가야 한다는 필요에 따라 북아프리카의 아라비아인, 동로마의 그리스인, 서방의 유럽인의 시장을 서로 연결해 일반 상품과 사치품을 수입하고 수출했다.

이 세계의 교역과 함께 화폐 주조가 이루어졌고, 그것은 베네치아의 체카라는 주조소에서 이루어졌다.[†] 또한 항구 도시에서 중요한 것은 선박 건조였다. 이것은 아르세날레로 알려진 조선소에서 이루어졌다. 여기서는 시 정부, 도시 상인, 더 먼 곳에서 온 선원 지망자의 주문을 받아 처리했

[†] 체카는 별개의 두 베네치아 주조소를 뭉뚱그린 이름이다. 아마도 산마르코 광장의 이웃한 건물이었던 듯하다. 한 곳에서는 그로소 은화를 주조했다. 그것이 베네치아 페니였다. 12세기 말 엔리코 단돌로 도제 시절부터 주조되었고, 처음에는 이례적으로 높은 은 함유량으로 유명했다. 또 한 곳에서는 순금의 두카토 금화를 주조했다. 13세기 중반 이후 만들었는데, 유럽의 표준 금화 자리를 놓고 피렌체의 피오리노 금화와 경쟁했다. 체카의 역사에 관해서는 Stahl, Alan M., *Zecca: The Mint of Venice in the Middle Ages* (Baltimore: 2000)를 보라.

다. 특히 자기네 군대를 십자군 원정에 보내기 위해 함대 주문이 필요했던 12~13세기 영주와 왕이 있었다. 그리고 지중해 공해는 거칠고 사나웠기 때문에 베네치아인은 싸움에 숙달되었다. 자기네 호송대를 지키고 아라비아 및 그리스의 적선을 쫓아내며 때로는 그저 순전한 해적질을 즐기기 위해서였다.

중세에 무역과 약탈 사이의 경계는 언제나 모호했다. 베네치아인은 언제나 양쪽 모두에 발을 걸치고 있었다. 이 도시의 수호성인은 복음서 필자 마르코 성인이었다(지금도 마찬가지다). 베네치아 리알토에 있는 유명한 산 마르코 대성당은 그에게 바쳐진 것이다. 그러나 그조차도 어떤 의미에서는 장물贓物이었다. 828년에 베네치아 상인 두 명이 이집트의 도시 알렉산드리아에서 마르코의 유물을 훔쳤다. 그들은 이슬람교도 검열관들이 아주 자세히 검사하지 않을 것이라 생각해(결과적으로 옳았다) 이 성인의 유골을 돼지고기 틈에 숨겨 세관을 통해 밀수했다.

제1천년기가 끝나갈 무렵, 베네치아와 이탈리아의 다른 몇몇 도시(주로 긴 반도의 해안에 위치해 있었다)가 경제적 이륙을 경험하기 시작했다. 그들의 성공 원동력은 타고난 모험심이었다. 그들은 그저 자기네 도시 성벽 안에서만 장사하지 않았다. 이탈리아 상인 거류지에서는 가능한 모든 다른 주요 교역 도시에 자기네 가게를 냈고, 통상 보호 구역 안에서 현지인의 이웃으로 함께 살았다. 그곳에서 그들은 자기네 종교의 행사를 치를 수 있었고, 자기네 도량형을 사용할 수 있었으며, 현지의 여러 세금과 통행료 면제를 요구할 수 있었다.

그들의 우월한 지위와 배타적인 교민僑民의 생활 방식이 언제나 우호적으로만 받아들여지지는 않았고, 이탈리아 상인을 겨냥한 위협적인 폭동이 중세 말에 자주 일어났다. 1182년에 콘스탄티노폴리스에서는 '가톨릭교도 대학살'이라는 무서운 사건이 벌어졌다. 수만 명의 이탈리아 상인이 살해되거나 노예가 되었다. 제국 정부가 부추긴 반反서방 유혈 광란이었다. 이때 교황 특사의 머리가 잘렸고, 개 꼬리에 매달려 거리를 달렸다.

따라서 장사는 위험이 따를 수밖에 없었다. 그러나 그 보상은 분명히 위험을 감수할 가치가 있었다. 그것이 11~12세기에 이탈리아 상인이 서방 각지로 퍼져나간 이유였다. 그들은 동부 지중해의 여러 항구에서 튀르크인, 아라비아인, 그 밖에 실크로드 및 중앙아시아에서 활동하는 상인과 거래를 했다.

이런 상황은 시리아와 팔레스티나에 십자군 국가가 들어서면서 돈벌이에 상당히 더 유리해졌다. 제노바인이 특히 관심을 가졌던 흑해는 발칸반도, 소아시아, 캅카스, 루시인의 땅에 접근할 수 있었다. 11세기에 피사 상인이 북아프리카 항구에 지대한 관심을 가지고 있었고, 피사의 배에서 병력을 보내 카르타고와 마흐디야(마디아) 두 도시를 약탈했다. 그들을 영구히 피사의 지배하에 묶어두려는 시도였다. 한편 이탈리아의 네 번째 도시 공화국 아말피의 상인도 지중해의 주요 항구 대부분에 진출했다. 다만 그들은 피사와의 싸움에서 지고 1130년대 이후 급격하게 세력을 잃었다.

이 이탈리아 도시국가 사이에는 극심한 경쟁이 벌어졌고, 그 가운데 누구도 결코 도덕적 가책 따위에 짓눌리지 않았다. 13세기에 흑해 항구 카파(페오도시야)의 제노바 상인들은 캅카스에서 몽골인들이 붙잡은 노예를 이집트의 맘루크 지배자들에게 실어다 주기로 계약했다. 노예들을 배에 태워 흑해와 지중해를 거쳐 나일강 삼각주로 데려가면, 거기서 그들은 맘루크 군대에 강제로 편입되었다. 이는 사실상 기독교도인 제노바인이 시리아 및 팔레스티나의 서방 십자군 국가를 분쇄하기 위해 온갖 노력을 기울이고 있는 세력에 노동력을 공급한 직접적인 책임이 있다는 얘기였다. 한편 베네치아인은 맘루크와 거래할 노예가 없었지만 알렉산드리아와 서방 항구 사이의 배타적인 교역 체계를 만들어, 맘루크 국가가 동아시아와 유럽 사이의 장거리 무역에서 나오는 이익의 노른자를 가져갈 수 있도록 보장했다. 이렇게 베네치아와 제노바는 모두 이집트에서 자기네 목표가 십자군 국가들을 지도에서 지워버리는 것이라고 공언하던 시기에 이집트의 경제와 군사를 지원하면서 상당한 수익을 챙겼다.

이 가운데 어느 것도 도덕적 검증을 매끄럽게 통과할 수 없다. 그러나 그때나 지금이나 장사는 양심의 가책을 느끼는 법이 없다. 상인 역시 마찬가지다. 마르코 폴로가 쿠빌라이 칸의 궁정에서 모험을 즐기고 있던 몽골의 정복 시기에 이탈리아의 도시국가는 지중해 무역에서 특석을 차지하고 있었고, 당연히 동아시아로 교역로가 열리면서 이득을 얻을 위치에 있었다. 페르시아 역사가 아타말리크 주바이니는 몽골 제국에 관해 쓰면서, 칸들에 대한 공포가 길을 매우 안전하게 해서 "머리에 황금 물동이를 인 여자도 두려움이나 불안감 없이 혼자 (길을) 걸어갈 수 있을 것"이라고 했다.[29] 이탈리아인이 머리에 황금 물동이를 이고 가지는 않았지만, 그럼에도 불구하고 그들은 상황의 이점을 완전하게 누렸다.

그러나 이와 동시에, 마르코 폴로 및 그와 유사한 다른 여행자는 동방으로 가고자 하는 상인에게 중요한 장애물이 하나 있음을 보여주었다. 바로 엄청난 거리였다. 그 엄청난 거리 때문에 폴로 가족은 베네치아에서 중국까지 가는 데 꼬박 3년이 걸렸다. 이런 장거리 여행을 한번 하면 아무리 잘 먹고 다니더라도 육체적으로 무리가 와서 두 번은 이런 여행을 하지 않겠다고 마음먹게 하기에 충분하다. 이는 조금 작더라도 모든 곳에서 이루어지는 상당한 규모의 거래도 마찬가지다.

상인은 자신이 한곳에 머물러 있고 자기 대신 다른 사람이 물건을 들고 다니게 할 수 있으면 이득을 얻을 기회가 훨씬 커진다. 여기에 중세 '상업 혁명'의 반대 측면이 있다. 13~14세기에 새로운 금융 수단과 기관이 등장해 상인은 그 도움을 받아 세계를 직접 쉬지 않고 돌아다니지 않고도 돈을 벌 수 있음을 실감하게 된다. 이 새로운 돈벌이 장치는 상인에게 엄청난 힘을 부여했다. 자기네 본향에서도 그렇고 그 밖에서도 마찬가지였다. 이것이 어떤 구조였는지 이해하는 가장 좋은 방법은 상업혁명 전성기의 사례 하나를 살펴보는 것이다. 이때 상인이 가진 돈의 힘이 한 왕국의 정치 상황을 좌우했다. 지금 이야기하려는 상인은 피렌체시 출신의 양모를 거래하는 은행가들이다. 그 지역은 잉글랜드 왕국이다.

하얀 금

14세기가 저물 무렵에 잉글랜드의 양모는 세계 최고로 간주되었다. 링컨셔, 노샘프턴셔, 코츠월즈 같은 지역의 무성한 목초지에서 풀을 먹고 자란 양에게서 난 이 양모는 두텁고 오래가며 질 좋은 의류를 만들 수 있었다. 그리고 양모도 많았다. 서북 유럽이 1315~1317년의 극심한 기근(양과 기타 가축의 전염병이 겹친 것이었다)을 겪은 뒤에도 잉글랜드의 양모는 여전히 서방 전역의 의류 제조업자와 기타 2차산업 업자가 선망하는 것이었다.

수만 짝의 양모가 해마다 잉글랜드의 남부 및 동부 해안 항구를 통해 수출되었고, 양모 무역에서 거두는 세금 수입은 잉글랜드 국가 재정의 중요한 부분이었다. 양모 수출은 국가의 영구 매출세 대상이었다. 그것은 플랜태저넷 왕가의 에드워드 1세가 돈이 많이 드는 자신의 스코틀랜드·웨일스 정복 전쟁과 프랑스왕을 상대로 한 가스코뉴 및 그 주변에서의 방어전 자금을 대기 위해 도입한 것이었다. 양모세는 가장 중요한 것 가운데 하나였다. 그것은 하얀 금이었다.

그리고 그것은 나라만 부유하게 하는 것이 아니었다. 잉글랜드 양모에 대한 수요 덕분에 잉글랜드의 목양업자도 호황을 누렸다. 대규모 목양업자 상당수는 수도원이었다. 하나만 예를 들자면, 요크셔 리보 대수도원 (1132년 세워졌을 때 잉글랜드 최초의 시토회 대수도원이었다)의 수도사들은 수천 헥타르의 자기네 땅에서 풀을 뜯는 수많은 양 떼 덕분에 엄청난 부자가 되었다. (양모로 일군 그들의 부는 잉글랜드 종교개혁 과정에서 해체된 이 대수도원의 거대한 유적에서 아직도 감지할 수 있다.) 그리고 그들뿐만이 아니었다. 1297년 잉글랜드 부의 50퍼센트(약간만 과장한 것이다)가 양모로부터 온 것이라고 할 정도였다.[30]

이 믿기 어려운 부는 잉글랜드의 양이 긴 경제 사슬의 한쪽 끝에 위치했기 때문에 생긴 것이었다. 리보 같은 사유지에서 양모 부대가 채워지면 이 나라를 떠나 보통 잉글랜드해협을 건너 플란데런의 작업장으로 갔다. 그곳에서 원모原毛는 천으로 만들어지고, 그것이 상파뉴 특설 시장 같은 곳(또는 플란데런 자체의 시장)의 도매상에게 팔렸다. 그것은 아주 흔히 이탈리아 상인이 사 갔고, 그들은 이를 가지고 알프스산맥을 넘어가 염색하고 재단한 뒤 마지막으로 소비자에게 판매해 옷이나 비품을 만들 수 있도록 했다. 그때나 지금이나 최신 유행과 실내 장식은 고급 원료를 써야 했다. 그리고 모직 옷은 모든 것이 잉글랜드에서 시작되었다.

이 경제 사슬의 매 단계에서 돈을 벌 수 있었다. 그러나 14세기 초에 눈 밝은 이탈리아 상인은 이 과정을 단축하면 더 많은 돈을 벌 수 있음을 알아차리기 시작했다. 중간상인을 생략한다면 훨씬 간단해질 수 있다고 그들은 판단했다. 원산지에서 양모를 산 뒤 잉글랜드에서 그것을 가져다가 이탈리아에서 실을 잣는 것이다. 아니면 플란데런에서 직접 천을 짜는 노동자를 고용할 수도 있었다. 그러나 그렇게 하자면 이탈리아인은 잉글랜드 현지에 인력을 투입해야 했다. 또한 대량의 양모를 한 방향으로 운반하고 대량의 돈을 다른 방향으로 운반하는 안전하고 확실한 수단이 필요했다. 그들은 그런 체계를 만들어냈고, 그것은 14세기의 첫 40년 동안 활발하게 이용되었다. 그것은 중세 최고의 상업공학이었다.

피렌체는 해양도시가 아니었다. 그럼에도 불구하고 이곳은 12세기 말과 13세기 경제 폭발의 시기에 번창한 상업 공동체의 본거지가 되었다. 피렌체는 여러 부문에서 뛰어났지만(아직도 마찬가지다), 그 모든 것 가운데 가장 나았던 것이 상업금융이었다.

서방의 첫 은행은 12세기 베네치아에서 만들어졌다. 그러나 14세기 초에는 가장 성공을 거둔 은행이 대부분 피렌체에 기반을 두고 있었다. 바르디, 페루치, 프레스코발디 같은 곳이다. (중세가 낳은 가장 유명한 금융 왕국은 메디치였다. 15세기에 피렌체의 금융업자에서 발신해 과두 지배자, 교황, 왕비를 배출해 왕국을 이루었다.†) 이 가족이 운영하는 '초거대기업'은 주식을 사고팔고, 크고 작은 고객에게 담보 대출을 하며, 온갖 부가 금융 서비스(모험 기업에 대출과 투자를 하고, 현금과 신용의 장거리 대체 업무를 하며, 교황과 왕의 면허를 받아 세금을 징수하는 것 등이다††)를 제공했다.

---

† 1475년에서 1630년 사이에 메디치가에서는 네 명의 교황(레오 10세, 클레멘스 7세, 피우스 4세, 레오 11세)과 두 명의 프랑스 왕비(카테리나 데메디치, 마리아 데메디치)가 나왔다. 15장과 16장 참조.

이들 피렌체 회사는 (그리고 그들과 같은 다른 기업도) 사업을 매끄럽게 운영하기 위해 제노바인, 베네치아인, 피사인의 선례를 따라 서방 곳곳의 도시에 대리인을 두었다. 프랑스, 잉글랜드, 플란데런에서 시리아, 키프로스, 그리스의 큰 섬까지, 그리고 동쪽으로 더 나아가 칸발릭(대도), 킨사이(항저우), 사라이, 델리까지 말이다.[31]

당연한 일이지만 피렌체인은 런던에 많이 진출해 있었다. 잉글랜드의 수도이자 서북 유럽의 급성장하는 상업 중심지였기 때문이다. 사실 피렌체인은 바르디와 프레스코발디 등 피렌체의 금융 대리인이 에드워드 1세를 도와 그의 전쟁 자금을 댄 1270년대 이후 런던에서 두드러진 성공을 거두고 있었다. 그들은 왕의 신임을 얻어 곧 정부 업무의 다른 부분을 도급받았다. 왕을 대신해 관세와 기타 세금을 거두는 일 따위였다.[32]

이것은 분명히 위험한 사업이었다. 에드워드의 아들이자 계승자인 에드워드 2세를 상대로 한 귀족 반란이 일어났던 1311년에 이 회사의 잉글랜드 지사장인 아메리고 프레스코발디가 "왕과 왕국의 적"[33]으로 몰려 나라에서 쫓겨났다. 왕에게 대출해주었던 거액은 상환받지 못했고, 이 불운한 일격으로 프레스코발디는 일시 파산했다. 그럼에도 불구하고 정치적인 바람이 은행가의 이익과는 반대 방향으로 불 때 파산 가능성이 있기는 해도 그런 서비스를 제공하는 데서 얻을 수 있는 보상은 막대했다.

귀족 반란의 격동이 가라앉은 뒤 아메리고 프레스코발디의 자리는 또

---

†† 이 기능 가운데 상당수는 신전기사단이 먼저 시작한 것이다. 기사단은 교황의 세금을 거둬 5차 십자군 자금을 댔다. 그들은 프랑스의 루이 9세가 다미아트로 독자 십자군 원정을 갔다가 포로가 되자 그 몸값을 지불하고 석방시켰는데, 개별 십자군 예금에서 거액의 현금 대출을 받았다. 그들은 프랑스 국가에 사설 회계 서비스를 제공했으며, 관원 급여를 포함하는 재정 기능을 도급받았다. 그러나 1307~1314년 프랑스왕 필리프 4세와 무기력한 가스코뉴 출신의 교황 클레멘스 5세의 압박 과정에서 신전기사단은 해산되고 단원도 박해를 받았다.

다른 피렌체의 '초거대기업' 바르디의 대리인인 걸출한 프란체스코 발두치 페골로티가 차지했다. 페골로티가 생애 말년에 쓴 재정 지침에서 그는 잉글랜드에서 양모를 얻을 수 있는 최적의 장소와 구입할 수 있는 가격에 대해 상세한 명세를 만들었다.[34] 페골로티는 자신이 무슨 이야기를 하고 있는지를 잘 알고 있었다. 1317년부터 1340년대에 이르기까지 바르디는 잉글랜드 문제에 깊숙이 관여하게 된다.

프레스코발디와 바르디 모두를 끌어당겼던 서로 맞물린 잉글랜드의 이권 뭉치는 상당했다. 가장 분명한 것으로 잉글랜드왕은 이탈리아 은행가로부터 많은 돈을 빌렸다. 처음에는 비교적 적은 액수였지만(여기저기서 수천 파운드였다), 그 뒤 1310년 이후에는 막대한 액수가 되었다. 나라의 연간 수입의 몇 배에 이르는 액수였고, 그것은 양모 무역에서 나오는 수입으로 변제할 수 있었다. 피렌체인은 이를 직접 거둘 수 있도록 인가를 받았다.[35] 이탈리아 은행가는 또한 잉글랜드의 주요 권력자 및 기타 지주와 광범위하게 거래를 했다.

때로 이것은 양모 산업과 연결되었다. 예컨대 시토회 수도원장은 수도원의 새 교회를 지으려 할 때 피렌체인로부터 거액을 확보할 수 있었다. 나중에 양모를 현물로 주거나 판매할 때 할인 가격으로 주기도 했다.[36] 다른 시기에는 그저 거래뿐일 때도 있었다. 에드워드 2세의 총신으로 엄청나게 부패한 휴 디스펜서(아들)는 왕과의 친밀한 관계로 인해 지나친 포상을 받았다. 땅도 받았고 다른 수입도 있었다. 그는 자신의 부정한 수익을 예탁하고 자산을 담보로 대출을 받는 데 바르디와 페루치를 이용했다. 에드워드의 어지러운 치세가 끝나고 그가 왕좌에서 쫓겨나기 직전인 1326년 디스펜서가 반역죄로 교수되고 내장이 뽑히고 사지가 찢기는 처형을 당할 때 그는 바르디에 800파운드 가까운 빚을 지고 있었다.† 그러나 페루

치에는 200파운드 가까이 빌려주고 있었다.[37]

마지막으로, 그리고 이 모든 것과 별개로, 바르디 역시 잉글랜드에서 교황의 세금을 거두도록 교황과 합의했다. 이것은 줄잡아 말하더라도 복잡한 작업이었다. 그러나 이로써 피렌체인은 잉글랜드의 경제 및 정치 생활에 대한 지분을 더욱 늘렸고, 그것이 1320년대에 재정의 선순환을 가져왔다. 피렌체인은 양모 생산자와의 관계 덕분에 잉글랜드의 양모가 정식으로 수출 시장에 나오기 전에 대폭 할인된 가격으로 그것을 확보할 수 있었다. 그리고 왕에게 대출해준 덕분에 (어느 곳으로 가든) 이 나라에서 나가는 모든 양모에 부과되는 관세에서 직접 수익을 얻었다.

그들은 양모를 구매하는 데 쓰거나 잉글랜드의 고객에게 대출해주기 위해 현금이 필요하면 디스펜서 같은 사람의 예금에서, 또는 교황의 세금을 거두며 나오는 수익금에서 충당했다. 그리고 교황이 세금 징수의 정산을 요구하면 로마에 있는 은행의 대리인이 이를 제공하고, 다른 고객의 예탁금을 이용하거나 양모와 직물을 팔아 만든 이윤으로 충당할 수 있었다. 어떤 식이든 이는 잉글랜드의 양모와 잉글랜드의 돈이 모두 이탈리아로 흘러들어 오고 이탈리아의 신용이 잉글랜드로 흘러들어 간다는 얘기였다. 이것은 정말로 양쪽에 아주 좋은 일이었다. 적어도 한동안은 그랬다.

지금도 마찬가지지만 14세기에는 덜 복잡하기는 하더라도 금융 사업에 위험 부담이 있었다. 이 위험은 (1311년 아메리고 프레스코발디가 잉글랜드에서 쫓겨날 때 비싼 수업료를 내고 배웠던 것 같은) 정치적 인물을 다루는 데서

---

† 개략적인 비교를 하자면, 당시의 1파운드는 석공이나 목수 같은 숙련된 기술공의 대략 석 달 치 임금이었다.

오는 위험부터 돈과 상품을 서방 세계 각지로 운송하는 데서 제기되는 실제적인 문제에 이르기까지 다양했다.

이 가운데 첫 번째 문제에 대해 은행가가 할 수 있는 일은 많지 않았다. 상황은 미묘하고, 그것이 바로 그들이 돈을 벌 수 있는 이유였다. 그러나 돈과 상품의 운송이라는 실제적인 문제는 분명히 처리가 가능하다. 사실 중세 상업혁명의 상당 부분은 바로 돈과 상품이 전달되는 체계의 개선을 바탕으로 한 것이었다.

돈을 옮기는 문제는 중세 금융업자가 우선적으로 해결해야 할 문제 가운데 하나였다. 이른바 '환어음'을 바탕으로 작동되는 현금 없는 계좌 이체 체계의 발명을 통해서다. 이는 거친 비유를 사용하자면 중세의 여행자수표로, 소지자에게 일정량의 돈을 발행지에서 멀리 떨어진 목적지에서, 그리고 때로는 다른 통화로 지불할 것을 약속했다. 신전기사단은 12~13세기에 선구적으로 이를 사용했다. 전표를 만들어 동방으로 가는 순례자가 고국에 있는 자신의 재산과 자산을 담보로 성지에 있는 기사단 시설에서 돈을 빌릴 수 있게 한 것이다.

이탈리아 은행가는 이를 광범위하게 이용했다. 충분한 이유가 있었다. 이런 종류의 금융 수단은 지금의 우리에게는 하찮은 것이다. 그러나 중세에 이는 정말로 혁명적인 것이었다. 신용을 먼 거리 밖으로 옮기는 안전한 방법일 뿐만 아니라 도장과 암호 사기로부터도 안전할 수 있었다. 기독교도 상인은 이를 통해 로마 교회의 엄격한 고리대금 금지를 우회할 수 있었다. 돈이 다른 통화로 환전될 경우 환율은 대출자 임의대로 인위적으로 조작될 수 있어, 이문을 이자로 공식 규정하지 않고도 거래에 반영시킬 수 있었기 때문이다.

더욱 중요한 것은 환어음이 거래되고 유통될 수도 있었다는 점이다.

그것을 현금화할 수 있는 제삼자에게 할인 가격으로 파는 것이다. 이것이 가변적이고 위험을 내포한 거래를 먼 거리에서 할 수 있도록 했다. 상인 집단은 정말로 사방으로 뻗친 상업 활동망을 갖추었으면서도 다른 나라에 갈 필요도 별로 없고 물건을 운송하지도 않는 국제적인 존재로서 활동할 수 있었다. 14세기의 금융 혁신을 이용할 수 있는 상인은 이전과 달리 '앉아서' 활동할 수 있게 되었다. 한 도시에 머물면서도 다른 여러 도시에서 사업을 할 수 있었다. 이것은 큰 도약이었다.

13~14세기에 금융 발전을 촉진한 장치가 여럿 더 있다. 그리고 그것이 피렌체-잉글랜드 양모 무역 같은 교역망에 직접 영향을 미쳤다. 배가 때로 침몰하는 것은 해운의 불행한 현실이었다. 통상 그 승무원과 함께 거기에 실린 귀중한 화물도 잃었다. 이에 따라 늦어도 1340년대 이후에 제노바 상인은 보험 계약을 맺기 시작했다. 물건을 운송 중에 잃어버리면 보상을 해주는 것이었다.

대략 거의 비슷한 시기에 상인은 위험성 있는 거래에 자본을 모아 함께 투자해 공동으로 사업을 할 수 있는 방식을 공식화했다. 이로써 위험과 이득을 그들 사이에서 나누는 것이다. 이것은 '회사'라는 것의 발전에 중요한 부분이었다. 여러 동업자와 투자자가 단일한 추상적 사업체의 운명을 공유하고, 회사를 확장하고자 할 때 새로운 투자자를 찾으며, 회사의 실적이 어떻고 자산과 부채는 얼마나 되며 장래에 그 성공(또는 실패) 전망은 어떤지 하는 기록을 유지하는 형태였다.

기업 회계를 유지한다는 생각이 중세에 처음 나온 것은 아니었다. 이는 적어도 로마 공화국 시대로 거슬러 올라간다. 그러나 (자산과 부채가 반대쪽 칸에 체계적으로 나열되고 균형을 맞추어 회사의 상태를 수치로 나타내는) 복식부기는 14세기가 되어서야 서방 기업의 표준이 되었다. 이때 이탈리아 상인이 그것을 채택하고 자기네 사업 전반에 적용해, 자기네의 사업 실적과 전망을 정확한 표준에 따라 이해할 수 있는 경쟁우위를 가질 수 있게 한 것이다. 부기, 기업의 위험 개념, 정주定住 영업은 바르디, 페루치, 프레스코발디 같은 회사가 만들어진 토대였다. 이들은 오늘날에도 여전히 자본주의의 핵심 구성 요소다.

집요하고 많은 곳을 돌아다닌 상인 프란체스코 디마르코다티니는 14세기 전반에 피렌체에서 멀지 않은 프라토에서 태어났다. 그는 1410년 죽을 때까지 600권이 넘는 회계 장부와 15만 건 가까운 업무상 서한을 남겼다.[38] (그는 또한 프라토의 빈곤 구제 자금을 위한 자본으로 7만 피오리노의 금화를 남겼고, 이 기금은 지금도 여전히 이자를 발생시키고 있다.) 다티니는 여러 가지 측면에서 중세 말의 밝고 분주한 새 상업 세계의 전형이었다. 그의 회계 장부에는 첫 장에 그의 개인적 좌우명이 적혀 있다. 인생에 대한 자신의 접근법을 요약한 것이다. "신과 이익을 위해."

그러나 (신도 마찬가지지만) 이익은 변덕스러울 수 있다. 상인과 금융업자는 때로 아주 비싼 대가를 치르고 그것을 깨닫는다. 중세는 그들에게 그들의 부를 늘릴 장치가 든 놀라운 새 도구함을 제공했지만, 시장과 사건이 그들의 노력을 물거품이 되게 만드는 시기가 있었다. 이를 보여주기 위해서는 바르디와 페루치라는 회사로 돌아가야 한다. 14세기 전반기에 잉글랜드 양모 무역을 이용하고 낭비벽이 있는 플랜태저넷왕의 필요에 부응하면서 상당한 이득을 얻었던 사람들이다.

1327년, 에드워드 2세가 강제로 왕위에서 쫓겨났다. 그 후 그는 버클리성의 감옥에서 살해되었고, 우여곡절 끝에 10대인 그의 아들 에드워드가 왕위에 올랐다. 에드워드 2세는 나약하고 부패에 취약하고 어리석고 불운한 군주였다. 그가 폐위된 것을 서운해하는 사람은 별로 없었다. 그러나 그의 아들 에드워드 3세가 그렇게 빨리 잉글랜드를 새로운 시대로 이끌 것이라고 생각할 수 있었던 사람은 더 별로 없었다.

에드워드 3세는 독자적으로 왕권을 행사할 수 있는 나이가 되자 곧바로 스코틀랜드와 프랑스 왕을 상대로 한 전쟁을 위해 계획을 세우고 이를 추진하고 막대한 금액을 지출했다. 노르망디와 아키텐의 옛 플랜태저넷 영지 지배권뿐만 아니라 프랑스 왕권 자체를 요구할 자신의 권리(그는 그렇게 생각했다)를 추구하기 위한 것이었다. 이것이 백년전쟁(역사가들은 보통 1337년에서 1453년까지로 본다)의 시작이었다. 이 전쟁은 처음부터 돈이 많이 들어갔고, 이후에도 비용이 그리 줄지는 않았다. 1340년 이후 에드워드는 그달그달 돈을 짜내야 했다. 주로 프랑스에 맞서 자신과 손을 잡는 대륙의 귀족에게 주는 돈과 매년 원정 작전에 내보낼 부대 병사의 현금 고정급 계약에 들어가는 돈이었다.

에드워드의 재정 지출이 늘면서 피렌체 은행가에 진 빚이 계속 늘었다. 그들은 왕의 필요를 충족시키기 위해 공동으로 합작 기업을 운영하기 시작했다. 에드워드는 다른 곳에서도 대출을 받고 있었다. 백화점카드와 신용카드 한도 소진으로 쪼들리는 현대의 쇼핑 중독자와 마찬가지로 에드워드는 여기저기서 대출을 받았다. 피렌체, 베네치아, 아스티, 루카, 기타 온갖 동네였다. 그는 잉글랜드에서 악착같이 세금을 긁어 들였고, 때로 런던의 국내 상인과 한 해 양모 출하에서 나오는 이득에서 몫을 떼내기 위해 협상을 했다. 이를 강제로 사들여 외국 시장에 팔고 이 거래를 담당한 상인과 정부가 수익금을 분배하는 것이었다.[39]

이탈리아 은행은 잉글랜드에 대한 자기네 대출의 상환을 정기적으로 받아갔다. 세금 징수와 양모 할인 구매 형태였다. 그러나 1340년대 중반이 되자 에드워드와 그에게 돈을 빌려준 이탈리아 채권자는 자기네가 곤경에 처했음을 깨달았다. 그때 최악의 상황이 닥쳤다. 피렌체에서 정치·사회 불안으로 인해 정권이 금세 이리저리 바뀌었다. 여기서 바르디가 후보를 잘못 찍었다. 한편 그들은 토스카나의 전쟁에도 부분적으로 돈을 댔는데, 결과가 좋지 않았다. 1341년 이후 바르디와 페루치는 잉글랜드왕의 자금 수요를 맞추는 데 애를 먹고 있었다. 1341년, 그들은 에드워드를 대신해 플란데런 상인들에게 지불하기로 동의했던 약속을 지키지 못했다. 그들이 타결했던 조건에 따라 에드워드는 자신의 귀족 친구인 더비 백작과 워릭 백작을 플란데런인에게 인질로 넘겨줘야 했다.[40] 관련된 모든 사람에게 치욕스러운 일이었다.

이후에도 사태는 호전되지 않았다. 에드워드는 지출을 계속했다. 상업 은행가들은 계속해서 대출해주었다. 그러나 양쪽 모두에게 이 거래는 갈수록 이어갈 수 없어 보였다. 1343년 페루치가 파산했다. 회장이 자주 바뀌고, 이사들이 정치적 부패 혐의로 비난당하고, 잉글랜드의 빚에 대한 채무 불이행이 반복되는 와중이었다.[41] 그리고 1346년에 바르디 역시 파산 선언을 하지 않을 수 없었다. 그들은 완전히 파멸하지는 않았지만(그리고 실제로 30년 뒤인 1370년대에도 여전히 많은 액수의 돈을 영국왕에게 대출해주고 있었지만), 심한 손상을 입어 거의 사업을 할 수 없게 되었다.

은행가이자 역사 기록자인 조반니 빌라니는 바르디가 망할 때 에드워드가 무려 금화 150만 피오리노를 빚지고 있었다고 추정했다. 이는 25만 파운드쯤에 해당하는 것이고, 대략 왕의 5년 치 수입에 해당했다. 이것이 상당히 과장된 것이라 하더라도(다분히 그랬을 것이다), 그는 정말로 한계점에 다다랐다.[42]

그러나 기묘하게도 이것이 그를 아주 고통스럽게 하지는 않았다. 재정

파탄에도 불구하고(에드워드가 빚을 갚지 못한 것이 직접적인 원인이 아니었다면 더 나빴을 것이다) 잉글랜드는 왕이 그 비용을 내기 위해 안간힘을 쓰던 전쟁에서 엄청난 행운을 누리고 있었다. 1346년 8월, 에드워드는 크레시 전투에서 프랑스 군을 격파하여 백년전쟁의 육상 전투 첫 승리이자 아마도 가장 큰 승리를 거두어, 북유럽에서 잉글랜드 군대가 우위를 보이는 짧은 황금기를 불러들였다.

"당신이 은행에 100파운드를 빚졌다면 그것은 당신의 문제다. 당신이 은행에 1억 파운드를 빚졌다면 그것은 은행의 문제다." 이런 생각은 흔히 20세기의 유명한 경제학자 존 메이너드 케인스가 대중화시켰다고 하는데, 이는 1340년대에도 진실이었고 그 이후의 어느 시기에도 진실이었다.

돈과 권력

중세 상인은 여러 가지 방법으로 권력을 행사했다. 재산은 물론 그 자체로 권력의 한 형태였다. 그리고 그저 자원과 금·은 비축을 조정하는 것만으로도 베네치아, 제노바, 피사 같은 이탈리아 도시는 상업적 성공을 거두었고, 그것은 그들이 왕과 황제로부터 정치적 독립을 보장받는 데 크게 도움이 되었다. 이는 그들이 작은 지역을 차지하고 있으면서도 국가로서 활동할 수 있게 해주었다. 그들은 전쟁에 나가고, 십자군에 참가(심지어 주도)하며, 적의 영토를 침공하고, 비기독교 지역을 식민지화했다.

이와 동시에 마르코 폴로 같은 외교관은 서방 사람이 본거지로부터 먼 지역에서 어떻게 인식되느냐에 영향을 미쳤다. 그들은 외교 사절일 뿐만 아니라 문화 사절이기도 했다. 그리고 잉글랜드의 경우에서 봤듯이 상인과 그들의 회사는 한 국가 경제의 핵심 부분에 엄청난 지배력을 행사할 수 있었다.

그리고 이는 당연한 일이지만 이탈리아에서만 그런 것은 아니었다. 이탈리아 도시국가는 상업혁명의 보일러실이었다. 북유럽에서 덴마크의 윌란반도는 발트해로 쑥 튀어나와 지중해의 '장화' 모양 이탈리아반도의 지리적 거울상像인 셈인데, 여기서도 작지만 마찬가지로 분주한 상업적 도시국가군群이 독일 북부 일대에 생겨났다.

북방의 베네치아는 뤼베크라는 도시였다. 트라베강이 발트해로 흘러드는 만에 자리 잡았다. 한때는 이교도의 정착지였지만 1143년 샤우언부르크-홀슈타인 백작 아돌프 2세가 기독교도 도시로 재건했고, 1226년 신성로마 황제 프리드리히 2세 호엔슈타우펜으로부터 '자유시' 지위를 인가받았다.

뤼베크는 지리적 이점으로 북적거리는 항구가 되어, 북유럽의 기독교도 국가와 새로 식민화한 발트해 주변 지역을 연결하며, 목재. 모피, 호박琥珀, 수지樹脂가 많은 이 지역의 풍부한 상업적 가능성을 이용했다. 그곳에 살면서 일하는 상인들의 야망은 시간이 흐르면서 뤼베크가 단치히(그단스크), 리가, 베르겐, 함부르크, 브레멘, 그리고 심지어 쾰른 같은 발트해와 그 너머 지역의 비슷한 도시국가군 가운데서 가장 큰 영향력을 가지게 하기에 충분했다.

14세기 중반에는 이들이 한자동맹으로 알려진 느슨한 상업 조합으로 함께 뭉쳤다. 이 동맹 상인의 교역의 축은 서쪽의 런던과 브뤼허부터 동쪽으로 멀리 노브고로드까지 뻗쳐 있었고, 이 교역 지대 전역에서 한자 대리인이 자기네 집단의 이득을 위해 전력을 다하고 있었다. 그들의 집단적인 상업권력은 그들을 외부의 정치적 영향으로부터 자유롭게 해주었다.

그리고 이탈리아인과 마찬가지로 그들은 1360년대와 1370년대에 덴마크를 상대로 전쟁을 한 것처럼 군대를 만들고 전쟁에 나감으로써 그들의 상업적 이익을 지킬 준비를 했다. 그들은 14세기 말에 양식형제단糧食兄弟團으로 알려진 폭력적 해적 집단으로 인해 고통받았다. 그들은 한자동맹의 해안 항구를 습격해 괴롭혔으며, '신의 친구이자 온 세계의 적'이라는 표어를 내세워 스스로의 정체감을 세웠다. 그러나 이 도전은 결국 격퇴되었고, 15세기에 한자동맹은 부유하고 강력해져 다른 나라의 문제에까지 관여했다. 1460년대와 1470년대에 장미전쟁에 끌려 들어가 잉글랜드 현지 상인과 싸운 것 같은 경우다.

한자동맹이 성장하고 이탈리아 도시국가가 지중해에서 패권을 굳히면서 하나의 계급으로서 상인은 서방 곳곳에서 갈수록 두드러지는 존재가 되었다. 그리고 고전기에는 그들의 사업 분야가 고상한 것으로 생각되지 않았지만 중세 말에는 부유하고 어디에나 있는 상인에게 사회적·문화적 지위가 생기기 시작했다. 사업은 예기치 않게 직업의 평등을 이룰 수 있게 했다. 14세기 초 파리에서는 두 명의 가장 성공적인 아마포 상인이 여성이었다. 잔 라푸아시에르와 에랑부르 드무스테릴이었다. 또는 높은 신분으로 가는 방편이 될 수도 있었다. 이탈리아에서는 13세기에 이미 상인 가족이 상류사회에서 자기네 아이를 군주나 기타 권력자의 자손과 혼인시키고 귀족 세계의 일원임을 주장할 수 있었다. 실제로 상인은 매우 성공적으로 귀족 계급으로 진입해 귀족과 아주 흡사하게 행동하기 시작했다. 예컨대 베네치아에서는 혈통에 관계없이 공개적으로 사업가를 포용하는 분위기 덕에 많은 상인 가족이 권력자가 되었다. 그러나 14세기에 베네치아 국정을 담당하던 이들 부유한 가문은 귀족 아닌 가문이 장거리 갈레아선 무역에 참여하지 못하게 하는 여러 법안을 통과시켰다. 베네치아 경제

에서 사실상 더욱 수익성이 높은 분야를 독점하고 그럼으로써 신분 상승을 통제한 것이다.[43]

한편 이탈리아 상인이 백년전쟁의 첫 출정 비용 부담을 도와준 잉글랜드에서는 이후 권력의 지렛대가 계속해서 명문가 출신과 함께 부유한 사람에 의해 공유되었다. 시간이 흐르면서 런던과 요크의 상인이 잇달아 전쟁 활동 통제에서 두드러진 역할을 하게 된다. 그들은 그럼으로써 상당한 개인적 위험을 떠안았다.

1340년대에 양모 및 포도주 상인 출신의 대금업자 존 드펄티니는 그저 '왕의 비밀 사무'로 이름 붙은 일을 위해 많은 돈을 자주 왕에게 대출해주었다. 동시에 그는 이탈리아 은행과의 거래에 대한 회계 감사를 하고, 사법위원회 위원 일을 보고, 병사를 모집하고, 런던 방어 시설의 유지보수를 감독하는 공직도 맡았다. 1년 임기의 런던시장으로도 일했다.

그 과정에서 펄트니는 상당한 재산을 축적했다. 콜드하버라 불리는 멋진 템스 강변의 저택(나중에 에드워드 3세 왕의 아들 흑태자黑太子가 살았다)과 성으로 둘러싸인 장대한 켄트의 시골 장원 펜스허스트플레이스(펄트니가 직접 설치한 밤나무 들보의 지붕이 있는 중세의 멋진 그레이트홀이 오늘날에도 여전히 남아 있다) 같은 것이다. 그러나 이 모든 큰 행운과 호사는 재정적 비용뿐만 아니라 정치적 비용을 들여 얻을 수 있었고, 1340년대 초 전쟁에서 왕의 운세가 잠시 꺾였을 때 펄트니는 희생양으로서 체포되어 링컨셔의 서머튼성에 수감되었다. 그곳에서 그는 2년 형을 살았다.[44]

이는 틀림없이 불쾌한 일이었지만, 공무에 손을 댔던 다른 런던 상인에 비하면 펄트니는 상대적으로 가볍게 빠져나간 것이었다. 1376년, 시 행정관과 중앙정부 자문관으로 일하던 런던의 상인 삼총사(리처드 라이언스, 애덤 베리, 존 페체)는 '선의회善議會'(Good Parliament, 1376년 4월부터 7월까지 열린 잉글랜드 의회의 명칭으로, 에드워드 3세의 실정을 규탄하고 부패 척결을 주장했다) 앞으로 끌려가 사기, 부패, 횡령 혐의로 고발당하고 혹독한 비난을 받은 뒤 그들이 지니고 있던 여러 직책을 박탈당했다. 라이언스는 이후 1381년 '와트 타일러 반란'으로 알려진 대중 봉기에서 군중에게 살해당했다.

그와 거의 동시대인인 식료품 및 양모 수출업자 니컬러스 브렘버는 세 차례 런던시장으로 일하고 리처드 2세 왕에게 거액의 대출을 주선해주었다. 자기 돈을 주기도 했고, 시를 대신해 기업신용 형태로 주기도 했다. 무능하고 인기 없는 왕에 대한 브렘버의 과도한 충성심의 대가는 반역죄로 교수되어 내장이 뽑히고 사지가 찢기는 처형이었다. 1388년 귀족의 반란 때였다.

상인이 직접 정치에 개입했을 때 떠안아야 하는 태생적인 위험은 이런 것이었다. 그리고 (지금과 마찬가지로) 당시에 정치적인 자리를 추구하거나 받아들인 기업가가 부패, 부정, 가망 없는 이익 다툼을 벌이는 자로 몰리는 데 무방비로 노출되어 있었다는 것은 아마도 놀라운 일이 아닐 것이다 (도널드 트럼프의 경우를 보라). 어쨌든 간에, 14세기 말이 되면 서유럽에서 상인이 성숙기를 맞았고 사회와 문화 전반에 그들의 족적을 남겼다는 사실은 부정할 수 없다.

그 유산의 일부는 물리적인 것이다. 우리는 지금도 14세기 초에 지어진 이퍼르의 라컨할레(직물회관, 1차 세계대전 때 포격으로 파괴된 뒤 세심하게 복원했다)를 찾을 수 있고 13세기 상업혁명으로 인해 변모한 도시의 이례적인 건축 유적을 입증할 수 있다. 베네치아를 찾는 사람은 13세기의 카다모스토 저택을 볼 수 있다. 15세기 노예상이자 탐험가인 알비세 카다모스토가 탄생한 곳으로 가장 잘 알려졌지만, 사실은 부유한 상인이었던 그의 조상들이 이전 세대에 건축했다. 심지어 약간 덜 매혹적인 영국의 해안 도시 사우샘프턴을 지나가는 사람조차도 13세기 말로 거슬러 올라가는 상인회관의 목재 골조를 보고 중세 양모 상인이 자기네 세계의 번영을 위해 무슨 일을 했는지를 상기할 수 있다.

그러나 상업 활동은 돌에 새겨져 기념되었을 뿐만 아니라 책에도 흔적을 남겼다. 제프리 초서는 1390년대에 《캔터베리 이야기》를 쓰면서 가장 추잡하고 이상한 이야기에 '상인'을 끌어들였다.[†] 초서의 다채로운 목록에 상인이 등장하는 것은 놀라울 것이 없다. 작가에게 평생에 걸친 사업 경험이 있었기 때문이다.

그의 아버지는 포도주 상인이었고, 장사를 하는 과정에서 많은 곳을 돌아다녔다. 초서는 어려서 당시 런던의 가장 국제적인 지역인 빈트리구區에서 자랐다. 여기에는 독일인, 프랑스인, 이탈리아인, 플란데런인이 많이 살았으며, 그들 대부분이 런던에 사는 유일한 목적은 장사를 하는 것이었다. 강변 지역에는 전 세계에서 가져온 물건을 가득 실은 상선들이 1년 내내 정박하고 있었다.[45]

초서는 커서 잉글랜드 왕국의 세관원으로 일했고, 10년 이상 올게이트 위의 아파트에 살았다. 올게이트는 런던 성벽을 드나드는 주요 통로 가운데 하나로, 동쪽에서 이 도시로 들어오는 상인으로 붐비던 출입구였다. 1372~1373년에 그는 해외에 파견되었다. 무역 사절로 제노바와 피렌체

[†] 〈상인의 이야기〉에서 늙고 부유하고 우스꽝스러운 재뉴어리라는 상인이 훨씬 젊은 여성 메이와 결혼하는데, 메이는 남편의 종자從者 하나와 어울린다. 재뉴어리는 눈이 멀고, 속임수에 넘어가 종자와 자기 아내 사이의 정사情事가 이루어지도록 만든다. 그 장소는 비현실적이지만 배나무 위다. (고전적인) 신들의 개입으로 재뉴어리는 시력을 회복하고 아내가 자신의 종자와 어우러진 모습을 본다. 역시 신들의 선물 덕분에 메이는 상황에 대한 변명을 한다. 남편에게 그의 눈이 그를 속였다고 말한 것이다. 우리가 오늘날 '가스라이팅'이라고 부르는 심리 조작이었다.

에 가서 잉글랜드 남해안의 한 도시에 있는 이탈리아인을 위한 기반 마련 협상을 하는 것이 임무였다.[46] 사업은 시와 마찬가지로 그에게 타고난 것이었다.

그러나 초서는 단순히 직접적이고 문자적인 의미 이상으로, 교역과 교환으로 호황을 누린 중세 세계의 영향을 받았다. 그의 《캔터베리 이야기》는 또한 상류층의 국제적인 미술 문화의 영향도 크게 받았다. 이런 문화에서 착상과 이야기는 인도 향신료나 잉글랜드 양모만큼이나 활발하게 (그리고 아주 먼 거리에서) 거래되었다. 그렇게 할 수 있었던 것은 구체적으로 상업혁명이 그것을 가능케 했기 때문이다.

초서의 이야기는 가장 유명하게는 역사가이자 시인인 페트라르카와 피렌체의 작가로 《데카메론》을 쓴 조반니 보카치오를 낳은 국제 문필문화에서 튀어나온 것이었다. 그리고 그의 사업 및 관료 경력과 함께 그가 받은 고전 교육, 프랑스어와 이탈리아어에 대한 충분한 이해, 유럽의 전망이 모두 그의 숙고에 기여했다. 중세 말로 가면서 일어난 거대한 문화 융성이 상당 부분 그에 앞선 상업 흥성 덕분이라고 해도 결코 과장은 아니다.

14장에서는 문예부흥기의 문화와 중세 말 미술·문학의 힘에 대해 보다 자세히 검토할 예정이다. 그러나 장사의 세계를 떠나기 전에 주목할 필요가 있는 상인이 하나 더 있다. 그는 아마도 당대에 가장 성공한 잉글랜드 사업가였을 것이다. 그의 일생은 15세기로 넘어가는 시기의 다섯 왕 치세에 걸쳐 있다.

그는 어깨에 바랑을 메고 뒤에 커다란 고양이를 딸린 채 런던 거리를 배회하는 무언극의 등장인물로 가장 잘 알려져 있지만(어쨌든 영국에서는), 실제는 매우 다르다. 그는 런던시장을 네 차례, 칼레시장을 한 차례 지낸 뛰어난 금융가이자 상인이었으며, 동시대의 많은 사람보다 능숙하게 정치 세계를 헤쳐 나가 자신의 제2의 고향이 된 도시의 물리적이고 정신적인 풍광에 오늘날까지도 실질적으로 느낄 수 있는 방식으로 깊은 인상을 남겼다. 그의 이름은 리처드 위팅턴이다. 오늘날의 무대에서는 평범한 노인 '딕Dick'으로 가장 잘 알려지고 있지만 말이다.

'딕' 위팅턴

리처드 위팅턴이 실제보다 100년 앞서 태어났다면 그는 성직자가 되었을 것이다. 그러나 실제로는 1350년 무렵에 이 세상에 태어났다. 글로스터셔 폰틀리 출신 기사의 셋째 아들이었다. 아버지는 빚을 갚기 위해 허덕였고, 그의 사유지는 어쨌든 어린 리처드가 땅을 가진 귀족으로서의 장래를 보장받기에는 턱없이 모자랐다.[47] 전통적인 인생행로는 엄격한 교육을 받은 후 인내심 있게 성직자의 위계를 밟아 나아가는 것이었을 듯하다. 그러나 위팅턴은 14세기의 아이였다. 다른 기회를 이용할 수 있었다. 그리고 그는 그 기회를 두 손으로 움켜쥐었다.

위팅턴이 자랄 무렵 코츠월즈 양모는 잉글랜드에서 가장 부드럽고 가장 탐나는, 더 나아가 세계에서 가장 좋은 양모로 유명했다. 직물(또는 그것을 만들기 위한 원료)은 그의 주변에 널려 있었다. 따라서 글로스터셔 청년이 직물 교역에 끌리는 것은 자연스러운 일이었다. 위팅턴은 청년기에 직물상 수습 기간을 거쳤다. 잉글랜드에서 고운 비단과 아마포, 기타 비슷한 직물을 수입하고 양모와 그 부산물을 수출하는 상인이었다. 그는 가장 분주한 최고의 직물상이 장사하는 런던으로 보내졌다. 그리고 서서히, 그러나 확실하게 이 일의 요령을 파악했다.

위팅턴이 아마도 20대 후반이었을 1379년에 그는 장사를 잘해 시 당국에 돈을 빌려줄 정도가 되었다. 10년 뒤 그는 하위 공직을 얻고자 구직을 시작해 그것을 얻어냈다. 먼저 자기네 구 평의원이 되고 그 후 시 참사회원이 되었다.† 1393년에 그는 임기 1년인 이 도시의 치안관 두 명 가운데 하나로 일해달라는 요청을 받았다. 곧이어 그는 새로이 편입된 직물상 조합††의 대표로 임명되었다. 이 조합은 시 전역의 직물상의 이익을 증진하고 보호하기 위해 만들어진 동업조합이었다. 위팅턴은 그의 동시대인인 제프리 초서와 마찬가지로 북적이는 유럽의 중심지에서 지위가 높은 시민으로 출세했다.

그는 또한 사업이 번창했다(우연이 아니었다). 젊은 왕 리처드 2세는 왕이 입는 고운 옷에 푹 빠졌고, 주위에는 그의 사치스러운 취향을 공유하는 아첨꾼이 들끓었다. 궁정은 현명하거나 안정적인 통치의 근원이 아니었다. 그러나 직물상 노릇을 하기에는 아주 좋은 곳이었다. 위팅턴은 그곳에서 연줄을 만들고 그들에게서 단물을 짜냈다. 그는 매년 수천 파운드어치의 비단과 기타 천을 팔았다. 나라에서 가장 부유하고 가장 힘센 사람이 고객이었다. 왕의 숙부인 랭커스터 공작 곤트의 존과 글로스터 공작 우드스톡의 토머스, 왕의 사촌인 더비 백작 헨리 볼링브로크, 왕의 가장 친한 친구인 옥스퍼드 백작 로버트 드비어 같은 사람이었다.

---

† 중세 런던은 작은 구區로 나뉘어 있었고, 각 구에는 자기네의 행정 평의회가 있었다. 각 구는 또한 해마다 참사회원을 선출해 런던시 참사회 일을 보게 했다. 시의 공식 지도자는 시장으로, 역시 해마다 선출되었다.

†† 오늘날 런던시에서 가장 부유하고 가장 저명한 동업조합 가운데 하나인 독실직물상조합(The Worshipful Company of Mercers)의 설립은 1394년까지 거슬러 올라간다. 이는 업계 평의회로서 중세에 기원을 둔 수십 개의 유사한 동업조합 가운데 하나지만, 지금은 더 광범위한 자선사업을 벌이며 뜻을 같이하는 런던의 전문인이 만나고 식사하고 인맥을 형성하는 포럼으로 존재한다. 아직도 존재하는 다른 유명한 동업조합은 어물상, 식료품상, 모피상, 양복점, 금세공인 등의 조합이다.

가장 큰 고객으로, 위팅턴은 1390년대가 되면 바로 왕을 상대로 장사를 하게 되었다. 리처드왕은 키가 크고 강한 남자였지만 섬세하고 약간 여성스러운 용모를 가지고 있었다. 그는 스스로도 인식했듯이 잘생겼고, 옷을 잘 차려입어 자신의 멋진 용모를 돋보이게 하기를 즐겼다. 리처드는 새를 동원한 사냥, 개를 동원한 사냥, 무기로 하는 사냥 등 전통적인 왕의 취미와 함께 호화로운 식사, 값비싼 옷과 액세서리에 매우 큰 관심을 가졌다. (그는 아마도 잉글랜드왕 가운데서 가장 먼저 손수건을 사용한 왕인 듯하다.[48]) 위팅턴은 시장에서 가장 사치스러운 직물을 구해다 리처드에게 공급했다. 우단, 수놓은 우단, 금란, 문직단紋織緞, 호박단 같은 것이었다.[49] 리처드 재위 중반기의 어느 한 해에 위팅턴은 거의 3500파운드 가치가 있는 직물을 궁정에 팔았다. 그리고 그는 이런 봉사의 대가로 돈만 받은 것이 아니었다.

다른 상인(예컨대 불운한 니컬러스 브렘버 같은)은 리처드의 궁정에서 비슷한 문제를 겪었다. 그 궁정은 자주 갈등에 시달렸는데, 그 가운데 상당수는 왕 자신의 무능하고 편파적이며 심술궂은 성향으로 말미암은 것이었다. 그러나 어쩐 일인지 위팅턴은 궁정에 소모되지도 않고 적에게 미움을 받지도 않았다. 그는 리처드와 직업적인 친밀성을 유지했고, 높은 관직에 임명되었다. 또한 웬일인지 그는 교제로 인해 더럽혀지는 일도 없었다. 1397년 현직 런던시장 애덤 뱀이 재직 중에 죽자 리처드는 자신이 총애하는 직물상 위팅턴이 물려받아 뱀의 임기를 채울 것을 요구했다. 이듬해인 1398년에 위팅턴은 정식으로 시장에 선출되어 직무를 이어갔다. 두 번째이자 온전한 임기였다.

이를 보면 위팅턴이 리처드파로 보였으리라고 생각할 수 있다. 그러나 그렇지 않았다. 1399년 리처드의 통치가 불안정한 폭정의 소용돌이에 빠졌고, 왕은 사촌 볼링브로크가 이끈 혁명 와중에 폐위되고 살해당했다.

위팅턴은 그의 가장 유명한 고객 겸 후원자와 함께 몰락하지 않았다. 실제로 볼링브로크(이제 헨리 4세가 되었다)가 첫 국왕자문회의를 임명할 때 그는 다름 아닌 위팅턴을 그 성원의 하나로 선택했다. 직업적인 중립성 때문이었는지 아니면 성격상의 강점이나 단순한 행운 덕분이었는지 모르지만 위팅턴은 위험한 군주 교체 시기를 잘 넘어갔다. 그는 헨리 4세의 새로운 랭커스터 정권 아래서 옛 정권 때나 마찬가지로 많은 돈을 벌었다(그리고 공무에 더욱 많이 참여해야 했다).

꾸며지고 낭만화된 '딕' 위팅턴에 관한 연극과 이야기(17세기 벽두부터 회자되기 시작했고 지금도 공연되고 있다)에서는 위팅턴이 권력의 자리에 오르고 유명해진 것이 이 모든 것과 상당히 다르다. 허구에서는 전승에 따라 그가 수습생으로 런던에 온 가난한 소년이었다. 그는 고양이 하나를 얻었고, 자신이 학대당한다는 사실을 깨닫고 도망치기로 결심한다. 그러나 그는 하이게이트를 거쳐 북쪽으로 가면서 생각을 바꾼다.† 그곳에서 그는 동東런던 보Bow 교회의 종이 울리며 자신이 머물면 큰 인물이 될 운명이라고 말하는 소리를 듣는다. 그는 자신의 고양이를 상선에 실어 어느 외국으로 보내고, 고양이는 그곳에서 현지 왕을 괴롭히던 쥐들을 소탕한다. 그는 감사의 표시로 많은 돈을 받고, 이어 세 차례 런던시장이 된다.

이를 재미있는 동화로 추천할 수 있게 만드는 요소는 많지만, 그 가운데 사실인 것은 별로 없다. 15세기 초에 위팅턴은 능력 발휘의 정점에 있었다. 한 시인은 그를 "장사꾼의 길잡이별, 왕이 고른 꽃"⁵⁰으로 불렀다. 그러나 그의 성공과 그의 명성은 고양이나 쥐나 종과 아무런 관련도 없고, 모

---

† 오늘날 하이게이트힐에는 위팅턴스톤Whittington Stone이라는 술집 밖 위팅턴병원에서 내려오는 길에 작고 좀 지나치기 쉬운 고양이상이 있다. 그것이 이 허구적 여행에 바치는 봉헌물이다.

두 그의 놀라운 끈기와 직물상 및 민간 행정가로서의 그의 재능과 관련이 있다.

이는 분명히 이후 20년의 그의 인생에 도움이 되었을 것이다. 위팅턴은 고급 직물을 수입하는 것과 함께 헨리 4세의 치세 초부터 양모에서도 두각을 나타냈다. 그는 왕을 대리해 양모세를 거두었다. 그는 상당한 물량의 양모를 직접 수출했다. 그리고 자신이 축적한 개인 재산에서 거액을 왕에게 빌려주었다. 그 가운데 하나가 1400~1401년 겨울에 1000마르크라는 상당한 선금을 준 것이었다. 동로마 황제 마누일 팔라이올로고스가 두 달 동안 런던을 공식 방문할 때였다. 황제는 가장행렬, 마상 경기, 연회 등 화려한 행사를 잇달아 즐겼으며, 새 왕은 이를 위해 막대한 비용을 치렀다.[51]

위팅턴은 두 차례 더 런던시장으로 선출되었다. 1406년과 1419년이었다. 그는 또한 프랑스 서북부의 소도시 칼레의 시장으로도 일했다. 잉글랜드가 지배하고 있던 그곳에는 '에타프étape', 즉 수출을 위해 의무적으로 거쳐야 하는 시장이 형성되어 있었다. 그는 나이가 들고 경험이 쌓이면서 자신의 전문 사업 영역이 아닌 곳에도 징발되었다. 어떤 때는 교황의 세금 징수도 했고, 또 어떤 때는 국왕자문위원으로 롤라드파로 알려진 이단자를 조사하기도 했다. 그는 심지어 웨스트민스터 대수도원 새단장(리처드 2세 치세에 시작되어 새 왕 치세로 이어졌다)을 감독하는 위원회에 임명되기도 했다.[52]

아마도 가장 거창한 것이었겠지만, 위팅턴은 헨리 4세의 말릴 수 없는 아들 헨리 5세 치세에 전쟁 비용 조달에 깊숙이 관여했다.

백년전쟁은 15세기 초에도 한창 진행 중이었고, 1415년 초에 헨리 5세는 잉글랜드의 대군을 동원해 노르망디를 침공하고 점령할 계획을 세웠다. 거대한 작업이었다. 상륙군을 잉글랜드해협 건너편에 상륙시키고, 성채와 도시를 포위 공격하며, 점령한 곳은 어디든 방어해야 하고, 프랑스 군과 전투에서 부딪칠 수 있었다. 헨리는 화포와 전문 포병대(중세 군대에 추가된 새롭고 자극적이지만 매우 값이 비싼 분야였다)를 전쟁에 투입한다는 계획을 세웠지만, 그렇다고 해서 비용을 줄일 수 있는 것도 아니었다.

이 모든 비용을 대기 위해 헨리는 자신이 동원할 수 있는 모든 자금원을 다 동원했다. 그리고 위팅턴도 한몫 거들어 왕에게 1600파운드(첫 석 달 전쟁 예산의 대략 3퍼센트에 해당했다)를 빌려주었다. 그리고 다른 런던 상인들과 협상해 왕의 보석, 소장 미술품, 예배당 식기류 등을 담보로 더 많은 돈줄을 찾아내고자 했다.[53] 아르플뢰르 포위전 때 위팅턴은 잉글랜드의 전쟁 활동 유지를 위해 500파운드 가까운 비상 대출을 해주었다.[54] 이 것은 단순한 애국심을 넘어선 것이었다. 공정하게 말하자면, 위팅턴과 그의 동료 런던 상인들의 호의와 재정 지원이 없었다면 1415년의 노르망디 원정은 벌일 수 없었을 것이다. 그리고 헨리 5세는 백년전쟁에서 가장 유명한 전투, 아쟁쿠르 전투에서 승리할 수 없었을 것이다.

아쟁쿠르 전투 이후에도 위팅턴은 계속 전비 조달에 관심을 쏟았다. 그러면서 몸값 지불 시장에도 손을 댔다. (도덕적으로는 떳떳치 않지만) 북적이는 전쟁 포로 거래였다. 전쟁터에서 기사나 병사가 사로잡히면 그는 법적으로 잡은 자의 재산으로 간주되었다. 잡은 자는 잡힌 자의 가족이나 영주나 왕에게 돈을 지불하라고 요구할 권리가 있었다. 몸값을 받아내는 (그리고 그 이득에서 왕에게 그의 몫을 지불하는) 일은 궁수나 지친 중기병이 하는 일보다 더 많은 노력이 필요했다. 따라서 그는 포로를 상인에게 팔 수 있었고, 상인은 왕의 몫을 지불하기 위한 보석금으로 알려진 법적 조정에 들어가고 이어 몸값 회수 과정을 시작했다.

기록을 보면 위팅턴은 아쟁쿠르 전투 이후 위그 코니에라는 프랑스 포로를 샀고, 이어 그를 한 이탈리아 상인에게 팔았다. 받은 돈은 296파운드나 되는 거금이었다.[55] 그 이탈리아 상인이 사실상 보석 보증인 노릇을 했는지 아니면 포로를 다시 팔려 했는지는 알 수 없다. 그러나 이는 위팅턴 같은 상인이 성채나 전쟁터 근처에는 가보지도 않고 전쟁에서 이득을 볼 수 있다는 놀라운 사실을 알게 해준다.

이런 수단과 기타 방법을 통해 위팅턴은 계속 돈을 벌었다. 대금업자로서 그는 고위층 고객에게 빌려줄 돈이 있고 그럴 의사가 있음이 잘 알려져 있었다. 그는 당대의 그런 계층 사람으로서는 어울리지 않게 런던 바깥의 부동산에 진지한 투자를 한 적이 없었다. 그는 도싯 출신의 앨리스 피츠워린이라는 여성과 결혼했지만, 그들은 아이를 낳지 못했고 앨리스는 그가 죽기 10여 년 전인 1410년에 죽었다.

이에 따라 위팅턴은 그의 재산 거의 전부를 자산 형태로 가지고 있었다. 현금과 런던 중앙의 템스강 바로 뒤 왕실 지구로 알려진 곳에 세워진 크고 훌륭하고 멋진 집에 빌려준 대출이었다. 그는 그곳에 미카엘 성인에게 봉헌된 교회 하나를 세우고, 성직자와 학자를 위한 대학을 부속시키도록 주선했다. 그들이 연구를 하며, 죽은 왕 리처드와 그 왕비 안나 폰뵈멘도 포함해 위팅턴의 친구 및 동료의 영혼을 위해 기도할 수 있게 한 것이다. 안타깝게도 이 대학은 1540년대 잉글랜드 종교개혁 동안에 해체되었고, 교회는 1666년 런던 대화재 때 불에 타 무너졌다. (이를 대체해 오늘날 그 자리에 서 있는 건물은 크리스토퍼 렌이 다시 건설한 것이다.)

이것들은 위팅턴이 자신의 재산을 모은 도시 런던에 남긴 개인적 흔적 가운데 중요한 것일 뿐이다. 이것들이 기념물을 의도한 것은 아니었다. 위팅턴은 여러모로 드러나기를 꺼리는 기업 거물의 전형이자 축도였기 때문이다. 그런 사람에게 명성과 재산은 정반대의 것이지 동반자가 아니었다. 대신에 그가 런던에(그리고 그 너머에) 남긴 진정한 유산은 자신의 이름을 걸지는 않았지만 막대하게 베푼 너그러운 자선 지출이었다.

위팅턴은 1423년 3월 말 죽을 때 7000파운드의 재산을 남겼다. 많은 액수였고, 거의 대부분 현금이었다. 그가 언명한 바람은 한 푼 한 푼 모두 자선에 쓰라는 것이었다. 위팅턴은 이미 생전에 자기 재산 일부를 좋은 일에 지출했다. 교량을 보수하고 공중화장실을 갖추며 미혼모를 위한 여성 보호소를 세우고 런던 그레이프라이어스의 프란체스코회를 위한 도서관(16세기에 여기에는 역사 및 철학에 관한 저작과 설교 모음이 많이 축적되어 있었다)을 건설하는 것 같은 일이었다.

죽어서도 그는 작업 목록을 추가했다. 그는 거리의 음수대飮水臺 설치와 세인트바살러뮤 병원 담장 수리 비용을 지불했다. 그는 길드홀의 두 번째 새 도서관을 건립했다. 오늘날에도 서 있는 멋진 고딕 양식 시청 건물로, 위팅턴이 죽었을 때는 대대적인 재건축 공사 도중이었다. 그는 뉴게이트 감옥의 정밀검사를 위해서도 돈을 남겼다. 도시 서쪽 끝에 있는 비좁고 지저분하며 병에 취약한 감옥으로, 그저 환경이 열악한 것만으로 수감자가 종종 죽는 곳이었다. 그는 미카엘 성인의 교회에 부설된 대학이 건전한 재정 기반을 유지할 수 있도록 확실히 했다. 그리고 빈민구호소에도 자금을 댔다. 런던의 가난하고 곤궁한 사람을 보살피는 시설이었다.

이것은 인상적이고 완전히 공공심이 드러난 여러 가지 사업의 긴 목록이었다. 당시에도 이례적인 일이었고, 시대를 넘어 귀감이 되었다. 그리고 런던이라는 도시는 위팅턴이 죽은 뒤 엄청나게 변했지만, 그의 손길은 아직도 느낄 수 있다. 직물상조합은 위팅턴이 설립한 빈민구호소를 600년 가까이 유지했다. 그것은 지금 런던 중심부에서 옮겨 가 웨스트서식스의 이스트그린스테드 부근에서 찾아볼 수 있다. 개트윅 공항에서 멀지 않은 곳이다. '위팅턴의 대학'(지금 그렇게 알려져 있다)은 50여 집이 모여 있는 곳이다. 은퇴한 사람으로서 독신 여성이나 곤궁한 부부에게 보조금 요율로 임대하고 있다. 이 집을 거쳐 가는 거주자는 리처드 위팅턴의 자선 본능의 수혜자다. 그는 직물상이고 대금업자고 전쟁 비용 조달자고 왕들의 친구였다. 그는 중세에 여러 가지 희한한 방식으로 돈을 벌고 권력을 행사한 사람이었다.

그러나 그 시대의 과실을 즐긴 것은 결코 그들만이 아니었다. 상업혁명 동안에 중세 사회와 경제에 일어난 변화는 수백 년 뒤에 올 서방 자본주의의 황금시대를 위한 초석을 놓았다. 오늘날 중국 수출, 은행 신용장, 여행 보험, 채권 및 주식 투자로 생활이 나아진 사람은 중세에 무언가를 빚지고 있다. 우리는 거인의 어깨에 올라서 있다.

11장

학자들

✤

거의 모든 수행자가 철학자처럼 보였다.
― 오더릭 비탈리스, 노르만인 역사 기록자

1307년 10월 14일 토요일, 파리대학의 최고참 학자 한 무리가 도시 거리를 바삐 지나 노트르담 대성당 쪽으로 갔다. 프랑스왕 필리프 4세의 참모 기욤 드노가레를 만나러 가는 길이었다. 그들은 서둘러 그를 만나러 오라는 연락을 받았다. 드노가레가 그들 앞에 내놓을 긴급한 일이 있었기 때문이다. 성당의 우뚝 솟은 고딕 양식 건물 앞에 도착한 그들은 참사회실로 안내되었다. 드노가레가 직접 그들에게 이야기하기 위해 나왔다.

이 참모는 프랑스 사회에서 익숙하고 논란이 있는 인물이었다. 그 역시 본래는 학자였다. 1280년대에 몽펠리에대학에서 법학을 공부했고, 교수직에 오른 뒤 학계를 떠나 냉정한 정치적 조정자이자 문제 해결사로서의 이력을 개척했다. 똑똑한 짐승으로서 그의 명성은 프랑스를 넘어 멀리까지 퍼졌다. 1303년에 그는 필리프왕의 승인 아래 교황 보니파티우스 8세를 이탈리아 중부의 도시 아나니에 있는 그의 저택에서 납치하려다가 충

돌이 일어났고, 그 과정에서 교황이 뺨을 맞았다.†

드노가레는 거친 사람이었고, 진지하게 받아들여지기를 원했다. 그러나 지금 그는 파리의 학자들에게 도저히 믿기 어려울 만큼 고약한 이야기를 했다. 그것은 성性과 범죄, 불경과 이단에 관한 이야기였다. 여기에는 신전기사단이 관련되어 있었다. 200년 가까이 십자군 운동의 최전선에 있던 그 군사 단체 말이다.

드노가레가 학자들에게 밝힌 바에 따르면, 프랑스 정부는 오랫동안 신전기사단에 대한 비밀 조사를 했다. 드노가레 자신이 이를 감독했다. 그는 이 조사에서 신전기사단의 꼭대기부터 바닥까지 추악한 부패가 만연해 있음이 드러났다고 주장했다. 교황의 비호 아래 기사단 고위층이 대를 이어가며 고귀한 그들의 조직을 동성애, 우상 숭배, 악의 온상으로 만들었다는 것이다. 단원들은 예수의 이름을 경멸하도록 허용될 뿐만 아니라 조장되기까지 했다.

역사 기록자 생빅토르의 장이 쓴 이 만남에 대한 기록에 따르면, 단원들은 야간 의식에서 십자가에 침을 뱉고 예수의 상을 짓밟으며 신의 성스러

---

† '아나니 모욕'은 필리프 4세와 보니파티우스 8세 사이의 지저분한 반목이 신파조의 절정에 이르러 발생한 것이었다. 그것은 본래 프랑스왕이 자기 왕국에서 교회에 세금을 부과하려 한 데서 비롯된 것이지만, 그 근원은 교황과 왕 사이의 해묵은 패권 문제에 있었다. 교황의 권위에 저항하는 것은 전통적으로 독일왕 및 황제의 장기였다(예컨대 1075~1122년의 '서임권 투쟁'과 그 뒤 이탈리아에서 12세기 초부터 14세기 말까지 지속된 구엘피(교황파)-기벨리니(황제파) 전쟁 같은 것이 있다). 그러나 14세기로 넘어가는 무렵에는 필리프 4세가 잠시 교황의 가장 큰 골칫거리가 되었다. 보니파티우스가 필리프의 왕권 우위 주장에 반대하자 드노가레는 이탈리아로 가서 강력한 콜론나 가문에 충성하는 소규모 사병 부대와 계약해 아나니에 있는 교황의 저택을 포위했다. 보니파티우스를 붙잡아 프랑스로 끌고 가서 재판에 회부하려는 것이었다. 혼란스러운 포위 과정에서 드노가레와 협력 부대 우두머리인 자코모 콜론나(별명이 '싸움꾼'이었다)가 보니파티우스와 마주쳤다. '싸움꾼'이 교황의 뺨을 때렸다. 그런 뒤에 그들은 사흘 동안 교황을 감금하고 심하게 학대했다. 교황은 아나니 사람들에게 구출되었다. 보니파티우스는 그 뒤 곧 열병으로 죽었는데, 그가 미쳐서 손을 물어뜯었다는 말이 있었다(사실이 아니다).

움을 부정한다고 드노가레는 주장했다.[1] 그들은 잘못된 우상을 숭배했고, 그들끼리 추잡한 성행위를 했다. 정부가 작성한 공식 주장에서 단원들이 했다고 추정되는 행위는 "인류의 치욕, 악의 치명적인 사례, 만연한 추문"으로 묘사되었으며, 그들은 "양의 탈을 쓴 늑대, (…) 부정不貞한 자의 자식"[2]이었다.

이러한 일이 드러나자 프랑스 정부에서 신속하고 단호한 조치를 취했음을 학자들은 알게 되었다. 전날(10월 13일 금요일) 위로 기사단 단장인 자크 드몰레까지 포함해 프랑스의 모든 단원이 정부 요원에게 체포되었다. 기사단 재산은 몰수되었다. 프레셉토리 또는 코망데리로 알려진 단원들의 거점은 점령되고 수색당했다. 수백 명의 단원이 이제 수감되어 있었다. 그들은 응분의 벌을 받을 것으로 예상할 수 있었다. 이것은 바로 필리프가 매우 심각하게 보는 사안이었기 때문이다.

왕은 적어도 1305년 봄부터 사적으로 신전기사단에 의구심을 표출하고 있었다.[3] 기사단에 성적 비행과 신을 믿지 않는 타락이 만연해 있다고 그가 정말로 믿었는지 어떤지는 분명치 않았다(지금도 알 수 없다). 그러나 그는 비틀거리는 경제를 부양하고 자신의 대외 전쟁 자금을 댈 가능성 있는 자원으로서 기사단의 재산에는 분명히 관심이 있었다. 교회의 부패에 대한 채찍 노릇을 하는 것도 기분이 좋았다.

사태가 진전되면서 필리프가 대학 사람들의 지지를 요청하리라는 것은 뻔한 애기였다. 이 대학은 서방에서 가장 좋은 대학 가운데 하나였고, 그 학자들은 신학 연구와 논쟁에서 최첨단을 걷고 있었다. 그들의 집단적인 판단은 프랑스와 세계의 여론을 형성하는 데 도움이 되었다. 드노가레가 무슨 일이 진행되고 있는지에 관한 최신 정보를 가능한 한 빨리 그들에게 전해주려 애쓴 이유가 바로 그것이었다. 그들은 좋든 싫든 기사단의 생존

(또는 파괴)에서 역할을 할 수밖에 없게 되었다.[4]

1307년 시작된 프랑스의 신전기사단 공격은 중세 말 서방의 역사에서 가장 충격적인 사건 가운데 하나였다. 8장에서 보았듯이 신전기사단은 기독교 세계 전역뿐 아니라 그 밖에서도 유명했다. 기사단 수도사는 거의 200년 가까이 서아시아의 가장 극적인 몇몇 전투와 포위전에서 두드러진 역할을 했다. 그들은 1187년 카르네이히틴에서 살라훗딘과 대결했고, 1217~1221년 및 1249~1250년의 참담한 이집트 십자군 원정 동안 물이 넘친 나일강 삼각주를 묵묵히 걸었으며, 1291년 맘루크가 아코에 몰려들었을 때 마지막까지 그곳에 있던 사람들이었다.

신전기사단은 또한 금융 업무에서도 대금업자, 회계원, 관리 노릇을 하며 제도적 전문기술을 개발했다. 그들은 프랑스왕에게 고용되어 공공재정의 중요한 부분을 관리했다. 기사단의 비전투원 수행자는 서방 전역에 수도원을 갖고 있었다. 잉글랜드와 프랑스부터 독일계 국가, 시칠리아, 헝가리까지 사실상 모든 나라였다. 그들의 후원자는 왕과 왕비, 최고위 귀족이 포함되었다. 따라서 프랑스가 이 조직을 분쇄하고자 노리는 것은 결코 작은 일이 아니었다. 그러나 그들은 파리 학자들의 묵인 아래 그 일을 해냈다.

파리의 학자들은 노트르담에서 드노가레를 만나고 약 2주 뒤인 10월 25~26일에 두 번째 회합에 소집되었다. 장소는 신전기사단의 프랑스 본부였다. 오늘날 르마레로 알려진 파리의 한 구역에 있는 크고 포탑이 있는 도시 요새였다.[†] 이번에는 대학의 거의 모든 학자가 불려 왔다. 지도석사

[†] 이 웅장한 건물의 흔적은 이제 더 이상 남아 있지 않다. 이곳은 프랑스혁명 때 루이 16세와 마리 앙투아네트를 수감하기 위해 마지막으로 사용되었고, 그 후 19세기에 해체되었다. 그 장소는 오직 오스만 남작의 스쿠아르 뒤탕플(탕플탑)이라는 이름으로만 기념되고 있다.

(학생을 가르칠 자격이 있는 사람), 비지도석사(모든 시험을 통과했지만 가르치지 않는 사람), 학사(공부의 절반을 마친 사람)가 포함되었다.

이전에 신전기사단에 대한 이야기를 들은 그들은 이번에는 정부가 내놓는 증거에 대해 들었다. 수십 명의 기사단 단원의 자백을 공개적으로 읽어주는 형태였는데, 드몰레 단장 자신의 것도 있었다.

자백은 고문으로 강요된 것이었다. 기사단원들은 2주 동안 필리프왕의 최고의 심문자들로부터 조사를 받았다. 심문자들은 필리프의 고해 신부인 도밍고회 탁발수도사 기욤 윔베르가 지휘했다. 잠을 재우지 않고, 먹을 것을 주지 않고, 쇠고랑을 채우고, 독방에 넣고, 매를 때렸다. 일부는 불에 태우거나 형틀에 매달고 잡아당겼다. 그들이 유죄를 인정할 때까지 육체와 정신을 파괴했다. 그리고 이제 길고도 비극적인 연쇄 속에서 이 겁에 질린 사람들이 끌려나와 학자들 앞에서 증언을 했다. 한 사람 한 사람 자기네가 한 자백을 그대로 이야기했다. 그리고 그들은 다시 감방으로 돌아갔다.

꼬박 이틀 동안 이 공포물을 목격하고 학자들이 연구실로 돌아갈 때 그들의 귀에는 드몰레와 그 휘하 수도사들의 끔찍한 이야기가 맴돌고 있었다. 그러나 학자들이 신전기사단 이야기를 듣는 것은 끝나지 않았다. 그들은 곧 다시 소집되어 그 죄에 대한 공식 판단을 내려야 했다.

처음 체포를 수행하고 기사단 지도자들을 협박해 이른바 그들의 비행을 자백하게 하는 데는 3주가 채 걸리지 않았지만, 이 사건은 곧 어느 한 사람이 통제할 수 없는 상황으로 치달았다. 당시 교황 클레멘스 5세(재위 1305~1314)는 가스코뉴 출신의 겁쟁이로 프랑스의 정치적 압박으로 선출되었다. 그러면 파리에서 직접 통제할 수 있겠다고 기대했기 때문이었다. 그는 재임 기간 내내 프랑스에 머물렀다.[†] 그러나 클레멘스조차도 간단히 물러서 신전기사단이 세속 군주에게 파괴되는 모습을 보일 수는 없었다.

이에 따라 클레멘스는 자신이 직접 기사단의 타락을 조사하고 이를 서방 기독교 세계의 모든 독립 왕국으로 확대하겠다고 주장해 필리프의 공격을 지연시키고자 했다.[5] 두 가지 조사(하나는 개별 단원의 비행에 대한 조사였고, 또 하나는 기사단 전체에 대한 조사였다)가 동시에 추진되었고, 아일랜드나 키프로스 같은 아주 먼 지역에서 결과 보고를 하는 데는 몇 년이 걸렸다. 그 기간 동안에 프랑스의 신전기사단은 공동의 법적 대응을 조직화할 수 있었다.

이 과정에서 양측은 다시 파리대학에 호소했다. 첫 체포 이후 석 달이 지난 1308년 2월 초(또는 그 무렵), 〈신전기사단원을 위한 애가哀歌〉로 알려진 익명의 공개편지가 이 대학의 학자들에게 배달되었다. 편지는 수감이 갑작스럽고 자의적이며 포학했다고 항의하고, 많은 단원이 고문으로 죽어 그들의 시신이 비밀리에 매장되었다고 주장했으며, 기사단에 대한 혐의는 거짓이고 불합리하며 엉터리라고 불평했다. 편지는 프랑스의 기사단원이 체포될 때 100명가량의 수도사가 이슬람교로 개종하면 풀어주겠다는 회유를 거부한 채 이집트의 감옥에서 시들어가고 있었다고 지적했다. 비기독교도 무리의 행동으로 보기에는 어려운 일이었다.

아마도 세속의 사무원이 쓴 듯한 이 편지는 기백이 있는 교단 옹호였다. 그리고 이는 프랑스 정부가 사용한 깡패 전술에 대한 신랄한 비난이었다.[6] 그러나 이에 이어(아마도 재촉했다고 볼 수 있을 것이다) 같은 방식의 강력한 반응이 나왔다.

---

† 클레멘스는 1309년 교황청을 로마에서 아비뇽시로 공식 이전했다. 명목상으로는 독립 왕국 아를의 땅이었지만 실제로는 프랑스의 영향을 강하게 받는 지역이었다. 일곱 명의 교황(모두 프랑스인이었다)이 이곳에서 주재해 유대인의 '바빌론 억류'에 빗대 '아비뇽 억류'로 알려졌으며, 1376년 그레고리우스 11세가 교황청을 다시 로마로 옮겼다. 이후 1378년에서 1410년 사이에 두 명의 대립교황이 나와 아비뇽에서 교회 통치를 시도했다.

2월 말, 왕의 이름으로 쓰인 일곱 개의 전문적인 질문 뭉치가 이 대학의 신학 지도석사와 비지도석사에게 보내졌다. 매우 난해한 표현으로 된 이 질문들은 석사들에게 프랑스 영토 안의 이단자와 배교자를 고소할 프랑스왕의 권리(또는 의무)에 대한 그들의 집단적 의견을 물었다. 그는 학자들에게 세속 지배자가 "신의 이름이 모독되는 것을 듣고 가톨릭 신앙이 이단자, 분파주의자, 기타 비신자에게 거부"되었을 때 행동하는 것이 "의무화 또는 허용"되는지 숙고할 것을 요구했다. 그는 또 ("매우 무시무시하고 매우 가증스러운 여러 개인으로 이루어진 독특한 파당"인) 신전기사단원이 성직자로서 교회법에 따라서만 판단을 받지 않고 세속의 법에 따라 기사로서도 판단을 받을 수 있는지 물었다. 그는 그 단계에서 "500명 이상의" 기사단원이 비행을 자백했다는 사실이 기사단 자체가 형편없이 썩었음을 의미하는 것이 아닌지, 그리고 그런 악폐가 현재만이 아니라 과거에도 기사단에서 저질러졌다면(그렇게 주장되었다) 그 부패가 얼마나 뿌리가 깊은지 알 수 있는 것이 아니냐고 물었다.[7] 이것과 다른 중요한 질문들이 파리의 신학자들 앞에 놓여 있었다. 사실상 뻔한 결론에 대한 그들의 추가적인 지적 뒷받침을 확보하려는 의도가 명백했다.

1308년 3월 25일에 답변이 왔다. 그리고 이는 학자들은 어디에 동조하는지를 분명히 했다. 그들은 "가장 침착하고 기독교적인 군주 필리프, 신의 은총에 의해 빛나는 프랑크인의 왕"이 "성스러운 신앙의 열정으로 불타올랐다"라고 칭찬했다. 이어 그들은 교묘한 회피, 양다리 걸치기, 적당주의의 고급 기술로 나아갔다.

학자들은 왕이 기사단원을 판단할 수 있다고 주장하기는 어렵다고 말했다. 그것은 교회의 고유 권한이기 때문이다. 그러나 학자들의 이후 답변은 매우 많은 단서를 담고 있어 필리프의 참모들이 쉽게 빠져나갈 수 있는 길을 열어주었다. 스스로를 "언제나 국왕 전하께 감사와 헌신의 봉사를 고백할 준비가 되어 있고 의지가 있는 (…) 미천하고 헌신적인 사제"로 묘사한 학자들은 교황에게 기사단원을 판단할 최종 권한이 있지만, 이미 받아낸 자백은 "모든 기사단원이 이단자 또는 그 동조자이며 (…) 전술한 이단이 기사단 내에 만연해 있다는 (…) 매우 강한 의심을 불러일으켰으며, (…) 이는 사람들이 그들을 비난하고 증오하게 만들기에 충분할 것"임을 의미한다고 주장했다. 그들의 재산은 교회 지키기를 촉진하는 데 쓰여야 하지만, "누가 그것을 관리해야 하느냐에 대해서는 그것이 목적에 가장 잘 이바지할 수 있는 방식으로 수집되어야 한다고 우리는 생각"한다고 학자들은 말했다.

요컨대 그들은 필리프가 적절한 법적 조언을 들었고 자신이 내키는 대로 하는 것이 정당화되었다고 주장하기에 충분할 정도로 얼버무렸다. 학자들은 이런 청원으로 글을 마무리했다. "이것(답변)을 국왕 전하께서 가납하여 주시기 바랍니다." 그들은 "모든 기독교도의 눈에 매우 수치스럽고 끔찍한 상처가 전하의 성스러운 소망에 따라 빠르게 치유"되기를 바란다고 말했다.[8] 그것은 눈속임이었다.

학자들의 비겁한 반응은 아마도 이해할 수 있을 것이다. 필리프왕은 분명히 두려워할 만한 사람이었고, 그는 즉위 후 이제까지 자신에게 거슬리는 자를 박해해 파멸시키거나 죽이는 데 가책을 보인 적이 없었다. 파리의 신학자 다수 역시 수도회 소속이었고, 이들 역시 기사단원과 마찬가지로 교황의 감독하에 있었기에 왕의 공격 목표가 될 수도 있었다. 그들은 신전 기사단이 파괴되는 것을 보고 싶지는 않았다. 그러나 마찬가지로 자기네 조직에 추가적인 분노가 퍼부어지게 하고 싶지도 않았다. 게다가 그들은 눈에 보이는 것을 모두 이단으로 보려는 자연스러운 성향이 있는 학자연하는 성직자였다.

대학 안에는 소수의 다른 목소리를 내는 사람도 있었다. 아우구스티누스 트리움푸스라는 이름을 쓰는 나이 든 이탈리아인 은자 겸 학자가 그런 사람이었다. 그는 정부의 신전기사단에 관한 주장을 개인적으로 논박하는 글을 썼다.[9] 그러나 전반적으로 학자들은 정부가 미심쩍은 일에 나서는 것을 방관하면서, 자기네는 의견을 말했으니 물러나서 연구와 강의를 계속할 수 있게 되기를 바랐다. 그들이 역사 속에서 조용한 생활을 영위하는 것을 가장 우선시한 첫 학자는 아니었다. 그리고 마지막도 아니었다.

필리프 4세는 길고도 잔인한 법적·정치적 투쟁 끝에 신전기사단을 끝장내는 데 성공했다. 1312년 3월, 비엔 공의회에서 클레멘스 교황은 이 기사단이 고쳐질 가망이 없다고 선언했다. 1314년 3월, 자크 드몰레가 파리에서 화형에 처해졌다. 그는 죽으면서 자신의 원수를 갚아달라고 신에게 호소했다. 그의 죽음은 관련된 모든 사람에게 나쁜 영향을 미친 끔찍한 연극의 마지막 막이었다. 그리고 이는 오늘날 중세 역사의 전환점으로 기억되고 있다. 세속 군주가 교황의 권력을 겨냥해 어렵지만 완벽한 승리를 거둔 것이다.

신전기사단 문제에 관한 기록에서 파리대학이 한 역할은 보통 그저 지나가는 말로 언급된다. 그러나 그 학자들의 견해는 논쟁의 모든 쪽에 있는 사람에게 결정적인 중요성을 지닌 것으로 받아들여졌다. 이는 결코 불가피한 것이 아니었다.

12세기 중반 이후 파리에는 반半공식적인 학자의 모임과 공동체가 있었지만, 이 대학은 그레고리우스 교황에 의해 1231년에야 공식 설립되었다. 따라서 이 대학은 1307년에 100년이 채 되지 않았으며, 세계에 몇

안 되는 대학 가운데 하나였다. 그 가장 가까운 경쟁자는 옥스퍼드대학과 볼로냐대학이었다. 그러나 얼마 되지 않았음에도 불구하고 이 기관은 분명히 기성 권력의 중요한 기둥으로 간주되었고, 그곳의 가장 명석하고 가장 뛰어난 학자들의 견해는 학문적으로뿐만 아니라 정치적으로도 중요성을 지녔다. 중세의 큰 얼개에서 이것은 중요했다. 파리대학은 곧바로 신학, 사회, 정부의 중요한 문제를 분석하고 답을 내놓는 광장이 되었다.[†]

이곳은 또한 우연히도 프랑스 왕정을 위한 유용한 인력 공급소 역할도 했다. 때때로 교수들이 차출되어 관료 노릇을 했다. 대학 교육은 아직 중류 및 상류층 젊은이를 기르는 데 표준적인 부분이 아니었다. 아직 주요 도시마다 모두 대학이 있는 것도 아니었다. 그럼에도 불구하고 14세기 초에 파리에 있는 것 같은 중세 대학은 21세기에 찾아볼 수 있는 기관 비슷한 형태로 발전하고 있었다. 그리고 이들은 상당한 힘을 발휘하기 시작해 학문과 지적 탐구의 중심지가 되었다. 그들의 발견이 그 바깥 세계의 모습을 바꾸었고, 그들의 유산은 오늘날까지도 남아 있다.[††]

이런 일이 어떻게 해서 일어났는지를 이해하려면 그것을 만들어낸 지적·문화적 전통을 살펴봐야 한다. 서방에서 고전 세계가 붕괴하고 두려움을 모르는 학술 탐구의 전통이 서서히 사라지던 6세기 이후의 일이다.

[†] 필리프는 파리 학자들을 신전기사단 문제에 끌어들이기 전에도 1303년 보니파티우스 8세와의 논쟁에 동원한 적이 있었다. 대학의 모든 사람에게 교황의 입장 대신 자신의 입장에 맞춘 문서에 서명하라고 강요한 것이다. Crawford, 'The University of Paris and the Trial of the Templars', p. 115를 보라.
[††] 오늘날 프랑스에는 100개쯤의 대학이 있고, 250개의 그랑데콜이 있다. 영국에는 100여 개의 대학이 있다. 독일에는 400개에 조금 못 미친다. 인도에는 1000개 이상이다. 중국에는 3000개 가까이 있다. 미국에는 대학과 칼리지가 5000개를 넘는다. 세계의 거의 모든 나라에서 대학원 교육(통상 대학 또는 상당 기관에서 3년 이상 공부할 것이 요구되는)은 적어도 유용한 개인 자산이고 더 흔히는 직업 또는 공직 이력으로 나아가는 데 필수 요건으로 인식되고 있다. 대학은 오늘날 법학, 문학, 경영학에서 약학, 공학, 컴퓨터학에 이르기까지 여러 분야에서 연구의 동력이 되고 있다. 이 모든 것은 곧바로 중세로 거슬러 올라갈 수 있다.

신의 말

나중에 세비야 대주교이자 서기 제1천년기의 가장 위대한 학자 가운데 하나가 되는 이시도로는 어린 시절에 학교에 다녔다. 이는 정확하게 태생적인 것은 아니었지만 특권이었다. 6세기 말에 교육은 유복함의 증표였고, 이시도로는 오직 그의 부모가 옛 로마령 히스파니아의 상류층 사람이었기 때문에 교육을 받을 수 있었다. 중세가 시작되던 시기에 이베리아반도는 비시고트의 지배하에 있었지만, 총명한 아이에게는 구식인 '로마식' 교육이 여전히 이루어지고 있었다. 따라서 어린 이시도로는 운이 좋았다. 그리고 역사 속의 가장 큰 업적을 이룬 사람들과 마찬가지로 그는 행운에 근면을 더할 수 있는 지혜가 있었다. 그는 학교 교육을 최대한 활용해 학습에 매진했고, 관심에 한계를 두지 않았다.

이시도로의 교실은 세비야의 대성당에 있었다. 그의 맏형 레안드로가 주교로 있던 곳이었다. 그러나 그가 그곳에서 공부한 교과목은 기독교에 한정되지 않았다. 사실 세비야와 그 비슷한 다른 학교에서 가르친 기본 교수 요목은 1000년 이상 거슬러 올라가는 것이었다. 심지어 예수가 태어나기도 훨씬 전이었다. 이는 서기전 4세기의 아리스토텔레스에게만큼이나, 서기전 1세기의 키케로에게도, 2세기의 마르쿠스 아우렐리우스에게도, 6세기의 보에티우스에게도 친숙했을 고전적인 공부 계획표였다.

그 기둥은 이른바 일곱 자유과自由科였다('자유'라는 이름이 붙은 것은 이것이 한때 노예가 아니라 자유인에게 적합한 것이라고 생각되었기 때문이다). 이는 다시 두 부류로 크게 나뉜다. 먼저 삼학三學이다. 표현과 논쟁의 기술이다. 문법, 논리학, 수사학이다. 또 하나는 사술四術이다. 계산의 기술이다. 산술, 기하학, 천문학, 음악이다. 삼학과 사술이 인간 지식의 모든 분야를 포괄하는 것은 아니지만(열성적인 젊은이는 또한 신학, 의학, 법학에 매진할 것으로 기대되었다), 그럼에도 불구하고 이들은 공식 교육의 기반이었다. 보에티우스는 사술이 주춧돌을 이루어 그 위에 세계의 본질에 대한 모든 철학적 연구가 이루어지는 것이라고 말했고, 중세의 진지한 사상가치고 그런 생각에서 벗어난 사람은 별로 없었다.†

이시도로는 즐거운 마음으로 공부를 했다. 그는 삼학과 사술을 배우는 데 아무런 문제가 없었다. 그는 또한 신학을 익혔다. 그는 라틴어, 히브리어, 그리스어를 공부했다. 그는 전쟁, 법률, 신학에서 해운, 지리, 가정경제까지 걸치는 주제를 굶주린 듯이 찾아다녔다. 그는 어른이 되어서는 세상의 모든 지식을 갖출 수 있다는 믿음에 휘둘리게 된다. 배움에 대한 그의 순수한 태도는 그를 아는 사람들의 감탄을 자아냈다. 이시도로의 친구 브라울리오는 이렇게 묘사했다. 그는 "온갖 종류의 표현을 익힌 사람이다. 그런 까닭에 그의 연설 수준은 무식한 청중과 배운 사람 모두에게 적합하다. 사실 그는 비길 데 없는 웅변술로 유명하다."[10]

이시도로의 선천적인 영리함은 그 자체로 그를 주목할 만하게 만들었다. 그는 생전에 최소 스물네 권의 책을 썼다. 역사 연대기, 자연과학적 현상에 대한 연구, 수학 교과서, 기독교 교부에 대한 약전, 경구 모음, 그리고 그의 대백과사전 《어원語源》까지. 《어원》에서는 고슴도치의 식습관에서 세계 대륙의 지리적 배열에 이르기까지 교양 있는 사람이 알아야 할 모든 것을 묘사하고자 했다.[11] (이시도로가 오늘날 인터넷의 수호성인으로 간주되는 데는 충분한 이유가 있다.) 이것들은 모두 그 자체로 훌륭한 작업이었을 것

---

† 이시도로는 분명히 그렇지 않았다. 일곱 자유과는 그의 가장 유명한 책 《어원語源》의 맨 앞부분에서 논의되었다. 심지어 자모의 문자보다 먼저였다. Barney, Stephen A., Lewis, W.J., Beach, J.A., Berghof, Oliver (eds.), *The Etymologies of Isidore of Seville* (Cambridge: 2006), p. 39를 보라.

이다. 이들은 뭉뚱그려 믿기 어려운 학문의 집합체였다. 그리고 《어원》은 진정한 걸작으로서 그 통찰의 폭과 성격으로 인해 여러 세대의 후대 독자가 귀중하게 여겼다. 그것은 중세 서방에서 가장 널리 읽히고 영향을 미친 책 가운데 하나였다.[12]

《어원》의 거대하고 지속적인 성공은 요행이 아니었다. 이시도로는 교회에서 교육을 받았음에도 불구하고 기독교와 이교도 권위자에 대한 실질적인 지식이 매우 풍부했으며, 암브로조(암브로시우스) 성인과 아우구스티누스 성인을 인용할 수 있는 것과 똑같이 자유롭게 아리스토텔레스, 카토, 플라톤, 플리니우스(大)를 인용할 수 있었다. 사라져가는 고전기의 유명 작가(법률가, 신학자, 철학자, 시인, 논객)와 시작되는 기독교 시대의 작가를 함께 엮는 이시도로의 능력은 그가 지닌 천재성의 핵심이었다. 그는 기독교 자료와 비기독교 자료를 뒤섞는 데 대해 당시의 다른 학자들이 역겨움을 느낀다는 사실을 깨달았다. 그러나 그는 정말로 신경 쓰지 않았다. 보통 이시도로가 썼다고 보는 한 시에는 그런 우려가 담겨 있다.

가시가 가득하고 꽃이 많은 풀밭
가시를 잡고 싶지 않다면 장미를 따야겠지.[13]

박식가가 되려면 너무 독단주의에 빠져서는 안 된다는 것을 이시도로는 알고 있었다.

따라서 이시도로는 순수하게 학술적인 측면에서 매우 영향력 있는 학자였다. 그러나 그는 정치에도 관여했다. 그의 교육을 보살폈던 형 레안드로는 성직자이면서 정치가이기도 했다. 그는 이베리아를 지배했던 비시고트 왕가뿐만 아니라 (또 하나의 훌륭한 학자인) '대교황' 그레고리우스와도

친교를 맺었다. 레안드로의 인도로 비시고트왕 레카레도 1세가 아리우스파 기독교에서 로마 가톨릭으로 개종했다. 이것은 나중에 에스파냐 역사에서 중요한 사건으로 인식된다. 그리고 이시도로는 가족의 정치 관여를 유지했다. 레안드로가 죽은 뒤 레카레도는 이시도로를 세비야 주교직에 임명해 형의 자리를 이어받도록 했다. 그리고 이 시점 이후 이시도로는 왕의 궁정과 가까워졌고, 그곳에서 그는 조언이 매우 큰 힘을 발휘한다는 사실을 알았다.[14]

이시도로는 세비야 주교로 총 30년 이상 일했다. 그의 인생 막바지인 633~634년에 그는 4차 톨레도 공의회로 알려진 교회 회의를 주재했다. 여기서 중세 시기 기독교 치하 이베리아의 문화적·정치적 정신에 지속적인 영향을 미치게 되는 정책들이 정해졌다. 회의는 이베리아의 유대인을 차별하는 법을 강화했고, 이베리아의 교회와 기독교도인 세속 지배자 사이의 긴밀한 유대를 약속했다.

아마도 이시도로 자신에게 가장 중요한 것이었겠지만, 회의는 또한 주교가 성당과 함께 학교를 만들어야 한다고 요구했다. 자신을 인도해 학계와 정치계에서 유명해지는 길을 걷게 한 그 학교를 모방해서 말이다. 부분적으로 이는 이시도로의 인생에서 일어난 모든 좋은 일이 교육과 함께 시작되었음을 인정한 것이었다. 그러나 이는 또한 훨씬 더 넓은 의미에서 앞길을 알려주는 것이었다. 가톨릭교회가 교육에서 독점권을 행사하고, 서방 지식인이 존재하는 제도적 환경을 제공하며, 연구가 허용되는(그리고 금지되는) 범위를 결정하는 중세 서방 세계를 말이다.

6세기 이시도로의 시대부터 중세 말(그리고 그 이후)까지 교회는 서방의 교육과 학문을 꽉 움켜쥐고 있었다. 이는 다른 모든 것만큼이나 현실성의 문제였다. 유대교와 곧 이어 나타나게 되는 이슬람교와 마찬가지로 기독교는 신의 말을 바탕으로 한 종교였고, 신의 말은 주로 쓰이고 읽히고 들리는 것을 통해 전파되었다. 예수의 가르침을 전파하기 위해 누구보다도 열심이었던 사도 바울로 성인은 몇 개 언어에 대한 실용적 지식과 피상적 철학 지식이 많은 교육받은 사람이었다.

이후 500년 동안에 그와 같은 위대한 사상가와 작가가 많이 나왔다. 아우구스티누스, 암브로조, 히에로니무스 성인 같은 학자는 교회의 지식 및 전례라는 구조물에서(그리고 그 연장으로 수백만 중세 기독교도의 삶에서) 내력벽이었다. 5세기의 히에로니무스 성인은 친구로부터 파울라라는 소녀를 어떻게 양육해야 하는지 조언해달라는 요청을 받았다. 아이의 부모는 아이를 수녀원장으로 만들려 했다. 그는 단도직입적으로 교육의 중요성을 이야기했다. "회양목이나 상아로 아이에게 문자 한 벌을 만들어주고 그 이름을 말해주시오. 그것을 가지고 놀게 해서 배움으로 가는 길을 놀이로 여기게 하시오. (…) 철자를 익히면 상을 주어 아이가 좋아하는 대로 약간의 선물을 주고 끌어들이시오. 아이의 수업에 친구들을 함께하게 해서 경쟁하게 하고 그들이 받는 칭찬에 자극을 받게 하시오."[15] 교회는 학자에 의해 만들어졌고, 학자를 만들어내는 데 언제나 관심을 기울였다.

그러나 교회는 단순히 복음을 전하는 것보다 더 많은 것을 학문으로부터 얻을 수 있었다. 중세 시작 직후부터 종교 기관은 중요한 지주地主였다. 이는 그들이 토지 양도와 관리 같은 세속적인 분야에서 실용적인 필요가 있었다는 얘기다. 교황은 세금을 거둬야 했고, 왕 및 황제와 장거리 우편으로 일을 논의해야 했다. 주교는 관구 내의 많은 사제와 교리나 처신을 개혁하는 최신의 문제에 대해 의견을 나눌 필요가 있었다. 수도원은 과거와 현재의 후원자에 대한 의무가 있었고, 특정 날짜에 누구를 위해 기도할 것인지를 파악하고 있을 필요가 있었다. (그들에게는 또한 성가대가 있었고, 성가대는 악보를 잘 읽고 이해해 성무일과와 미사에서 고음부를 소화할 수 있는 소년이 필요했다.) 번잡한 일은 끝이 없었다. 이에 따라 교회는 모든 수준의 인력 가운데 글을 아는 사람이 언제나 필요했다.

분명히 최신의 인정된 교리를 장착한 똑똑하고 글을 아는 사람들의 공급을 유지하는 가장 확실한 방법은 그들을 '내부에서' 교육시키는 것이었다. 이것이 바로 이시도로가 세비아에서 교육받은 방식이었고, 4차 톨레도 공의회에서 그가 성당 학교라는 공식 체계 추진을 옹호한 이유였다. 이는 또한 로마 제국이 발칸반도 너머로 축소된 뒤에도 서방에서 학문이 여전히 살아 있었던 이유였다. 이는 성당이나 수도원이 있는 곳에는 어디나 어떤 형태의 학교, 필사실, 도서관이 대개 있었던 이유였다.† 그리고 이것이 《베네딕투스 성인 규칙서》에서 수행자에게 매일 몇 시간씩 기독교 성서와 기타 종교 저작을 읽으면서 보내도록 요구한 이유였다.[16]

중세 내내 높은 수준의 학식을 중심으로 자기네의 모든 '브랜드 정체성'을 세운 수도원과 성당이 있었다. 6세기의 로마 정치가 카시오도루스는 기독교와 고전기 문헌 모두를 연구하고 보존하는 중심지로서 비바리움 대수도원(남부 이탈리아 스퀼라체 부근)을 설립했다. 500년 뒤 새로 설립된 노르망디의 노트르담 뒤벡 대수도원은 학문의 집합소로 생각되었다. 역사 기록자 오더릭 비탈리스는 "거의 모든 수도사가 철학자처럼 보였다"[17]라고 했다.

그러나 교회에서 단지 철학자를 만들기 위한 교육만을 한 것은 아니

---

† 일부 수도원 도서관은 정말로 매우 컸다. 한창때의 클뤼니 대수도원 도서관은 600권 가까운 책이 있었다.

었다. 학교에 가는 것은 교회 이력을 위해 꼭 필요한 기초 교육이기도 했지만, 수도원과 성당 학교는 글자를 익힐 필요와 함께 세속 사회에 야망이 있는 사람을 위한 훈련장이기도 했다. 바로 법률을 익히고 사업을 하며 왕과 기타 지주에게 봉사하는 민간 행정에서 서기로 일하는 사람들이었다.†
중세 시기에 권력으로 가는 길을 매우 잘 밟아가는 것 가운데 하나가 학자의 생활과 성직자의 생활을 결합하는 것이었다.

로마 산탄드레아 대수도원 부원장이었던 성서학자 아우구스티누스(아우구스티누스 칸투아리엔시스)는 597년 유명한 잉글랜드 선교를 이끌도록 교황 그레고리우스 1세에 의해 선발되었다. 켄트왕 애델베르흐트(에셀버트)를 설득해 기독교를 받아들이게 하고 색슨족의 잉글랜드 개종을 촉진하기 위한 것이었다. 10세기 말 주판을 유럽에 들여오고 추앙받는 수학 교과서 몇 권을 쓴 수학자 겸 천문학자 제르베르 도리약은 교황 자리에 올라 실베스테르 2세가 되었다.

그리고 여러 해 동안 샤를마뉴의 측근이었던 요크의 알퀸도 있다. 역사 기록자 아인하르트는 알퀸을 전 세계에서 가장 박식한 사람이라고 묘사했다. 이것이 과장이라 할지라도 알퀸은 틀림없이 샤를마뉴 치세의 가장 영향력 있는 공복이었다. 황제는 그의 780년대 성직 개혁에 관한 견해와 790년대 우상 숭배에 관한 견해를 진지하게 받아들였다. 황제는 이단적 교리 문제에 관해 그에게 조언을 구했다. 알퀸의 원고 필사 계획도 받아들여졌는데, 이것이 제국 안의 학술 문헌 확산에 기여했다. 그리고 이시도로

---

† 지금도 마찬가지지만 그 시대에 학교에 가는 것은 즐거운 일이면서도 마음에 들지 않는(흔히 교사의 특성에 따른 것이다) 일이기도 했다. 8세기로 접어들 무렵 잉글랜드 서남부 윔번민스터의 소녀를 위한 학교에서 가르친 한 수녀는 학생들에게 너무 못되게 굴어 수녀가 죽은 뒤 학생들이 그 무덤 위를 뛰어다녔다. Orme, Nicholas, *Medieval Schools: Roman Britain to Renaissance England* (New Haven: 2006), p. 24를 보라.

와 마찬가지로 알퀸은 의식적으로 자신의 정치적 힘을 교육 자체에 이바지하는 데 사용했다. 아헨 궁정 학교에서 개인적으로 학생 집단을 양성하고, 그곳의 교수요목을 개혁했다(나중에 카롤링 시대 및 그 이후 번성했던 수도원과 성당 학교에서 이를 모방했다). 제1천년기가 저물면서 교육과 학문의 황금기가 시작되었다. 연구자에게는 좋은 시대였다.

그러나 역설적으로 이 시기는 또한 학자에게 나쁜 시절이기도 했다. 서방의 학술은 카롤링 시대에 장려되고 존경받고 후원받고 보호되었지만, 중세 초에 서방 기독교 세계는 또한 갈수록 내향적이 되었다. 다른 신앙, 다른 사고방식, 다른 권위에 의심의 눈초리를 보냈다. 학자는 거개가 수도원이나 성당을 기반으로 하고 있었으므로 학문은 전체적으로 갈수록 기독교 색채가 짙어졌다. 그런 속에서 비기독교도나 기독교 이전 사람의 저작은 갈수록 더 미심쩍은 눈길을 받았다.

6세기에 세비야의 이시도로는 초기 기독교 교부뿐만 아니라 그리스와 로마의 이교도 저작도 탐독했지만, 제1천년기가 저물어가면서 이런식의 잡식성 학문은 완전히 한물가버렸다. 6세기에서 11세기 사이에 고대의 지혜 상당수는 서방 세계에서 점차 사라졌다. 6세기에도 점차 쪼그라들던 그리스어는 11세기가 되면 서방 작가에게 사실상 사어死語가 되었다. 플라톤 같은 바탕이 되는 철학자†조차도 거의 알지 못했다.[18] 지적인 수문이 다시 열리고 이교도의 지식이 다시 밀려드는 것은 12세기를 기다려야 했다.

---

† 보에티우스가 524년 반역죄로 처형(2장 참조)되지 않았다면 이야기는 상당히 달랐을 것이다. 그는 이른 죽음을 맞기 이전에 플라톤과 아리스토텔레스 모두의 전집을 라틴어로 번역할 계획을 갖고 있었다.

번역과 문예부흥

서유럽은 제1천년기가 끝날 무렵 스스로 지적 변두리라고 생각하지는 않았지만, 현실은 1000년 무렵에 세계의 다른 부분에 비해 훨씬 뒤처져 있었다. 아헨의 카롤링 필사 조직, 프랑스·잉글랜드·독일 곳곳에 산재한 성당 학교, 주로 기독교도 작가의 저작을 모아놓은 수도원 도서관은 모두 훌륭했다. 그러나 아라비아와 페르시아 세계의 대도시를 찾아 동방으로 향하는 여행자는 모두 세계의 지적 연구의 진정한 동력이 어디에 놓여 있는지를 곧바로 깨달을 수 있었다. 바로 할리파의 나라, 이슬람 왕국이었다.

이슬람교는 상인의 종교로 출발하기는 했지만, 그것이 반지성적이라는 의미는 결코 아니었다. 750년 압바스 혁명 시기 이후 교육은 높은 평가를 받았다. 학자에 대한 후원도 넉넉했다. 그리고 결정적으로 학문이 종교에서 분리되어 동방의 기독교도와 유대교도가 이슬람 제국 안의 지식 집합체에 큰 기여를 할 수 있게 되었다. 바그다드의 바이툴히크마('지혜의 집')†같은 도서관은 수십만 권의 필사본으로 이루어진 장서를 모아놓고 있었다. 문자를 쓰는 세계의 거의 모든 언어를 아라비아어로 번역한 것이었다. 안달루시아의 코르도바·세비야, 크테시폰, 페르시아의 군데샤푸르, 시리아의 에데사·니시비스(누사이빈), 시칠리아의 팔레르모 같은 도시에도 교육과 연구의 중심지가 있었다.

압바스 시대가 이어지면서 이슬람 지배하의 도시에는 또한 마드라사로 알려진 종교 학교가 많이 생겨났다. 그 가운데 가장 오래된 것이 파스(페스, 현대의 모로코)의 큰 이슬람 사원에 부속된 것이다. 서기 9세기 중반

---

† 1258년 훌라구 칸이 지휘하는 몽골군의 무지막지한 폭력으로 파괴되었다. 9장 참조.

부유한 상인의 딸 파티마 알피흐리가 그곳에 세웠다. 규모나 폭, 그리고 단순히 호기심을 일으키는 정도로 봤을 때, 7~13세기에 동쪽으로 메소포타미아에서 서쪽으로 이베리아반도까지 진주 꿰미처럼 늘어서 있던 다르 알이슬람의 학술 기관에 필적할 것은 세상에 별로 없었다.

이 풍요로운 지적 환경이 세계 역사에서 가장 위대한 몇몇 사상가를 길러냈다. '대수학†의 아버지'로 알려진 9세기 페르시아 수학자 알화리즈미와 그 동시대인인 명석한 화학자 자비르 이븐하이얀으로부터 11세기의 의학자 이븐시나(서양에는 아비켄나로 알려졌다)와 12세기의 천재인 안달루시아 지도 제작자 무함마드 알이드리시 및 철학자 이븐루시드(아베로에스)에 이르는 사람들이다.

이 시기는 특히 그 지적 성취로 인해 오늘날 이슬람의 황금기로 알려져 있다. 그러나 이슬람 세계가 8세기에서 11세기 사이에 지중해의 기독교도 왕국들과 직접 접하고 있었음에도 불구하고 그리로 흘러들어 간 것은 별로 없었다. 아라비아와 기독교 진영 사이에 만들어진 지적 경계가 허물어지기 시작하고 새로운 학문과 잊힌 학문이 아라비아 세계에서 서방으로 흘러들기 시작한 것은 12세기로 넘어가면서부터다(톨레도, 코르도바, 팔레르모, 안티오케이아 같은 학자 공동체가 있는 이슬람 도시가 기독교도의 통제하에 들어갔던 십자군 운동이 시작되던 시기에 다마스쿠스, 알렉산드리아, 바그다드가 갑자기 이전에 비해 접근이 쉬워진 것은 우연한 일이 아니다).

이 정보 교환의 새로운 시대를 알린 초기 인물들 가운데 하나가 '불구

---

† '대수학'을 의미하는 영어 'algebra'의 어원은 분명히 아라비아어 '알자브르al-jabr'가 서방에서 변형된 것으로, 이는 대략 '해체된 부품의 재조립'이라는 뜻이다.

자' 헤르만이라는 11세기 베네데토회 수행자다. 그는 보덴호湖(현재의 알프스산맥 북쪽 독일-오스트리아-스위스 접경에 있다)의 라이헤나우섬에 있는 수도원에서 살았다. 헤르만은 1013년 무렵 태어났으며, 어려서부터 심각한 장애가 있는 아이로 자랐다. 그는 팔과 손이 매우 약했고, 전혀 걸을 수 없었으며, 말하는 것 역시 아주 어눌했다. 의자에서 위치를 바꾸려고만 해도 도움이 필요했다.[19]

그러나 그가 일곱 살이던 1020년 무렵, 그의 부모는 그를 라이헤나우의 수행자들에게 맡겨 보살피게 했다. 그리고 그곳에서 헤르만은 자신의 신체적 문제에도 불구하고(아니면 정말로 그것 때문에) 연구에 매진해 명석한 학자로 성장했다. 그의 전기를 쓴 제자 라이헤나우의 베르톨트에 따르면, 헤르만은 "모든 예술의 어려움과 시적 운율의 미묘함을 사실상 완전히 파악"하고 있었다. 그는 그 이전의 이시도르와 마찬가지로 역사, 수학, 자연과학을 쉽게 넘나들었으며, 뛰어난 성가 작곡가이기도 했다. 더군다나 그는 의외로 뛰어난 이야기꾼이었다. 베르톨트는 헤르만에 대해 이렇게 썼다. "시원찮은 입과 혀와 입술은 파편화되고 희미하게 알아들을 수 있는 단어들을 발음했지만 (…) 그는 감동적이고 부지런한 교사임을 드러냈으며 매우 활발하고 유머가 넘쳤다."[20] 그는 또한 끈기 있고 겸손하며 순수한 채식주의자였다고 베르톨트는 썼다. 그는 학자의 귀감이었다.

'불구자' 헤르만은 대부분의 연구 분야에 익숙했지만, 그가 매우 좋아한 것 가운데 하나는 천문학이었다. 앞서 보았듯이 천문학은 일곱 자유과 중 사술의 핵심 과목이었다. 지구와의 관계 속에서 천체의 움직임을 계산하는 것은 고급 수학 기술이 필요했지만, 이를 통해 신의 우주 구조에 대한 깊은 통찰을 얻을 수 있었다. 그리고 이것은 현실 속의 중요한 일에도 적용할 수 있었다. 천문학자는 계절의 변화를 하루 단위까지 예측할 수 있었고, 낮과 밤 시간의 길어지고 짧아지는 비율도 마찬가지였다. 모든 생활이 미사와 일과의 규칙적인 찬송으로 이루어져 있는 수행자에게는 참으로 유용한 것이었다. 헤르만은 시간 기록과 관련한 실무적 문제를 처리하기 위해 꼼꼼한 경험적 관찰과 고등 수학을 조합했다. 지구의 지름과 태음월太陰月의 정확한 길이를 계산하고 월별로 하늘에서의 별의 위치 이동을 보여주는 성도星圖를 그렸다.

인류 역사를 통해 사람들이 하늘의 변화 패턴을 그리고 모형화하고 추적하는 데 도움을 주기 위해 사르센석石〔영국의 거석 유적 스톤헨지에 쓰인 거대한 사암砂巖〕에서 원자시계에 이르기까지 많은 장치가 발명되었다. 그러나 중세에 가장 대중적이었던 것은 성반星盤(astrolabe)이었다. 보통 금속이나 나무로 만든 기계 장치로, 훈련된 이용자가 항성과 행성의 위치를 측정해 현지 시각과 지리상의 위도를 계산할 수 있도록 하는 것이었다. 성반은 서기전 3세기 혹은 2세기에 그리스인이 발명했으며, 수백 년에 걸쳐 동로마와 아라비아 세계의 학자가 여러 가지 변형을 만들었다. 이것은 이슬람교도가 특히 종교적으로 사용했다. 그것이 지구상의 어디에서든 마카(메카)의 방향을 확인하는 데 도움을 주어 매일매일의 기도를 제대로 올릴 수 있게 해주었기 때문이다. 그것은 사실상 정교하게 조정된 중세의 위치 측정장치(GPS)였다. 중세 세계 전역의 수많은 똑똑한 남녀가 이를 연구하고 다듬고 고치고 썼다.†

제1천년기가 마감될 때까지 성반은 서방 기독교권 학자에게 알 수 없는 물건이었다. 그러나 헤르만이 라이헤나우 시절에 그것이 어떻게 작동

---

† 이런 사람 가운데 제프리 초서도 있다. 14세기에 그는 아들을 위해 성반의 기능을 묘사하기 위해 《성반론星盤論(Treatise on the Astrolabe)》이라는 전저專著를 썼다.

하는지를 부분적으로 묘사한 불완전한 필사본을 얻게 되었다. 이 문서가 어찌어찌해서 코르도바의 할리파국에서부터 그의 작은 섬까지 왔는데, 아마도 바르셀로나 북쪽 약 100킬로미터에 있는 산타마리아 데리포이 수도원을 거쳤을 것이다. 그리고 아마도 교황 실베스테르 2세가 된 프랑스 학자 제르베르 도리약이 썼을 것이다. 진실이야 어떻든 그것은 이슬람 세계에서는 잘 알려져 있지만 알프스산맥과 피레네산맥 북쪽에서는 거의 유포되지 않았던 과학 지식을 담고 있었다. 헤르만이 한 건을 올린 것이다.

그는 이를 최대한 활용했다. "시계, 악기, 기계장치 조립"에 능숙했던 훌륭한 땜장이 헤르만은 필사본에 있는 부분적인 정보를 이용해 성반을 어떻게 만드는지를 알아냈다.[21] 그런 다음 그는 문헌을 고쳐 쓰고 완성해 자신의 발견을 후세를 위해 기록으로 남겼다. 이것은 그 자체로 기독교권 유럽 학술의 중요한 성과였다. 이후 수백 년에 걸쳐 성반은 시간 기록과 항해를 변모시켜, 결국 포르투갈이 발견 항해를 하고 '신세계'로 가는 길을 열었기 때문이다. 그리고 11세기 당대의 맥락에서도 헤르만의 성반에 관한 작업은 중요했다. 과학혁명이 다가오고 있음을 알려주었기 때문이다. 헤르만의 시대에 이슬람 학문이 기독교 세계에 전달된 것은 아직 초보 단계였고, 성반에 관한 그의 작업은 매우 이례적이었다. 그러나 수십 년 안에 헤르만이 했던 것과 같은 작업이 마구 터져나오게 된다. 기독교권 유럽의 학술은 새로운 정보 공유망의 촉발 덕분에 극적인 변화의 전환점에 서 있었다.

'불구자' 헤르만이 라이헤나우에서 성반을 만지작거리던 때로부터 거의 100년 뒤에 또 다른 재능 있는 학자가 아라비아어를 사용하는 세계의 지적 중심부를 향해 나아갔다. 그의 이름은 크레모나의 게라르도였고, 그는 이탈리아 북부에서 태어나고 자라고 교육받았다. 게라르도는 헤르만과 마찬가지로 천체의 움직임에 매혹되었고, 그의 생애 상당 부분을 천문학 연구에 바쳤다. 그러나 신체적 조건 때문에 수도원에 갇혀 있어야 했던 헤르만과 달리 게라르도는 자신이 학자로서 성장하기를 바란다면 새로운 변경을 찾는 일을 계속할 필요가 있음을 깨달았다.

게라르도는 특히 고전기의 위대한 과학자 클라우디오스 프톨레마이오스의 저작을 읽는 방법을 찾기를 간절히 바랐다. 프톨레마이오스는 로마 제국의 신민(또는 시민)이었고, 2세기에 알렉산드리아에 살면서 그리스어로 글을 썼다. 천문학에 관한 그의 기초 작업이 《수학론》(서방에는 '가장 큰'이라는 뜻과 아라비아어의 흔적이 들어간 《알마게스툼》으로 더 잘 알려져 있다)이다. 이는 수학적으로 설명된 태양계 모형을 제시하고 있으며, 여기서 지구는 회전하고 있는 행성, 달, 태양의 한가운데에 자리 잡고 있다. 물론 지금 우리는 이 체계가 틀렸음을 알지만, 이것은 1000년 이상 과학 사상을 지배해 중세 말까지 이어졌다. 따라서 게라르도에게는 접할 수 있는 더 나은 권위자가 없었다.

게라르도가 천문학에 관심을 가지게 된 12세기에 《알마게스툼》은 서방에 간접적으로만 알려져 있었고, 라틴어 번역본을 구할 수 없었다. 그러나 아라비아어판은 있었다. 그리고 운이 좋게도 방대한 새 아라비아어 문헌 뭉치가 막 한 서방 지배자의 손에 들어왔다. 1085년, 카스티야-레온의 레콩키스타 왕 알폰소 6세는 이슬람 지배자의 손에 있던 도시 톨레도를 정복했다. 한때 우마이야 치하 안달루시아의 가장 멋진 도시 가운데 하나였던 톨레도는 도서관 천지였다. 도서관에는 유럽의 다른 곳에서는 구할 수 없는 고전 문헌의 아라비아어 판본이 있었다.

그래서 크레모나의 게라르도는 1140년대에 이탈리아에서 카스티야로 가서 톨레도로 향했다. 그는 도착하자 곧바로 일을 시작했다. 아라비아어를 배우고, 이 도시 도서관들의 보물을 서방 곳곳에서 읽을 수 있는 언어로 분주하게 번역하고 있는 학자 공동체에 합류했다.

게라르도는 톨레도에 있는 동안 아라비아어로 된 중요한 과학 연구 100편 가까이를 번역했다. 그는 《알마게스툼》의 권위 있는 판본을 만들기 위해 긴 시간과 노력을 들이며 고심했고, 그 결과물은 중세의 나머지 기간 동안 유포된 표준 번역본이 되었다. 그는 아르키메데스와 에우클레이데스 같은 그리스 대가의 수학 논문에 공을 들였고, 9세기 수학자이자 토목기사 알파르가니와 10세기 철학자 겸 법학 저술가 알파라비 같은 천문학자의 이슬람 세계 원저도 마찬가지였다. 그는 존경받는 전문의 앗라지와 이른바 물리학자로 '광학의 아버지'로 불린 이븐알하이삼의 저작도 번역했다.

그리고 그는 1187년 죽을 때까지 톨레도에 머물렀는데, 이 무렵에 그의 작업은 이 도시의 커져가는 명성에 상당한 기여를 했다. 게라르도와 만나 함께 점성술에 대해 얘기했던 잉글랜드 철학자 몰리의 대니얼에 따르면, 12세기 말의 톨레도는 "온 세계의 가장 현명한 철학자들"이 모이는 곳이었다.[22]

철학자'들'이었다. 하나가 아니라는 것이 중요했다. 크레모나의 게라르도는 결코 혼자 작업한 것이 아니었기 때문이다. 오히려 그는 왁자지껄한 학자 공동체의 일원이었다. 모두가 수백 년 동안 서방 사람에게는 잊혔던 문헌을 라틴어와 카탈루냐어로 열심히 번역하고 있었다. 케턴의 로버트라는 잉글랜드인은 수학과 천문학 연구를 위해 카스티아에 갔지만 《쿠르안》과 초기 할리파의 행적에 관한 연대기 등 이슬람 종교 문헌을 번역하게 되었다. 역시 게라르도라는 이름의 또 다른 이탈리아 학자는 이븐시나

(아비켄나)의 방대한 의학 백과사전 《의학전범醫學典範》을 포함해 그의 저작들을 번역했다. 그저 마이클 스콧으로 알려진 스코틀랜드인은 아리스토텔레스에서 이븐루시드(아베로에스)에 이르는 작가의 저작을 번역했다. 마이클은 이어 끝없는 호기심을 지닌 신성로마 황제 프리드리히 (2세) 호엔슈타우펜으로부터 푸짐한 후원과 궁정의 직위를 얻었다. 프리드리히는 평생 과학, 수학, 철학에 독자적인 열정을 지니고 있었다.†

한편 톨레도는 유대인 학자가 많은 작업을 해낸 곳이었다. 특히 카스티야의 '현자賢者' 알폰소 10세(재위 1252~1284)의 개명 치세에 그랬다. 알폰소는 많은 유대인을 포함한 톨레도의 번역가를 후원하고 그들이 가능한 한 많은 문헌을 라틴어가 아니라 카스티야 방언으로 번역하게 했다. 그렇게 함으로써 그는(그리고 번역자들은) 오늘날 전 세계에서 5억 명가량이 사용하는 에스파냐어의 기초를 쌓는 데 이바지했다. 톨레도의 번역자들은 이 작업을 하면서 서방 사상思想의 새로운 시대의 핵심적인 문헌들을 만들어냈다. 그것은 중세 전성기 동안 활발하게 터져 나왔다.

번역 운동은 중요한 사건이었다. 그것이 역사가들이 말하는 '12세기 문예부흥'의 시대를 열었기 때문이다.[23] 고전 저작을 서방 주류에 돌려준 것(이는 크레모나의 게라르도 같은 사람들이 없었다면 가능치 않았을 것이다)은 사상

---

† 프리드리히가 학술적 문제에 흥미를 가졌던 것은 유명하다. 그는 수학 문제에 관해 이집트 술탄 알카밀과 의견을 나누었고, 자연과학에 관한 자신의 저술을 썼으며, 이탈리아 역사 기록자 살림베네 디아담에 따르면 궁정에서 기괴하고 때로 매우 잔인한 실증 실험을 했다고 한다. 소문에 따르면 한 실험에서 그는 한 남성을 통 속에 넣어 굶겨 죽였다. 영혼이 육체를 떠나는 순간을 탐지할 수 있다는 희망을 가지고 한 실험이었다. 또 다른 실험에서는 두 남자에게 같은 것을 먹인 후 다른 일을 시켰다. 그러고는 그들을 죽여 그들 위 속의 내용물을 검사했다. 또 하나의 실험에서 그는 쌍둥이 아기를, 아무도 그들에게 말을 걸지 않고 관심을 보이지 않으면서 기르게 했다. 그들이 에덴동산의 원시 언어를 쓰는지 알아보기 위해서였다. 쌍둥이는 방치되어 죽었다.

의 모든 영역을 뒤흔들고 철학, 신학, 법학 등 학문 각 분과를 급격하게 변화시켰다. 이는 또한 새로운 지식을 바탕으로 기술이 발전하면서 실생활에 가시적인 영향을 미쳤고, 흥미진진한 새 과학 시대의 정신 속에서 보통 사람의 삶 속으로 들어갔다.

전통적인 연구의 중심지(수도원과 성당 학교) 안에서 12세기에는 생산된 서적의 수가 폭발적으로 증가했다. 이 가운데 상당수는 꼼꼼하게 작업한 고대 문헌의 라틴어판이었다. 기독교 성서는 물론이고 교부의 저작, 교회에서 사용하는 전례서, 중세 초 천재인 보에티우스, 세비야의 이시도로, '가경자' 베다(잉글랜드 북부의 수행자 겸 역사가로, 8세기 초 거작 《잉글랜드 교회사》를 썼다) 등의 저작이었다.

그러나 이들과 함께 이제 아리스토텔레스와 에우클레이데스, 갈레노스와 프로클로스의 저작도 나타났다. 로마의 베르길리우스, 오비디우스, 루카누스, 테렌티우스 같은 시인과 키케로, 카토, 세네카 같은 웅변가의 저작은 물론 번역이 필요치 않았다. 그러나 그들에 대한 관심은 되살아났고, 그들의 저작은 필사되고 중세 문법학자에게 연구되었다. 이들 문법학자는 고전 라틴어를 분석하고 자기네의 발견을 바탕으로 전문적인 언어학 편람을 만들었다.[24]

옛날 저작이 새로이 서방 도서관으로 흘러들어 오면서 학술과 창작의 경향 또한 바뀌었다. 신학과 철학에서는 스콜라 철학이 등장하면서 아리스토텔레스의 영향이 깊숙하게 느껴졌다. 논리적 추론을 강조하고 독자들은 텍스트를 깊이 파고들어 논증과 구조화된 주장으로 역설과 모순을 조화시키도록 유도되는 기독교 성서 연구 접근법이다.

파리를 근거지로 활동한 학자 피에르 롱바르(1096?~1160)는 지식 편집과 질문의 정신에 따라 그의 《네 권의 명제론집》을 썼다. 창조부터 삼위일체의 수수께끼에 이르는 기독교의 근본 주제에 따라 구성되고, 성서 구절과 다른 교회 권위자의 보강 자료를 방대하게 모은 것이다. 《명제론집》은 1150년 무렵 완성된 이후 중세 말까지 모든 신학도를 위한 기본 교과서가 되었다. 톰마소 다퀴노(토마스 아퀴나스, 뒤에 자세히 다룬다), 둔스 스코투스, 오컴의 윌리엄 등 이후 세대의 유명한 중세 학자는 모두 《명제론집》에 대한 주석서를 쓰면서 학문적 이력을 시작하게 되며, 어떤 신학자도 이를 붙잡고 씨름하지 않고서는 스스로 대가연할 수 없었다.

그러나 12세기에 변화한 것은 고급 학술 담론만이 아니었다. 이 시기는 또한 덜 추상적인 분야에서 글쓰기가 활발했던 시기였다. 특히 로망스와 역사 쪽이 그랬다. 7장에서 보았듯이 12세기에는 기사 로망스와 웅대한 이야기가 급증했다. 그리고 중세 전성기에 만들어지고 인기를 끌었던 이야기 상당수가 그 내용과 구성을 위해 고전 시기로 거슬러 올라간 것은 우연이 아니었다. 아테나이와 로마(그 위대한 인물들은 번역자들에 의해 후대의 안개가 걷혔다)는 이제 영주의 집 난롯가에서 듣는 이야기와 음유시인이 들판을 방랑하면서 짓는 노래에 영향을 미쳤다.

이와 동시에 고대 및 당대 모두의 정치적 사건에 대한 방대한 연대기를 쓰는 새로운 유행이 생겨났다. 11세기에 성반에 대한 관심의 초기 선구자였던 '불구자' 헤르만은 예수의 탄생부터 자신의 시대에 이르는 1000년을 이야기하는 장대한 역사를 썼다. 책 후반에는 독일 문제나 황제와 교황 사이의 다툼에 초점을 맞추었다. 이 연대기는 그의 사후 친구이자 제자인 라이헤나우의 베르톨트가 이어갔으며, 더 많은 사람이 그를 따르게 된다. 12~13세기에는 전기, 여행담, 좋은 정부에 관한 논문 등의 분야와 함께 역사 전승이 꽃을 피웠다.

영국에서는 학자이자 조신朝臣이었던 웨일스의 제럴드가 여러 학문적이고 때로는 재미있는 이야기를 썼다. 웨일스 및 아일랜드 일대 여행과 잉글랜드 왕궁에서의 자신의 경험에 관한 것이다. 여러 명의 필자가 쓴 《프랑스 대★연대기》는 13세기 이후 프랑스의 생드니 대수도원에서 편집한 것으로 뛰어난 업적이었다. 이전의 중세 자료를 라틴어에서 프랑스어로 번역하고, 트로야인의 서방 이주라는 상상 속의 일로부터 루이 9세(그가 본래 이 사업을 주문했다)까지의 프랑스와 프랑스왕의 거대한 역사를 이야기했다. 한편 중세 전체를 통틀어 매슈 패리스보다 더 위대한 개인 역사 기록자는 없었을 것이다. 패리스는 학구적인 것으로 매우 유명한 잉글랜드 세인트올번스 수도원의 13세기 수행자로, 잉글랜드 역사에 관한 그의 작업은 창조로부터 시작해 자기 당대의 왕 헨리 3세의 곤경까지 죽 이어졌다. 이 책은 패리스가 직접 그린 화려한 그림과 지도로 장식되었다.

그리고 과학과 문학 영역 이외의 진보도 있었다. 12세기에 서방으로 온 것은 성반만이 아니었다. 1180년대 이후 유럽 곳곳에 풍차가 나타나기 시작했다. 풍차는 옥수수를 갈아 가루로 만들기 위해 요즘 말로 '재생 가능 에너지'를 이용하는 장치다. 그러나 이는 건설하려면 엄청난 정도의 수리공학에 의존해야 했다.[25] 물과 무게를 이용하는 정교한 장치인 새로운 시계가 발명되었다. 이로써 해가 비치는 낮의 길이가 길어지느냐 짧아지느냐와 상관없이 시간을 표시할 수 있게 되었다. 13세기 이후에는 잉글랜드인 로저 베이컨 같은 학자가 화약 제조법을 기록하기 시작했다. 이 발명이 서방에 도입된 것은 곧 중세의 종말과 상징적으로 결합된다.

이 모든 발명과 기타 여러 가지는 다시 활기를 띠게 된 12세기로부터 나온 것이다. 그 모든 것의 뿌리에는 교육, 학문, 연구가 있다. 이들은 여전히 상당 부분 성직자의 전유물이었지만, 이전의 어느 때보다도 더 수도원 바깥의 세속 세계와 연관되어 있었다.

대학의 부상

12세기 초의 전형적인 학자는 대개 명석한 개인으로 보통 수도원이나 성당 학교에서 일했고, 돌아다니면서 다른 사상가나 작가와 접촉했다. 그러나 이들과 연결된 기관은 유일한 목적이 순수한 지식 추구가 아닌 곳이었다.

그런 사람 가운데 하나가 독일의 대수도원장 빙언의 힐데가르트다. 영리한 독일 수녀로, 거창한 신의 환상을 자주 보았으며 전례음악, 교훈극, 의학·자연과학·건강·약초학·신학에 관한 소책자를 많이 만들었다. 바스의 애덜라드는 지식을 찾아 잉글랜드 서남부에 있는 그의 고향 도시에서 프랑스, 시칠리아, 안티오케이아, 소아시아로 갔다. '피보나치'(보나치오의 아들) 레오나르도는 12세기 피사 출신 상인의 아들로, 장사를 위해 지중해 일대를 여행하면서 인도-아라비아 숫자 체계(계산이 불편한 로마 숫자로 계산하는 대신 숫자 1~9와 0을 이용해 자릿수를 채우는 방식이다)가 매우 효과적으로 사용되는 것을 보고 그것을 익혔다.

이들 모두는 각기 나름대로 위대한 사상가였다. 그러나 중세가 깊어가면서 또 다른 부류의 학자가 두각을 나타내게 되었다. 그들은 자유로운 입장의 수행자·수녀나 돌아다니는 상인이 아니라 학자였다. 이들은 11~14세기 사이에 서방 곳곳에 설립된 큰 대학들에서 학습, 토론, 연구, 교수하는 일에만 전념하는 공동체의 일원이었다.

전승에 따르면 서방에서 처음으로 설립된 대학은 이탈리아 북부 볼로냐에 있었다. 11세기 말에 볼로냐는 두 거대 영향권 사이에 끼여 있었다. 북쪽으로는 알프스산맥이 있었고 그 땅은 독일 제국이 지배했다. 남쪽에는 교황국이 있었다. 중세 말기에는 교황과 황제가 다툼을 벌이지 않는 때가 거의 없었기 때문에 10세기 이후 볼로냐는 법률가 공동체를 끌어들이기 시작했다. 교회법과 민법 모두의 전문가였다. 그들은 이 도시가 편리한 기지가 되어서 사업 기회를 끌어들인다는 것을 알아차렸다.

볼로냐대학의 공식 설립 연도는 보통 1088년이라고 한다. 이는 기관의 구체적인 사실만큼이나 전승에 의존한 측면이 많기는 하지만, 대략 이 무렵 이후 많은 법학 연구자가 그곳에서 연구를 하고 있었던 것은 분명한 사실이다. 황제와 교황이 다툴 때 조정하고 소송하는 실무적인 일 이외에, 1070년대에 유명한 동로마 황제 유스티니아누스의 《요람》이 재발견되어 북부 이탈리아의 법학자 사이에서 커다란 학술적 흥분을 일으켰다.

3장에서 보았듯이 《요람》은 찬집되었을 당시 법학의 대단한 성과였으며, 《유스티니아누스 법전》 및 《유스티니아누스법 원리》와 함께 6세기에 인식된 로마법 체계 전체에 대한 권위 있는 안내를 제공했다. 이제 11세기 말에 이 방대한 법률 저작 발견물은 정의와 정부에 대해 생각해볼 수 있는 감질나는 새 기반을 제공했다. 그러나 그사이의 550년 동안 상당히 많은 변화를 겪은 세계의 맥락에서 그것이 적용될 수 있고 유용하게 만들려면 또한 분석, 비평, 해석이 필요했다. 따라서 법학도에게는 연구할 것이 많았고, 기꺼이 나서는 자원자도 부족하지 않았다.

1080년대에 볼로냐에서 활동한 이르네리우스라는 법률가가 로마법 '주석'(글을 베끼고 행간 또는 여백에 자신의 비평을 다는 것)을 시작했다. 그리고 그 다양한 측면에 대해 강의를 했다. 1084년에 이르네리우스는 법학 학교를 만들었고, 그것은 유럽 전역에서 학생을 끌어모으기 시작했다. 한 세대 안에 볼로냐는 서방에서 법률가 훈련을 하기 위한 최적의 장소로 유명해졌고, 이르네리우스는 자신의 학문을 정치 세계에 적용해 독일 황제

하인리히 5세를 위해 일했다.

1118년 교황 파스칼리스 2세가 죽자 하인리히는 추기경단의 거센 반대에도 불구하고 자신이 미는 후보를 승계자로 꽂아 넣고자 했다. 이후 벌어진 정치적 싸움에서 하인리히는 이르네리우스를 고용해 황제로서의 자신의 권리와 자기가 민 후보인 대립교황 그레고리우스 8세의 적법성을 방어하는 법적 주장을 준비하게 했다. 이 싸움에서는 하인리히가 졌지만(그레고리우스는 교황 경쟁자 칼리스투스 2세로부터 파문당하고 결국 붙잡혀 죽을 때까지 수도원에 감금되었다), 이르네리우스가 고용되었다는 사실 자체는 볼로냐의 법학자가 이미 존중을 받고 있다는 하나의 징표였다. 이러한 명성과 매우 많은 법률가가 한 장소에 모였다는 그 사실은 대학이 되는 것의 기반이었다.

볼로냐가 대학이 된 방식은 기본적으로 연합의 과정이었다. 11세기 이후 볼로냐 법학자의 상당수(아마도 대부분)는 시민이 아니었기 때문에 시민의 온전한 권리를 누리지 못하고 외국인에게 부과되는 부담스러운 법의 적용 대상이었다. 볼로냐에 사는 여러 나라 출신자는 집단체로 간주되어, 그들 중 하나가 도시의 법을 어기거나 빚을 갚지 못하면 연대 처벌을 받았다. 보복권으로 알려진 법적 개념이다.

그래서 이에 대항하기 위해 11세기 볼로냐의 연구자가 그들끼리 라틴어로 '우니베르시타스 스콜라리움'(학자 공동체)으로 알려진 공제조합을 조직하기 시작했고, 그것은 다시 스투디움(연구자)이 되어서 집단적으로 움직이게 되었다. 학도들은 이렇게 한데 뭉침으로써 자기네의 집단적 권리와 자유를 시 당국과 협상할 수 있었다. 그들은 자기네가 원하는 것을 얻지 못하면 모두가 도시에서 떠나 시에서 돈이 되는 고객을 놓치게 만들겠다는 은연중의 위협을 가한 것이다. 학도들은 또한 자기네 스승과도 집단적으로 협상해 자기네가 무엇을 배우고 스승에게는 얼마를 지불할지 결정하는 것이 편리함을 깨달았다. 그리고 수준 이하의 교육이나 통용되지 않는 견해로 자기네에게 거슬리는 교수는 견책하거나 해고했다.

이 비공식 학도 조합 체계가 진정한 기구로 인정받는 데는 약간의 시간이 걸렸다. 1158년이 되어서야 신성로마 황제인 '붉은 수염' 프리드리히 1세가 〈아우텐티카 하비타〉로 알려진 법을 승인했다. 볼로냐와 다른 곳의 법학도에게 영구적인 특권과 권리를 부여한 것이었다.[26] 그러나 중세 대학의 기본적인 특성이 만들어지는(그리고 곧 유럽 전역에서 모방하는) 것은 그로부터도 한참 뒤였다.

12세기에 고전 교육의 수도꼭지가 열리면서 더 많은 도시에서 학도 집단이 협력하고 조직화하고 볼로냐의 학자와 비슷한 방식으로 자기네에게 제도적 특권을 달라고 주장하기 시작했다. 1096년 이후 잉글랜드의 작은 정착지 옥스퍼드에서 학자들이 학도를 받고 있었다. 파리에서는 1150년 무렵부터 한 학도 및 교사 집단이 노트르담에 있는 성당 학교에서 갈라져 나와, 50년 후 대학으로 인정되는 기관을 설립했다.

이 두 저명한 기관(오늘날의 옥스퍼드대학과 통칭 소르본이라고 부르는 파리의 서로 다른 열한 개 대학)의 운명은 처음부터 뒤얽혀 있었다. 옥스퍼드는 (플랜태저넷왕 헨리 2세와 카페 왕조 군주 루이 7세의 치세 때의) 잉글랜드-프랑스의 정치적 다툼으로 큰 이득을 얻었다. 두 나라 사이의 관계가 특히 틀어졌을 때인 1167년 헨리는 모든 잉글랜드 학자에게 파리에 있는 그들의 연구실에서 떠나라고 명령했고, 이에 따라 그들 상당수가 잉글랜드해협을 건넜다. 그들은 템스강 유역을 거슬러 이주해 옥스퍼드에 정착하고 그들 학교의 특성을 갖추고 발전시키는 데 사력을 다했다.

그 밖에도 많은 대학이 있었다. 1130년대에 카스티야-레온의 토르메스강 기슭에 있는 아름다운 성당 도시 살라망카에 대학이 하나 생겨났다. 13세기 초에 불만을 품은 볼로냐의 학도와 교사가 북쪽으로 120킬로미터 떨어진 파도바로 이주해 새로운 기관을 세웠다. 비슷한 시기인 1209년, 옥스퍼드에서 폭동이 일어나자 겁에 질린 학자 무리가 잉글랜드를 가로질러 동쪽의 더 안전한 곳으로 달아났다. 이스트앵글리아 소택지 끄트머리였다. 그곳에서 그들은 케임브리지대학의 첫 학자가 되었다. 남부 이탈리아의 해부학 및 의약 전문가는 살레르노에서 무리를 지었다. 그것이 유럽 최초의 의과대학이 되었다. 1290년, 포르투갈의 시인왕 디니스는 코임브라의 대학을 승인했다. 그리고 다른 많은 대학이 이탈리아, 이베리아반도, 프랑스, 잉글랜드에서 급증했다.

14세기에는 이들 네 지역 바깥의 먼 지역에서도 대학이 생겨났다. 아일랜드 학생은 더블린의 대학에 갈 수 있었고, 보헤미아인은 프라하, 폴란드인은 크라쿠프, 헝가리인은 페치, 알바니아인은 두러스, 독일인은 하이델베르크나 쾰른으로 갔다.

보통 이 여러 곳의 다양한 기관은 스투디움게네랄레로 알려져 있었고, 신학·법학·의학 등 가운데 한 개 이상과 교양 과목을 함께 가르쳤다. 이들에게는 처음부터 국제적인 기풍이 있었고, 학생과 교사는 이 대학들을 오갈 수 있었으며 그렇게 하려고 했다. 한 곳에서 얻은 학위나 교수 자격은 다른 모든 곳에서도 유효하다고 여겨졌다. 독특한 사제복을 입고 일반 법밖에 있는 자기네 나름의 규율을 따르는 학자 무리는 서방 곳곳의 수십 개 '대학 도시'에서 흔히 볼 수 있는 모습이 되었다.

학자의 시대가 도래했다. 그리고 대학이 똑똑한 젊은이에게 어떤 기회를 줄 수 있는지를 알아보는 가장 좋은 방법은 중세 전체에서 가장 유명한 학자 가운데 한 사람의 이력을 잠시 살펴보는 것이다. 그 사람은 바로 톰마소 다퀴노(토마스 아퀴나스)다.

분명히 13세기의 가장 위대한 기독교 학자이자 서방이 낳은 최고의 학자 가운데 하나로 꼽히기도 하는 톰마소가 다섯 살쯤 되던 1231년, 그의 부모는 교육을 위해 그를 몬테카시노의 수도원으로 보냈다. 한때 베네데토 성인이 주재했던 이 수도원은 지금 어린 톰마소의 백부 시니발드의 감독하에 있었고, 가족은 어린 톰마소가 자라 그 자리를 물려받는다는 꿈을 꾸었을 수도 있다.

그러나 톰마소는 다른, 더 큰 일을 하기로 마음먹었다. 그는 대략 10년 동안 극도로 전통적인 수도원 환경 속에서 열심히 공부에 매진했다. 그러나 성년으로 넘어가는 열다섯 살 무렵에 그는 항로를 이탈했다. 그는 몬테카시노의 친구들에게 수도원을 떠나겠다고 말했다. 그는 1216년 카스티야의 사제 도밍고 데구스만이 창설한 새로운 탁발수도사 교단 도밍고회[†]에 들어갈 생각이었다.

도밍고회 수도사가 된다는 것은 더 넓은 공동체 안에서 전도와 교육을 하는 생활에 자신을 바치는 것이었다. 개인적으로 집중적인 연구와 기도도 해야 했다. 도밍고회에서 출세하려면 최신의 고등교육이 필요했다. 그래서 톰마소 역시 수도원을 떠나 나폴리에 새로 생긴 대학에 가겠다는 의사를 표명했다. 얼마 전에 프리드리히 2세가 볼로냐대학(황제는 이곳이 너무도 황제의 뜻에 어긋난다고 생각했다)의 경쟁자로서 설립한 대학이었다.

---

† 도밍고회는 그들의 검은 예복으로 인해 '흑색수도사회'로 알려졌다. 이와 대비해 프란체스코회는 '회색수도사회', 카르멜회는 '백색수도사회'로 불렸다.

톰마소의 가족은 그것이 마음에 들지 않았다. 학생의 삶이란 그들에게 지적 외골수나 마찬가지였고, 탁발수도사의 생활은 더욱 그러했기 때문이다. 학생은 빈둥거리기와 불평하기가 두 가지 큰 즐거움인 존재였다. 그래서 그들은 그를 보내기는 했지만 이후 그를 단념시키고 관심을 돌리기 위해 온갖 노력을 다 했다. 한번은 그를 나폴리에서 납치해 로카세카에 있는 그들의 성채에 가둬놓고 형제들이 매춘부들을 고용해 그를 죄에 빠지도록 유혹하게 하는 등 그의 도밍고회 적격성을 시험하려 했다.[27] 그러나 톰마소에게는 책 냄새가 매춘부 속옷의 향내보다 엄청나게 더 매혹적이었다. 그는 완강하게 자신의 결정을 고수했고, 얼마 뒤에 가족도 누그러졌다. 가족은 그를 도밍고회와 그 자신의 연구실로 돌려보냈다.

1245년 그의 동료 수도사들이 그에게 이탈리아를 떠나 북쪽의 파리대학으로 가자고 청했고, 그는 그곳에서 학자로서의 이력을 시작해 신에게 영광을 바치게 되었다.[28]

출발은 완벽하지 않았다. 톰마소의 초기 학생들과 동료들은 톰마소를 '벙어리 황소'라는 별명으로 불렀다. 조용한 태도 때문이었다. 그러나 그는 대외적으로 소심한 사람이기는 했지만, 명석한 사람이기도 해서 교수진의 중심인물에게 신뢰를 받고 있었다. 바이에른 출신의 신학 교수이자 도밍고회 동료인 알베르투스 마그누스였다. 알베르투스는 파리에서 잠시 머물다가 톰마소를 자신이 있던 쾰른의 대학으로 데리고 갔다. 그곳에서 톰마소는 4년 동안 하급 교수로 일하며 학생에게 기독교 성서에 대해 가르치고 한편으로 자신의 개인적인 연구를 계속했다.

1252년 그는 신학 석사 학위 과정을 위해 파리로 돌아갔고, 1256년 이를 마치고 교수 책임이 있는 지도석사로 인정받았다. 그는 이제 파리 신학 교수단과 더 나아가 서방 대학 조직의 정식 멤버가 되었다. 그의 앞에는 탄탄대로가 펼쳐져 있었다.

톰마소가 중견 학자로 활약한 시간은 사실 비교적 짧았다(20년이 채 되지 않았다). 그러나 그사이에 그는 정말로 엄청난 양의 저작을 쏟아냈다.

그의 최고의 연구는 방대한 《신학대전》이었다. 기독교 신앙 전체를 소개하고 방어하려는 계획으로 쓴 것이며, 우리가 지금 학부생이라 부르는 사람을 위해 쓰인 것이지만 일반 독자도 읽을 수 있는 것이었다.[29] 《신학대전》은 세계의 본질부터 도덕성, 미덕, 죄악, 성사聖事의 신비에 이르기까지 모든 것을 다루었다. 이는 오늘날에도 여전히 신학교 학생과 성직자 지망생에게 필독 교재다.

톰마소는 또한 중세 말 신학이 다룬 모든 문제에 대한 길고 짧은 논문들을 썼다. 자연과학, 철학, 경제학, 윤리학, 마법 등이었다. 그는 기독교 성서 주석서와 다른 신학자·철학자의 저작에 관한 주석을 썼다. 보에티우스에서 피에르 롱바르의 《네 권의 명제론집》(모든 대학생을 위한 추천 도서 목록 맨 위에 올라 있었다) 같은 것이다.

그는 일하면서 여행도 했다. 파리를 떠나 나폴리에서, 오르비에토와 로마에서 몇 년을 보냈다. 그리고 그는 도밍고회 수도사로 자신이 진 의무를 게을리하지 않고 전도와 설교를 했다. 자기 학문의 관점을 더 넓은 대중에게 전달하기 위해서였다.

톰마소는 '스콜라'적 방법으로 알려진 것에 매진한 학자였다. 지적인 문제를 고도로 구조화된 토론, 즉 '변증법적 추론'으로 해결하는 것이다. 그러나 더욱 중요한 것은 그가 세비야의 이시도로 이래, 고대 이교도의 지혜로 기독교 신학을 보완할 수 있다고 본 가장 위대한 학자였다는 것이다. 톰마소는 아리스토텔레스의 책을 읽고 그것을 흡수했으며(《형이상학》과 기타 아리스토텔레스 저작의 주석서를 썼다), 그의 아리스토텔레스 철학에 대한 이해는 그의 기독교 성서 분석과 설명에 이용되었다. 이것이 언제나 쉽지는 않았다. 1210년에 파리대학은 신학부에서 아리스토텔레스 저작 이용을 금지하려 했으며, 이후에도 이교도 작가에 대한 금지가 반복되었다. 톰마소는 이런 금지를 능숙하게 헤쳐 나갔다. 그는 또한 후대 비기독교 학자의 작업도 받아들였다. 이슬람 박식가 이븐루시드(아베로에스)와 코르도바 태생의 12세기 유대인 철학자 모셰 벤마이몬(마이모니데스) 같은 사람이다.

그리고 이에 더해 톰마소는 그의 말년에 신의 환상을 보는 경험을 했다. 이것이 그의 《신학대전》 작업을 포기하게 했다. 1274년 그가 겨우 마흔넷의 나이로 죽어 이 걸작이 미완으로 남은 이유가 바로 그것이었다. 그러나 그것은 중세 기독교의 지식으로서 그를 거의 완벽한 종합체로 만들었다. 그는 기독교 성서와 주석서를 깊이 이해했고, 넓게 배워 이교도와 신자의 저작을 종합할 수 있었으며, 신과 직접적인 연관을 맺었다. 그가 16세기에 '교회박사'로 인정된 것은 충분한 이유가 있었다. 그런 영예를 누린 것은 시성諡聖된 '대교황' 그레고리우스 1세 이후 처음이었다.[†]

톰마소 다퀴노가 독창적인 불멸의 신학 저작을 만들었다는 사실 외에도, 그의 이력은 13세기 유럽의 대학에서 나타났던 지적 활기를 집약적으로 보여준다는 점에서 중요하다. 그는 중세 전성기를 특징 지웠던 학문 대부흥의 열매를 딴 것이었다.

그러나 동시에 톰마소는 '순수' 학자라 부를 수 있는 사람이었다. 그는

[†] 본래의 교회박사 네 명은 그레고리우스, 암브로조(암브로시우스) 성인, 아우구스티누스 성인, 히에로니무스 성인이다. 톰마소 다퀴노는 1567년 '박사'로 인정받았다. 이 책을 쓰는 현재는 박사가 36명이다. 세비야의 이시도로, '가경자' 베다, 빙언의 힐데브란트, 알베르투스 마그누스(톰마소 다퀴노의 스승) 등이 들어갔다. 최근에 박사로 인정된 사람은 10세기 아르메니아의 신비주의자 시인 겸 수도사인 나렉의 그리고르로, 2015년 교황 프란치스쿠스(프란체스코) 1세가 이 지위를 부여했다. (2022년 2세기의 순교자 리옹의 에이레나이오스가 추가되어 37명이 되었다.)

일생을 대부분 대학에서 읽고 쓰고 가르치고 설교하며 보냈다. 도밍고회 수도사로서, 그가 완전히 상아탑 속에만 있던 사람은 아니었다. 그러나 그는 정치에 손을 더럽히지 않았다. 지식 세계를 정치권과 연결시키는 것은, 그리고 학원 안에서 권력이 어떻게 발전 또는 행사되는가를 보여줌으로써 바깥 세계의 모습을 바꾸는 것은 그의 시대 다른 사람의 몫이었다.

당연한 일이지만 대학은 주로 정치 중심지와 가까운 도시에서 발전했기 때문에 관원과 성직자 충원 기지가 되었다. 사실 그렇지 않았다면 이상했을 것이다. 14세기로 접어들 무렵 옥스퍼드 같은 대학에는 어느 시기에도 1600명 정도의 구성원이 있었다. 케임브리지는 약 1.5배, 파리는 상당히 더 많았다.[30] 이 모든 똑똑한 사람 가운데는 당연히 능력 있고 약삭빠른 사람이 있었다. 세속 사회에서 빼 갈 수 있는 사람이었다.

이 장의 첫머리에 나온 악독한 프랑스 법학자 기욤 드노가레는 필리프 4세의 정치적 청부살인자이자 1307~1312년 신전기사단 재판의 기획자였다. 드노가레는 결코 예외가 아니었다. 그가 죽은 1313년에서 몇 년이 흐른 뒤 이탈리아인 의사 파도바의 마르실리오(그의 고향 대학을 졸업하고 파리대학 총장으로 있었다) 또한 세속 지배자와 교황 사이의 분쟁에 휩쓸리게 되었다. 그는 신성로마 황제로 선출된 바이에른의 루트비히(교황 요안네스 22세와 다투고 있었다) 궁정의 지적 변호를 맡도록 초청되었다. 마르실리오가 루트비히의 궁정에 합류한 것은 옥스퍼드의 유명한 학자인 철학자 오컴의 윌리엄(오늘날 철학 원리인 '오컴의 면도날'로 가장 유명하다)을 통해서였다. 이 두 진지한 학자는 어느 모로 보나 군대에서 휘두르는 무기만큼이나 중요한 무기였다. 역대 황제와 교황이 끝없는 싸움을 계속하고 있는 와중에서 말이다.

12세기에 볼로냐에서 법학을 공부하고 파리에서 신학을 공부한 브르타뉴인 블루아의 피에르는 가장 활기찬 정치 이력을 지니고 있었다. 그는 시칠리아의 소년 왕 굴리엘모 2세의 가정교사 겸 보호자로 임명되었다가 대중 반란 때 이 섬에서 쫓겨났다. 피에르는 잉글랜드로 가서 잉글랜드의 플랜태저넷왕 헨리 2세의 외교관이 되고 잉글랜드, 프랑스, 교황 궁정 사이를 오갔다. 이 셋 사이의 관계가 모두 특히 뜨거웠던 시기였다. 한번은 피에르가 (헨리를 상대로 한 반란을 이끌고 있던) 잉글랜드 왕비 아키텐의 알리에노르를 훈계하는 편지를 쓰는 민감한 일을 맡았다. 그는 이렇게 썼다. "왕비께서 남편에게 돌아가지 않으시면 왕비께서는 광범위한 재난의 원인이 될 것입니다. 지금 잘못을 저지르고 있는 것은 왕비 한 분뿐이니, 왕비의 행동이 왕국의 모든 사람을 파멸로 이끌 것입니다."[31]

그리고 플랜태저넷 정치의 뒤죽박죽 세계에 휘말린 학자가 블루아의 피에르 한 사람만은 결코 아니었다. 1160년대에 헨리 2세의 최고위 성직자로 일한 토머스 베켓은 서리의 머튼 소수도원과 아마도 런던 세인트폴 대성당 부설 문법학교에서 삼학과 사술을 배웠다. 그러나 1130년대 말 아버지가 갑자기 파산하는 바람에 그는 파리대학에서 더 높은 신학 학위를 따기 위한 공부를 할 수 없었고, 사무원으로 취직하지 않을 수 없었다. 이것이 베켓에게 지적으로 곪아 터진 상처를 남겼고, 그는 매우 불만에 차 있었다.

이것이 1160년대에 헨리 2세가 그를 캔터베리 대주교로 발탁했을 때 (상당한 논란이 있었다) 비극적인 결과를 낳았다. 베켓은 갑자기 왕에 대한 자신의 의무를 느끼는 것보다 훨씬 심각하게 자신의 지적 열등성을 느끼게 되자, 반대할 수 있고 방해할 수 있는 대주교가 됨으로써 과보상過報償을 받고자 했다. 그는 헨리가 영국 교회를 통제하려는 시도를 곳곳에서 막아버렸고, 결국 그 결과로 헨리의 직접 지시에 따라 1170년 예수 탄생 기넘일에 캔터베리 대성당 마루에서 살해당했다. 그가 하고 싶었던 공부를 하고 지적으로 가려운 곳을 긁을 수 있었다면 이런 일은 결코 일어나지 않았을 것이다.

그리고 다시, 또 다른 플랜태저넷 대주교의 경험이 보여주었듯이 그런 일이 일어났다. 잉글랜드 태생의 학자 추기경 스티븐 랭턴은 파리대학 신학부의 인기인 가운데 하나였다. 그는 기독교 성서를 장별로 정리했고 이는 오늘날에도 여전히 구절을 찾는 데 사용되고 있다. 그러나 헨리 2세의 아들 존왕 재위 시에 교황 인노켄티우스 3세가 랭턴을 캔터베리 대주교로 임명하자 그 역시 많은 정치적 문제를 일으켰다. 존은 그가 거론되는 것을 격렬하게 반대했고, 로마와 떠들썩한 힘겨루기에 빠져들었다. 이 과정에서 잉글랜드는 6년 동안 성무聖務 정지를 당했고, 존은 개인적으로 파문을 당했다.

물론 중세의 모든 학자가 그저 이전투구에 휘말려 학계에서 떨려나지는 않았다. 티로스의 대주교였던 유명한 십자군 역사 기록자 기욤은 12세기에 파리와 볼로냐에서 공부한 뒤 다시 자신이 태어난 '성지' 지역으로 향했다. 성지에서 그의 세속적 임무는 불행한 나환자 왕 보두앵 4세의 가정교사 노릇을 하고 나중에 대법관 일을 하는 것 따위였다. 13세기 이탈리아인 의사 밀라노의 란프랑코는 1290년대 정치적 혼란 속에서 이탈리아에서 공부하는 것을 접고 파리대학으로 피신하지 않을 수 없었다. 거기서 그는 중세의 중요한 의학 교과서 가운데 하나가 되는 《외과대전》을 썼다.†

그럼에도 불구하고 대학 등장의 가장 중요한(의도하지는 않았지만) 결과

---

† 이 시대의 또 다른 유명 의학서 작가는 남부 이탈리아의 외과 전문의 살레르노의 트로타였다. 여성 의료에 관한 그의 저작은 《트로툴라》로 알려진 복수 저자의 책에 실려 있는데, 중세 후기에 유럽 전역에 널리 유포되었다.

가운데 하나는 그 자체의 진지한 연구를 촉진하기 위해 만들어졌던 기관이 정치가를 위한 마무리 학교로 발전했다는 것이다(그 애가가 아직도 불리고 있다). 16세기가 시작될 때는 오늘날과 마찬가지로 대학 경력은 관직에 거의 필수 자격이 되고 있었다.

그리고 동시에 대학은 그것이 이단을 규정하고 판정하는 법정이 되면서 오늘날에도 여전히 대단히 유사하게 남아 있는 또 다른 현상의 초점이 되었다. 이단은 틀렸을 뿐만 아니라 불법적이고, 모욕이나 추방이나 심지어 사형으로 처벌할 수 있다는 사고방식이다.

중세의 '깨어남'

현대의 그 계승자도 그렇지만, 중세 대학은 진보적이고 매섭게 비판적일 수 있었으며 흔히 두 가지가 다 나타나기도 했다. 예를 들어 볼로냐대학은 처음으로 여성을 강사로 고용했다. 베티시아 고차디니는 1230년대 말부터 법학을 가르쳤고(다만 얼굴을 면사포로 가렸다), 다른 여성이 뒤따를 길을 개척했다. 그 후진 가운데 노벨라 단드레아와 베티나 단드레아 자매가 있었다. 14세기에 각기 볼로냐와 파도바에서 법학을 가르쳤다. 파리대학에서는 1229년 학생들이 시 당국의 감독에서 벗어날 권리를 방어하기 위해 동맹휴학을 했다.† 그리고 16장에서 보겠지만 15세기 학생 마르틴 루터

---

† 이것이 관련된 모든 사람에게 특별히 긍정적인 일이었다는 말은 아니다. 1229년 사순절 초에 학생들과 파리 시민들이 술을 먹고 싸워 학생을 교회 법정이 아니라 세속 법정에서 처벌해야 한다는 요구가 일어났다. 처벌하려는 시 경비대에 의해 학생 몇 명이 살해되었고, 전체 학생이 2년 동안 수업을 거부한 끝에 교황의 교서에 의해 그들의 권리가 보장되었다.

가 기성 질서에 질문을 던지기 시작해 종교개혁이라는 거대한 종교·문화적 격변을 촉발한 것은 에어푸르트대학에서였다.

이 모든 것은 각기 다른 방식으로 지적 독립의 정신을 이야기하고 있고, 그것은 서방 고등교육에서 오늘날까지 지도 이상으로 남아 있다. 그러나 중세 대학은 급진적 사상과 오래 유지된 정통 관념의 재검토를 위한 집합체 노릇을 할 수 있었지만(그리고 했지만), 마찬가지로 흔히 주류 신념을 보존하려는 시도로 논의가 억눌리고 강제로 정지되는 곳이기도 했다.

12세기 문예부흥의 시작 당초부터 대학 안팎에는 지적 탐구의 새로운 정신이 선을 위한 힘이 되는 것만큼이나 위협이 될 수 있음을 간파한 강력한 인물들이 있었다. 대표적으로 클레르보의 베르나르가 있었다. 그의 수도회인 시토회는 거의 태생적으로 책상의 학문에 적대적이었다. 그리고 특히 학자라기보다는 신비주의자인 베르나르는 무조건적인 기독교 성서 숭배에서 벗어나는 모든 공부 방식에 대해 신경과민에 가까웠다. 그의 최신 유행 학문에 대한 경멸이 가장 분명하게 나타났던 것은 1130년대 말 그가 브르타뉴의 신학자 피에르 아벨라르를 이단으로 고발하기 위한 공격을 이끌 때였다.

아벨라르는 당시 최고의 학자였다. 철학에서 그는 격론이 벌어진 '보편 논쟁'에 몰두했는데, 이는 언어와 사물 사이의 관계를 놓고 열띤 토론이 벌어진 문제였다. 신학자로서 그는 아리스토텔레스의 논리적 추론을 기독교 성서 연구와 멋지게 연결시켰다. 그는 세례를 받지 못한 아기 등 불행한 사람이 가는 내세의 영역으로서 림부스(변옥邊獄)라는 가톨릭 교리를 개발하는 데 이바지했다. 그는 재능 있는 음악가이자 시인이었다.

그러나 그는 또한 물의를 일으킨 인물이었고, 생애 말년에는 악명이 높았다. 아벨라르는 파리 노트르담 성당 학교 교장으로 있으면서 젊은이로서 불명예를 안았다. 1115~1116년에 그는 시간제 일자리로 엘로이즈라는 소녀의 가정교사 일을 했다. 성당 참사회원 가운데 한 사람의 조카였다. 불행하게도 아벨라르는 가르치는 과정에서 엘로이즈를 유혹해 임신을 시키고(아들을 낳았는데, 엘로이즈가 '아스트롤라브'라는 이름을 붙였다†) 결혼했다가 수녀원으로 보내 그곳에서 살게 했다. 화가 난 엘로이즈의 숙부는 이에 대한 보복으로 아벨라르를 끌어다가 잔인하게 거세해버렸다.

다행히 시련에서 살아남은 아벨라르는 생드니 수도원으로 들어가 수행자 생활을 했다. 그러나 그가 고의적으로 도발적인 행동과 견해를 너무 자주 동료 수행자에게 드러내 그들을 약 오르게 해서 나중에 떠나지 않을 수 없었다. 그는 한동안 방랑하는 은자로 살았고, 파리 거리에서 신학 대중강연을 했다. 그러면서 아벨라르는 명석하면서도 도발적인 책과 논문을 썼다. 그것들은 아리스토텔레스의 추론 방법에 의존했고, 때로 이단적이라고 해석될 수 있는 결론에 이르기도 했다. 1130년대 말까지 그는 이미 한 차례 이단으로 공개 선고를 받은 바 있었다(1121년). 이때 그는 강의 모음을 강제로 불에 태워야 했다. 오늘날《'지선' 신학》으로 알려진 것이다.

베르나르는 아벨라르의 방법과 신학적 결론을 전혀 받아들일 수 없음을 알았고, 1140년 다시 한번 아벨라르를 기소하도록 압박했다. 그는 아벨라르를 파리에서 쫓아내고 교회 회의에서 그의 견해에 대해 부적절 판정을 내리게 했으며, 교황에게는 로마에서 평결에 대한 견책을 더하도록 청원했다. 클뤼니 수도원장 '가경자' 피에르(6장 참조)가 아벨라르에게 피

---

† 창조적인 천재가 자기 아이에게 기묘한 과학적 이름을 붙이는 전통은 중세 특유의 것이 아니다. 미국 음악가 프랭크 자파의 딸 문 유닛 자파Moon Unit Zappa나, 일론 머스크와 그라임스 사이에서 최근 태어난 아이 엑스 애시에이투엘브 머스크X Æ A-12 Musk를 보라.

난처를 제공하지 않았다면 베르나르가 어디까지 갔을지는 알기 어렵다.

실제로 그는 계속 아벨라르의 의지를 꺾어 1142년 아마도 제 명이 아닌 나이에 그를 죽게 만들었다. 이렇게 해서 당시의 가장 독창적인 사상가이자 카리스마 있는 교사 한 명이 '사멸'했다. 그의 명성은 그가 살아 있을 때는 물론 이후 여러 세대 동안에도 폐기되었다. 그리고 미래의 이단 색출자가 따르도록 쓰인 각본 역시 폐기되었다. 중세 말 지식인 세계에는 그런 것이 많아지게 된다.

1277년, 파리 주교 에티엔 탕피에는 이 도시 대학의 구성원 가운데 219가지의 그릇된 견해를 가졌거나 가르치는 사람은 모두 파문하겠다고 위협하는 공식 포고를 발표했다. 정말로 왜 탕피에가 이 특별한 순간을 택해 그의 선언을 발표했고, 대학의 어떤 학자가 특별히 자기네의 정신과 주변 학생 및 교사의 정신을 오염시켰다고 생각했는지는 더 이상 아주 분명치 않다.[32]

그러나 그는 반세기 이상 지속되어온 학문 검열의 전통을 따르고 있었다. 앞서 1210년, 이전 이 대학 예술학부의 학자 한 무리가 아리스토텔레스를 너무 많이 읽는다는 이유로 공식 규탄되었다. 이 위대한 그리스 철학자의 저작 여러 권이 그에 대한 2차적인 설명을 제공하는 다른 학자(고대와 당대 모두)의 저작과 함께 공식적으로 금서가 되었다.

탕피에는 1270년 이 금지 선언을 반복하고 앞으로 말해서는 안 되는 것으로 간주되는 아리스토텔레스의 견해를 특정했다. 주교는 그렇게 1277년에도 확립된 사상검증이자 자명하게 실패할 검열을 반복했다. 파리의 학자들이 요구받은 대로 성실하게 아리스토텔레스를 무시했다면 그가 명령을 발동할 필요는 확실히 없었을 것이다.

1277년 파리에 내린 선언으로 아리스토텔레스를 공부하는 일을 아주 엄하게 단속하지는 않은 듯하다. 실제로 그것이 지식과 믿음의 바탕에 대해 더 철저히 생각하도록 서방 학자를 압박했다는 주장이 있었다. 확실히 거리에서 책이건 학자건 불에 태우는 일은 없었다. 그러나 이 선언은 대학 안에서 말하고 생각하는 것이 사회의 도덕 질서에 더 폭넓은 중요성을 지니는 것으로 비치고 있음을 보여주었다. 이 시점 이후 파리와 더 넓은 세계에서는 학자들이 올바른(또는 옳지 않은) 신앙의 정치학에 빈번하게 휘말리게 된다.

앞서 보았듯이 파리대학 학자들이 훨씬 덜 추상적인 사건에 끌려들어간 것은 1277년 선언으로부터 불과 30년 뒤였다. 프랑스왕이 신전기사단 문제에 대해 그들의 판단을 요구한 일 말이다. 14세기 말의 서방 교회 대분열(두 교황이 각기 로마와 아비뇽에 있었다) 시기에 유럽 일대의 대학은 한 쪽 또는 다른 쪽 편임을 선언하라는 정치적 압력을 끊임없이 받고 있었다. 잉글랜드와 프랑스 사이에 벌어진 백년전쟁 동안에는 프랑스 학자들이 이 끝없는 전쟁의 연료가 된 적법한 왕권에 관한 논쟁에 끊임없이 휘말렸다.[33]

그러나 대학과 세속 사회의 얽힘이 가장 극적으로 전개되었던 곳은 바로 옥스퍼드였다. 그곳에서는 14세기 말에 매우 색다른 부류의 이단이 나타났다. 이 대학을 쪼개놓았을 뿐만 아니라 온 정계에 소동을 일으켰다. 이 이단은 롤라드파로 알려졌고, 그 지도자는 신학자이자 철학자인 존 위클리프였다.

위클리프는 요크셔 출신의 독설가였다. 신랄한 재치가 있고, 인간이 선하다는 것은 그다지 믿지 않았다. 그는 1340년대 옥스퍼드대학에서 활동했으며, 그곳에 있는 동안 용케 흑사병을 견디고 살아남았다. 그는 학자로서 성공적인 이력을 누렸으며, 한때 베일리얼칼리지 학장을 지냈다. 그러나 1370년대가 되자 정치에 이끌려 플란데런(네덜란드)의 브뤼허에 국왕 사절로 가고 그 뒤 (아버지 에드워드 3세의 말년에 잉글랜드 정가를 주름잡은 인물이었고 리처드 2세 때 소수파를 이끌었던) 곤트의 존의 측근이 되었다. 그는 또한 여러 가지 급진적인 사상과 입장을 옹호하기 시작했고, 기독교 성서의 상당 부분을 처음으로 영어로 번역했다.

위클리프는 대학에 봉직하면서 여러 가지 논쟁적인 생각을 공식화했다. 교황권에 성서적 근거가 없고, 성변화聖變化, 즉 성찬식 때 말 그대로 빵이 예수의 몸으로 변한다는 것은 말이 되지 않으며, 세속 권력이 교회에 주었던 땅을 돌려달라고 요구하는 것은 그들의 권리라는 등의 주장이다. 이들은 어떤 식으로든 논란이 되지 않는 것은 없지만, 마지막 것이 정치적인 이유로 존 공작의 관심을 끌었다. 이에 따라 공작은 기뻐하며 몇 년 동안 위클리프를 권면하고 후원하며 불러다가, 1377년 런던 주교의 공개적인 견책으로부터 그를 직접 보호해주었다.

그 1370년대 말에 위클리프는 준準유명인이 되었다. 신학과 철학에서 가난뱅이의 곤경과 국제 관계의 상황에 이르기까지 여러 문제에 관한 그의 견해는 대학 세계 안팎 모두에서 정밀 조사의 대상이 되었다. 1381년 이른바 와트 타일러의 난(13장 참조) 동안에 런던과 잉글랜드 곳곳의 여러 도시에서 대중 폭동이 일어난 뒤 위클리프의 생각과 설교가 문제를 불러일으켰다는 비난이 일었다. 그리고 아마도 불가피한 일이었겠지만, 당시 캔터베리 대주교가 이 폭동 와중에 살해되었기 때문에 1년이 채 되기 전에 블랙프라이어스에서 공식 교회 회의가 열려 위클리프의 것이라는 이단적 교리 목록이 선고되었다.

이로써 위클리프의 이력은 사실상 끝났다. 그는 강제로 은퇴당했고, 2년 반 뒤인 1384년 마지막 날 죽었다. 그러나 그는 적과 친구 모두에게서 잊히지 않았다. 15세기에 그의 무덤이 파헤쳐지고 그의 유골이 불태워졌으며, 교황의 권위로 그의 견해는 거의 통째로 규탄당했다. 그러나 이는 너무 늦은 것이었다. 위클리프의 주장은 이미 입소문이 나버렸다. 잉글랜드에서 이것은 롤라드로 알려진 급진적인 종교 개혁 운동의 바탕이 되었다. 이 운동은 1414년 그 추종자 몇 명이 헨리 5세 왕 살해 기도와 관련된 이후 이단일 뿐만 아니라 적극적인 치안 방해 세력으로 치부되었다.

한편 그는 유럽 전역에서 교회의 세속 간여에 반대하는 다른 작가 및 활동가를 자극했다. 그 가운데 대표적인 사람이 보헤미아의 개혁가 얀 후스다. 그는 1415년 유죄 선고를 받고 화형에 처해졌으며, 그 후 그의 추종자들을 상대로 잇달아 다섯 차례의 십자군 운동이 펼쳐졌다. 그들은 극단적인 편견하에 20년 이상 지속된 출정을 통해 추포되었다. 신학자 위클리프는 대학 안에서 신경을 건드리는 것보다 훨씬 많은 일을 했다. 그는 유럽 전역에서 혁명의 열정을 촉발했으며, 그 효과는 중세 말을 특징 지웠던 개신교의 종교개혁에 그대로 이어졌다.

그러나 위클리프의 이야기는 단지 이것으로 그치지 않는다. 위클리프는 사회 전반에 자신의 흔적을 남기는 한편으로 잉글랜드 대학 안의 연구문화에도 중요한 유산을 남겼기 때문이다. 1409년, 잉글랜드의 캔터베리 대주교(이자 옥스퍼드 동문) 토머스 애런델이 위클리프주의와 롤라드파에 대한 직접적인 대응으로 13항의 '규약'을 잇달아 발표했다. 구체적으로 옥스퍼드대학에 적용되는 성직자의 재결裁決이다. 이는 학자 사이의 언론과 연구의 자유를 엄격하게 제한해 허가받지 않은 설교와 기독교 성서의 영역英譯을 금지하고 대학 고위 관계자의 월례 점검을 요구했다. 부적합한 견해가 표출되지 않도록 확실히 하고 교사가 학생에게 승인된 교회 교리가 아닌 것을 말하지 못하게 하려는 것이었다. 자유로운 사고에 대한 이 번거로운 제한을 위반할 때의 처벌 가운데는 면직, 투옥, 공개 태형 같은 것이 있었다.

이 '규약'은 왕의 승인을 얻어 법과 동등하게 간주되었고, 옥스퍼드가 서방의 유수 대학으로 운영될 수 있는 능력에 지속적으로 악영향을 미쳤다. 단기적으로는 이제까지 잉글랜드 대학가에서 2류에 속했던 케임브리지대학이 옥스퍼드가 검열과 이단 박해로 흔들리는 덕을 크게 보았다. 검열이 덜한 환경을 선호하는 사상가를 끌어들인 것이다.[34] 그러나 장기적으로는 서방의 대학 내 지적 생활의 모형이 자리를 잡았다. 두 가지 충돌하는 야망이 작동되고 있는 모형이다. 한편으로 대학은 사회의 지적으로 보다 활기차고 두려움 없는 사람이 가서 배우고 연구하고 자기네가 발견한 대로 세계에 도전할 수 있는 기관이 된다. 그러나 대학은 또한 안팎에서 정치적으로 받아들일 수 있는 신앙의 보루 노릇을 하라는 압력을 받고 있었다. 지금 서방 세계의 대학을 보고 대체로 정말 변한 것은 그리 많지 않구나 하고 생각할 만하다.

12장

건설자들

❧

거기서 그는 커다란 도시와 그 안의 커다란 성채를 보았다.
성채에는 온갖 색깔의 높은 탑이 잔뜩 들어서 있었다.
─《마비노기온》에서

웨일스 군주 다비드 압그리피드는 1283년 9월 잉글랜드와 웨일스의 국경
도시 슈루즈베리에서 소집된 잉글랜드 의회에서 사형이 선고되었다. 그의
죽음은 잔혹하고 이례적이었다.

다비드는 스스로 자유 투사라고 생각했다. 토착 웨일스인이 자기네가
원하는 대로, 자기네 나름의 법과 관습에 따라, 그리고 가증스러운 동쪽
이웃의 지배를 받지 않고 살 권리를 지키는 투사라고 말이다. 잉글랜드인
은 다르게 봤다. 여러 해에 걸쳐 노르만 및 플랜태저넷 왕은 웨일스를 정
복하는 데 시간과 돈을 들이고 피를 흘렸는데, 다비드 같은 사람이 이끄는
완강한 저항이 그들의 인내심을 시험하기 시작했다. 잉글랜드의 실력자
들을 슈루즈베리 의회에 참석하도록 소집하는 편지는 이렇게 한탄했다.
"우리가 기억하는 시기 이후 (…) 웨일스인이 저지른 악행을 인간의 혀로
다 이야기하는 것은 거의 불가능합니다." 그리고 다비드는 "반역자 가족

의 마지막 생존자"로 묘사되었다.[1] 그를 본보기로 삼아야 할 때였다.

의회가 다비드의 운명을 결정하는 데는 오랜 시간이 걸리지 않았다. 다비드는 왕 에드워드 1세를 죽일 음모를 꾸몄다는 점에서 반역죄에 유죄였다. 그는 영국 역사에서 교수되어 내장이 뽑히고 사지가 찢기는 처형을 당하는 첫 인물이 되었다. 이것은 다비드가 직접 경험했듯이 무서운 죽음의 방식이었다.

그는 북부 웨일스 리들란(루들란)성의 감방에서 끌려 나와 말에 질질 끌려 슈루즈베리의 처형장으로 갔다. 그곳에서 목이 매달려 잠시 버둥거리고 숨이 막히게 버려졌다. 그리고 사형 집행자인 제프리라는 마을 사람이 줄을 끊어 그를 내리고, 다음 단계로 도살용 칼로 그의 내장을 잘라냈다. 그제야 다비드는 고통에서 벗어났다. 머리가 잘리고 몸통이 넷으로 잘렸다. 그 각각이 그의 운명을 알리기 위해 서로 다른 잉글랜드의 도시로 보내졌다. 조각들이 정확하게 어디로 보내졌는지는 역사 기록자가 쓰지 않았다. 다만 머리는 남쪽으로 보내졌다. 그것은 잉글랜드의 수도를 내려다보고 있는 음침한 요새인 런던탑의 담장 못 위에 걸렸다.[2]

다비드의 죽음은 정치 드라마의 공포물이었다. 그것으로 잉글랜드에 무시무시한 새 처형 방법 하나가 도입되었다. 그것은 위대한 웨일스 군주의 승통을 단절시켰고, 잉글랜드의 지배를 받지 않고 언제나 꿈틀거리며 나아간다는 웨일스인의 희망에 큰 타격을 가했다. 이는 모두 영국 중세사에서 중요한 정치적·문화적 변곡점이었다.

그러나 왕의 위엄을 과시하고 웨일스에서의 잉글랜드의 패권을 보여주는 것으로 다비드의 죽음이 에드워드의 징벌 가운데 가장 떠들썩하거나 오래가는 것은 결코 아니었다. 다비드가 사형 집행인에 의해 공개적으로 고통을 당하며 죽어간 것과 동시에, 그가 고향이라고 불렀던 웨일스 북부 지역은 건축가와 석공에 의해 완전히 새로 만들어졌다. 에드워드 1세는 웨일스에 자신의 유산을 확실히 남기기 위해 죽 늘어선 거대한 석성들을 건설하라고 명령했고, 이를 천문학적인 돈을 들여 포위스와 귀네드의 아름답고 산지가 많은 지역에 건설했다. 이 성들은 최첨단 군사 시설이자 잉글랜드 군주의 힘을 상징하는 것이었다. 여기에는 많은 돈이 들었고 수십 년에 걸쳐 많은 인원을 동원했다. 그리고 그것은 예속된 웨일스인에게 증오의 대상이었다. 그들의 자아의식은 그들 스스로가 로마 시대와 그 이전까지 거슬러 올라간다고 생각하는 자유에 깊이 뿌리박혀 있었다.

그리고 이 모든 것에 더해 에드워드 1세의 웨일스 성채들은 발전하고 있던 중세 말 건설업자의 기술과 지식을 강력하게 보여주는 것이었다. 13~14세기는 서방에서 기념비적 건축물의 황금기였다. 이때 세계 역사상 가장 대표적인 건물 가운데 일부가 세워졌다. 이것들은 민간 및 군대의 건축가가 설계하고, 중력을 극복하고 뾰족탑과 탑을 하늘 높이 치솟게 하는 새로운 방법을 탐구한 석공장이 시공했다. 이것들은 부, 권력, 신앙심, 통치권이 한데 어우러진 이야기를 전한다.

이 시기에 건설된 성과 고딕 양식 성당과 환락 장소 다수는 여전히 남아 인기 있는 관광 명소(그리고 일부의 경우는 일하는 공간) 구실을 하고 있다. 그 실루엣은 사실상 중세와 동의어가 되었다. 중세 권력에 대한 어떤 연구도 이 영광스러운 돌의 시대를 언급하지 않는다면 완전할 수 없을 것이다.

웨일스 정복

에드워드 1세의 웨일스 성곽 건설 사업은 어디서라도 시작될 수 있었다.

바로 그곳이 프랑스 리옹 동남쪽 50킬로미터에 있는 작은 마을 생조르주 데스페랑슈였다. 시기는 1273년이었다. 그때 에드워드는 성지에서 고국으로 돌아오고 있었다. 십자군 원정에 나가 이집트의 맘루크를 상대로 한 싸움에 기독교 세력을 결집시키고자 한 것이었다.

에드워드는 동방에 있는 동안 여러 특이한 성채에 대해 보고 들었다. 특히 구호기사단의 어마어마한 동심원의 산꼭대기 요새 크락 데슈발리에와 신전기사단의 똑같이 거대한 해안 성채 샤토 펠르랭 같은 것이다. 전자는 트리폴리와 홈스 두 도시 사이의 위험한 도로를 지키는 12세기의 군사 시설이었고, 후자는 하이파 남쪽 아틀리트에 있던 해군 기지 겸 기사 주둔지로 4000명의 병사를 수용할 수 있었으며 말을 타고 오르내리기에 충분한 폭의 계단이 있었다. 이것들은 십자군 국가 건설업자의 두드러진 성과에 속하지만, 성지에는 구석구석에 온갖 모양과 크기의 방어용 탑과 요새가 점점이 박혀 있었다.

전쟁의 주요 형태는 공성전攻城戰이었다. 한쪽 군대는 성이나 요새화된 도시에 포격을 가하거나 식량 공급을 막아 굶기거나 쳐들어가서 함락시키려 하고, 반면에 방어군은 공격자가 인내심을 잃고 떠나갈 때까지 완강히 버티기 위해 온갖 노력을 다하는 것이다. 따라서 군사 기술의 기본적인 경쟁은 성곽 건설자와 공성탑·충차衝車·투석기 설계자 사이의 경쟁이었다. 이는 서방 세계 전역에서 그러했지만, 특히 십자군 국가에서 두드러졌다. 그곳에서는 전쟁과 폭력이 거의 고질적이었다. 따라서 세계에서 가장 훌륭한 성채 가운데 몇몇이 예루살렘 왕국 안과 그 주변에서 발견되는 것은 너무도 당연한 일이었다.

에드워드는 생조르주데스페랑슈에 들렀을 때 또 하나의 훌륭한 성채가 건설 중인 것을 보았다. 현지 영주이자 에드워드와는 가족끼리 예전부터 아는 사이인 사보이아 백작 필리포가 주문한 것이었다. 공사는 '명인' 자크라는 명석한 젊은 건축가 겸 시공자가 감독했다. 그는 필리포의 영지 다른 곳에서도 비슷한 공사를 하고 있었다. 에드워드가 '명인' 자크가 하는 일을 보니 모두가 인상적이었다.

4년 뒤 잉글랜드가 한창 웨일스를 상대로 전쟁을 벌이고 있을 때 에드워드는 자크를 해협 건너로 불러 일생일대의 사업을 맡겼다.[3] 생조르주의 자크(이후 이 이름으로 알려지게 된다)는 웨일스 북부 성들을 쌓는 공사를 창조적으로 지휘하고 감독하는 일을 맡았다. 플린트, 리들란, 콘위, 부일트, 할레흐, 아베리스트위스, 루신, 비우마레스, 기타 성이다. (그는 또한 가스코뉴와 스코틀랜드에서도 에드워드를 위해 일하게 된다.)

그는 1277년 여름부터 1309년 죽을 때까지 잉글랜드의 공병단장이었고, 요새 건설을 위해 1060~1070년대 색슨족 치하의 잉글랜드를 정복한 '정복자' 윌리엄(기욤) 이래 유례없는 예산을 위임받았다. '명인' 자크는 웨일스의 모습을 변화시키고 군사 시설 건설의 새로운 표준을 세웠다. 중세 말까지 이를 능가할 시설은 거의 없었다. 그의 재능이 가장 잘 구현된 걸작이 오늘날 카이르나르번으로 알려진 소도시에 세워진 성이다. 웨일스 본토 서북쪽 끝 메나이해협과 에러리(스노도니아)의 산들 사이에 있다.

예전에 카이르나르번은 세곤티움이라는 로마 레기오(군단)의 전초 기지였다. 1280년대에는 그 옛날 제국의 전초 기지의 자취가 별로 남아 있지 않았지만 웨일스와 로마 치하 브리타니아가 연결되어 있었다는 기억은 유지되고 있었다.[4] 카이르나르번은 콘스탄티누스 대제 및 서방 찬탈 황제 마그누스 막시무스와 연결되어 있었다(미심쩍기는 하지만). 두 사람은 모두 브리타니아의 어느 지역에 있을 때 황제를 선언했다(2장 참조).[†]

막시무스(웨일스어로는 막센 울레딕이다)는 현지 민간 전승에서 특히 크게 나타난다.《마비노기온》으로 알려진 유명한 민족 로망스는 뻐기는 투로 막시무스가 경험한 꿈속의 환상을 이야기한다.

그는 자신이 여행을 하고 있는 것을 보았다. (…) 여행은 오래 걸렸지만 그는 마침내 아무도 본 적이 없는 큰 강 하구에 다다랐다. 거기서 그는 커다란 도시와 그 안의 커다란 성채를 보았다. 성채에는 온갖 색깔의 높은 탑이 잔뜩 들어서 있었다. (…) 그 안에서 막센은 멋진 건물을 보았다. 지붕은 모두 금으로 되어 있는 듯했고, 벽은 모두 똑같이 귀한 빛나는 돌로 되어 있었으며, 문은 모두 금으로 되어 있었다. 금으로 된 침상과 은으로 된 탁자가 있었다. (…) 막센은 기둥 옆에 머리가 흰 사람이 상아 의자에 앉아 있는 것을 보았다. 그 위에는 적금赤金 독수리 두 마리의 모습이 보였다.[5]

이것이 에드워드가 '명인' 생조르주의 자크에게 건설을 맡긴 성채의 모델이었다. 왕은 제국의 휘장으로 빛나는 성채를 갈망했다. 웨일스의 옛 위엄의 꿈을 끌어들인 것이었고, 그것을 자신의 휘하에 들인 것이었다. 그는 또한 초월적인 무언가를 원했다. 시간뿐만 아니라 장소까지 말이다. '명인' 자크는 이 모든 것을 해냈고 그 이상을 했다.

다비드 압그리피드가 슈루즈베리에서 재판을 받고 살해되던 때와 거의 비슷한 시기인 1283년 여름, 일꾼들이 새로운 요새를 착공했다. 그들은 다각형 탑의 토대를 쌓았고, 성벽의 토대도 쌓았다. 성벽은 그것을 수평으로 두르는 띠 형태의 색깔 있는 돌의 줄무늬로 장식할 예정이었다. 탑 가운데 하나는 독수리 조각이 있는 세 개의 포탑으로 장식하고, 성의 남쪽

---

† 당시의 통념은 막시무스가 콘스탄티누스 대제의 아버지였다(틀린 얘기다).

면 전체는 카이르나르번에서 바다로 들어가는 세욘트강 어귀로 돌출하게 하려 했다.[6]

이것은 이상하고 놀라운 성이었다. 한편으로 이것은 동화를 현실로 만든 것이었다. 그러나 이것은 또한 현실 속의 무언가를 의도적으로 베낀 것이기도 했다. 띠를 두른 성벽은 바로 콘스탄티노폴리스의 테오도시우스 방벽을 떠올리게 했다. 물론 카이르나르번은 축소판 콘스탄티노폴리스와 매우 흡사했다. 성벽을 두른 그 도시와 주둔지는 겨우 수백 명의 충성스러운 주민을 수용할 수 있을 뿐이었다. 전성기의 동로마 수도 거리를 떼 지어 다니던 수십만 명에는 비길 수조차 없었다. 그럼에도 불구하고 그 유사성은 의도적이었고 의미심장했다.

그리고 에드워드는 자신의 주장을 확실히 강조했다. 1283년 처음 땅파기를 할 때 막시무스(막센 울레딕)의 것이라는 인간 유해가 발견되었다. 그것을 파내 현지의 한 교회에서 예를 갖추어 다시 묻었다. 그리고 이 성이 그저 기술자와 일꾼을 수용하기 위해 나무로 만든 임시 오두막이 늘어선 판자촌만 있을 뿐인 건설 부지였던 1284년에, 에드워드는 만삭의 왕비 카스티야의 레오노르를 카이르나르번에 보내 둘 사이의 여러 아이 가운데 막내를 출산하게 했다. 왕비는 4월 25일 임무를 완수해 미래의 에드워드 2세를 낳았다. 이 에드워드가 자라서 잉글랜드의 첫 웨일스 공작이 되었는데, 이 이름에 대한 그의 권리 주장은 그가 카이르나르번의 제국 요새에 준하는 곳에서 태어났기 때문에 당연한 것이었다.[†] 이렇게 '명인' 생조르주의 자크가 주의 깊게 내려다보고 있는 가운데 선전, 정치, 군사 전략은

---

† 카이르나르번성은 이 전통을 현대까지 지속하고 있다. 1969년 엘리자베스 2세의 맏아들 찰스는 그곳을 부여받아 웨일스 공작이 되었다.

서북 웨일스에서 충돌했다.

성채 건설은 중세 전성기에 발명된 것이 아니었다. 성채의 직계 조상은 철기시대의 언덕 위 성채였다. 고지에 설치해 토루와 약간의 목책으로 보호한 군 진지다. 로마의 카스트룸(대병영大兵營)은 때로 터를 돌로 깔고 목책을 두르며 별채를 두었는데, 이것은 군용 시설 건설의 큰 전진이었다. 이 전통은 우마이야 시기의 이슬람 세계에서도 유지 발전되어, 이때 서아시아에서 사막 성채인 카사르가 급증했다. 군사 기능에 농장農莊, 목욕탕, 이슬람 사원 등 보다 사치스러운 궁궐의 특징을 가미한 것이다. 반면에 서방에서는 제1천년기 동안 요새화가 비교적 초보적인 수준에 머물렀다. 막대한 돈과 많은 노동 시간이 교회 건축에 투여되었지만 군사 시설 건축은 한참 뒤처져 있었다.

그러나 1000년 무렵에 서유럽에서 성채 건설의 혁명이 일어났다. 무엇이 이 혁명을 자극했느냐 하는 문제가 여러 세대 동안 역사가들을 괴롭혔다. 그 대답은 아마도 카롤링 제국 와해 이후 유럽의 불안정, 노르드인과 머저르인과 이베리아 이슬람교도가 기독교 왕국을 향해 야기하는 외적 위협, 프랑크식 기사騎士(그들은 작전에 나서기 전에 머물 기지가 필요했다)의 점진적인 중요성 확대 등에 놓여 있을 것이다.

서방 성채 축조 개선의 대부분은 노르만인이 추동했다. 노르망디뿐만이 아니고 잉글랜드, 시칠리아, 십자군 국가의 노르만인을 포괄해서다. 노르만인은 둔덕성채(motte-and-bailey castle) 설계를 일찍 수용한 사람들이었다. 큰 둔덕(motte)이 솟아 있고, 요새화된 아성牙城 또는 탑(처음에는 보통 나무로 만들었다)이 있으며, 둔덕 주변 지역의 안마당(bailey)은 울타리나 해자로 방어했다. 10세기 말부터 11세기 말까지는 이것이 성채 설계의 최첨단이었다.

그러나 12세기 초가 되면 건설자들은 나무 중심의 둔덕성채 모델을 벗어던진다. 대신에 더 크고 더 정교한 석성을 쌓기 시작했다. 분명히 공사가 더 힘들고 비용이 많이 들며 노동집약적인 것이지만, 대단히 강한 요새를 만들 수 있었다. 그곳에서 사방 몇 킬로미터의 범위까지 군사적·정치적 권력을 행사할 수 있었다.

이 석성은 처음에는 둔덕성채 구조를 모방했지만, 12세기가 되자 '동심원' 성채가 나타났다. 이 성채는 복잡한 대지 위에 석조 건축이 여기저기 펼쳐져 있고, 안팎 공간이 있으며, 곳곳에 방어용 탑을 갖춘 두 개 이상의 성벽이 있고, 여러 개의 문루門樓와 도개교跳開橋가 있고, 한두 겹의 해자가 있으며, 때로 성채의 가장 안전한 곳에 호화로운 거처가 있었다.

이 크게 개선된 성채는 건설은커녕 그저 상상만 할 수 있던 것이었다. 이는 12~13세기에 일어난 경제 활동 및 수학의 도약 덕분이었다. 그러나 이러한 호전은 또한 중세 말 후원자(왕, 귀족, 성직자 모두)가 성채 건설자에게 돈과 야망을 걸 근본적인 용의가 있었던 덕분이기도 했다. 그들은 현대의 석유 갑부가 페르시아만 지역 국가에 호텔을 짓듯이 흔쾌하게 투자했다.

1190년대에 에드워드 1세의 종조부인 '사자 심장' 리처드는 노르망디 가야르성의 석성 하나에 1만 2000파운드(잉글랜드 왕국에서 나오는 그의 연간 수입의 대략 50퍼센트에 해당한다)를 썼다. 이 성은 센강 가의 레장들리에 우뚝 솟아 있었으며, 그곳은 백생으로 알려진 프랑스-노르망디 경계의 위험한 지역이었다.[7] (가야르성은 난공불락이었던 듯하지만 리처드의 무기력한 동생이자 계승자 존이 성이 완공된 지 불과 6년 후인 1204년 프랑스에 빼앗겼다.)

한편 이베리아의 레콩키스타 왕국들에서는 몬손 및 칼라트라바 같은 호화로운 요새가 생겨나, 말라가의 알카사바나 그라나다의 알람브라 궁전 같은 알안달루스의 거대한 이슬람 성채에 맞섰다.

그리고 발트해 지역에서는 카이르나르번성의 공사가 시작되기 조금 전에 도이치기사단이 노가트강 기슭에 말보르크성을 건설했다. 발트해 항구 단치히(그단스크)에서 약 50킬로미터 떨어진 곳이었다. 말보르크성(현재의 폴란드)은 프로이센의 이교도 부족으로부터 새로 점령한 땅을 통제하기 위한 목적으로 건설된 것인데, 중세 말에는 도이치 기사단의 지역 통제 중심지가 되었다. 이곳은 면적이 20헥타르 가까이 되어서 어느 순간에라도 수천 명의 기사를 수용할 여유가 있었다.

팔레스티나에서 대서양까지, 성곽 축조는 권력을 투사하는 데 필수적인 부분이 되었다. 동시에 무기 설계자와 공성전 기술자는 끊임없이 성곽 기술의 발전에 대응했다. 성벽 포격에 대응해 더욱 크고 더욱 불에 잘 타지 않는 탑을 건설하고, 현대의 해치백 자동차 크기의 돌을 던질 수 있는 투석기 트레뷔셰를 발명하고, 탑과 성벽을 무너뜨리기 위해 토대 밑을 굴착하는 기술을 사용했다.† 이런 맥락에서 '명인' 생조르주의 자크 같은 성곽 건설자는 그들 몸무게만큼의 금과 맞먹는 가치가 있었다.

'명인' 자크의 카이르나르번 공사는 갑자기 이루어진 것이 아니었다. 자크는 불가사의한 재능을 지닌 공사 책임자였고, 매우 다행스럽게도 잉글랜드왕이 자원을 총동원해 지원해주었다. 그러나 그는 기적을 일으키는

---

† 1215년 존왕의 군대가 로체스터성 포위전에서 이를 사용했다. 공병들이 성의 한 탑 지하에 갱도를 파고 갱도의 나무 버팀대에 돼지비계로 기름을 바른 뒤 갱도에 불을 질렀다. 갱도가 무너지자 탑도 무너졌다. 오늘날 로체스터성의 세 모서리는 각이 지고 하나는 둥근 이유가 그것이다. 둥근 곳은 존의 치세가 끝난 뒤 다른 양식으로 재건축되었다.

사람이 아니었고, 그가 에드워드의 일을 하는 30년 동안은 어느 순간에도 최소 예닐곱 건의 성곽 건설이 진행되고 있었다.

카이르나르번 같은 공사의 구상부터 완공까지는 커다란 방해가 없는 경우에도 수십 년이 걸릴 수 있었다. 돌을 떠내고 옮기고 자르고 들어 올리는 것은 시간이 걸리고 노동력이 많이 필요하고 불쾌하고 등골 빠지는 고역이었다. 성벽이나 다른 석조물을 건설하는 것은 1년 8개월 정도만 공사가 가능했다. 겨울에는 날씨가 추워 석회 반죽이 제대로 굳지 않기 때문이다. 그리고 공사는 악천후, 번개, 화재, 전쟁, 기타 치명적인 재난(적군의 공격 같은 것)으로 언제든지 쉽게 삐그러질 수 있었다. 원칙적으로 평화로운 지역에서는 거대한 성이 필요치 않다. 따라서 평온한 작업 환경이라는 사치는 이런 공사를 하는 사람에게는 주어지지 않았다.†

이는 북웨일스에서는 분명히 진실이었다. 당연한 일이지만 웨일스인은 자기네가 사랑하는 산의 중턱에 카이르나르번 같은 성채가 튀어나와 있는 모습을 보는 것이 즐겁지 않았다. 에드워드가 풍광을 도려낸 상처는 깊고도 지속적이었다.

에드워드는 자기네 군대를 잉글랜드 서북부의 체스터에서 웨일스 내부로 진격시키기 위해 시골 지역을 통과하는 넓은 간선도로를 내도록 휘하 공병들에게 명령했고, 1280~1290년대에 이 도로는 기사와 보병뿐만 아니라 길 부근에 있는 성채 공사장에서 일하는 건설 인력으로도 북적거렸다. 성채 한 곳만으로도 막대한 인력과 자연자원을 맹렬한 속도로 빨아

---

† 고고학에 남아 있는 그 가장 생생한 사례 가운데 하나가 예루살렘 북쪽 150킬로미터의 아테렛('야곱의 여울')에 있는 신전기사단 성채 유적에서 발견된다. 1179년 아이유브 술탄 살라훗딘이 병사들을 보내 이 공사 현장을 공격했다. 일꾼들의 유해와 건설 장비가 모두 사람들이 살해된 곳에 흩어진 채로 발견되었다.

들였다. 예컨대 딘비흐(덴비)의 왕성 건설 첫 10개월 동안에 지역의 숲에서 거의 200수레분의 나무가 벌목되었다.[8] 콘위에서는 기초 공사를 하는 데만 벌목꾼 200명과 갱부 100명이 고용되었다. 건물을 지으면서 4년 치의 철, 강철, 못, 주석, 돌, 납, 유리, 놋쇠, 그리고 노동력에 에드워드가 들인 비용이 1만 1000파운드를 넘었다. 이는 그의 왕국 연간 수입의 상당한 비율이었으며, 게다가 그는 두 개의 전선에서 벌이는 전쟁에도 돈을 써야 할 상황이었다.[9]

예닐곱 군데 이상의 성채를 동시에 건설하려면 인력도 대부대가 필요하고 건설 자재도 여러 톤이 필요했다. 목재와 돌은 멀리는 더블린, 칼레, 야머스에서 배에 실어 카이르나르번으로 가져왔다. 앵글시섬의 채석장은 거기서 나올 수 있는 돌을 모두 털렸다. 노련한 석수들이 요크셔에서 징발되어 절단 작업에 투입되었다.[10] 이것은 번잡하고 시끄럽고 파괴적인 공사였다. 지역 주민에게 그 최종 결과는 성채의 그늘 속에서 영원히 압제받는 것이었다.

1290년대 중반에 웨일스인은 정말로 지긋지긋해졌다. 1294년 9월에 그들은 들고일어났다. 봉기 중에 반란자들은 카이르나르번의 공사를 중단시키고자 했다. 불도저 앞에 드러누운 것은 아니지만 건물을 다 태워버렸다. 공사장과 부분적으로 건설된 그 주변 도시는 약탈당하고 점령되었다. 새로 건설된 도시 성벽은 파괴되었다. 반란이 진압되었을 때 '명인' 자크와 현장 부책임자로 역시 '명인'으로 불린 석공장 헤리퍼드의 월터는 자기네가 몇 달(심지어 몇 년) 걸쳐 이룩한 것이 수포로 돌아갔음을 보고 낙담했다.

그러나 성채 건설 일반에 대한 왕의 열의는 수그러들지 않았다. 오히려 그 반대였다. 에드워드는 '명인' 자크와 '명인' 월터에게 그들이 건설을 다시 궤도에 올리기 위해 필요한 돈, 물자, 인력을 공급했을 뿐만 아니라, 그들에게 또 다른 거대 사업을 맡겼다. 이번에는 바다에 걸쳐 있는 비우마레스성이었다. 이것은 앵글시섬의 카이르나르번에서 메나이해협 건너편에 건설되었으며, 더 풍성한 자금이 제공되었다.

비우마레스 현장 작업이 한창이던 1296년, '명인' 자크는 왕실 재무부에 "1000명의 목수, 대장장이, 미장이, 인부"가 일하고 있다고 보고했다. 경비하는 병사는 130명이었다. 그들은 몇 분 사이에도 화창한 날씨가 험악하게 변할 수 있는 기후 조건(오늘날 스노도니아의 산악 지역에 가본 사람은 누구나 수긍할 것이다)에서 긴 시간을 고되게 일했다. 비우마레스에는 총 1만 5000파운드 가까운 돈이 들어갔지만 그것은 에드워드가 죽던 1307년에도 끝나지 않았고, '명인' 자크가 죽던 1309년에도 끝나지 않았고, 심지어 1320년대에도 끝나지 않았다.[11]

카이르나르번이 신화적인 환상의 비약이었던 데 비해 더 기능적이고 무신경한 성이었던 비우마레스의 건설 자체는 끝내 마무리되지 못했지만 그것은 여전히 에드워드 1세의 마음속에서 불타고 있던 무자비한 군사적 야망을 보여주고 있다. 자신의 권력을 지워지지 않게 웨일스에 각인시키고자 하는, 그리고 그것을 석성(그것은 적어도 500년은 거의 온전하게 서 있을 터였다) 건설을 통해 이루려는 그의 절실한 필요성이다.

유럽 요새

잉글랜드의 군주 가운데 에드워드 1세만큼 열의를 가지고 성채 건설에 전념한 사람은 없었다. 그는 웨일스의 공사 외에 런던탑과 (케임브리지, 체스터, 코프에 있는) 다른 플랜태저넷 성채 재건에 많은 돈을 투자했다. 그런 의미에서 13세기 말은 축성의 전성기였다. 적어도 잉글랜드에서는 말이다. 그럼에도 불구하고 거대한 석성은 15세기까지 여전히 중세 세계 풍광의 한 특징이었다. 왕, 왕비, 부유한 귀족이 모두 적극적으로 돈을 댔다. 이 시대의 가장 큰 축성 사업 가운데 몇몇을 간단히 살펴보면 서방의 가장 강력한 지배자들이 그것을 얼마나 중요하게 여겼는지를 아는 데 도움이 될 것이다.

잉글랜드에서는 14세기에 에드워드 3세가 잉글랜드의 해안 성채들을 개축했다. 백년전쟁 때여서 프랑스의 공격에 잘 버티기 위해서였다. 그리고 1347년 프랑스로부터 탈취한 도시 칼레 주변에 위성 요새들을 세우는 데 많은 비용을 들였다. 그는 또한 스코틀랜드와의 국경 지역에 있는 베릭에 대규모 방어 시설을 만드는 공사에도 투자했다. 에드워드는 좋은 요새의 가치를 잘 알고 있었고, 직접 포위전을 이끌었다(특히 다름 아닌 칼레에서).

그러나 에드워드의 가장 눈길을 끄는 성곽 공사는 전선이 아니라 바로 윈저에 있었다. 왕은 이 오랜 왕실 주거지를 새로운 캐멀롯〔아서왕 전설에 나오는 궁궐〕이자 부활한 잉글랜드 기사도의 신경중추로 개조했다. 이것은 전통적 의미의 성이 아니었다. 14세기의 왕이 버크셔 들판에 많은 병사를 배치하도록 명령하지 않았다면 심각한 문제가 일어났을 것이다. 그러나 요새화된 궁궐로서 그것은 마찬가지로 중요한 목적에 이바지했다. 호전적인 왕과 왕의 연애담에 관한 이야기를 하는 것이다. 에드워드는 윈저에 5만 파운드(어마어마한 액수다)를 들였다. 커다란 새 스위트룸들, 사무실들, 위락 공간들이 만들어졌다.

오늘날 윈저성은 여전히 사실상의 영국 기사도의 본산 구실을 하고 있다. 특히 그 멋진 고딕 양식의 세인트조지 예배당(15세기 말 에드워드 4세 및 헨리 7세가 재건했다)에서 가터기사단 집회가 열릴 때나 주 3회 열리는 위병 교대(보통 수백 명의 호기심 어린 구경꾼과 관광객이 모여드는 공개 의식) 때 그렇다.

잉글랜드 바깥에서도 축성이 크게 유행했다. 중세 말 서방의 거의 모든 곳이 그랬다.

헝가리에서는 13세기의 몽골 침략이 동방에서 오는 약탈자를 막기 위한 성의 필요성을 두드러지게 했다. 몽골인이 많은 옛 성을 무너뜨렸지만, 무서운 몽골인이 사라진 뒤 수십 년 사이에 국왕 벨러 4세의 명령으로 더 튼튼하게 재건되었다. 그는 자기 왕국의 모든 산꼭대기에 성을 쌓도록 요구했다.

똑같이 원대한 축성 사업이 더 북쪽인 남부 폴란드에서 추진되었다. 잊기 어려운 별명을 가진 '팔꿈치 높이' 브와디스와프 1세(재위 1320~1333)의 아들인 14세기의 왕 카지미에시 3세(재위 1333~1370)가 추진한 것이었다. 그는 크라쿠프대학을 설립하고 폴란드의 법전을 개혁했으며 유대인의 보호자로 명성을 쌓았다. 유대인 박해가 일반적이었던 시대에 폴란드에 그들의 피난처를 제공했다. 카지미에시는 군사비를 엄청나게 썼다. 그는 긴 재위 기간에 크라쿠프와 쳉스토호바 사이의 100여 킬로미터에 뻗쳐 있는 20여 개의 성을 건설하거나 재건했다. 이곳은 민감한 왕국의 서방 변경으로, 이웃인 보헤미아의 왕들과 다투던 곳이었다. 그가 만든 성은 대개 험한 쥐라기 고지 암층嚴層에 올라앉아 있는데, 오늘날 '오를리흐 그 냐스트Orlich Gniazd'(독수리 둥지)로 알려져 있다.†

---

† 카지미에시의 '독수리 둥지' 가운데 몇몇은 지금 관광지로 재단장했다. 보볼리체성이 그 가운데 하나인데, 이곳은 폐허에 중세의 본래 상황을 반영해 재건했다. 이 사업의 성공에 관한 학자의 평가

'독수리 둥지'가 중세보다는 2차 세계대전과 더 밀접하게 연결되어 있는 독일〔히틀러가 건설한 엄폐호 복합체 아들러호르스트Adlerhorst도 '독수리 둥지'라는 뜻이다〕에서도 성이 풍광을 장식했다. 다른 곳과 마찬가지로 이곳에서도 축성이 가장 활발했던 것은 12세기에서 13세기 초였다. 이때 하이델베르크, 엘츠, 호엔슈타우펜 등에 여러 거대한 성채가 세워졌다. 이 가운데 호엔슈타우펜성은 서남부 독일 바덴뷔르템베르크주 괴핑겐의 한 작은 산 위에 올라앉아 있으며, 프리드리히 2세의 황실 호엔슈타우펜가의 집이었다. 호엔슈타우펜가는 매우 열심히 성을 건설했다. 그리고 그럴 필요가 있었다. 왕조의 가장 큰 특징이 다른 지배자(특히 교황)와 싸우는 것이었기 때문이다.

그러나 그들이 만든 가장 인상적인 성으로 지금 남아 있는 것은 독일이 아니라 이탈리아 남부에 있다. 풀리아주 안드리아의 산 위에 프리드리히가 세운 놀라운 성채 겸 수렵 별장 카스텔 델몬테가 그것이다. 성벽은 여덟 면이고, 각 모서리에는 팔각형의 탑이 있다. 카스텔 델몬테는 프리드리히의 정치적·군사적 목표를 말해주기도 하지만, 아마도 그보다 더 그의 기하학과 수학에 대한 매료와 이슬람교에 대한 깊은 관심을 말해준다. 카스텔 델몬테는 건물의 앉음새가 프리드리히가 1228~1229년 십자군 때 기독교도의 통제하로 돌려준 도시 예루살렘에 있는 쿱밧 앗사흐라('바위의 돔', 4장 참조) 1층을 꼭 빼닮았다. 13세기의 왕으로 동부 지중해의 디자인 아이디어를 차용한 것은 에드워드 1세만이 아니었다.

거대한 축성의 사례는 중세 유럽 어디서나 찾아볼 수 있었다. 구조와 양

(다른 폴란드의 사례 연구와 함께)는 Żemła, Michał and Siwek, Matylda, 'Between authenticity of walls and authenticity of tourists' experiences: The tale of three Polish castles', *Cogent Arts & Humanities* 1 (2020)을 보라.

식은 지역마다 시대마다 달랐다. 그것이 설계되고 건설된 시기의 기호에 따라 다르고, 그것을 발주한 지배자나 귀족의 군사적 또는 상징적 관심에 따라 달랐다. '명인' 생조르주의 자크 같은 재능 있는 축성 기술자에게는 결코 일감이 부족하지 않았다. 특히 세계를 돌아다니며 전쟁 지역에서 일을 할 용의가 있다면 말이다. 상황을 감내할 수 있는 사람에게 중세의 서방은 놀이터가 될 수 있었다.

물론 호시절은 영원히 계속되지 않았다. 15세기가 되면 화약과 거대한 주물 대포의 발전으로 인해 물리적인 공성 병기 대신 활발한 포격을 가하며 긴 시간 포위 공격하는 것을 견딜 수 있을 만큼 강한 성이 아니면 건설할 수 없었기 때문이다. 13세기에 건설된 성은 1년 이상의 포위를 견디도록 설계되었는데, 1415년에 잉글랜드왕 헨리 5세는 12문의 큰 대포로 단 1개월 만에 아르플뢰르라는 도시의 요새화된 방어막을 부서뜨려 돌무더기로 만들어버렸다. 이런 전투 기술의 혁명으로 16세기에는 성곽 건설이 사양 기술이 되어버렸고, 성곽 명장의 전성기는 끝났다. 그러나 그 단계에서 '명인' 자크 같은 사람은 자기네의 흔적을 남겼다. 독일의 산꼭대기에 어렴풋이 나타나거나 한 줄기 영국 해안의 곶을 내려다보는 거대한 석성의 모습은 이제 익숙해졌고 심지어 편안하기까지 했다.

그리고 후대의 지배자는 많은 수의 성을 건설하지는 않았지만 성을 최대한 활용했다. 프랑스가 잉글랜드를 침공하지 않을까 두려움에 떨던 1540년대에 헨리 8세는 남해안의 요새 띠를 상당히 강화했다. 400년 뒤 도버에 있던 그 지역의 가장 큰 성은 여전히 영국의 군사적 방어 전략의 매우 중요한 부분이었다. 그곳은 2차 세계대전 초 됭케르크 철수 작전의 지휘본부 역할을 했다. 그리고 나중에는 3차 세계대전에서 핵무기로 싸우게 될 경우 사용하기 위해 그 아래 바위에 핵 벙커를 집어넣도록 개조되었다.

따라서 성곽은 어떤 면에서 중세 건축의 성과를 상징하는 것이었다. 그것은 형태와 기능을 말끔하게(그리고 때로는 오싹하게) 결합시켰다. 그것은 실용적이고 정치적인 목적에 이바지했다. 그리고 그것은 아서류의 이야기와 성배 로망스 같은 중세 말 문학에 자주 나오는 장치였다. 14세기 이후에 '사랑의 성城'은 진부한 문학적 은유였다. 여기서 성은 세상에 대해 열려 있지 않고 오직 신만이 접근할 수 있는 동정녀 마리아를 의미할 것이다. 아니면 이는 풋사랑이나 선악에 관한 책자와 시 속의 보다 장난스러운 상징일 수 있다. 어느 쪽이든 중세 말이 되면 성은 물리적 풍광에서 상상의 영역으로 옮겨졌다. 거대 건축 분야에서 그 유일한 경쟁자는 커다란 고딕 양식 성당뿐이었다.

하늘과 땅 사이

에드워드 1세가 북웨일스를 개조하기 두 세대 전인 1239년, 프랑스왕 루이 9세가 떠들썩한 구매를 했다. 루이는 카페 왕가의 모든 왕 가운데 가장 독실함을 과시했다. 그는 치세 초에 중요한 종교적 유물이 시장에 나왔음을 알았다. 그 유물은 예수의 '가시왕관'이었고, 콘스탄티노폴리스의 로마니아 황제 바우더베인(보두앵) 2세가 베네치아의 채권자들에게 내놓은 것이었다. 바우더베인과 베네치아의 그 친구들은 이를 적합한 구매자에게 팔기로 결정했다. 루이는 자신이 구매자가 되어야겠다고 결심했다. 이것은 일생일대의 기회였고, 그는 얼마가 되든 쓸 용의가 있었다. 이에 따라 약간의 흥정 끝에 그는 무려 총액 15만 리브르의 가격에 가시왕관을 샀고, 이를 배에 실어 베네치아를 거쳐 프랑스로 가져왔다.

왕은 빌뇌브라르슈베크라는 도시에서 이를 인수했다. 모든 조정 신하에게 둘러싸인 채 맨발의 회개하는 모습으로 섰고, 셔츠 하나만 걸쳤다. 그런 뒤에 그와 그 비슷한 차림을 한 그의 동생 로베르가 직접 왕관을 파리로 옮겼다. 그것은 왕의 유물 수집품의 한가운데 자리를 차지했다. 그 수집품에는 나중에 성십자가 파편, 예수의 옆구리를 찔렀던 성창聖槍 끄트머리, 예수가 죽기 전에 마지막으로 초 한 모금을 마셨던 성면聖綿 등이 들어오게 된다.[12] 이곳은 서방의 어느 곳에나 존재하는 것과 마찬가지로 훌륭한 성聖유물 저장소였다. 루이에게 부족한 것은 이들을 진열할 적절한 크기의 기념품 진열장뿐이었다.

루이는 몇 년 동안 곰곰이 생각한 끝에 자신의 수집 유물을 진열하는 가장 좋은 방법이 그것을 둘 예배당을 짓는 것이라고 결정하고, 최신 양식으로 짓고, 최고의 종교적 그림과 착색유리로 장식하며, 사제단을 두기로 했다. 그 결과물이 파리 시테섬의 생트샤펠 성당이었다. 그것은 거의 비길 데 없는 아름다움을 지닌 고딕 양식의 걸작으로, 경이로운 건축물이 부족하지 않았던 도시의 가장 경이로운 건축물 가운데 하나다. 이 건물은 섬의 왕궁 단지 안에 세워져 왕실 인사와 승인된 측근이 쉽게 찾아가 개인적으로 경배할 수 있었다. 방문자는 거기에 발을 들여놓는 것만으로도 행운이었다.

생트샤펠은 고딕 양식의 최신 추세를 따랐다. 벽은 불가능해 보일 정도로 높이 치솟았고, 위험스럽게 길어진 기둥으로 떠받쳤다. 건물 바깥은 화려하게 장식한 버팀도리로 떠받쳤다. 이것은 2층 이상의 높이로 지어졌고, 높은 곳의 돔은 바로 하늘로 뻗어 있는 듯했다. 바깥에서 볼 때 받는 인상은 우아하고 다리가 긴 돌 거미가 발끝으로 서 있는 것 같았다. 안에서 받는 인상은 숭고함에 가까웠다. 모든 기둥 사이에는 높고 얇은 창이 있었으며, 꼭대기에는 뾰족한 호㎉가 없었고, 지금까지 만들어진 것 가운데 가장 눈부신 착색유리 가운데 일부가 끼워져 있었다. 생트샤펠 안으로 들어서면 하늘로 떠오르는 느낌을 받게 된다. 예나 이제나 마찬가지다. 루이가 비싸게 구입한 유물을 위한 환경으로 더 이상 완벽할 수는 없었다. 스스로를 모든 성스러운 미덕을 지닌 왕으로 보는 자신의 생각을 위한 진열장으로서도 마찬가지였다.

그러나 생트샤펠이 장엄하다 하더라도 그것은 13세기에 종교적 건축물을 만들었던 고딕 양식 건축가들의 대담하고 기술적인 천재성을 보여주는 한 사례일 뿐이었다. 군사 공학자가 축성을 새로운 수준으로 끌어올린 것과 똑같이, 민간 공학자도 교회 건축에 커다란 변혁을 일으켰다.

성곽이 개별 중세 영주의 군사력에 물리적 형태를 부여했다면, 성당·교회·예배당은 그 건설자의 신앙과 그 안팎에서 살고 있는 공동체의 집체적 신앙심을 나타냈다. 이러한 거대한 종교적 건축물에 대한 투자(돈과 감정 모두)는 바로 중세의 시작까지 거슬러 올라가야 했다.

우리는 이미 신의 이름으로 큰 것을 세우려는 중세의 충동에서 생겨난 몇몇 거대 건조물을 보았다. 트리어에 있는 콘스탄티누스 대제의 황제 알현실, 라벤나의 산비탈레 대성당, 콘스탄티노폴리스에 있는 유스티니아누스의 하기아소피아, 마디나·다마스쿠스·예루살렘·코르도바에 있는 거대한 이슬람 사원, 아헨에 있는 샤를마뉴의 팔라티누스 예배당, 성묘교회 같은 것이다. 그러나 거대한 신전을 건설하려는 충동은 중세 내내 지속되었지만, 기독교권 유럽에서 그 절정은 12세기에서 14세기 사이였다. 이때 서방 역사에서 가장 대담하고 상상력 풍부한 건축 공사가 오늘날 고딕 양식으로 알려진 급진적인 새 양식으로 이루어졌다.

고딕 양식(이 양식을 고대 로마에서 유행했던 우아한 미학의 흉물스러운 타락이라고 본 15세기의 이탈리아인들이 옛날 이방인을 빗대 경멸조로 만든 말이다)은 예술의 사실상 거의 모든 분야를 건드렸다. 회화와 조각부터 자수와 금속 세공까지 말이다. 그러나 가장 지속적이고 자극적이었던 것은 건축 분야였고, 특히 종교적 건축이었다. 중세 전반기 서유럽에서 지배 양식은 로마 양식이었다. 우아한 기둥으로 떠받치고 위가 둥근 창문이 있는 두터운 벽의 건물이다.[13] 고딕 양식은 이 틀에서 근본적으로 벗어났다. 그 핵심 모티프는 끝이 뾰족한 호였다. 이를 통해 건축가는 매끈한 석재 골조로 결합된 매우 길고 큰 건물을 연결해 거의 불가능할 정도로 얇은 벽을 틀 지우고 무수한 착색유리처럼 보이는 것으로 빛을 낼 수 있었다. 이들은 거대하면서도 동시에 눈부시게 밝아 '새 예루살렘'(즉 '지상의 천국')을 물리적으로 구현했다.[14]

중세의 첫 고딕 양식 건축물은 파리 교외 생드니의 수도원 교회였다.[15] 이 대수도원은 카롤링 시대 이래 그곳에 있었고, 루이 7세 치세인 12세기 초에는 그곳이 유럽에서(나아가 전 세계에서) '가장 기독교적'임을 주장했던 프랑크왕들의 영적인 집이었다. 불행하게도 이 수도원은 또한 통탄스러운 상황에 처해 있었다. 쪼그라들고 피폐해져 정밀 검사가 절실히 필요했다. 그 비참한 상태는 클레르보의 베르나르와 피에르 아벨라르 같은 불공대천의 적조차도 한데 뭉치게 할 정도였다. 베르나르는 생드니를 "악마의 유대교 회당"이라 불렀고, 아벨라르는 이를 "참을 수 없는 불결함"의 소굴이라고 썼다.[16] 이 수도원 교회를 정상화하기 위해 1130~1140년대에 정치가 수도원장 쉬제르가 교회 쇄신에 많은 시간과 노력을 들였다. 그는 이곳을 프랑스의 다른 어느 곳보다 더 크고 더 웅장하고 훨씬 더 아름답게 만들고자 했다.

쉬제르의 구상의 핵심은 30미터 길이의 새 성가대석 건설이었다. 쉬제르의 말로 "군중의 방해 없이"[17] 영원한 미사가 열릴 수 있는 곳이었다. 이 성가대석은 만드는 데 3년 3개월이 걸렸고, 이 기간 동안 쉬제르가 현장에서 직접 일을 돕는 모습이 자주 목격되었다. 한번은 그가 건설자에게 필요한 크기의 하중 지지용 보를 만들 재목을 찾기 위해 파리 근처의 몇몇 숲으로 가는 탐사단을 이끌기도 했다.[18]

모든 노력이 결실을 맺었다. 완성된 쉬제르의 성가대석은 입이 떡 벌어지게 만들었다. 벽과 기둥은 믿을 수 없을 정도로 날씬했으며, 커다란 착색유리 창이 있었고 그 그림은 "서로 다른 지역 출신의 여러 대가의 절묘한 솜씨"[19]로 그려졌다. 유리에는 구약과 신약에 나오는 장면, 성인들의 삶, 십자군의 사건(2차 십자군은 쉬제르의 작업이 진행되고 있을 때 벌어졌다)이 묘사되었다. 그러나 이는 단순한 장식이 아니었다. 쉬제르의 수도원 교회는 드니(디오니시우스) 성인의 믿음으로 알려진 "신은 빛이며 그 신의 빛을 통해 온 세계가 인간에게 밝게 드러난다"라는 내용에 부합하는 건물이었다.[20]

물론 중세의 큰 교회가 모두 그렇듯이 개축된 생드니의 수도원 교회는 보석을 박은 장식, 뛰어난 조각품, 값비싼 양초, 성스러운 유물, 세속의 보물이 가득했다. 유물 가운데는 드니 성인이 순교하기 전에 그에게 채워졌던 철제 항쇄項鎖도 있었고, 보물로는 수도원의 첫 기부자라고 하는 다고베르왕의 아내 낭틸드 왕비의 목걸이가 대표적이었다. 오리플람도 있었다. 프랑스 왕권을 상징하는 성스러운 군기軍旗였다.

이런 보물들이 인상적이기는 하지만, 정말로 대단한 것은 새 성가대석의 건축적 형태였다. 그 외양의 전례 없는 장엄함과 통일성, 거대하고 과장된 높이, 화려한 세부의 통합, 우아한 공간은 생드니를 과거의 것에 비해 돋보이게 만들었다. 쉬제르가 의도했던 것이 바로 그것이었다. (몽골에 간 대담한 탐험가이자 사절이었던 빌럼 판루브루크가 생드니를 카라코룸에 있는 칸의 궁궐보다 훨씬 훌륭한 건물이라고 주장한 것은 충분한 이유가 있었다.) 생드니는 1144년 봉헌되면서 그 시대의 모든 주교, 건축가, 시공자, 후원자에게 도전 과제를 던졌다. 이를 뛰어넘어야 하는 것이다.[21]

정말로 그들은 도전했다. 1140년대 이후 고딕 양식이 유행했다. 처음에 이 새로운 운동은 프랑스 북부의 전유물이었다. 이는 주로 카페 왕가 권력의 중심과 가까운 재건 사업에 영향을 미쳤다. 파리 생제르맹데프레의 예배당, 상리스의 최신 대성당, 부르고뉴 상스의 재건축 성당 같은 것이다. 그러나 그 세기 말에는 소문이 모든 곳으로 퍼져 나갔다. 이례적인 새 대성당이 서북 유럽 곳곳의 크고 작은 도시에 쑥쑥 들어섰다. 대표적인 곳이 캉브레, 아라스, 투르네, 루앙 같은 곳이었다.

그리고 파리에서는 전 세계에서 (아마도) 가장 유명한 성당이 되는 것이 착공되었다. 바로 노트르담 대성당이다. 이 성당은 높이가 33미터 이상으로 당시까지 역사상 가장 높은 성당이었으며, 버팀도리의 열을 절묘하게 배치해 4층 높이까지 이르게 하는 등 공사도 훌륭했다.

노트르담 대성당 건설은 건축의 엄청난 위업이었다. 1163년 부활절에 루이 7세가 초석을 놓고 나서, 익랑翼廊의 양쪽 끝에 있으며 지금 유명해진 둥근 '장미' 착색유리 창이 완성되기까지 거의 100년이 걸렸다. 그리고 나서도 노트르담에서는 큰 공사가 이어져 14세기 말까지 계속되었다.† 들인 비용과 노력은 엄청났다. 그러나 파리와 프랑스 왕국의 탁월한 세련

---

† 이 책을 쓰고 있는 시기에 이 성당은 다시 한번 공사에 들어갔다. 2019년의 큰 화재로 인한 손상을 수리하기 위해서다. 21세기의 시공자에게도 최소 10년이 걸리는 과정이다.

미와 신앙의 상징으로서의 노트르담의 중요성 역시 엄청났다. 프랑스 군주의 대관식 장소로는 랭스의 대성당이 선호되었고 노트르담이 그들의 영묘였지만, 노트르담은 여전히 그 건물의 구석구석에서 문화적·종교적 힘을 발산했다. 백년전쟁 마지막 국면의 중요한 시기에 잉글랜드는 어린 왕 헨리 4세를 프랑스왕으로 즉위시키면서 대관식 장소로 노트르담을 선택했다. 이곳은 어느 모로 보나 이 성대한 의식에 꼭 맞았다.

물론 이때는 이미 고딕 양식이 사실상 유럽의 모든 지역에 흔적을 남기고 있었다. 프랑스에서는 보베에서 절정을 이루었다. 본당의 돔이 지상 50미터 가까이까지 뻗쳐 있었다. 이것은 거의 같은 시기에 아미앵에 세워진 경쟁 성당 천장보다 아주 약간 높았다. 석공 거장 로베르 드뢰자르슈의 작품인 아미앵 대성당은 중세 전 기간에 완성된 어느 성당보다도 내부 공간이 넓었다.[22] 그러나 더 큰 성당을 만들기 위한 주교들의 경쟁이 교회판 군비 경쟁이 되면서 보베의 월등한 높이가 눈에 띄고 귀중하게 여겨졌다. (유감스럽게도 보베의 높이 추구는 과도한 욕심이었음이 드러났다. 1284년에 돔이 무너졌는데, 아마도 잘못된 시공 탓이었던 듯하다. 지붕도 무너져 내렸다. 이를 바로 잡기 위해 많은 돈을 들여 여러 해 공사를 해야 했다.[23])

보베는 거대하기는 했지만 결코 뛰어난 것은 아니었다. 다른 멋진 고딕 양식 대성당이 샤르트르에 건립되어 동정녀 마리아의 유물을 간직했다. 부르주에서는 고딕 양식 조각품으로 잔뜩 장식한 커다란 대성당에 15세기에 놀라운 천문시계가 추가되었다. 그리고 먼 남쪽 알비에서는 카타리파 탄압 이후 부분적으로 성채를 본뜬 색다른 성당이 만들어졌다. 그 전투적인 외양은 교회가 거룩하면서도 한편으로 힘이 있어 반대자를 용납하지 않을 것임을 상기시키는 역할을 했다.

이 커다란 교회의 설계는 거대하고 복잡하고 어려웠다. 그것들은 다른 중세의 건물 대부분을 왜소하게 만들었다. 우뚝한 코끼리 앞에 선 소처럼 말이다. 그 가운데 일부는 16세기에 들어서서도 여전히 공사가 진행되었다. 여러 세대 이어진 장인, 노동자, 후원자가 여러 해에 걸쳐 힘을 합쳐 결코 끝나지 않을 것 같은 일에 이바지했고, 그러는 과정에서 완성된 건물의 외양을 바꾸기도 했다.

이것은 결코 프랑스에만 한정된 현상은 아니었다. 독일에서는 특히 거룩한 고딕 양식 대성당이 쾰른과 슈트라스부르크(스트라스부르)에 생겨났다. 14세기에 보헤미아왕 얀과 그의 아들인 카렐(나중에 신성로마 황제를 겸해 카를 4세로 불린다)은 정력적인 프라하 재건 사업을 벌여, 이 도시에 세계적인 대학과 그에 걸맞은 성당을 만들었다. 보헤미아의 풍부한 은광에서 나오는 수익에 대한 세금이 여기에 쓰였다. 이 대성당에는 바츨라프 성인(이 '착한 왕'은 오늘날 유명한 19세기의 예수 탄생 기념일 축가로 기려지고 있다)의 유골을 담고 있는 성골함이 모셔져 있다. 바츨라프는 10세기의 공작으로, 자신의 공국에서 기독교 신앙을 증진시키는 데 힘쓰다가 동생 볼레슬라프에게 살해되었다.[24] 이런 성당들은 철저하게 프랑스적인 취향(오늘날 건축사가들이 '레요낭' 양식이라고 부르는 것을 반영했다)을 지녔다.

그러나 마그데부르크, 레겐스부르크, 울름 같은 도시의 다른 성당은 프랑스 양식을 맹종하지 않고 그 대신 독일 고딕 양식의 모습을 발전시켰다. 교회와 성당의 뾰족탑이 두 개 이상이 아니라 하나이고, 회중석과 통로를 함께 덮는 아주 넓은 지붕이 특징이다. 그러나 고딕식 미학의 가장 놀라운 변화는 아마도 폴란드의 펠플린 대수도원 같은 건물에서 찾아볼 수 있을 것이다. 여기서는 1289년부터 거대한 수도원 교회가 붉은색 구운 벽돌로 지어지기 시작했지만, 프랑스 모델과의 시각적 차이가 눈길을 끈다. 발트해 연안 지역에는 대형 건설 공사에 적합한 돌이 부족해 벽돌을 써야 했다.

남부 유럽에서는 상황이 보다 복잡했다. 이탈리아인은 고딕 양식 열기에 대해 대체로 미적지근했다. 눈에 띄는 예외는 앞면이 넓고 매우 낯설며 놀라운 거대 건물 밀라노 대성당이다. 14세기 초 비스콘티 가문의 공작들 시절에 시작되었으나 1960년대가 되어서야 완전히 마무리되었다. 대략 600년이 걸린 것이다.

한편 이베리아에서 고딕 양식을 뒷받침한 기독교 정신은 풍부한 건축 양식의 혼합에 그저 한 가지를 더한 것에 지나지 않았다. 반도에 이슬람과 유대인의 영향이 강력하게 미치고 있었던 것이다. (바르셀로나, 부르고스, 팔마데마요르카에 있는 것 같은) 일부 성당은 척 보기에 천사들이 북유럽에서 들어다 이베리아에 떨어뜨려 놓은 것 같다. 그러나 다른 것은 심하게 지역 특색을 띠고 있다. 1220년대에 지어진 톨레도 대성당은 도시의 중심 이슬람 사원에 고딕 양식의 옷을 입히려는 특이한 시도였다. 15세기 초 이슬람 사원에서 개조한 세비야의 대성당도 비슷한 변화를 겪었다. 이들(그리고 발렌시아와 레이다에 있는 다른 비슷한 것)은 기묘하고 놀라우며, 이베리아의 다채로운 역사의 독특한 산물이다. 이들은 또한 신에게 더 가까운 물리적 구조를 가져오기 위한 고딕 양식 설계와 장식의 힘이 인식되었다는 증거이기도 하다.

이 이례적인 중세의 걸작 하나하나의 건설 이야기로 책장 하나를 다 채울 수도 있을 것이다. 그러나 한곳에 얼마나 많은 노력이 들어갔고 어떤 강력한 동기가 개재되었으며 그런 비용과 고생은 왜 들일 가치가 있었는지를 상세히 이해하기 위해 이제 잉글랜드로 돌아가 링컨에 있는 대성당 건설을 더욱 자세하게 검토하려 한다. 이것은 200년 이상 동안 전 세계에서 가장 높은 구조물이 되는 건물을 만들어낸 고딕 양식 건축의 개가였다.

링컨 대성당

링컨 대성당은 본래 모든 것이 '정복자' 윌리엄 덕분이었다. 1066년 잉글랜드를 침공한 이 첫 번째 노르만왕은 나라를 대폭 재정비하는 데 나섰다. 그는 많은 성채를 건설했다. 그 가운데 하나가 템스강 북안의 '화이트타워'(흰 탑)였다. 그것이 런던탑이 되었다. 그러나 그는 또한 잉글랜드 교회의 조직과 구조도 크게 재편했다. 주교들은 윌리엄이 위에서 아래로 강제한 새로운 노르만 지배 체제에 반드시 있어야 하는 사람들이었고, 그는 그들이 올바른 자리에 있도록 확실히 할 필요가 있었다. 따라서 일부 주교는 본부('주교좌主敎座'라고 한다)를 시골에서 크고 작은 도시로 옮기라는 명령을 받았다.

윌리엄이 일으킨 변화의 흔적은 오늘날 잉글랜드의 전역에서 감지할 수 있다. 대성당이 올드새럼이 아니라 솔즈베리에, 셋퍼드가 아니라 노리치에, 셀시가 아니라 치체스터에 있는 이유가 그것이다. 바스앤드웰스 주교이지 바스 주교나 웰스 주교가 아닌 이유도 그것이다. 윌리엄의 재편은 대개의 경우 잉글랜드 주교와 그 주교좌를 멀리 이동시키지 않았다. 1072년에 교황 알렉산데르 3세는 옥스퍼드셔의 도체스터온템스 주교를 동북쪽 240킬로미터의 링컨으로 옮기겠다는 윌리엄의 청을 허락했다. 여기저기 뻗쳐 있는 그의 주교관구 가운데 가장 동북쪽 끝이었다.

이것은 먼 거리 이동이었지만 합당한 이유가 있었다. 도체스터는 칠턴힐스 끄트머리에 있는 템스 강변의 쾌적한 소도시였지만, 링컨은 전략적·정치적 중요성이 그보다 훨씬 컸다. 이곳은 로마인이 건설했고('린둠 콜로니아'였다), 노르드인이 200년 동안 점령했으며, 런던과 요크 사이 도로(그리고 몇몇 다른 수로와 로마 시대 간선도로도)에 유용한 전략적 위치를 차지하고 있었다.

이곳은 동해안과 가깝고, 방어에 매우 유리한 가파른 언덕(오늘날 이스트 미들랜즈 특유의 소탈한 표현으로 '가파른 언덕'이라는 뜻의 스티프힐 Steep Hill로 알려져 있다)을 자랑하고 있었다. 그곳은 미개척 지역이기도 해서 사람의 손길이 필요했다. 정복 이후 이 지역에서의 노르만의 권위에는 후대의 무법자 이야기에서 '각성자' 헤리워드로 알려진 유명한 색슨 귀족이 강력하게 저항했다.[25]

윌리엄은 스티프힐에 성채를 건설했다. 곧이어 노르망디 페캉 대수도원 출신의 베네데토회 수행자이자 그의 주교인 레미에게 바로 그 옆에 대성당을 건립하도록 주문했다. 이것은 대체로 그 지역에서 채석한 석회암으로 지어졌다. 당시 다른 노르만 건물 다수는 노르망디 캉에서 채석한 돌을 특수 장비를 갖춘 배에 실어 잉글랜드로 수입해다 건설했다.[26] 이것은 레미가 죽은 뒤인 1092년 완공되었고, 이어 그의 후임자 가운데 한 사람이 장식을 했다. 그는 문들 위에 아름답게 조각된 아치를 설치했는데, 쉬제르 대수도원장이 생드니에서 한 작업을 본받은 것이었다.[27]

그러나 이 대성당은 오랫동안 무사히 서 있지 못했다. 1124년에 화재로 불탔고, 1141년의 링컨 전투 때 손상을 입었으며(이곳이 임시 요새로 사용되었다), 1185년 영국 유사 이래 최악의 지진 가운데 하나가 일어나 토대까지 흔들렸다.[28] 이것은 액운이었다. 그러나 건축 측면에서 보면 그것은 시기가 딱 좋았다.

1186년에 링컨의 새 주교가 선임되었다. 생전에 아발롱의 위그로 알려진(그러나 사후에 링컨의 휴 성인으로 알려진) 프랑스의 샤르트뢰즈회 수행자였다. 위그는 건축에 직접적인 흥미를 가지고 잉글랜드로 건너와 수도회가 맡긴 서머싯의 샤르트뢰즈회 수도원 건설을 담당했다.[†] 그는 주교로 임명됨으로써 이제 더 높은 곳을 바라볼 수 있게 되었다. 문자적인 의미 그대로 말이다. 위그 주교는 스티프힐 꼭대기에서 성당을 완전히 바꾸는 공사를 시작했다. 이후 60년에 걸쳐서 이 성당은 파라오의 시대 이래 지구상에서 볼 수 없었던 높이로 치솟게 된다.

위그가 고용해 그의 새 성당 건설을 감독하게 한 석공(또는 석공들)의 이름은 잊었지만, 그의 팀에는 분명히 가장 훌륭한 고딕 양식의 최신 동향을 잘 알고 있으며 가장 큰 비전을 가진 건축가이자 시공자가 적어도 한 사람은 포함되어 있었을 것이다. 여기에는 캔터베리 대성당(1174년 대화재 이후 거장 상스의 기욤의 지휘 아래 재건되었다) 예배당에서 최근 마무리된 훌륭한 작업 같은 것도 있다. 그러나 더 먼 곳에서도 링컨에 영향을 미치고 기술자를 보내기도 했을 것이다. 12세기 중반에 고딕 양식 성당이 건립된 북해 건너 노르웨이의 트론헤임 같은 곳이다.

이제 스티프힐 건설 현장으로 힘들게 끌어올리는 것은(아마도 황소가 끄는 수레 부대가 동원되었을 것이다) 석회암만이 아니었다. 주교관구의 더 먼 곳에 있는 피터버러로부터 대리석도 가져왔다. 최종적으로 150미터 가까운 길이에 이르게 되는 내부의 기둥들에 화려하고 감각적인 느낌을 더해 주는 것이었다.

대부분의 방문자가 들어가는 본래 성당의 서쪽 전면은 이미 로마 양식의 전통으로 조각한 띠 장식으로 복잡하게 장식되어 있었다. 천국에서의 악마 추방부터 예수의 지옥 강하에 이르기까지 구약 및 신약에 나오는 사건을 묘사했다.[29] 이것은 불, 전쟁, 지진의 파괴를 견디고 살아남았으며, 이

---

† 이 수도원 건설은 헨리 2세가 재정을 책임졌다. 그가 1170년 토머스 베켓의 죽음을 초래한 일에 대한 여러 참회 행위 가운데 하나로서 떠맡은 것이다.

제 조각상과 조각품과 그곳에 들어오는 모든 사람에게 구원의 기쁨 및 지옥의 끔찍한 고통 모두를 상기시키는 것으로 가득 차게 될 건물의 분위기를 결정했다.

링컨의 새 고딕 양식 성당과 같은 규모의 공사는 불가피하게 한 사람의 일생을 넘어서는 작업이었고, 1200년 위그 주교가 죽었을 때 링컨의 중심부는 여전히 거대한 공사장이었다. 거기에는 석공과 일꾼, 목수와 대장장이가 잔뜩 있었을 것이고, 새 성당의 외부는 나무 발판과 도르래로 움직이는 기중기로 뒤덮여 있었을 것이다. 그러나 위그는 죽기 전에 그의 성당에 막대한 공헌을 했다.

미화된 그의 생애에 대한 기록에 따르면, 위그 주교는 자주 공사장 주변에서 돌 토막과 회반죽을 나르는 모습이 목격되었다. 그를 도운 것이 절름발이 인부였는데, 그는 신을 믿고 중노동을 할 결심을 해서 기적적으로 치유되었다.[30] (주교는 평상시에 길들인 큰고니를 벗 삼았는데, 성직에 임명될 때 이 큰고니와 친구가 되어서 반려동물로 함께했다.) 위그는 죽을 때 단순한 자발적인 일손을 훨씬 넘는 존재가 되어 있었다.

그가 죽고 반세기 뒤에는 고결하고 성실하고 성스럽다는 명성이 만개했고, 이어 기적 숭배의 대상이 되었다. 13세기 초에 위그의 전기를 쓴 엔섐의 애덤에 따르면, 그의 고결함은 장례 전 내장을 제거하기 위해 그가 죽은 직후 의사가 시신의 배를 가르는 순간부터 분명했다. 이 으스스한 의식에 참석한 사람들은 그의 내장이 "물이나 대변 없이" 비어 있었다며 놀라움을 표했다. "누군가가 이미 꼼꼼하게 물로 씻고 닦아낸 것처럼 깨끗하고 청결했으며 (…) 장기臟器는 유리처럼 빛났다."[31] 그리고 이는 그저 시작에 불과했다. 그의 장례 행렬이 나아갈 때 강한 바람이 부는데도 상여의 촛불이 꺼지지 않았다. 팔이 부러진 조객 한 사람은 불가사의한 꿈을 꾸고

팔이 치유되었으며, 위그의 관에 경의를 표하기 위해 온 한 여자의 물건을 훔친 소매치기는 눈이 멀어 "술에 취한 사람처럼 이리저리 비틀거리다가" 붙잡혔다.[32]

이 일들과 그 비슷한 여러 기적으로 인해 위그는 1220년 너끈히 성인 반열에 올랐다. 이에 따라 링컨은 지금 관광 명소가 되었고, 해마다 수천 명의 방문객이 찾아와 위그의 사당(그의 머리를 보관하기 위해 만든 두 번째 것과 함께)에 경배하고 있다. 이렇게 찾는 사람이 늘자 추가적인 확장 공사가 필요해졌다.[33] 그러나 그 역시 값을 했다. 이에 따라 성당의 맨 동쪽 끝에 '에인절콰이어Angel Choir'가 추가되어 위그의 유해가 안치되었다.[†] 그 이름은 그곳을 장식한 즐거워하는 천사 조각들로 인해 붙여졌다. 그 디자인의 실마리는 웨스트민스터 대수도원에서 가져왔는데, 그곳 역시 당시에 헨리 3세가 예의주시하는 가운데 대규모 재단장 작업이 이루어지고 있었다.[34]

1280년 '에인절콰이어'가 완성되던 무렵에 링컨은 의문의 여지 없이 잉글랜드 대성당 가운데 손꼽히는 곳이었다. 그리고 이곳은 유골을 안치하기에 아주 매력적인 곳이었다. 잉글랜드에서는 웨스트민스터가 왕의 공들인 개조를 거쳐 '증성자證聖者' 에드워드의 사당을 다시 중심에 놓았다. 캔터베리는 잉글랜드 대주교의 당당한 좌지座地였으며, 세계적으로 유명한 토머스 베켓의 사당이 있었다.

북부 대주교의 좌지인 요크민스터는 나름의 거대한 작업을 진행하고

[†] 이 대성당에는 또 다른 유명한 휴Hugh 역시 묻혀 있다. 13세기에 '링컨의 꼬마 휴'로 알려진 아이를 둘러싼 숭배가 생겨났다. 그는 희생 의식에서 유대인에게 살해되었다고 한다. 꼬마 휴가 등장하고 숭배되는 이야기는 악질적인 '혈제血祭 비방'(blood libel, 유대인들이 기독교도 아이를 잡아 그 피로 종교 의식을 치른다는 비방)의 대표적인 사례다. 중세 말 잉글랜드의 사악한 반유대주의라는 더 넓은 구조의 일부다. 그것이 점점 커져 1290년에 에드워드 1세가 왕국에서 모든 유대인을 추방했다.

있었다. 그리고 장려한 고딕 양식 건물 공사가 왕국의 모든 곳에서 진행 중이거나 마무리되었다. 남쪽과 서쪽에서는 엑시터, 솔즈베리, 윈체스터, 글로스터, 웰스, 동쪽에서는 일리와 노리치, 북쪽에서는 더럼과 칼라일, 웨일스와의 경계 지역에서는 헤리퍼드와 우스터 등이었다. 한편 웨일스에서는 티데위(세인트데이비), 흘란다브(랜대프), 흘라넬루이(세인트애서프)에서 큰 공사가 벌어졌다. 고딕 양식 감각은 스코틀랜드 왕국에도 닿았는데, 그곳에서는 대표적으로 던블레인과 엘긴 대성당, 그리고 멜로즈 대수도원에 영향을 미쳤다.

이런 여러 작업을 통해 고딕 양식 건축의 수용이 늘어갔다. 오늘날 장식고딕양식Decorated Gothic 및 수직고딕양식Perpendicular Gothic으로 불리는 것은 중세 말 잉글랜드 성당 건축의 특색이었다.[35] 그러나 브리튼제도에서 상당한 창의성과 야망이 생겨난 것은 우연이 아니었다. 앞서 보았듯이 특히 잉글랜드는 13세기 말에 엄청나게 부유한 왕국이었다. 그 경제는 호황을 누리는 양모 산업으로 인해 과열되고 있었다. 성직자는 수익을 낼 수 있는 넓은 땅을 보유하고 있었다. 왕은 비교적 통합된 국가를 다스리고 있었으며, 모든 종류의 거대한 건물에 깊은 관심을 갖고 있었다. 비단 성채라는 형태만이 아니었다. 잉글랜드의 플랜태저넷 군주 대부분은 세계적인 거장 건축가를 고용함으로써 자기네가 투사할 수 있는 힘에 지대한 관심을 가지고 있었다. 잉글랜드의 여러 대성당 내부 어딘가에 왕의 무덤이 있는 이유가 바로 그것이었다.

왕실은 분명히 링컨에 깊은 관심을 가지고 있었다. 위그 주교의 구상에는 자신이 개조하는 대성당이 건물 중앙에 커다란 탑이 있고 꼭대기에 뾰족탑을 올리는 것이 포함되어 있었다. 불행하게도 탑을 건설하던 첫 수십 년 동안에 그 구조에 문제가 생겼고, 1237년에 자체의 무게로 인해 붕괴했다. 1250년대에 국왕 헨리 3세의 명령으로 처음 수리되었는데, 그는 자기네 왕조의 왕 가운데 아마도 헨리 6세를 제외하고는 가장 건축에 관심이 많은 왕이었을 것이다. 헨리 6세는 15세기에 이튼칼리지 및 케임브리지의 킹스칼리지에 장엄한 고딕 양식 예배당을 건설한 사람이었다.

그리고 14세기 초에 링컨의 탑은 확대되고 확장되어 더욱 높아졌다. 이 공사는 1311년 마무리되었는데, 나무로 만들고 꼭대기는 납으로 마무리한 그 뾰족탑은 높이가 160미터나 되었다. 이것은 이집트 기자에 있는 쿠푸의 대피라미드보다 11미터쯤 더 높았다. 대피라미드는 거의 4000년 동안 지구상의 가장 높은 인공 구조물이었는데, 링컨 대성당은 그 지위를 이어받아 1548년 강풍으로 뾰족탑이 부러질 때까지 유지했다.†

링컨 대성당이 세계의 경이였던 시절에 그것은 또한 공식으로 왕과 성인의 유골을 안치하는 납골당이 되었다. 1290년 초겨울에 에드워드 1세의 사랑하는 왕비 카스티야의 레오노르가 노팅엄셔 하비 마을에서 죽었는데, 링컨에서 불과 50킬로미터 떨어진 곳이었다. 레오노르는 앞서 보았듯이 완벽하게 성실한 왕비였다. 왕에 대한 헌신은 카이르나르번 성채 건설 현장에서 출산을 할 정도였다. 에드워드는 왕비의 죽음에 마음이 산란해졌고, 왕비가 묻힐 장소인 런던으로 돌아가는 여행에 매우 영광스러운 흔적을 남기기로 결심했다.

이 여정의 첫날 밤에 왕비의 시신은 링컨 성벽 바로 바깥의 한 소수도원으로 옮겨졌고, 내장이 제거되어 서서히 썩어갔다. 12월 3일에 내장은

---

† 그렇지만 링컨 대성당 뾰족탑보다 더 높은 것이 만들어지기는 1887년 에펠탑(300미터) 건설까지 기다려야 했다. 물론 오늘날에는 160미터라면 하찮아 보인다. 이 책을 쓰고 있을 때 가장 높은 건물은 두바이의 부르즈할리파였고, 이것도 곧 사우디아라비아의 부르즈제다(제다 타워)에 자리를 빼앗기게 된다. 부르즈제다는 완성되면 높이가 1000미터에 이르도록 설계되어 있다.

대성당에 묻혔고, 나중에 위그 성인의 사당 부근에 멋진 무덤이 조성되었다.† 바깥의 마을에는 열두 개의 '레오노르 십자탑' 가운데 첫 번째 탑이 세워졌다. 마을 광장의 눈에 잘 띄는 곳에 설치된 화려하게 조각된 돌기둥으로, 왕비의 유해가 그곳에 있었다는 사실을 표시하는 것이었다. 레오노르의 여정에 대한 이 공들이고 이례적인 기념의 착상은 아마도 프랑스에서 얻은 듯하다. 그곳에서는 20년 전 몽주아로 알려진 기념물들이 루이 9세(예수의 가시왕관을 수장하기 위해 파리 생트샤펠 성당을 짓게 한 사람이다)의 장례 행렬 경로를 따라 세워졌다.[36]

'레오노르 십자탑'은 배틀의 존, 캔터베리의 마이클, 애빙던의 알렉산더 등 당시 잉글랜드에서 활동하던 최고의 석조 건축가 팀이 설계했다. 지금은 대부분 파괴되거나 사라졌지만, 그 모두는 한때 나름대로 고딕 양식의 걸작이었다. 중세의 모든 위대한 지배자가 그랬듯이 유산은 피만으로 만들어지는 것이 아니며 돌에 새겨 입증하고 영원히 남겨야 함을 알았던 왕이 주문한 것이었다.

앞서 보았듯이 에드워드가 우선은 성채 건설자고 그다음으로 성당 건설자이기는 했지만, 그럼에도 불구하고 그는 링컨 대성당의 이례적인 역사에서 자신의 자리를 확보했다. 그리고 링컨 대성당 쪽은 중세 고딕 양식의 모험담의 한가운데에 자신의 자리를 얻었다.

21세기의 어느 조용한 오후에 서쪽 전면의 옛 출입구를 걸어 들어가 맨 동쪽 끝에 있는 에인절콰이어까지 성당의 무척 긴 내부를 산책하며 무한정에 가깝게 풍부한 장식과 조각품(그것들은 너무 높은 곳까지 뻗쳐 있어서

---

† 오늘날 에인절콰이어의 무덤은 빅토리아 시대에 원래의 것을 재현한 것이다. 원래의 것은 17세기 잉글랜드 내전 때 고칠 수 없을 정도로 파괴되었다.

750년쯤 전 본래 그것을 조각한 중세 석공이 발판에서 내려온 이래 그것들을 일별한 사람이 거의 없는 것이 많다)을 상찬하는 것은 우리가 즐길 수 있는 가장 즐거운 경험 가운데 하나다. 그리고 그것들은 이 서방의 건축의 시대 전체의 지속력을 입증하고 있다.[†]

그러나 중세 건설자의 왕국을 떠나기 전에 생각해봐야 할 마지막 문제가 있다. 프랑스의 고딕 양식 열광자들이 끝없는 유리창과 하늘까지 닿는 천장으로 그저 가볍게 건드렸던(지금도 그러고 있는) 한 도시에 대해서다. 이제 피렌체를 찾아가야 할 때다. 14세기로 접어드는 무렵에 나름대로 큰 성당 하나가 있던 곳이다. 스스로의 부와 명예에 긍지를 가지고 있지만 알프스산맥 이북의 곳곳에 솟아 있던 아치와 뾰족탑 이외의 무언가에 목말라했던 도시에 걸맞은 성당이었다.

뾰족탑에서 돔으로

잉글랜드의 에드워드가 웨일스에서 건설하는 자신의 마지막 성채를 짓도록 명령하던 무렵인 1290년대 초, 이탈리아의 미술가 겸 조각가 아르놀포 디캄비오는 로마의 한 무덤에서 작업을 하고 있었다. 무덤은 옛 산피에트로 대성당에 있었고, 묻힐 사람은 교황 보니파티우스 8세였다. 프랑스왕 필리프 4세의 눈엣가시이자 이른바 '아나니 모욕'(11장 참조)을 당한 사람

[†] 우연이지만 그것은 19세기에 고딕 양식이 왜 그렇게 활발하게 재유행했는지를 이해하는 데 도움이 된다. 빅토리아 시대 건축가는 서방 역사에서 마법적이고 장대했던 모든 것을 구현한 듯한 양식에 꽉 매달렸다. 신고딕 양식, 가짜 중세 건축의 최고봉은 물론 영국 의회가 자리 잡고 있는 런던의 웨스트민스터 궁전이다. 1834년 화재로 중세 건축물이 거의 파괴된 뒤 찰스 배리가 재건축했다.

이었다. 이 시기에 보니파티우스는 아직 살아 있었지만, 자존감 있는 교회나 국가의 거물이라면 누구나 자기 자신이 들어갈 무덤 공사를 감독하는 것은 전통이었다. 무엇보다도 일이 자기 마음에 들게 되도록 확인하고자 했다.

아르놀포는 이전에 프랑스의 강력한 추기경 기욤 드브레를 위해 훌륭한 무덤을 만든 적이 있었다. 무덤은 이탈리아 오르비에토 부근의 한 커다란 교회에 있었다. 그 전에는 루이 9세의 동생이자 나폴리-시칠리아왕이었던 카를로 당조(1226?~1285)의 궁정 조각가로 일하면서 실물과 너무도 닮은 왕의 조각상을 만들기도 했다. 로마 원로원 의원의 토가를 입고 왕좌에 앉아 있는 모습이었다. 따라서 그는 프랑스의 양식과 프랑스인의 태도에 관한 실용 지식이 있었고, 이탈리아에서 현역 일류 조각가라고 자부할 충분한 자격이 있었다. 분명히 그는 교황의 안식처를 만들기에 적합한 사람이었다.

그러나 아르놀포는 조각상이나 무덤보다 더 큰 야망이 있었다. 1293년 무렵 그는 초대를 받아 그 야망을 실현하게 되었다. 피렌체 시민이 새로운 성당을 원했다. 그들은 아르놀포에게 그곳으로 와서 자기네를 위해 그것을 지어달라고 청했다.

아르놀포는 이미 성당 하나를 설계했다. 오르비에토에 세우는 것으로, 커다란 로마 양식 바실리카를 계획했다. 그 공사는 1290년 무렵 시작되었다. 그러나 피렌체에서는 더욱 큰 기회가 있었다.

이 도시의 인구는 대략 4만 5000명 정도였으며(따라서 런던보다도 컸다), 대체로 부유한 상인 가문이 지배하는 과두 정부에 통치되고 있었다. 그곳은 이탈리아의 다른 여러 도시와 마찬가지로 13세기 대부분의 기간 동안 극심한 사회적 갈등에 시달렸다. 우선 기벨리니로 알려진 호엔슈타우펜가 황제를 지지하는 파벌과 구엘피로 알려진 교황을 지지하는 파벌 사이의 대립이 있었고, 이어 흑당黑黨(Guelfi Bianchi)과 백당白黨(Guelfi Neri)으로 알려진 파당 사이의 다툼이 있었다.[37] 이런 정치적 긴장으로 인해 종종 소란, 싸움, 살인, 쿠데타, 역쿠데타, 소小혁명, 그리고 심지어 전면전이 일어났다. 그러나 이런 것 때문에 피렌체 시민의 전반적인 자부심이나 돈을 버는 능력이 손상되지는 않았다. 거리는 밤중에 안전하지 않을 수는 있었지만 깨끗하고 잘 짜여 있었으며, 그 안에서의 사업은 활황을 구가했다. 야심 찬 상인과 은행가는 세계 전역으로부터 막대한 이익을 거둬들였다(10장 참조).

피렌체는 이미 유명한 미술가, 작가, 건축가를 낳거나 끌어들였다. 미술가 치마부에와 그 제자 조토, 시인 단테 알리기에리, 상상력이 풍부한 화가 코포 디마르코발도 같은 사람이다. 피렌체인은 또한 건물의 정치적 힘에 대해 예민한 감각을 가지고 있었다. 정치적 격변에서 승부가 난 뒤에 으레 하는 행동 가운데 하나는 승리한 쪽이 패배하고 굴욕을 당한 경쟁자가 소유한 집과 탑을 파괴하는 것이었다. 아르놀포에게 일감은 무궁무진했다.

그를 찬탄하며 그의 전기를 쓴 16세기의 화가 겸 건축가 조르조 바사리에 따르면, 아르놀포는 피렌체에 있는 동안에 이 도시의 절반을 짓거나 새로 지었다. 성벽과 유명한 '옛 궁전(Palazzo Vecchio)'을 포함해서다. '옛 궁전'은 성채 같은 시청으로, 시뇨리아 광장을 내려다보고 있다('옛 궁전'은 본래 명칭이 '시뇨리아 궁전'이었고 여러 다른 이름으로도 불렸으나, 영주가 피티 궁전을 짓고 옮겨간 후 이렇게 불렸다).

바사리가 과장했을 가능성은 매우 높다. 그럼에도 불구하고 아르놀포는 적어도 세 개의 큰 공사를 거의 동시에 진행했다. 첫 번째는 바디아의 교회를 재건축하는 것이었다. 이 교회는 이 도시의 가장 유명한 베네데토회 수도원 가운데 하나였다(그리고 전승에 따르면 이 도시의 가장 유명한 시인 단테 알리기에리가 그에게 시적 영감을 준 베아트리체를 처음 만난 곳이다). 두 번째는 산타크로체의 프란체스코회 교회를 정밀 점검하는 일이었다. 세 번째이자 가장 큰 것이 1000년 묵어 황폐해진 대성당(당시 이 도시의 수호 성인이었던 레파라타 성인에게 봉헌된 것이었다)을 대신하는 공사를 시작하는 것이었다. 그리고 여기서 아르놀포는 자신의 상상력을 마음대로 발휘할 수 있는 허가를 얻었다.

아르놀포가 파리나 런던이나 쾰른에서 일했다면 이 건물들에 대한 그의 설계는 틀림없이 프랑스풍 고딕 양식을 따랐을 것이다. 그러나 이탈리아에서는 건축이 다른 방식을 따라 발전하고 있었다. 아치는 뾰족하지 않고 로마 양식의 둥근 형태를 유지했다. 정교한 버팀도리 체계와 현기증 나는 뾰족탑은 보기 힘들었다. 벽은 벽이었다. 두껍고 강하며 구조적으로 단단했다. 밝은 색깔의 거대한 유리판들을 끼우는 틀이 아니었다. 그리고 알프스 이북에서 매우 인기 있는 빛나는 희고 노란 석회암은 사람들이 별로 좋아하지 않아 사암과 벽돌에 밀렸다.

13세기에 이탈리아의 건설 공사에서 장식의 높이, 크기, 화려함이 모두 보다 중요해지기는 했지만, 아르놀포가 피렌체에 자신의 생드니 수도원 교회를 만들어주어야 한다는 압박은 전혀 없었다.[38] 아르놀포는 피렌체 특유의 건물을 자유롭게 만들 수 있었다. 그는 고딕 양식의 요소를 채용하기는 했지만 맹종하지는 않았다. 바디아 및 산타크로체 프란체스코회 교회에서 그의 작업은 우아했지만 비교적 여유 있고 복잡하지 않았다. 전자는 지금 뾰족한 탑으로 유명하고 후자는 19세기 신고딕 양식의 대리석 외피로 화려하게 꾸며졌지만 말이다. (산타크로체는 피렌체의 가장 빛나는 주민 일부의 매장지가 되었다. 미켈란젤로, 갈릴레오, 마키아벨리, 조아키노 로시니 같은 사람이다.) 그러나 이 도시의 새 대성당에 대한 그의 설계는 야심 차고 대성공의 가능성이 있는 것이었다.

아르놀포가 설계한 대성당은 지금 피렌체 중심부 두오모('대성당') 광장을 차지하고 있는 세계적인 건물을 곧장 예견했다. 세계에서 가장 즉각적으로 알아볼 수 있는 곳, 피렌체의 상징적인 하늘선의 중심, 단지 몇 분 동안 발을 들이기 위해 토스카나 여름의 뜨거운 열기 속에서 몇 시간씩 줄을 서서 기다리는 현대 관광객을 끌어들이는 곳이었다.

이를 위해 일꾼들은 옛 성당 산타레파라타와 인근의 또 다른 교회 하나가 포함된 도시의 한 구역을 허물었고, 묘지를 파헤쳤다. 그들이 정리한 공간에 아르놀포는 길이 66미터, 폭 21미터의 네모난 교회 회중석의 토대를 배치했다. 양쪽에는 격실隔室을 두었다. 이는 그의 산타크로체 교회를 거의 센티미터 단위까지 복제한 것이었고, 아르놀포는 아마도 그의 성당을 산타크로체의 나무 지붕(돌로 만든 아치가 아니라)을 흉내 내 설계했을 것이다.

그러나 두 설계가 다른 부분은 동쪽 끝이었다. 아르놀포는 이곳에서 성당이 커다란 돔으로 솟아오르는 것을 구상했다. 로마 판테온 신전 꼭대기에 올려진 고전기 공학의 경이를 되풀이하는 것이다. 돔은 팔각형의 토대 위에 올려지게 되었고, 그 주위에는 반半팔각형의 곁채 세 곳으로 설계를 마무리했다. 그것은 그렇게 복잡한 구조물에서 예상할 수 있는 무게를 떠받치는 데도 도움이 되었다.[39] 그것은 콘스탄티노폴리스 하기아소피아 꼭대기에 올려진 돔보다 약간 크게 설계되었다.[40] 이것은 거대한 계획이었다. 초석은 1296년에 놓였다.

이미 보았듯이 중세 건축가 가운데 생전에 자신이 설계한 대성당이 완공되는 것을 보는 경우는 드물었다. 아르놀포도 예외는 아니었다. 그의 설계와 건설 공사 착공은 틀림없이 피렌체 당국자들을 기쁘게 했다. 공사를 시작하고 4년 뒤에 아르놀포는 그의 나머지 생애 동안 그곳에서 세금을 면제받았고, 시의 공식 기록에서 "교회 건축에서 주변 지역에 알려진 어느 누구보다도 더 유명한 거장이자 대단한 전문가"[41]라는 칭송을 받았다. 그는 걸어 다니고 말하는 시의 자랑거리였다. 그러나 1301년에서 1310년 사이의 어느 시점에 그가 죽었고, 그가 진행하던 성당 공사장의 작업이 중단되었다.

서쪽 끝의 외면(16세기에 교체되어 지금은 거의 옛 모습이 사라졌다)에는 아르놀포가 만든 조각품들이 있었다. 동정녀 마리아에서 보니파티우스 교황에 이르는 인물들을 묘사한 것이었다. 회중석의 절반가량도 아마 건설되었을 것이다. 그러나 대성당 건축의 거장이 죽으면서 그의 설계를 마무리할 동력이 사라졌다.

공평하게 말하자면 정치적인 참작 사유가 있었다. 1311년, 공격적인 (그러나 단명한) 독일의 새 왕 하인리히 7세가 이탈리아로 진군해 와서 신성로마 황제의 관을 썼다. 피렌체는 그를 거부했고, 황제의 병사에 맞서 도시를 지키기 위해 무장을 하지 않을 수 없었다. 하인리히는 원정 도중 말라리아로 죽었지만, 피렌체는 그 뒤 인근 피사와 루카의 황제파 지배자로부터 공격을 받았다. 도시 성벽을 강화하는 것이 성당을 마무리하는 것보다 우선이었다. 1333년에 피렌체는 또한 새 다리가 필요했다. 홍수로 기존의 '옛 다리(Ponte Vecchio)'가 쓸려 나갔기 때문이다. 사실 1330년대에 천재 조토 디본도네가 아르놀포의 회중석 옆에 크고 독립적이며 분명히 고딕 양식인 성당 종탑을 세웠다. 그러나 그 세기 중반에는 더 이상 의미 있는 작업이 이루어지지 않았다. 이 성당은 골칫거리라고는 할 수 없었지만 분명 마무리되지 않은 사업이었다.

피렌체 성당 관리자들은 1360년대 말이 되어서야 공사 재개에 동의했다. 당시 가장 존경받는 석공 네리 디피오라반테의 수정 설계에 따른 것이었다. 그는 돔을 아르놀포의 것보다 더 크게 구상했고(그래서 판테온보다 더 커졌다), 작은 뾰족탑으로 이를 마무리했다. 이는 고딕 양식이 중심이었지만, 돔 자체는 고대 로마의 냄새를 풍겼다. 동로마와 심지어 아라비아의 예루살렘을 거쳐 온 것이었다. 그것은 또한 분명히 건설할 수 없는 것이었다. 네리는 돔의 커다란 축척 모형을 만들어 성당 회중석에 놓았다. 건설위원회 위원들은 매년 그것을 구현할 수 있는 방법을 찾겠다고 다짐했다.[42] 그러나 수십 년 동안 아무도 어떻게 해야 할지를 알 수 없었다.

1418년(아르놀포의 본래 성당 초석이 놓인 지 122년쯤 뒤다)이 되어서야 피렌체 대성당 수수께끼의 공사 해법이 제시되었다. 그 사람은 필리포 브루넬레스키라는 수학 천재였다. 그는 공개 수주 경쟁에서 승리했고, 완전히 새로운 건설 체계와 약 400만 개의 벽돌을 위치로 들어 올리는 기중기를 만들어내야 했다. 이 건설 작업은 20년 가까이나 걸렸다. 그것은 고통스럽도록 지루한 공사의 진을 빼는 결말이었다. 그러나 브루넬레스키가 돔을 완성하자 지금 산타마리아 델피오레('꽃의 성모 마리아')로 알려진 이 대성당은 곧바로 1000년 전 고전 세계가 마감된 이후 보기 어려웠던 일종의 경이로 인식되었다.

오늘날 이것은 일반적으로 이탈리아 문예부흥의 토대가 된 건축상의 업적이자 (런던의 세인트폴 대성당, 파리의 레쟁발리드, 워싱턴의 미국 국회의사당 같은) 현대의 여러 기념비적인 건물을 장식하는 돔의 원조로 받아들여지고 있다. 그러나 그렇기 때문에 이것은 1296년 아르놀포 디캄비오가 착공했을 때는 아직 시작되지 않았던 중세의 한 시기에 속한다.

그 시기(중세 세계 말기의 시작)는 1347년에 시작되었다. 산타마리아 델 피오레가 일부만 건설되어 궁금증을 자아내는, 태어났으나 아직 자라지 않았고 결말을 내기 위해 천재를 기다리던 시기였다. 세계를 뒤집어놓은 사건은 세계적 유행병이었다. 이것은 동방에서 이탈리아로 온 배들이 향신료와 이국의 사치품뿐만이 아니라 유스티니아누스 시대 이후의 그 어느 것보다도 심각한 질병까지 가져오면서 서유럽을 강타했다. 그것은 흑사병이었다. 유럽 인구의 약 40퍼센트를 죽였고, 세계의 모습을 완전히 바꿔놓았다. 우리 이야기의 4부는 그것이 얼마나 큰 폭으로 서방을 휩쓸었는지와 산 자들이 알 수 없는 죽음에 어떻게 대응했는지로 시작된다.

4부

혁명

1348년경부터 1527년경까지

13장

생존자들

✤

과거는 우리를 집어삼켰고,
현재는 우리의 내장을 씹고 있다.
— 가브리엘레 데무시, 법률가이자 전염병의 역사 기록자

1314년 늦여름, 서북 유럽 전역에 세찬 비가 내렸다. 내리고 또 내렸다. 가을이 되기까지 거의 그치지 않았다. 강물이 불고 들판에 물이 흘러넘쳤다. 크고 작은 길이 모두 진흙탕이었다. 겨울이 지나자 수렁으로 변한 들판에 씨를 뿌려야 했고, 다가올 가을의 수확은 형편없을 것이 분명해 보였다. 그리고 1315년 5월에 다시 비가 내렸고, 이번에는 여름 내내 내렸다. 잿빛 하늘이 펼쳐지면서 날씨는 계속 쌀쌀했다. 그리고 해가 이울어가면서 온도는 더욱 떨어졌다. 추수는 과연 형편없었고, 이어진 겨울은 지독하게 추웠다.

1316년 부활절 무렵에 사람들이 굶주리기 시작했다. 잉글랜드의 한 역사 기록자가 서민의 비참한 상황을 기록했다. 곡물값이 예측할 수 없게 대폭으로 출렁거렸고, 때로는 정상 수준의 네 배까지 치솟았다. "대기근이 시작되었다. 그런 기근은 우리 시대에는 보지 못했던 것이고, 100년 동안

들어본 적도 없었다."¹ 이것은 단지 시작일 뿐이었다. 1316년에도 같은 상황이 반복되었다. 봄부터 계속해서 비가 내렸고, 결코 여름답지 않은 여름을 지나 얼어붙는 겨울이 왔다. 1317년에는 상황이 약간 나았지만, 씨 뿌릴 곡식이 충분치 않았다. 1318년이 되어서야 마침내 이름에 부끄럽지 않은 추수를 했다.²

그렇지만 고난이 끝난 것은 아니었다. 습기와 추위와 기근을 이기고 살아남은 가축들이 너무 약해서 서방 전역을 휩쓴 치명적이고 매우 전염성이 높으며 빠르게 전파된 질병에 희생되었다. 이것은 아마도 오늘날 우리가 우역牛疫이라 부르는 바이러스였을 것이다. 이것은 소에게 엄청난 발열과 설사를 일으키고 코와 입의 살을 썩게 하며, 대개 2~3주 안에 죽음에 이르게 했다. 그것은 몽골에서 나타나 서쪽으로 확산되었으며, 곧 중부 유럽, 독일, 프랑스, 덴마크, 네덜란드, 잉글랜드, 스코틀랜드, 아일랜드의 가축 떼를 쓰러뜨렸다. 그것은 어느 곳에서나 평균 60퍼센트의 소를 죽였다.³ 이 전염병은 1319년에 가장 맹위를 떨쳤다. 그러나 1320~1321년에 세찬 비가 다시 내리고 홍수가 지면서 다시 한번 흉작으로 곡물을 거두지 못했다.

대단히 고통스러운 시기였다. 서방에서 생존을 위한 전체 농업 기반이 6년 동안 사라져 인간 생존의 위기를 초래했다. 20세기 최악의 기근과 비교할 만했다.† 1316년 여름에만도 플란데런의 이퍼르 주민 10퍼센트가 죽었다. 이런 일은 비일비재했다.⁴ 한 역사 기록자가 잉글랜드의 참혹한 상황을 기록했다. 이곳은 굶주림과 전염병은 아예 제쳐놓더라도 천정부

---

† 1921~1922년의 기근으로 러시아 주민의 3~5퍼센트가 죽었는데, 14세기 초 대기근의 사망률은 그 두세 배에 달했던 듯하다. 물론 당시 유럽의 인구가 더 적었음을 감안하면 절대수는 훨씬 적었다.

지의 물가 상승, 스코틀랜드와의 전쟁, 국왕 에드워드 2세의 불운한 통치로 고통받고 있었다. "통상적인 종류의 식용육은 너무 구하기 어려워 말고기가 귀해졌고 살찐 개는 절도의 대상이 되었다. 여러 곳의 남녀가 몰래 자기네 아이를 먹었다는 이야기가 들렸다."[5] 또 다른 연대기 작가도 같은 생각이었다. "여러 곳에서 수천 명이 죽었고, (…) 개나 말 같은 여러 가지 불결한 것이 식용으로 소비되었다. 아아, 잉글랜드 왕국이여! 한때 풍요를 누려 다른 나라를 도와주던 나라가 이제 빈곤하고 궁핍해져 구걸을 하지 않을 수 없게 되었구나!"[6] 뒤의 작가는 '대기근'으로 알려지게 되는 것의 목격자로서 1325년 또는 그 이전에 이 연대기를 작성했다. 그는 최악의 상황이 다가오고 있음을 전혀 알지 못했다.

얼음과 세균

14세기는 격변의 시기였다. 특히 유럽 서부 사람에게 그랬다. 변화는 날씨로부터 시작되었다. 900년 이후 수백 년 동안 세계의 기온이 상승했다. 이른바 '중세 온난기'였다. 그러나 1300년 무렵에 기온이 다시 떨어지기 시작했다. 급격하게 떨어졌다. 이 급속한 냉각은 세계 각지의 격렬한 화산 활동 시기로 촉진되었다. 이때 거대한 폭발들이 아황산가스와 기타 햇빛을 반사하는 연무질煙霧質을 성층권으로 뿜어냈다. 날씨는 너무 자주, 그리고 심하게 추워져 발트해에서 템스강과 심지어 콘스탄티노폴리스의 크리소케라스만灣에 이르는 수로들이 겨울에 자주 얼어붙었다. 이 현상이 이어져 1300년에서 1850년 사이의 소빙기小氷期가 되었다.[7]

물론 소빙기가 시작된 것만이 1315~1321년 대기근의 유일한 원인은 아니었다. 인간에게 닥친 재난은 거의 언제나 사회와 그 환경 사이의 미묘한 상호 작용의 결과였고, 14세기로 접어드는 무렵에 서방은 충격을 받을 만한 상태에 있었다. 1000년 무렵에 시작된 유럽의 인구 폭발은 경제 활동, 발명, 상업을 자극하는 데 이바지했다. 그러나 그것은 동시에 커다란 문제도 만들어냈다. 농업과 식량 생산에서의 기술 진보(중리重犁, 물방아, 풍차, 농작물 윤작제)는 농민이 땅에서 더 많은 것을 얻을 수 있게 했고, 삼림을 벌채하고 습지의 물을 빼내려는 노력은 경작에 필요한 새로운 농경지를 많이 만들어냈다. 그러나 한계가 있었다. 그리고 1300년 무렵에 서방 사회는 그 한계에 도달했다.

간단히 말해서 그 시대의 기술력으로 유지하기에는 사람이 너무 많았다. 잉글랜드의 인구는 노르만인의 정복 시기에 아마도 150만 정도였던 듯한데 대기근 직전에 약 600만 명으로 훌쩍 뛰었다(이런 인구 급증은 잉글랜드에서 18세기가 되어서야 다시 나타나게 된다). 이는 다른 곳에서도 대체로 비슷했다. 특히 유럽과 서아시아 지역의 도시에서 그랬다. 인구 규모가 12세기 중반에 비해 네 배 이상 늘어 수많은 사람이 불가피하게 비좁고 결코 위생적이지 않은 상황에서 함께 살았다. 한편 시골에서는 더욱 작은 면적의 경작지에서 농사를 지었고, 경작지는 갈수록 먼 지역으로 밀려났다. 그 결과로 인구가 점차 늘어 결국 고질적인 과잉 상태가 되었고, 그로 인해 서방 여러 나라는 식량 공급에 문제가 생기는 일에 매우 민감해졌다.

이와 동시에 12~13세기 몽골의 정복과 함께 시작된 세계적 교역과 여행의 급속한 증가세는 질병이 비단, 노예, 향신료와 마찬가지로 자유롭게 세계 전역으로 이동할 수 있는 가능성을 소리 없이 빠르게 열었다. 우역 대유행은 풍부하고 이동하는 숙주 종이 있는 전염성 강한 질병이 어떤 일을 일으킬 수 있는지를 보여주었다. 밝혀지게 되는 바와 같이 14세기의 인간은 어느 모로 보나 그들이 기르던 소와 마찬가지로 취약했다.

1340년대 이후 아시아, 유럽, 북아프리카와 사하라사막 이남 아프리카 일부 지역을 할퀴면서 흑사병으로 알려진 세계적으로 유행한 전염병은 역시 세계적으로 유행한 우역과 비슷한 곳에서 시작되었다. 바로 몽골이 었다.[8]

이미 보았듯이 이 전염병은 페스트균(학명 *Yersinia pestis*)으로 인해 발생했다. 그것은 쥐나 마멋 같은 스텝의 설치류로부터 인간에게 전염되었는데, 중간에 벼룩에 물리는 과정을 거쳤다(3장 참조). 800년 전에 유스티니아누스 유행병이 6세기 동로마에서 발생해 주민 수백만 명이 죽었다. 14세기에 발생한 것은 더욱 고약했다. 같은 질병의 새 돌연변이로 매우 전염성이 높았다. 그것은 분명하게 쥐, 고양이, 개, 새, 사람 사이에서 매우 쉽게 확산되었다. 인간 숙주에게 들어오면 그것은 6세기의 페스트와 비슷하게 지독한 증상을 일으켰다. 발열, 샅·겨드랑이·목 근처의 '가래톳(bubo)'으로 알려진 부종浮腫, 내출혈, 걷잡을 수 없는 구토, 그리고 며칠 내의 죽음이다.[9] 그것은 또한 사람과 사람 사이에서 호흡을 통해 전염되어 폐의 긴장을 야기할 수 있었다.

이 부종과 폐질환의 혼성 전염병은 아마도 1330년대 초에 중앙아시아의 몽골인 사이에서 퍼지고 있었을 것이다. 그것은 같은 1330년대에 바깥으로 나가 아무강 이동 지역, 중국, 페르시아를 통해 동방 세계에 퍼졌다. 다만 인도에는 그리 심각한 영향을 주지 않은 듯하다.[10]

1340년대 중반에 그것은 쉽게 킵차크 칸국의 몽골인에게로 옮겨 갔고, 전염병에 관한 전통적인 설명에 따르면 그것을 서방으로 넘겨준 것이 바로 이들이었다. 1347년 제노바인이 차지하고 있던 흑해의 항구 카파 포위전 때다. 가브리엘레 데무시라는 피아첸차 출신의 이탈리아인 법률가가 쓴 포위전 기록은 몽골 군대에서 이 질병이 "하늘에서 화살이 쏟아져 내리는 것처럼" 급증했음을 묘사하고 있다. "모든 의학적 조언과 주의는 소용없었다. 타타르인은 그들 몸에 질병의 징후가 나타나면 곧바로 죽었다. 체액이 응고해 겨드랑이나 살의 부종이 생기고, 이어 심하게 열이 났다."[11] 전염병으로 병력이 심하게 고갈된 몽골인은 포위를 풀고 떠났다. 그러나 병균은 이미 퍼진 뒤였다. 데무시의 화려한 언변을 빌려보자.

그들은 시체를 투석기에 장착하고 도시 안으로 발사하라고 명령했다. 견딜 수 없는 악취를 풍기는 그것이 안에 있는 사람을 모두 죽일 것으로 기대했다. 시체의 산처럼 보이는 것이 도시 안으로 던져졌고, 기독교도는 숨거나 달아나거나 그것을 피할 수 없었다. 다만 그들은 그들이 할 수 있는 한 더 많은 시체를 바다로 버렸다. 그리고 곧 썩어가는 시체가 공기를 더럽히고 수돗물을 오염시켰다. (…) 아무도 막아낼 방법을 알거나 찾아낼 수 없었다.[12]

이것이 엄밀하게 진실인지는 말하기 어렵다. 1340년대의 전염병은 틀림없이 엄청나게 잘 전염되었지만, 악취만으로 병이 옮을 수는 없었다. 그거야 어떻든 간에, 카파 포위전 직후 전염병 환자가 이탈리아의 제노바와 베네치아에서 나타나기 시작했다. 흑해에서 온 것으로 보이는 상선과 군함에 실려 그곳에 온 것이었다. 데무시는 이렇게 회상했다. "선원들이 (도착했을) 때 그들은 나쁜 귀신들을 데려온 듯했다. 모든 도시, 모든 주거지, 모든 장소가 전염병으로 오염되었고, 그 주민(남자와 여자 모두)이 갑자기 죽었다." 빽빽하고 비좁은 거리에서 대가족이 한 지붕 아래에 사는,

그리고 쥐나 기타 벼룩이 사는 동물이 많은 붐비는 도시에서는 확산을 막을 방법이 없었다. "한 사람이 이 병에 걸리면 그는 온 가족에게 이를 전염시켰다. 합동 장례식이 열릴 수밖에 없었고, 점점 더 많아지는 사망자를 매장할 충분한 공간이 없었다. 환자를 돌볼 책임의 대부분을 지고 있는 사제와 의사는 환자를 찾아가느라 정신이 없었는데, 환자의 집을 떠날 때는 그도 감염되어 곧바로 죽은 자를 따라 무덤으로 들어가게 되었다."[13] 죽음이 거의 상상할 수 없을 정도로 빠르게 확산되었고, 그러면서 정상 세계의 모든 구조가 무너지는 듯했다. 살아 있는 자도 죽은 자와 마찬가지로 어쩔 줄을 몰라 했다. 정말로 세상의 종말이 온 듯했다. 아일랜드의 한 목격자는 자신이 쓴 연대기 뒷부분을 백지로 남겨놓았다. 어떤 천행으로 장래에 어떤 사람이라도 살아남게 된다면 자신의 작업을 이어받아 달라는 것이었다. 데무시는 이렇게 울부짖었다. "과거는 우리를 집어삼켰고, 현재는 우리의 내장을 씹고 있으며, 미래는 더 큰 위험으로 우리를 위협하고 있다."[14] 그는 그다지 틀리지 않았다.

치명적이고 빠르게 전파되는 대유행병†의 시기를 겪은 사람이라면 여기 묘사된 중세 이탈리아의 참혹하고 혼란스러운 상황(질병이 다가오면서 정상 생활이 뒤엎어져 버렸다)을 개략적으로 인정할 수 있을 것이다.

흑사병은 자체의 생각이 있는 듯했다. 그것은 주민 사이에서 분명히 자기 멋대로 이동했고, 도시에서 도시로, 나라에서 나라로 뛰어다니다가 결국 모든 곳에 있게 되었다. 1347년에는 흑해에서 콘스탄티노폴리스와 이

---

† 가장 최근의 것이 코로나바이러스감염증(COVID)-19일 것이다. 그것은 지금 이 부분을 쓰는 때에 한창 기승을 부리고 있다.

탈리아로 갔고, 거기서 지중해 주변으로 급속하게 퍼졌다. 배를 타는 상인들이 그것을 팔레스타나, 키프로스, 그리스의 섬으로 가져갔다. 육로 여행자는 그것을 가지고 알프스산맥을 넘어 보헤미아를 포함한 신성로마 제국으로 갔다.[15] 1348년 봄에는 전염병이 프랑스에 만연했다. 그해 여름에는 잉글랜드로 넘어갔다. 1349년에는 북쪽으로 확산되어 스코틀랜드에 이르렀고, 바다를 건너 동쪽으로 스칸디나비아와 서쪽으로 아일랜드까지 도달했다.

중세 작가들은 이 전염병의 탓을 여러 가지에 돌렸다. 신의 분노, 악의 만연, 적그리스도의 내림, 프리드리히(2세) 호엔슈타우펜의 부활 임박, 너무 꽉 조이는 여자의 옷, 행성의 정렬 착오, 남색男色, 나쁜 기운, 비, 유대인의 음모, 덥고 습한 지역 사람이 섹스와 목욕에 탐닉하는 경향, 덜 자란 야채(의학 박사들은 이것이 가스가 차는 병을 일으킨다고 확신한다).[16]

궁지에 몰린 사람들은 격리와 설사약부터 피가 나도록 스스로 매질하고 전염병에 집중해 기도를 올리는 데 이르기까지 여러 가지 예방과 치료법을 시도했다.

그러나 슬픈 사실은 전염병의 확산이 중세 공동체 사이의 깊숙한 상호 연결을 더없이 잘 보여주었다는 것이다. 그리고 그들이 인간의 이동, 과밀, 보잘것없는 위생 기준 위에 기승을 부리는 감염에 엄청나게 취약하다는 것 역시 보여주었다. 페스트균에 주어진 생리적 명령은 딱 하나다. 새 숙주 속에서 복제하는 것이다. 세균 생물학과 예방주사 기술이 없던 시절이라 효과적인 의학적 대응은 불가능했다. 그저 완전히 격리하고 병이 진행되는 동안 견뎌내는 수밖에 없었다. 흑사병이 한번 돌기 시작하면 아무것도 그것을 막을 수 없었다.

흑사병의 첫 번째 파도는 1347년부터 1351년까지 계속되었다. 이 기간 동안 가장 창궐한 나라들에서는 현지 주민의 최고 60퍼센트가 사망했다. 아찔한 사망률이었다. 당연한 일이지만 역사 기록자들은 이를 더욱 과장했다. 어떤 사람은 대유행이 끝났을 때 열 명 가운데 단 한 명만 살아남았다고 주장했다.

그리고 흑사병은 그저 가난한 사람만 덮친 것이 아니었다. 사실 부자는 병이 퍼진 도시를 떠나 비교적 안전한 시골에서 격리 생활을 할 능력이 더 있었다. 이탈리아의 위대한 작가 조반니 보카치오도 자신의 《데카메론》에서 이런 현상을 기록으로 남겼다. 이것은 감염을 피하기 위해 피렌체에서 대피해 온 열 명의 유복한 젊은이가 이야기한 100편의 단편 모음이다. 그러나 부유함만으로 병 자체에 걸리지 않거나 생존 후의 심리적 외상에 시달리지 않는다는 보장이 없었다. 잉글랜드의 에드워드 3세의 사랑하는 딸 조앤은 1348년 결혼을 위해 카스티야로 가던 중 보르도에서 전염병에 걸려 죽었다. 이 비극으로 인해 에드워드는 이런 생각을 하게 된다. 죽음은 "젊은이와 노인을 똑같이 집어삼키고 아무도 봐주지 않으며, 부자와 가난뱅이를 같은 수준으로 전락시킨다."[17]

조앤의 시아버지로 예정되었던 알폰소 11세도 죽었고, 아라곤 국왕의 배우자인 레오노르 왕비도 죽었다. 동로마 황제 요안니스 칸타쿠지노스는 막내아들을 잃었다.[18] 교황 클레멘스 6세는 아비뇽의 교황청에 전염병이 닥쳐 1년 남짓 사이에 세 명의 추기경과 집안 하인 4분의 1가량을 잃었다.

보카치오와 동시대인인 페트라르카는 많은 친구를 잃었고, 그 가운데는 그가 사랑하던 영감의 원천 로라도 있었다. 이탈리아가 아직 전염병에 시달리고 있을 때 쓴 편지들에서 페트라르카는 많은 사람이 경험했을 죄책감을 요약했다. 한 문서에서 그는 1348년을 저주했다. 이해는 "우리에

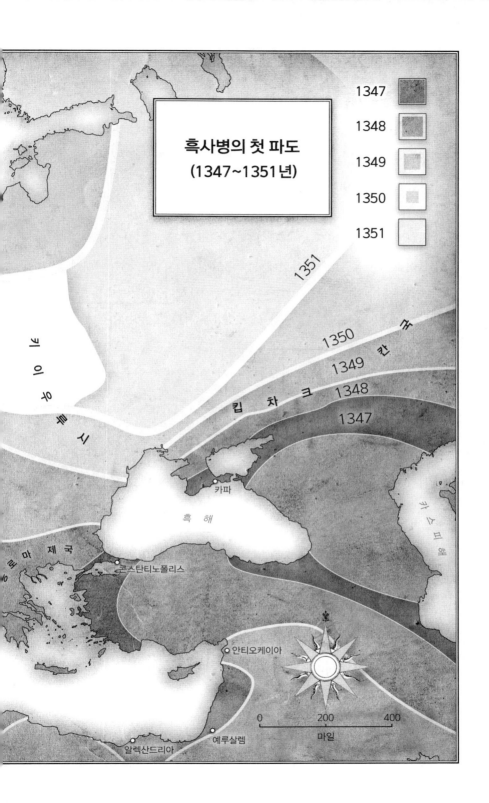

흑사병의 첫 파도
(1347~1351년)

1347
1348
1349
1350
1351

1351

1350

1349

1348

1347

킵 차 크 칸 국

키 이 우 루 시

카파

흑 해

카스피 해

로 마 제 국

콘스탄티노폴리스

안티오케이아

예루살렘

알렉산드리아

0   200   400
마일

게 고독과 상실을 남겼다. 우리에게서 부를 앗아 갔고, 그것은 인도양, 카스피해, 카르파토스해로 복구할 수 없는 것이기 때문이다." 페트라르카는 또 다른 친구를 잃어 충격을 받고 쓴 또 다른 글에서 얼이 빠진 듯이 썼다. "우리가 사는 삶은 잠이고, 우리가 무엇을 하든 그것은 꿈이다. 오직 죽음만이 잠을 깨우고 우리를 꿈에서 깨어나게 한다. 나는 그 전에 깨어났으면 좋겠다."[19]

사실 페트라르카는 이후 20여 년 동안 '깨어나지' 못했고, 살아서 흑사병이 돌아오는 것을 보았다. 유럽에서는 1361년과 1369년, 1370년대에 대규모 전염병이 발생했고, 1390년대에 다시 발생했다. (이 가운데 마지막 것은 소년과 젊은 남자에게 특히 심한 타격을 입혔던 듯하다.) 이 2차 파도는 1차만큼 심하지 않았지만, 그래도 역시 광범위한 고통과 죽음을 초래했다. 그리고 인구 회복을 막아 중세 말과 그 이후까지 낮은 수준의 인구를 유지시켰다.

따라서 흑사병은 결코 일회적인 사건이 아니었다. 단순한 역학疫學 측면에서만 보더라도 마찬가지다. 그것은 길고 지루한 유행병으로 유럽 인구의 거의 절반을 죽이고 다른 곳에서도 비슷한 희생자를 냈으며, 수십 년 동안 대중의 상상력에 그림자를 드리웠다. 그리고 서방의 인구, 정치·사회 구조, 태도 및 관념에 급격한 변화를 초래했다. 이 전염병은 어떤 의미에서 일시적이고 '검은 백조'처럼 희귀한 재난이었지만, 14세기 서방 사회의 약점과 취약성을 드러내고 생존자에게 자기네가 (어떤 기적에 의해) 매달려 사는 세계의 변화를 모색하도록 직·간접적으로 자극했다.[20] 흑사병은 추수꾼의 낫에 그치는 것이 아니었다. 그것은 새 빗자루이기도 했다. 그것은 14세기를 확 쓸어버렸다. 그리고 쓸어버린 뒤에는 예전과 같은 모습일 수 없는 법이다.

홍수가 지나간 뒤

1349년 9월, 램버스 관저의 캔터베리 대주교 밑에서 일하는 서기였던 에이브스베리의 로버트가 런던 거리로 나섰다. 플란데런 채찍 고행자의 행진을 구경하기 위해서였다. 600명가량의 이 신기한 사람들은 최근 이 도시에 나타났고, 이제는 일상적으로 눈에 띄었다. 그들은 매일 두 번 나타났다. 순백색의 옷을 입었고, 등은 벗어 드러냈으며, 머리에는 붉은 십자가가 박힌 모자를 썼다. "모든 사람이 오른손에 채찍을 들었다. 끝이 세 갈래로 갈라진 것이었다. 각 갈래에는 매듭이 있었고, 중간에는 날카로운 못이 많이 박혀 있었다. 그들은 한 사람 뒤에 한 사람이 서서 한 줄로 행진했고, 채찍으로 자신의 벗은 몸을 때려 피가 흘렀다. 그들 중 네 사람이 자기네 말로 영창詠唱을 하면 마치 호칭기도처럼 다른 네 사람이 답창答唱을 했다. 그들은 전원이 세 차례 땅바닥에 몸을 던지고 (…) 십자가 모양으로 손을 뻗쳤다. 노래는 한 사람 한 사람씩 다른 사람의 위를 넘어가며 자기 아래에 누운 사람을 채찍으로 때리는 동안 줄곧 이어졌다."[21]

이 시기에 단체로 채찍질을 하는 것은 꽤 유행이었다. 이는 1260년 무렵 이탈리아의 도시에서 시작되었다. 굶주림이 만연하고 구엘피와 기벨리니 사이의 파괴적 전쟁이 한창이던 와중이었다. 이 풍습은 이어 독일과 서북 유럽에서 유행했다. 채찍 고행자는 집단적 자학을 통해 자기네의 죄와 더 나아가 인류의 죄를 속죄하고자 했다.[22]

채찍 고행은 예수의 이름으로 다른 사람을 해치는 십자군의 책무에서 일어난 흥미로운 반전이라는 점 외에, 흑사병에 대한 안성맞춤의 처방이기도 했다. 흑사병은 신이 화가 났고 그 노여움을 달랠 필요가 있다는 확실한 증거로 생각되었다. 물론 앞서 보았듯이 그것은 유행병의 확산에 아무런 영향도 주지 못했다. (사실 오늘날 우리는 사교상 거리 두기를 확실하게 실천하지 않고 대규모 일상 모임을 가지면 질병을 더욱 빠르게 전파시킨다고 생각할 것이다.)

그러나 그렇다고 참여자가 시도를 멈추지는 않았다. 전염병이 퍼진 지역의 성직자들이 덜 잔혹하지만 여전히 처절하게 참회하는 1주 또는 2주 간격의 행진을 단념하지도 않았다. 이런 행진에서 절망에 빠진 사람들은 신을 부르며 자기네를 용서해달라고 빌었다. 에드워드 3세는 1349년 잉글랜드 주교들에게 보낸 한 편지에서 이것이 어떻게 이루어지는지를 이야기했다. 그는 "기도, 단식, 선행"이 신으로 하여금 "전염병과 질병을 몰아내고 평화와 안정과 육체 및 영혼의 건강을 베풀"[23]게 할 것이라고 설명했다. 그와 같은 다른 무수한 지도자가 같은 이야기를 역설했지만 모두 허탕이었다. 그러나 흑사병이 촉발한 즉각적인 종교적 반사작용은 이 전염병에 대한 인간의 반응 가운데 극히 일부일 뿐이었다.

이 유행병의 첫 번째 경제적 결말은 물가와 임금을 마구 무너뜨린 것이었다. 14세기가 시작될 때 유럽의 인구는 정점에 달했고, 노동력은 풍부했다. 그들 상당수는 땅에 묶여 법적으로 비자유민인 농노 신분이었다. 그러나 사실상 단숨에 두 사람 가운데 한 사람이 사라지는 결과가 되자 세상은 물구나무서고 노동력에는 갑자기 웃돈이 붙었다. 역시 기록자 헨리 나이튼은 1349년에 "추수할 손이 없어 곡물이 들판에서 썩어갔다"라고 적었다. 심지어 일하겠다는 노동자가 있는 곳에서도 지주에게 농작물을 가져다주는 비용이 치솟았다.[24]

갑작스러운 인구 감소는 또한 토지 임대가의 폭락을 초래했다. 상황이 매우 심각해서 어떤 마을은 완전히 쓸려나가 영원히 버려졌으며, 땅은 갑자기 갯값이 되고 지주는 소작인 찾기에 혈안이 되었다. 당연한 일이지만 치솟는 임금과 폭락하는 지대의 이중고는 정치권에 공포의 소용돌이를 일으켰다. 정계에서 가장 힘센 자들이 자기네를 재정 파탄에서 구해달라고 지배자에게 사정했다.

잉글랜드에서는 정부가 빠르게 움직였다. 1349년과 1351년에 에드워드 3세의 정부는 노동자가 전염병 대유행 이전의 가격보다 높은 임금을 요구하는 것을 금지하는 법령을 서둘러 만들었다(〈노동자 조례〉 및 〈노동자 규칙〉). 임금은 법에 명시되었다. 풀베기는 하루 5페니, 목공이나 석공은 하루 3페니, 밀 타작은 하루 2.5페니 등이었다. 이와 동시에 60세 이하의 모든 건강한 사람은 일하는 것이 법적 의무가 되었다. 구걸은 금지되었다. 노동자는 경작지를 떠나는 것이 금지되었으며, 고용주는 정부가 정한 한도를 넘는 임금을 주고 노동자를 빼내 오는 것이 금지되었다. 이 법은 엄격하게 강제되었다.

나이튼(그는 레스터셔의 대수도원에 살았으며, 따라서 확고하게 지주 편에 서 있었다)에 따르면 노동자는 "너무도 건방지고 완고"해서 끊임없이 고임금을 요구했으며, 사실상 고용자를 잡고 몸값을 요구하는 셈이었다. 그 결과 "왕국 전역의 높고 낮은 수도원장, 기사, (…) 등등"에게 많은 벌금이 부과되었다. 이런 일도 있었다. "왕이 많은 노동자를 체포하게 했으며, 그들을 감옥으로 보냈다. 많은 사람이 한동안 크고 작은 숲으로 피해 달아났고, 붙잡힌 사람은 모진 형벌을 받았다."[25] 〈노동자 규칙〉 본문은 입법자의 생각이 어떤 것이었는지에 전혀 숨김이 없었다. 조문에는 이 법이 "하인들의 악의"를 억누르는 것을 목표로 하고 있다고 썼다.[26]

가난한 자가 예수의 그런 모습을 상기시키지 않는 한 그들을 경멸하는 이런 태도는 중세 말 귀족이 주도하는 위계적 사회에서 아주 흔한 것이었다. 그러나 유행병이 창궐하는 상황에서 이는 위험하기도 했다.

서방 세계의 흑사병으로 인한 고통은 입법으로 풀어야 할 재정적 불편으로만 그치는 것은 아니었다. 그것은 유럽 인구 구성의 즉각적이고 철저한 재편을 초래했다. 권력이 갑자기 서민 쪽으로 기울어졌다는 얘기다. 그 결과로 14세기 후반에는 기성 권위를 상대로 한 폭력적인 대규모 대중 봉기가 급증했다. 그것들은 흑사병의 1차 파도가 사그라들기 시작한 바로 그 순간에 시작되었고, '재앙'의 14세기가 끝날 때까지 이어졌다.[27]

대중 반란은 중세 전반에 걸쳐 일어났다. 일어나지 않는 것이 이상할 정도였다. 중세의 사람 거의 대부분은 시골 농부였다. 제2천년기로 접어든 이후에는 많은 수의 도시 빈민이 추가되었다.[28] 이 사람들의 상태는 언제나 처참한 상태 바로 위를 맴돌았으며, 중세 동안에 불가피하게 소외된 자의 집단이 이것을 단순히 세상이 돌아가는 방식이 아니라 자기네 지도자의 잘못이라고 인식하는 순간이 왔다. 그 결과, 때때로 보통 사람들이 함께 단결해 자기네의 분노를 표출하고 변화를 일으키기 위해 노력했다.

사례는 많다. 서방의 로마 제국 마지막 300년 동안 갈리아 남부와 히스파니아에서 바가우다이로 알려진 폭력 집단들이 이끈 대중 반란이 산발적으로 일어났다.[29] 5세기의 콘스탄티노폴리스는 니카 반란(3장 참조)으로 불타고 피를 흘렸다. 10세기에서 12세기 사이에는 이탈리아, 프랑스, 플란데런, 잉글랜드의 크고 작은 도시에서 심각한 도시 폭동이 일어났다. 같은 시기에 시칠리아부터 스칸디나비아까지 이르는 지역에서 시골 봉기 또한 일어났다.

이런 반란은 통상 지주와 그 소작 농민(또는 노동자) 사이의 이견이 개재되었다. 전통적으로 '자유'로웠던 사람에게 자신의 권력을 강제하는 지주의 권리를 둘러싼 것이거나, (영주의 권력이 보다 굳건하게 수립된 지역에서는)

농민이 자기네의 존재 조건으로서 하도록 강요된 노동의 형태와 양을 둘러싼 것이었다. 그러나 이들 봉기의 일부는 순전히 '대중에 의한' 것이었지만(자발적인 광란의 저항, 분노 표출, 오로지 약자가 벌인 유혈극), 오늘날 우리가 대중주의적이라고 부를 수 있는 것도 그만큼 되었다. 다시 말해서 그들은 적어도 공화국 로마만큼이나 오래된(그리고 21세기 초에 상당히 유행한) 모범을 따랐다는 것이고, 이를 통해 부유하고 냉소적인 정치가가 가난한 자를 동원하고 그들의 정당한 분노를 다른 지배층에게 향하게 했다는 것이다.

이런 유형 가운데 어느 것인가에 속하는 반란이 840년대에 작센에서, 1030년에 노르웨이에서, 1111년에 카스티야에서, 1230년대 무렵에 프리슬란트에서 일어났다.[30] 폭동은 1280년대에 플란데런의 직조 도시들을 휩쓸었고, 이후 반복적으로 다시 불타올랐다. 그리고 이 가운데 일부는 무서운 결과를 가져왔다. 노르웨이의 반란자들은 '뚱보'로 불린 자기네 왕 하랄의 아들 올라브를 죽였다. 그는 '사냥개' 토레라는 반란자가 휘두른 창에 찔렸다.[31] 슈테딩어(슈테딩언 주민)로 알려진 프리슬란트의 반란자들은 너무도 큰 해를 입혀 교황 그레고리우스 9세가 이들을 상대로 한 십자군을 창도唱導했다.[32] 브뤼허에서는 1302년 한 무리의 도시 여자가 한 프랑스 병사를 붙잡아 그를 "다랑어처럼" 저몄다.[33]

그것은 언제나 두렵고, 많은 사람에게 혐오스러운 것이었다. 현대 이전의 시기에 민주주의나 사회적 평등의 관념, 대중적 권력의 과시는 대부분의 지배층이 경멸하는 것이었기 때문이다. 잉글랜드의 시인 존 가워는 부유하고 점잖은 사람 사이에 공유된, 대중 반란은 일종의 자연재해이며 두려워할 만하지만 예상할 수 있는 것이라는 인식을 잡아냈다. "그들이 우위를 점했을 때 무자비한 파괴를 만들어내는 것과 같은 종류의 일이 세 가지 있다. 첫째는 물이 흘러넘치는 것이고, 또 하나는 불이 타오르는 것이며, 세 번째는 하층민이자 일반 대중이다. 그들은 이성이나 훈육으로 멈추게 할 수 없기 때문이다."[34]

가위는 1370년대 말에 글을 썼다. 그에게는 놀라워할 만한 충분한 이유가 있었다. 20년쯤 전에 인근 프랑스 왕국의 북쪽 절반은 자크리로 알려진 대중 반란이 터져 혼란스러웠다. 1358년 5월 말에 파리 북쪽 약 60킬로미터에 있는 우아즈강 기슭의 생뢰데스랑에서 한 무리의 성난 촌민이 현지 귀족을 공격해 그들을 죽이고 고향에서 내쫓았다.[35] 리치(리에주) 출신의 장 르벨이라는 성직자가 쓴 기록에 따르면 촌민의 수는 100명쯤 되었고, "쇠막대기와 식칼 외에는 무기가 없었다."[36] 그럼에도 불구하고 그들은 그들 사회의 강자에게 인상적인 승리를 거두었고, 그럼으로써 폭력의 파도를 발진시켜 빠르게 밖으로 고동치게 해서 프랑스 북부와 노르망디 전체로 확산시켰다.

이후 2주 동안에 걸쳐 이 지역 일대의 촌민들은 기욤 카를이라는 사람의 지휘 아래 단결해 부, 권력, 특혜, 무능한 정부를 상징하는 목표물을 공격했다. 결국 수만 명을 헤아리는 남녀로 불어난 반란자들은 '자크 보놈'(호인好人 자크)이라는 가명에서 온 '자크'라는 별칭으로 불렸으며, 그들 상당수가 자칭으로 쓰기도 했고 적이 그렇게 부르기도 했다.[37] 프랑스 역사 기록자들에게 자크는 "악한들이며 (…) 미개하고 모자라고 무장을 갖추지 못한 농부들"이었다. 그들을 주로 그들의 태생적 무지와 사악함으로 특징 지운 것이다.[38] 그리고 그들의 행동은 당연히 끔찍했다. 집에 불을 지르고 허물며, 멋대로 훔치고, 강간과 살인을 자행했다.

실제로는 많은 자크가 상당한 자제력을 발휘했던 듯하다. 그들의 파괴는 그들이 느끼기에 유능하게 통치하지 못하거나 공정하기 다스리지 않은 사람을 겨냥했다. 그럼에도 불구하고 자크리에 관한 소식이 더 멀리 퍼질수록 이야기는 더 변질되었다. 북부 잉글랜드에서 쓰인 한 기록은 악귀 '작 본홈'을 "악마의 심장을 가진 오만하고 건방진 사람"으로 묘사했다. 그는 세 개 부대로 조직된 20만 명 가까운 반란자들을 지휘했다. 그들은 프랑스 왕국 전역으로 진격했다. 그들은 "그 땅에서 많은 전리품을 취했고, 신사와 숙녀는 모두 살려두지 않았다. 그들이 (…) 성과 도시를 차지하면 그들은 영주의 아내, 아름다운 숙녀, 매우 명성이 있는 여자를 취해 그들의 의사를 무시하고 잠자리를 함께했다. (…) 그리고 여러 곳에서 이 작 본홈은 태아를 그 어머니의 배에서 떼어내 (반란자들이) 아이의 피로 목을 축이고 몸에 발랐다. 신과 성인을 모욕하는 것이었다."[39] 또 다른 작가는 반란자들이 불을 피우고 기사들을 꼬챙이에 꿰어 그 불길에 구웠다고 주장했다.

이것이 얼마나 진실에 가까운지에 대해서는 논란의 여지가 있다. 확실히 1358년 5~6월에 봉기한 자크는 분노했고 수가 많았으며 격렬했다. 그러나 그들만 있었던 것은 아니었다. 혼란이 딱 2주 동안 지속된 뒤 그들은 나바라왕인 '악당' 카를로스 2세가 이끈 짧은 합동 군사 작전으로 분쇄되었다. 카를로스는 매우 비열하고 무능한 귀족으로, 프랑스왕 장 2세의 딸인 잔과 결혼했다. 기욤 카를은 고문당한 뒤 참수되었다. 그리고 참여 혐의를 받은 많은 사람이 색출되고 그들의 집이 파괴되었으며 그들의 농작물은 불태워졌다. 테러는 반란자의 전유물이 아니었다.

게다가 환경을 제대로 살펴보면 자크가 매우 부당한 대우를 받았음을 고려해야 한다. 흑사병 이후 프랑스는 비참한 상황이었다. 왕국은 40년 동안 기근과 전염병에 시달렸을 뿐만 아니라 백년전쟁의 한가운데에 있었다. 한 세대 동안 북프랑스와 가스코뉴의 상당 부분은 잉글랜드 군대와

'루티에'로 알려진 고용된 용병 부대의 파괴적인 군사 작전의 대상이 되었다.

1356년의 푸아티에 전투에서 프랑스왕 장 2세가 포로로 잡혔다. 자크리가 반란을 일으켰을 때 그는 런던에 붙잡혀 있었다. 파리에서 권력은 왕태자 샤를, 나바라왕, 에티엔 마르셀이라는 파리 상인, 랑의 주교가 각각 이끄는 파벌 사이에서 쪼개져 있었다. 자크리가 봉기했을 때 마르셀과 왕태자는 전쟁 직전에 있었다. 그들의 군대가 파리 외곽에 주둔하고 있었다. 마르셀이 수도에서의 자신의 명분을 확대하기 위해 시골의 반란을 부추겼다고 믿을 만한 충분한 근거가 있었다.

어느 시대의 기준으로 보아도 이것은 엉망진창의 상태였다. 그리고 800년 동안 최악의 유행병을 겪고 주민의 약 절반을 잃은 나라에서 그런 무기력은 견딜 수 없는 것이었다. 이론적으로 흑사병의 이득 가운데 하나는 생존자의 삶이 조금 더 쉬워질 수 있다는 것이었다. 그들은 더 많은 땅, 낮은 소작료, 높은 임금, 호전된 상황이라는 미래의 모습을 기대할 수 있었다. 그런데 프랑스에서는 모든 것이 더 나빠지고 있는 듯했다.

현대의 연구자들은 자크리의 지도자(기욤 카를과 그 휘하 대장들)가 찢어지게 가난한 농노는 아니었고 비교적 유복하고 교육을 받은 지주, 기술공, 전문인이었음을 보여주었다. 그들은 자기네가 얻고 있는 것보다 더 많은 것을 기대했고, 자기네를 저버리고 있는 것으로 보이는 체제를 상대로 자기네 공동체의 분노를 쏟아내고 이야기할 능력이 있었다.[40] 그들이 실패했고, 그들의 봉기가 나중에 경솔하고 잔인하며 투박한 야만성의 전형이 되었다고 해서 그들의 불만이 이치에 맞지 않거나 오늘날 우리가 이해할 수 없다는 이야기는 아니다.

'흙 속의 벌레'

1347~1351년의 흑사병이 전쟁으로 인한 고갈과 결합되면서 1358년 자크리의 난이 일어날 상황이 만들어진 것과 똑같이, 한 세대 뒤 유럽의 다른 곳에서 비슷한 모습이 나타났다. 이번에는 혼란을 겪은 것이 프랑스만이 아니었다. 길게 이어진 대중주의 열기의 기간에 이탈리아, 잉글랜드, 플란데런, 노르망디의 도시와 그 주변 지역이 모두 반란으로 몸살을 앓았다. 이 봉기는 대부분 조직화되거나 심지어 직접 연결된 것이 아니었다. 그러나 이들은 14세기가 끝나면서 공공질서가 얼마나 불안정해졌는지, 그리고 변화된 세계에 사는 사람이 어떻게 정상적인 모습에서 벗어나는지를 보여주었다.

자크리의 난 이후 10년 동안 서방 전역에서는 대중 및 대중주의자의 분노가 간간이 분출되었다. 흔히 기폭제는 세금을 둘러싼 갈등이었으며, 유럽 일대의 정부는 수십 년 동안 세금을 늘리기 위해 애쓰고 있었다. 이전에는 그다지 많이 내지 않았던 서민의 재산을 더 뜯어내는 것이었다. 1360년 플란데런의 토르네에서 세금 폭동이 일어났는데, 이때 감옥이 습격당하고 부유한 상인들의 집이 파괴되었다. 같은 해에 경제 사정이 악화된 피사의 기술공과 노동자 무리가 살벌한 폭동을 계획했다. "그들은 시정부를 움직이는 많은 수의 거물을 어디서 어떤 식으로든 발견하기만 하면 죽였다. 혼자서 하기도 하고 여럿이서 하기도 했다."[41] 대략 비슷한 시기에 남부 프랑스에서 튀생 운동이 시작되었다. 불만을 품은 농촌 노동자들이 "더 이상 보조금(세금을 말한다)의 멍에를 지는 것을 감수하지 않겠다"라고 결정했다.[42] 그들은 사회에서 빠져나와 서약을 한 약탈자 무리를 만들었으며, "스스로를 성직자, 귀족, 상인의 적이라고 선언"했다.

적대적인 역사 기록자들은 공포스러운 튀생의 범죄 이야기를 들려주었다. 존 패트릭이라는 스코틀랜드 사절이 아라곤으로 가던 도중 튀생에게 붙잡혔다고 한다. 붙잡은 자들은 "시뻘겋게 달군 철제 냄비 받침을 그의 머리에 씌워 잔인하게 죽였다." 또 한 사람의 희생자는 로마로 가던 사제였는데, 역시 고문을 당한 끝에 죽었다. "그들은 그의 손가락 끝을 잘라내고, 낫으로 그의 몸에서 살갗을 벗겨냈으며, 그런 뒤에 그를 산 채로 불태웠다."[43]

이런 이야기와 튀생의 공포에 관한 비슷한 이야기가 20년 동안 프랑스 남부에서 떠돌았다. 물론 당시의 어떤 악행도 '튀생'과 연결시킬 수 있었고 빠르게 악명을 퍼뜨리고자 하는 어떤 범죄자, 시위자, 범죄를 저지르는 건달 집단도 자기네의 명성을 높이기 위해 스스로를 튀생이라고 불렀을수 있다(우리가 지금 알카에다나 이라크시리아이슬람국(ISIS) 같은 국제 테러 집단에서 보는 것의 한 변형이다). 진실이야 어떻든, 튀생 운동은 20년 동안 단속적으로 계속되었다. 그리고 그러는 과정에서 이것은 흑사병 시기의 가장 응집되고 광범위한 폭력 반란의 집합체의 서막이 되었다. 그 일은 1378년에서 1382년 사이에 일어났다.

앞서 보았듯이 1370년대에 새로운 전염병 감염이 심각하게 급증했다. 1340년대의 첫 번째 큰 충격 및 이어진 1360년대의 파도를 겪은 이후다. 시대의 불확실성은 이상하고 불가사의한 종류의 예언과 대중적 소문을 만들어냈다. 피렌체에서는 한 탁발수도사가 예언을 해서 악명을 떨쳤다. 1378년에 "신기하고 걱정스러우며 공포스럽고 이상한 일들"이 생길 것이라는 예언이었다.

그 가운데 하나가 "땅속의 벌레들이 사자, 표범, 늑대를 무참하게 잡아

먹을 것"이라는 얘기였다. 이 수도사는 적그리스도가 나타날 것이고, 이슬람교도와 몽골인이 연합해 이탈리아·독일·헝가리를 침공할 것이고, 신이 노아가 방주로 피신했을 때와 맞먹는 홍수를 일으킬 것이고, 부유한 피렌체 시민이 평민과 힘을 합쳐 "모든 압제자와 믿을 수 없는 반역자를 살해"할 것이라고 말했다.[44] 거대한 벌레도 나타나지 않았고, 악마나 홍수도 없었고, 이 탁발수도사는 교황에 의해 투옥되었다. 그러나 대중 반란 문제에 관해서는 그가 완전히 옳았음이 입증되었다.

1378년에 피렌체에서는 촘피(양털깎이) 반란이 시작되었다. 배타적인 소수 노동조합인 아르티라는 조직에서 배제된 기술공들이 비참한 생활을 하는 양모 노동자들과 손잡고 봉기해 시 의회의 통제권을 장악했다. 그들은 혁명정부를 꾸렸고, 그것은 여러 가지 형태로 3년 반 가까이 유지되었다. 그러다가 피렌체의 오래되고 부유한 귀족 가문들이 이끈 반혁명에 의해 결국 붕괴했다.

촘피 반란은 매우 자주 진짜 계급전쟁처럼 보였다(그리고 실제로 그랬다). 그 첫 지도자는 나이 든 야채상이었는데, 그는 정의기正義旗라는 깃발을 흔들었고 "포폴로미누토(서민) 만세!"라는 혁명 구호 외에는 특별한 말을 거의 하지 않았다. 대단한 웅변은 아니었지만 이 말은 피렌체의 사회적 격차를 상징했고, 그 격차는 1370년대에 과거 어느 때보다 더 뚜렷해진 듯했다.

이름이 알려지지 않은 한 피렌체 귀족의 일기에 따르면 촘피 반란 초기 단계에 반란자들이 "시뇨리아 광장에 교수대를 설치했는데, 그들은 그것이 살찐 고양이를 목매다는 곳이라고 말했다." 그리고 이와 동시에 외투를 입은 사람(누구든 살찐 고양이로 생각되는 사람을 알아보는 거친 방법이었다)은 누구든 "재판이나 경고 없이 죽여야 한다"라는 명령을 내렸다.[45] 교수대는 사용되지 않았지만, 그래도 혁명은 폭력적이 되어갔다. 어느 시기에, 1378년 전복된 시 정부에서 일했던 불운한 서기 하나가 거리에서 군중에게 살해되었다. "누군가가 (…) 도끼로 그의 머리를 세게 내리찍어 그를 두 동강 냈다. 그러자 (군중이) 그의 팔을 뜯어내 뇌수가 분출하고 거리에 온통 피가 쏟아져 나왔다. (…) 그러고 나서 그들은 땅바닥에서 그를 끌고 광장에 있는 교수대 밑으로 갔다. 거기서 그들은 그의 발을 묶어 거꾸로 매달았다. 그리고 사람들은 모두 그의 살점을 떼어 자기네 창과 도끼에 꽂고 시내 여기저기를 돌아다녔다. 거리를 행진하고 이어 교외로도 나갔다."⁴⁶

혁명은 그 오랜 기간 내내 유혈이 계속되지는 않았고, 1382년 권력을 되찾은 과두 지배자들은 놀랄 만큼 점잖아서 반란자에게 복수를 하기보다 도시의 단합을 회복하는 쪽을 택했다. 그럼에도 불구하고 피렌체의 서민은 자기네의 권리가 짓밟혔다고 느끼면 어떤 일이 벌어질 수 있는지, 그리고 자기네의 어려움을 알아주지 않으면 어떤 무서운 방법을 동원할 수 있는지를 보여주었다.

그리고 그들만이 아니었다. 프랑스에서는 샤를 5세의 치세 말년에 남부 일대의 도시에서 격렬한 조세 반란이 일어났다. 르퓌, 몽펠리에, 그리고 1379년 혼란이 가장 극심했던 베지에 같은 곳이었다. 1380년, 샤를의 열두 살짜리 아들 샤를 6세가 즉위하자 새로운 항의가 촉발되었다. 이번에는 북쪽의 크고 작은 도시였는데, 대중주의 지향적인 성민城民(burgher, 유복한 시민)과 귀족이 군중과 힘을 합쳤다. 파리 시내와 주변 시골은 격렬한 폭동, 공공건물과 세리에 대한 습격, 유대인과 그 재산에 대한 공격에 휘말렸다. 이후 2년 동안 노르망디의 수도 루앙, 랑, 피카르디 같은 곳에서 세금 폭동이 더 일어났고, 플란데런의 위트레흐트 같은 도시에서도 일어났다. 그리고 1382년 1월, 파리에서 또 폭동이 있었다. 이른바 '대장장이의 반란'이었다. 이때 세금에 반대하는 폭동자들은 "쇠, 강철, 납으로 만든 망치"를 들고 미쳐 날뛰었다. 그들은 망치로 왕국 관리들을 치고 집을 때려 부쉈다.

이 시대를 살았던 한 사람은 이 뜨거운 시기에 왕국 전체가 벼랑 끝에서 흔들거리고 있다고 생각했다. "프랑스 왕국 전역에서 자유에 대한 욕구와 보조금의 멍에를 벗어던지고자 하는 욕망이 불타고 있었다. 타는 듯한 분노가 끓어오르고 있었다."[47] 그는 아마도 옳았을 것이다. 1358년의 자크리는 한 달 이내에 처리되었다. 반면에 1378년에 시작된 일부 반란은 진압하는 데 몇 년이 걸렸다. 그리고 불길이 유럽 전역으로 널리 번지면서, 흑사병 이후 세계에서 평민의 생각과 이익이 고려되어야 하고 그러지 않을 경우 그 후과가 엄청날 수 있음이 정부에 너무도 분명해졌다. 그런 교훈이 가장 분명하게 나타났던 곳은 바로 잉글랜드였다. 1381년 여름에 일어난 반란이 왕국 정부를 굴복 직전의 위험한 상황으로 몰았던 곳이다.

피의 여름

앞서 보았듯이 잉글랜드에서는 국왕 에드워드 3세의 정부가 흑사병의 경제적 영향에 빠르게 대응했다. 임금을 동결하고 유행병이 부유한 지주와 그 소작농의 기본적인 관계를 흔들지 못하게 하려는 노동법을 제정했다. 에드워드의 각료는 이 법을 준수하게 하기 위해 노동위원회를 만들어 불법적인 임금 수취를 조사하고 공급과 수요의 기본적인 시장 기제(우리는 지금 이를 인정하고 있다)로부터 이득을 얻으려는 사람들을 처벌하고자 했다.

위반자에게는 벌금과 징역형이 가해졌다. 유행병의 첫 번째 파도 직후뿐만이 아니라 한 세대 후에도 마찬가지였다.

노동법을 강제하는 것은 공무상의 집착 같은 것이 되었다. 에드워드의 치세가 마감되던 1370년대에 왕국 궁정 업무의 3분의 2 이상이 노동법 위반과 관련된 것이었다.[48] 그리고 노동자를 겨냥한 수단은 이것만이 아니었다. 잉글랜드 농노는 오랜 전통을 지니고 있었고, 농민은 태어나면서부터 땅에 묶였다. 영주에게 강제로 노동을 해주어야 하는 의무가 있고, 결혼과 상속도 그의 허락을 얻어야 했으며, 영주의 땅에서 떠나고 싶어도 그럴 자유가 없었다. 14세기 중반에는 이 제도가 힘을 잃어가고 있었지만, 흑사병 이후 많은 영주가 이를 되살렸다. 많은 귀족이 자기네의 사적인 행정력('장원' 궁정)을 동원해 휘하 농민에게 대가 없이 일하도록 하는 이미 잊힌 옛날의 의무를 강제했다.[49]

촌민은 반격을 시도했다. 법률가를 고용해 '정복자' 윌리엄의 《대심판서大審判書, Domesday Book》†(윌리엄 1세가 조세를 징수할 기반이 되는 토지 현황을 조사해 정리한 토지 대장)를 베끼게 했다. 그 안에 있는 기록을 통해 자기네가 예전에 가졌던 권리에 따라 착취를 면할 수 있음이 입증되기를 바란 것이다.[50] 그러나 헛수고였다.

그러는 동안에 잉글랜드 정부의 표준은 표류하고 있었다. 에드워드 3세는 전성기에 플랜태저넷 왕가 전체의 왕 가운데 가장 훌륭하고 재능 있고 영감이 넘치는 사람 가운데 하나였다. 그러나 1370년대 중반의 그는

---

† 이는 노르만인의 정복 이후 윌리엄의 명령에 따라 착수된 토지, 사람, 권리에 대한 포괄적인 조사였으며, 1086년에 마무리되었다. 흥미롭게도 현대에 이와 비슷한 일이 있었다. 2020년 가을 COVID-19 봉쇄 기간에 영국에서 떠돈 소문이다. 기업 소유자들이 자기네 등록부 표제에 1215년 〈대헌장〉 본문을 올리면 정부의 영업 중지 명령이 면제된다고 서로 이야기했다.

이미 50년 가까이 통치한 상태였다. 육체적으로 노쇠했고 정신이 혼미해졌으며 부패한 궁정에 둘러싸여 있었다. 그들의 타락은 부도덕한 그의 애인 앨리스 페러스로 대표되는 듯했다.

1340~1350년대에 잇달아 커다란 군사적 승리를 안겨주었던 백년전쟁은 이제 가져다주는 것에 비해 들어가는 것이 훨씬 많았다. 그리고 분명한 출구전략도 없었다. 전쟁에 쓰도록 되어 있는 세수도 측근 신하의 금고 속으로 사라지고 있는 듯했다. 프랑스 해적은 잉글랜드의 남부 및 동부 항구들을 괴롭히고 있었다. 1376년 '선의회'는 여러 명의 잉글랜드 궁정 관료를 격렬하게 비난했다.

이듬해에 에드워드가 죽었다. 그의 맏아들은 오늘날 '흑태자黑太子'로 알려진 재능 있는 전사이자 전쟁 영웅이었는데, 이미 죽었다. 이는 잉글랜드의 왕위가 에드워드의 아홉 살짜리 손자인 보르도의 리처드에게 넘어간다는 얘기였다. 이와 비슷한 일은 1380년에 프랑스에서도 일어났다[12세의 샤를 6세가 즉위했다]. 사회가 극도로 불안하고 전쟁으로 피폐해진 상황에서 정권이 바뀌는 큰 변화가 생겼다. 더구나 새 왕은 아이였다. 문제가 모습을 드러내고 있었다.

잉글랜드에서의 반란은 1381년 초여름 템스강 어귀 에식스와 켄트의 여러 마을에서 시작되었다. 유럽의 다른 곳에서도 그랬지만 기폭제는 원성을 듣는 세금이었다. 소년 왕 리처드 2세의 정부는 몇 년 전부터 잉글랜드 주민의 부를 뜯어내는 새로운 방법을 실험하고 있었고, 잇달아 세 가지의 인두세를 부과했다. 모두 매우 원성이 자자했고, 많은 사람이 탈세를 했다.

부활절 무렵에 옥스퍼드셔 비스터 부근에서 일하던 세리 하나가 습격당해 흠씬 두드려 맞았다. 탈세와 함께 이런 종류의 유감스러운 사건을 조사하기 위해 더 많은 사법위원이 시골로 파견됐다. 그러나 이는 상황만 더 악화시켰다. 세리와 감독관의 심각한 비행에 관한 소문이 나돌기 시작했다. 소문에 따르면 관리들은 세금 부과 연령에 도달했는지 알아내기 위해 어린 소녀들의 치마를 들춘다고 했다.

5월 30일, 에식스의 시장 마을 브렌트우드에서 열린 사법 회의에서 세리와 (소문으로 도는) 그들의 방식에 대한 인내심이 무너졌다. 이 회의에 참석하기 위해 읍내에 모인 촌민은 왕국 관리들에게, 자기네는 세금을 낼 수 없다고 말했다. 이들은 분명히 미리 마련된 신호에 따라 관리들을 읍내에서 몰아냈다. 그런 뒤에 템스강 남북의 자기네 친구들에게 똑같이 하라는 전갈을 보냈다. 이 전갈은 산불처럼 퍼졌고, 1381년 6월 첫 주에는 잉글랜드 동남부 전역에 대소동이 벌어졌다.

프랑스에서도 자크리의 난 때 그랬지만 잉글랜드의 1381년 봉기는 사회의 최하층만 참여한 것이 아니었다.† 오히려 중간 계층이라고 할 만한 사람들이 이끌었다. 대체로 기사나 신사가 아니고 치안관과 교구사제 같은 하위 직책을 맡아 일하는 촌락 지도자였다. 한편 하위 참여자는 보통 목수, 석공, 제화공, 피혁공, 방직공 같은 숙련 기술공이었다.[51]

가장 유명한 지도자는 와트 타일러와 존 볼이었다. 타일러는 프랑스에서 벌어진 백년전쟁의 한 원정에 참여했던 듯하고, 볼은 본래 요크셔 출신의 사제로 평등주의 신조를 역설한 오랜 개인적 이력(이로 인해 그는 혹세무민의 죄목으로 캔터베리 감옥에 투옥되었다) 덕분에 권력자에게 잘 알려져 있었다. 봉기 때 타일러는 사실상 켄트와 에식스 반란자들의 우두머리로 활

---

† 잉글랜드의 1381년 봉기를 가리키는 '농민 반란Peasants' Revolt'이라는 말은 19세기에 들어서야 붙여진 이름이었다. 보다 최근의 별명은 의도적으로 중세의 축구장 난동을 연상시키도록 한 '헐링 타임hurling time'이다.

동했고, 볼은 그들의 영적 안내자 노릇을 했다.

6월 초에 테일러와 볼, 그리고 뜻을 같이하는 수천 명의 사람이 템스강을 거슬러 런던으로 행진했다. 그들은 런던에서 불만을 품은 도제 및 노동자와 합류해 미성년자인 리처드 2세 정부의 무능에 대한 항의 시위를 벌일 계획이었다. 그들에게는 동력과 자신감과 머릿수가 있었다. 그리고 감히 그들이 가는 길을 막아서려는 지주는 없었다.

6월 12일 수요일에는 켄트와 에식스의 반란자들이 이미 런던에 가까운 블랙히스에 진을 치고 있었다. 런던 참사회 대표단이 이곳에 와서 그들을 만났다. 그들은 시장 윌리엄 월워스의 전갈을 가지고 왔는데, 더 이상 전진하지 말라는 것이었다. 이 전갈은 무시되었다. 블랙히스에서 볼은 유명한 설교를 했다. 그의 주장은 이 연구聯句에 깔끔하게 요약되었다.

아담이 땅을 파고 하와가 실을 자을 때
도대체 신사가 어디 있었나?

이 과장스러운 질문은 반란을 특징 지웠던 반귀족 정서의 깊이와 함께 예수가 자기네 편이라는 그들의 확신을 보여주었다. 반란자들은 어린 왕 리처드를 순진한 연민의 감정을 가지고 바라보았다. 폭정 자체의 근원이 아니라 부패한 관리들에 붙잡힌 희생자로 본 것이다. 그들은 '리처드왕과 진정한 평민'을 대표하며, 누구라도 왕과 민중 사이에 서면(문자 그대로 또는 비유적으로) 정당한 사냥감이 될 것이라고 주장했다.

6월 13일 목요일 아침, 타일러와 그 일행은 블랙히스에서 로더하이드를 향해 전진했다. 그들의 어린 영웅인 왕과 그의 가장 가까운 자문관 몇 명이 그곳으로 찾아왔다. 그들은 런던탑에서 거룻배를 타고 강을 따라 내려왔다. 그러나 왕 일행은 배에서 내려 반란자들과 협상하려 하지 않았고, 반란자들은 강둑에서 위협적인 장면을 연출했다. 이렇게 대화가 이루어지지 않자 군중은 실망했고, 그들은 앞으로 나아가 템스강 남안에 있는 런던의 큰 교외 서더크를 약탈한 뒤 런던교로 향했다.

남쪽에서 도시를 공격하는 것은 불가능했어야 했다. 다리가 건너는 모든 사람을 막을 수 있었기 때문이다. 그러나 도시 안의 반란 동조자들이 장애물을 치운 것이 치명적이었다. 수만 명의 반란자가 쏟아져 들어왔다. 이틀 반에 걸친 반#조직적인 아수라장은 그렇게 시작되었고, 이 일은 런던 사람의 집단기억 속에 영원히 남게 된다. 감옥 문이 열렸다. 법적 기록이 탈취되어 거리에서 불태워졌다. 왕의 숙부인 곤트의 존의 소유인 런던의 멋진 주거지 사보이궁이 불타 사라졌다. 완전히 난장판이었다.

6월 14일 금요일, 리처드왕은 반란자들에게 대표단을 보내 도시 성문 밖 마일엔드에서 자신과 만나자고 청했다. 그들은 흑사병 이후의 노동법을 사실상 뒤집는 헌장에 대한 요구를 왕에게 제출했다. 농노제를 공식 폐기하고, 지대를 에이커당 4페니로 제한하며, 노동 계약을 정기적으로 협상해야 한다는 것이었다. 리처드는 이 모든 것을 허락했다. 그는 또한 그들이 누구든 반역자를 직접 자신에게 데려오면 자신이 공평하게 처리하겠다고 말했다.

이는 처참한 실수였고, 그것 때문에 인명이 희생되었다. 왕의 약속에 대한 이야기가 시내에 전해지자 이미 거칠어진 시위는 살벌하게 변했다. 반란자들은 런던탑으로 밀고 들어가 그곳에 숨어 있던 국왕자문회의의 최고위 인사 두 명을 붙잡았다. 대법관 겸 캔터베리 대주교 사이먼 서드베리와 국고대신 로버트 헤일스였다. 두 사람은 참수되었고, 그들의 머리는 효수되었다.

도시는 이제 완전히 통제 불능의 상태가 되었고, 혼돈의 와중에 사람들이 더 죽었다. 죽은 사람 가운데는 곤트의 존의 여러 하인(존은 폭동이 일어났을 때 다행히 잉글랜드 북부에 가 있었다), 서더크에 있는 왕국 감옥의 간수, 그리고 특히 비극적인 경우로는 150명가량의 플란데런 상인이 있었다. 상인들은 단지 외국인이라는 이유만으로 학살당했다.

'반역자' 추적은 6월 14일 금요일 밤새 이어졌고 토요일 낮에도 계속되었다. 토요일 오후가 되어서야 반란자들이 술에 취하고 지치고 기력이 다해 시 당국에서 상황을 통제할 수 있게 되었다. 왕은 다시 한번 반란자들과의 만남을 제안했다. 스미스필드로 알려진 런던의 성 밖 오락 경기장이었다. 그러나 이번에는 계획이 있었다.

15일 저녁에 왕이 와트 타일러와 대면했다. 타일러는 마일엔드에서 내놓았던 것보다 더욱 급진적인 요구를 여럿 제시했다. 이제 반란자들은 왕을 제외한 모든 영주를 완전히 없애고 교회의 땅을 전면 몰수해 재분배하라고 요구했다. 그들은 농노제 폐지 요구를 되풀이했다. 이것은 대단한 선언이었다. 혁명의 비전에서 피렌체 촘피 반란의 것보다 훨씬 극단적이었다.

당연하게도 리처드는 이제 모호하게 말했고, 타일러가 신경질적으로 변하자 월워스시장이 나섰다. 그는 이 반란 지도자를 체포하려 했고, 이어 격투가 벌어지고 타일러가 단검에 찔려 치명상을 입었다. 그는 질질 끌려가 인근 세인트바설러뮤 병원에서 죽었고, 대기하고 있던 월워스의 시 민병대가 마침내 투입되어 모여 있는 반란자들을 포위하고 그들을 쫓아냈다. 런던은 구출되었다. 그러나 잠시뿐이었다.

잉글랜드의 봉기는 끝나지 않았다. 런던이 진정되는 그 순간에 혼란은 서남부 서머싯에서 동북부 베벌리까지 온 나라로 확산되었다. 그 상당수는 의도적으로 조직화되었다. 이스트앵글리아와 런던 바로 북쪽 지역은 큰 혼란에 빠졌다. 왕국의 심판관과 세리가 피살되고 재산이 파괴되었다. 케임브리지에서는 도시민과 대학 학자 사이의 숙원이 소요와 대학 건물 습격으로 이어졌다. 노리치에서는 큰 봉기가 일어났고, 요크도 마찬가지였다. 혼란은 몇 주 동안 이어졌고, 나라 곳곳의 반란 사이에는 상당한 정도의 조직화가 진행됐다. 그들은 평등주의 철학을 공유하고, 일반적으로 즐기고 문제를 일으키고 조직을 파괴하는 데 관심이 있었다.

존 볼은 유일하게 7월 중순에 몸을 피했고, 미들랜즈에서 체포될 때까지 그의 지인과 잉글랜드의 다른 반란자들에게 수십 통의 공개편지를 보냈다. 비밀스러운 어조로 그들에게 "신의 이름으로 단결"하고 "강도 호브를 철저히 응징"하라고 촉구하며 "조심하지 않으면 고통이 따른다"라고 경고하는 편지들이었다.[52] 볼은 세인트올번스에서 재판에 회부되었을 때 이런 말들을 썼음을 인정했다. 말할 것도 없이 그는 왕과 국가를 상대로 한 가증스러운 범죄를 저질렀다 해서 유죄 판결을 받았다. 런던 폭동이 끝난 지 정확하게 한 달 뒤인 7월 15일, 볼은 교수되고 내장이 뽑히고 사지가 찢겼다.

이어진 소탕 작전에서 1500명의 반란자가 더 죽었다. 그해 말이 되면 잉글랜드의 봉기는 최종적으로 끝났고, 반동적 복수심이 궁정에 뿌리를 내렸다. 왕과 그 후견인은 이런 종류의 일이 다시 일어나지 않도록 확실히 하기를 원했다. 역사 기록자 토머스 월싱엄에 따르면 열네 살의 리처드는 특히 복수심에 불탔다. 에식스 사람들이 왕에게 사람을 보내 리처드가 마일엔드에서 그들에게 약속한 자유는 어떻게 되었느냐고 공손히 묻자 리처드는 몽골 칸의 고압적인 엄정함을 한껏 드러내며 대답했다.

이런 가증스러운 자들을 봤나? 세상천지 어느 구석에 가더라도 혐오스러운 너희는 영주와 동등해지려고 하니 살 가치가 없다. (…) 너희가 사절이라는 탈을 쓰고 여기 왔는데, 당장 죽이지는 않겠지만 조심해야 할 것이다. (…) 왕이 그러더라고 너희 패거리에게 전하라. 시골뜨기는 여전히 시골뜨기다. 너희는 계속 굴레에 묶여 있을 것이고, 이전과 같은 상태가 아니라 이전보다 더 가혹한 상태일 것이다. 우리가 살아 있고 신의 은총으로 왕국을 통치하는 한 우리는 마음과 힘과 재물을 동원해 너희를 억누르려 노력할 것이기 때문이다. 너희의 혹독한 노역이 후세의 귀감이 되도록 말이다.[53]

월싱엄은 분명히 리처드가 했다는 말에 반란자에 대한 자신의 경멸감을 담뿍 집어넣었다. 하트퍼드셔에서 봉기가 일어났을 때 세인트올번 대수도원의 자기 주거가 심하게 망가진 것이다. 그럼에도 불구하고 근저의 정서는 분명했다. 하층민이 지난 100년 동안 굶주림, 전염병, 끝없는 전쟁, 기후 변화로 얼마나 고생을 했든, 그들이 다시 감히 자기네 분수를 잊고자 한다면 그들은 더욱 잔인하게 처벌되어야 한다는 것이다. 역사 속에서 혁명이 지나친 살상으로 분쇄된 것은 이번이 처음도 아니고 끝도 아니었다. 중세 잉글랜드에서는 이후 70년의 대부분 동안 또 다른 대중 봉기는 일어나지 않았다.

"꺼져라, 반역자들! 꺼져라!"

오늘날의 독자들이 알다시피 반란은 여전히 불쑥불쑥 일어난다. 2011년의 이른바 '아라비아의 봄'은 최근의 한 사례다. 이때 북아프리카와 서아시아 곳곳의 이슬람 국가 주민이 봉기했다. 조금 더 거슬러 올라가자면 1848년의 격변이나 18세기 말의 큰 혁명들(이를 통해 프랑스, 미국, 아이티가 개조되었다)을 떠올릴 수 있다. 1378년에서 1382년 사이에 유럽을 휘어잡은 대중 및 대중주의 반란의 광기도 이 범주에 드는 것으로 보아야 한다. 여러 곳의 많은 사람이 대체로 같은 시기에 거리로 나와 자기네 환경을 바꾸고자 하는 혁명의 '순간'이다. 그들은 서로 다른 지역적 과제에 대응하고 서로 다른 언어로 자유를 외치지만, 그럼에도 불구하고 내용적으로나 역사적으로 서로 연결되어 있다.

물론 14세기 말의 반란자가 자기네가 바란 대로 세상을 바꾸지는 못했다. 와트 타일러는 리처드 2세와 협상했지만, 노력한 보람도 없이 난도질당했다. 촘피는 몇 년 동안 피렌체의 통제권을 장악했지만, 결국 다시 어둠 속으로 사라져갔다. 14세기 말까지 프랑스 남부에서는 여전히 도적이 횡행했지만, 사람들은 더 이상 튀생에 대해 이야기하지 않았다. 가장 엄밀한 의미에서 이들 반란은 모두 실패했다.

그러나 세상은 변하고 있었다. 흑사병 때문에 유럽의 인구는 장기적 조정을 받고 있었고, 그것은 수백 년간 이어지게 된다. 그 결과로 영주와 농민 사이, 도시 지배층과 노동자 사이의 관계는 이전의 중세 표준으로 결코 돌아갈 수 없었다. 도시 경제가 계속 발전하면서 돈이 사회적 책임의 핵심 통용물로 확인되었다. 잉글랜드 같은 왕국에서는 농노가 15세기 초에 거의 사라졌다. 군인은 주종 관계에 따라 그들에게 부과된 의무로서가 아니라 거의 전적으로 고정된 봉급 계약의 약속에 의해 모집되었다. 도시에서는 사람들이 지배자의 세금 요구에 관해 툴툴거렸고, 여전히 반란이 일어났다. 그것이 자기네 목소리를 전달하는 유일한 방법이라고 생각될 때 말이다. 그러나 부유한 지주뿐만 아니라 노동자에게도 세금을 부과하는 것은 더 이상 터무니없는 일이 아니었다. 더구나 세계가 대파멸의 기로에서 흔들거리고 있다는 일반적인 인식이 어느 정도 가라앉았다.

전염병, 전쟁, 기근은 유감스럽게도 여전히 삶의 일반적인 모습이었다. 그러나 14세기가 마감되면서 그것들은 이전과 같은 정도로 강력해 보이지는 않는 듯했다. 따라서 14세기 이후의 중세 사회에서도 봉기와 반역은 여전히 하나의 특색으로 남았지만 그것은 다르게 보이고 다르게 들렸다. 새로운 시대가 오고 있었다.

15세기의 일부 혼란과 반란은 평범한 구식의 사회적 긴장에서 생겨났다. 거의 모든 시대 크고 작은 도시의 자연스러운 모습이다. 흑사병 이후의 세기에 번성한 대학은 특히 도시에서 일어나는 충돌의 주요 근원이었다. 학생과 학자가 도시민과, 또는 그들끼리 충돌했다. 학생 폭동은 적어도 1200년 이래 도시 생활의 특징이었고, 그것은 중세 말과 그보다 훨씬 뒤까지 이어졌다. 프랑스에서는 학자와 관련된 혼란이 1404년 파리와 1408년 오를레앙에서 기록되었다. 이탈리아에서는 1459년 페루자의 학생과 시 정부 사이의 무장 대치가 벌어졌다. 1467년에는 파비아대학에서 반목하던 독일인과 부르군트인 패거리 사이에서 패싸움이 벌어졌다.[54]

1478년 파비아에서는 사회를 상대로 한 이례적인 1인 반란이 일어났다. 베르나르디노라는 학생이 최소 두 명의 소녀를 강간했고, 매춘부를 둘러싼 논쟁을 벌이다 네 남자의 거리 싸움을 일으켰으며, 유곽에서 싸움을 유발하고, 완전무장을 한 채 나타나 사육제를 망가뜨렸으며, 책, 술, 보석류, 심지어 염소 떼를 훔쳤고, 여러 차례 시 세관원과 밤에 싸웠다는 혐의로 기소되었을 때다.[55] (베르나르디노의 숙부는 밀라노 공작이었고, 이로 인해 그는 자신에게 그럴 권리가 있다고 생각한 듯하다.)

그러나 학생이 야기한 혼란은 보통 대학 내부의 정치 공작에 따른 것이거나 학자에게 주어져야 하는 특권 대 다른 모든 사람이 누려야 하는 특권의 충돌의 결과였다. 학자가 보편적인 기성 질서를 뒤집으려 하는 일은 있다 해도 거의 없었다.

중세의 이후 시기에는 다른 반란도 대체로 거의 없었다. 1413년에 파리는 다시 한번 대규모 대중 난동의 발생지가 되었다. 샤를 6세 국왕 재위기에 소용돌이쳤던 지독한 내전 기간에 일어난 것이다. 샤를은 생애의 상당 기간 동안 정신이상 증세가 나타나 고통을 받았고, 이로 인해 자신의 이름을 잊었고 자신이 어떤 존재인지도 몰랐다. 그는 자신이 완전히 유리로 만들어졌다고 생각했으며, 자신의 오물이 깔린 궁전을 벌거벗은 채 뛰어다녔고, 자신의 하인과 가족을 공격했다. 왕의 정신이상 증세가 가장 심할 때 권력을 다툰 파벌은 부르고뉴파와 아르마냐크파로 알려졌는데, 두 파는 모두 자기네의 다툼에 파리 시민과 일반 군중을 끌어들이려 했다.

1413년의 사태 때 시민 수천 명이 무기를 들었다. 봄과 여름의 상당 기간 동안 파리는 아슬아슬한 상황이었고 거리에는 민병이 출현했다. 유명한 도살업자와 정육상 일파가 부르고뉴 공작의 부추김을 받아 도시의 통제권을 장악하고자 했다. '대가리' 시몽으로 알려진 도살업자의 지도자는 정부의 악폐에 맞서기 위한 광범위한 법적 개혁 프로그램을 제시했다.

시몽과 그의 '대가리파'에게 이것은 와트 타일러나 기욤 카를이 꿈으로나 꿀 수 있는 수준의 성공이었다. 그러나 대가리파의 반란은 그 이전 봉기와 현저하게 달랐다. 14세기 말의 반란은 흑사병 이후 세계의 규범을 뒤엎으려 했지만, 그로부터 다시 한 세대 뒤의 반란은 당시의 기존 정치 구조 및 담론 안에 갇혀 있었다. 대가리파는 프랑스 왕국의 바탕을 개조하려 한 것이 아니라 진행되는 논쟁 안에서 그저 큰 목소리로 이야기했을 뿐이었다. 그것들은 기본적으로 사회 운동이 아니라 정치 운동이었고, 바로 프랑스의(더 나아가 유럽의) 가장 강력한 귀족 가운데 하나인 부르고뉴 공작의 강력한 지원을 받았다. 한 역사 기록자가 썼듯이 도살업자는 "정부를 빼앗고자 하는 (…) 공작의 부추김을 받았다."[56] 그들은 성격상 폭력적이었던 듯한 경기 속의 정치적 선수였지만, 서로가 동의한 규칙에 따라 경기를 했다.

1450년 잉글랜드에서도 마찬가지였다. 이때 1381년 봉기의 온상 가운데 하나였던 켄트에서 반란이 일어났다. 잭 케이드의 반란으로 알려진 이것은 피비린내 나고 무시무시한 폭력 분출이었으며, 이때 동남부 출신의 반란자들은 69년 전 와트 타일러 및 존 볼의 반란과 놀랍도록 비슷한 과정을 따랐다.

프랑스가 침공하리라는 극심한 공포 속에서, 그리고 잉글랜드가 장미 전쟁으로 알려진 오랜 내전의 첫 산통을 겪고 있을 때 해안 방어를 위해 이미 민병대로 소집된 보통 사람들이 (아마도 서퍽 출신이었던 듯한 카리스마 있는 선장인) 케이드의 지도 아래 봉기했다.[57] 그들은 국왕 헨리 6세 주변의 무능한 정부에 항의해 템스강을 거슬러 올라 블랙히스로 향하며 이런 후렴구의 노래를 불렀다. "꺼져라, 반역자들! 꺼져라!"

이 반란자들은 수도에 도착해 서더크를 공격하고 런던교를 통해 시내로 들어가 시 청사 바깥에서 인민재판을 열었다. 왕국 정부의 문제 인사들이 재판에 넘겨졌다. 국고대신인 세이앤드셀 남작 제임스 파인스는 참수되었다. 켄트에서는 귀족인 험프리 스태퍼드가 이끄는 군대가 매복 공격을 받고 험프리가 살해되었다. (아무리 좋을 때에도 겁쟁이였던) 왕은 봉기 초기에 재빨리 런던을 빠져나가 비교적 안전한 미들랜즈로 갔고, 런던에는 그의 아내 마르그리트 왕비가 남아 7월 5일과 6일 반란자와 시 민병대 사이에 벌어진 전투를 지켜보았다.

케이드는 결국 붙잡혀 참수되고 사지가 찢겼지만, 런던과 잉글랜드 남부는 나머지 여름과 가을에 들어서까지 여전히 뜨거웠다. 그것은 15세기에 잉글랜드에서 일어난 최악의 대중 반란이었으며, 당시 정부를 뿌리째 뒤흔들었다.

그러나 케이드의 반란은 파리 '대가리파'의 봉기와 마찬가지로 잉글랜드의 이전의 큰 폭동과 상당한 차이가 있었다. 1381년의 타일러와 볼은 밑바닥부터 다시 건설할 수 있는 세계를 상상했던 데 반해, 케이드의 반란은 덜 이상주의적이고 더 현실적인 야심이 있는 정치 프로그램을 제시했다. 그들은 적시된 관리들의 특정한 비리들에 불만을 제기하고 켄트와 주변 지역의 왕정에 대해 상세한 개혁을 요구하는 공식적인 '조항 목록'을 작성했다. 그들은 정부를 왕의 재당숙인 "고귀하신 군주 요크 공작"이 맡아야 한다고 요구하고, 국왕은 전쟁을 하는 시기에 왕국 회계의 수지를 맞추기 위한 목적으로 귀족과 신하에게 선물로 주었던 모든 땅을 회수하라고 제안했다.[58]

그들은 농노제가 폐지된 땅이라는 이상향을 외치지 않았다. 이유는 간단했다. 농노제는 이미 저절로 없어졌기 때문이다. 케이드의 반란에서 나온 불평은 잉글랜드의 여러 문제에 대해 대담하고 일방적이지만 근거가 있는 비판으로, 이제 정치적 과정을 난폭하게 다루기보다 거기에 완전히 참여하고 있는 계층의 사람들로부터 온 것이었다. 그들은 세계가 흑사병 시기의 고통으로부터 정확하게 얼마나 멀리 이동했는지를 보여주었다.

대기근과 흑사병을 겪었다고 해서 세상이 모두 반란자 천지가 되는 것은 아니었다. 그러나 14세기 후반 일어난 대중 반란 및 대중주의 반란은 틀림없이 이 시기의 이런 대재난이 중세 사회를 뒤흔든 몇몇 방식의 전조였다.

위계는 맹렬한 도전을 받았다. (내전이든 대외 전쟁이든) 전쟁으로 인한 파괴는 단지 인간 존재의 고역의 하나로 받아들여지지 않았고, 사람이 자기네가 감당할 수 있는 것 이상의 불행을 당하고 있다고 생각하면 그들은 봉기해 자기네의 목소리를 들려주려 노력했다. 그렇지 않으면 전쟁의 혼란스러운 상황을, 더 나은 상황을 만들어내기 위한 자기네 운동을 시작하는 도약대로 삼았다. 그러나 흑사병 이후 반란 사태가 가장 요란했던 국면이 사그라드는 데는 오랜 시간이 걸리지 않았고, 보다 정교하고 발전된 형태의 하층민 반란이 표준으로 자리 잡게 되었다.

물론 이와 동시에 서방 지배층은 반항적인 하층민의 잠재적인 힘에 주의하면서 그들을 자기네의 목적에 맞게 끌고 가고자 노력했다. 앞에서 본 사례에 더해, 이는 1462~1472년 카탈루냐 내전에서 특히 분명했다. 파제소스 데레멘사pagesos de remença로 알려진 예속된 노동자의 반란이 아라곤 왕 추안 2세와 왕권을 제한하고자 하는 카탈루냐 귀족 사이의 투쟁에 겹쳐졌다.[59] 서방이 다시 1358~1382년에 일어난 것과 같은 범위와 성격의 또 다른 대규모 반란을 경험하게 되는 것은 16세기에 들어서였다. 그것이 1524~1525년의 독일농민전쟁이다. 그 배경에는 인구 구조 붕괴의 외상효과外傷效果가 아니라 종교개혁이라는 형태로 서방 곳곳에서 터진 종교 혁명이 있었다(16장 참조).

물론 개신교는 전혀 다른 문제였지만, 우리가 중세 말로 가면서 곧 살펴보게 되는 문제다. 그러나 그러기에 앞서 이제 흑사병 이후의 중세 세계 전역에 불어닥쳤던 더 광범위한 변화를 살펴봐야 한다. 중세의 마지막 150년은 단순히 정치적 혼란과 대중 소요로 특징지을 수 없기 때문이다.

이 시기는 그와 함께 예술, 문학, 철학, 시, 건축, 금융, 도시계획 분야에서 혁명이 일어난 시기이기도 했다. 페스트균의 맹공으로부터 살아남은 세계는 갑자기 새로운 사상, 발견, 기술로 넘쳐났다. 그 가운데 일부는 고전기의 것이 되살아났고, 어떤 것은 새로이 발명되었다.

14세기에 시작되고 15세기에 꽃피운 것이 문예부흥이었다. 아름다움과 천재성과 발명과 영감의 시대였지만, 배에는 때가 끼었고 발톱 아래에는 피가 묻은 시대이기도 했다. 이제 살펴볼 것은 이 재탄생과 갱신의 영광스럽고 위험한 시기다.

14장

쇄신자들

❀

시인이 더 행복했던 시대가 있었다.
— 페트라르카, 시인이자 인본주의자

1431년 예수 탄생 기념일 직전 주에 거대한 피렌체 산타마리아 델피오레 대성당에서 프란체스코 필렐포라는 학자가 단테의 시에 대해 강연을 했다. 기품 있는 피렌체인 수백 명이 들으러 왔다. 그들이 모인 대성당은 떠들썩한 수리 작업을 하는 도중이었다. 동쪽 끝에는 브루넬레스키의 거대한 두오모(대성당)가 함께 만들어지고 있었으며, 그것이 공식적으로 마무리되려면 아직 5년이나 남아 있었지만 그것은 시에 최고의 위업이 될 터였다.

필렐포는 어느 모로 보나 그 아래서 강연하기에 어울리는 인물이었다. 그는 당시의 가장 흥미로운 사상가 가운데 한 사람이었다. 그는 파비아에서 교육받았으며, 불과 열여덟의 나이에 베네치아에서 예술을 가르치는 자리에 임명되었다. 그런 뒤에 그는 세계를 여행하고 여러 언어를 습득하며 게걸스럽게 책을 읽고 스스로 정치에 뛰어들었다. 그는 콘스탄티노폴리스에서 그리스어를 배우고 오스만 제국(15장 참조)으로 알려진 떠오르는 이슬람 초강대국의 술탄 무라드 2세의 궁정에서 외교관으로 일했으며, 이어 헝가리왕 지그몬드와 폴란드왕 브와디스와프 2세에게 보내는 사절 자리를 꿰찼다.

그는 그리스계인 황제의 친척 테오도라와 결혼하고 다시 이탈리아에 정착해 학자로서의 이력을 이어갔으며, 1420년대 말에 피렌체로 이주했다. 그곳에서 필렐포는 수사학을 가르치고 고전 시를 번역했으며 새로 설립된 대학(스투디오Studio로 알려졌다)에서 강의를 하며 고대 그리스 및 로마 작가에 대해 설명했다.[1] 일요일이나 기타 기독교 축일에는 대중을 상대로 단테에 대해 열변을 토했다.

그는 매력적인 인물이었을 것이다. 영리하고 거침없고 말이 분명하고 지적 자만심이 있고 개인적으로 날카로우며 돈에 집착했다. 필렐포는 여자를 쫓아다니는 데 열심이어서 스스로 고환 세 개를 달고 태어났다고 으스댔다. 그는 남과 쉽게 척을 졌다. 특히 다른 학자와 그랬다. 그들 중 어떤 사람은 그를 "역겹다"라고 했다.[2] 그러나 필렐포가 이야기하면 온 도시 사람이 경청했다.[3]

단테는 엄청나게 대중적인 주제였다. 이 위인은 110년 전에 죽었고, 피렌체에서 말 그대로 반신半神으로 생각되었다. 그의 무덤은 사실 라벤나에 있었다. 흑당과 백당 사이의 전쟁 와중에 고향 도시에서 추방된 뒤 그곳에서 살았다. 그럼에도 불구하고 단테의 작품, 특히 《신곡》(원제는 《희극》)에 대해 이야기하는 것은 피렌체 지식인이 가장 즐기는 오락이었다.

《신곡》은 근엄한 라틴어가 아니라 춤추는 듯하고 뒤얽힌 테르차리마(삼운구법三韻句法)†의 이탈리아어 시행으로 지옥, 연옥, 천국을 생생하게 그려냈다. 그뿐 아니라 그것은 멀고 가까운 역사 속의 유명한 남자와 여자에 대한 가벼운 묘사로 그득하다. 그들은 시인의 펜 끝 심판에 따라 선고를 받고 끔찍한 고통을 당하거나 천국의 즐거움을 누렸다. 따라서 《신곡》(그리고 그에 대한 주석)은 당대에 상당한 적절성이 인정되었으며, 문제를 일으킬 가능성도 많았다. 단테의 여러 가지 주제를 이어받았거나 그와 연관된 것이 피렌체 상류사회에서 활발하게 이야기되었고, 이 시는 그들의 자아상, 그들의 세계관, 그들의 복닥거림과 밀접하게 연관되어 있었다. 유명한 피렌체인이 단테 해석이라는 매개체를 통해 칭송되고 비판되고 심지어 대놓고 비방될 수 있었다. 따라서 문학의 대가가(특히 걸쭉한 입담을 지닌 사람이) 도시의 상징적인 성당에서 단테에 대해 이야기한다면 그의 말은 중요할 수밖에 없었다.

1431년 12월에 필렐포는 그저 단테에 관해 텍스트 판단만 내린 것이 아니었다. 그는 또한 이 기회를 이용해 마흔두 살의 은행가 코시모 데메디치가 이끄는 이 도시의 한 파벌을 비판했다.

코시모는 11년 전 자신의 아버지로부터 메디치 은행의 운영권을 물려받은 이후 메디치에서 가장 돈 많고 가장 힘센 사람 가운데 하나가 되었다. 그는 루카와 밀라노 같은 인근 도시국가와의 전쟁을 기획하고 자금을 대는 데 깊숙이 개입하고 있었다. 그는 본능적이고 기민한 운영자로, 배후

---

† 단테와 뗄 수 없이 연결되어 있고 이탈리아인에게 가장 잘 어울리는 테르차리마는 운韻이 서로 교대하며 이어져 나가는 구조다. 패턴은 'ABA, BCB, CDC, DED…'로 이어지며, 통상 운을 맞춘 마지막 2행 연구聯句로 나아간다. 단테는 테르차리마에 맞춰 작업한 것으로 알려진 최초의 주요 시인이며, 그것은 중세와 그 이후까지 큰 인기를 끌었다. 영어에는 완전히 적합한 것은 아니지만(영어는 이탈리아어보다 운을 맞출 수 있는 단어가 적다), 이런 형태는 제프리 초서, 튜더 시대 시인 토머스 와이엇, 존 밀턴 등과 조지 바이런, 퍼시 셸리, 앨프리드 테니슨 같은 19세기의 많은 낭만주의 작가도 사용했다. 그것이 정신적으로 20세기 및 21세기의 보다 말을 교묘하게 사용하는 랩 가수, 즉 노토리어스 비아이지, 제이지, 로린 힐, 에미넴, 엠에프 둠, 켄드릭 라마 등등에게 영향을 주었다는 강력한 주장이 있다. 그러나 나는 아직 곡 전체에 엄격한 테르차라마를 구사한 랩 가수의 사례를 발견하지 못했다.

에서 정치를 조종하는 데 전문가였다. 그러나 모두가 그를 좋아하는 것은 아니었다. 특히 또 하나의 피렌체 갑부 리날도 델리알비치와 필렐포의 후원자 가운데 한 사람인 팔라 스트로치가 이끄는 보수적인 과두 파벌과는 사이가 나빴다.

필렐포는 대성당에서 강연하는 과정에서 자신이 어느 편에 서 있는지를 분명히 했다. 그는 약간 우회적으로 메디치 일파가 "무식"하며 자신을 시샘하고 단테에 대해 아무것도 모른다고 주장했다. 그는 그들이 자신을 "증오와 박해"의 표적으로 삼았으며 그 학년도에 있었던 자신을 대학 교직에서 영구히 제거하려는 시도의 배후에 있다고 비난했다.[4] 이것은 싸우자는 말이었다. 그리고 그것은 필렐포에게 돌아와 그를 괴롭히게 된다.

코시모의 지도 아래 메디치 가문은 성장을 시작했다. 피렌체의 패권을 잡았을 뿐만 아니라 왕실에 버금가는 지위로 올라섰다. 그 아들들은 교황과 대공이 되고, 그 딸들은 왕비가 된다. 그들 권력의 정점이 오려면 아직 시간이 좀 필요하지만(16세기 전반이 되어야 한다), 그래도 그들은 거스르기에는 위험한 사람들이었다.

메디치가는 도시 곳곳에 사업체를 가지고 있는 큰 씨족으로, '아미치'(친구들)로 알려진 피렌체인의 연결망의 중심에 있었다. 그 문중 사람에는 권력자와 은행가도 있었고, 소매점주와 일반 가난뱅이도 있었다.[5] 이 연결망은 온갖 종류의 일에 동원될 수 있었다. 고상한 일도, 음험한 일도 가능했다. 메디치가와 사이가 틀어지는 것은 적을 많이 만든다는 얘기였다. 그들은 하고자 마음먹는다면 누군가에게 정말로 큰 해를 끼칠 수 있었다.

필렐포는 1433년 5월에 아미치의 음험한 힘을 맛보았다. 이것은 그가 메디치가와 그 일파에게 말폭탄을 던지기 시작한 지 거의 1년 반 뒤, 화가 아직 풀리기 전의 일이었다. 어느 날 아침 필렐포는 아르노 강변의 보르고 산야코포에서 길을 걷고 있었다. 스투디오로 일하러 가는 길이었다. 필리포라는 자객이 와서 말을 걸었고, 자객은 외투에서 칼을 꺼내 그를 찔렀다. 필렐포는 주먹을 쥐고 막아보려 했지만, 그는 서생이지 싸움꾼이 아니었다. 공격은 치명적인 것이 아니었지만(아마도 계획이 그랬을 것이다), 피가 많이 났다. 칼날의 "무서운 공격" 한 방으로 공격자는 "깊숙이 찔러 넣었을 뿐만 아니라 내 오른쪽 뺨과 코를 거의 잘라내"는 데 성공했다고 그는 나중에 썼다.[6] 그런 뒤에 그 폭력배는 달아났다.

필렐포는 처음의 충격과 고통에서 회복되었지만, 볼썽사나운 상처가 영원히 남았다. 코시모는 공식적으로는 이 범죄와 전혀 연결되지 않았다. 대신에 필렐포의 스투디오 동료 하나가 시 당국에 의해 재판에 넘겨졌고, 고문을 당한 끝에 자신이 필리포에게 돈을 주고 그 짓을 시켰다고 인정했다. 그러나 필렐포는 메디치가의 수장이 그 뒤에 숨어 있다고 확신했다.

필렐포는 피습을 당하고 몇 달 동안 코시모와 그의 친구들을 향해 욕을 퍼부었다. 1433년 정치적 사건들이 메디치가에 불리하게 돌아가자(코시모가 자기네 은행에서 최대의 이득을 보기 위해 피렌체가 루카와의 전쟁을 수행하는 데서 조작을 했다는 혐의로 비난을 받았고 거기에 몇 가지 근거가 있었다) 필렐포는 환호했다. 그는 반역죄로 공식 기소하기를 공개적으로 요구했다. 그러면 코시모를 사형에 처할 수 있었다. 그러나 그는 시 당국을 설득하는 데 실패했다. 코시모는 전쟁 부당이득과 관련된 범죄로 유죄가 입증되었지만 그저 베네치아로 추방되는 데 그쳤고, 거기서 빠른 권좌 복귀를 획책했다.

1434년 그가 피렌체로 돌아오자 필렐포는 게임이 끝났음을 알았다. 이제 이 도시에서 떠나야 할 사람은 그였다. 이것이 결코 그의 이력의 끝은 아니었다. 그는 계속해서 밀라노 공작들, 그리고 잠깐이지만 교황 식스투스 4세(타락하고 부패한 사람이지만 열렬한 예술 후원자였다) 아래서 좋은 자리를 누렸다. 교수와 궁정 시인으로 일했으며, 유럽 군주들에게 오스만 제국을 처리하기 위해 대규모 십자군의 장관을 되살리자고 촉구하는 소책자를 지칠 줄 모르고 써냈다.

그러나 그는 1430년대 코시모를 거슬러 얻은 신체, 명예, 감정상의 상처를 지니고 살았다. 1436년에 그는 스스로 자객을 고용해 메디치가의 두령을 죽이고자 했다. 계획은 실패했고, 그것은 필렐포가 이룬 모든 명성과 상류층 연줄에도 불구하고 거의 50년 동안 피렌체에 받아들여지지 못할 것임을 확인하는 역할만 했다.

1481년이 되어서야 코시모의 손자인 '장엄자' 로렌초가 그를 다시 불러 대학에서 그리스어 교수가 되도록 했다. 그러나 이제 필렐포는 여든세 살이었다. 단테의 도시에서 두 번째로 얻은 자리에 거의 앉을 틈도 없었다. 그는 도착 직후 이질에 걸려 2주가 되기 전에 죽었다.

그는 재미있고 다양한 자리를 누렸다. 그 대부분의 기간 동안 그는 서부 지중해 최고의 그리스어 학자였다. 그러나 자신의 독설 때문에 외모를 희생해야 했고 목숨도 잃을 뻔했다. 필렐포의 사고방식대로, 그는 자신의 원칙을 고수하고 그 때문에 고생한 사람이었다. 그는 한때 이렇게 썼다. "나는 부끄러움을 알기 때문에 기생충이 될 수 없다. 그리고 나는 아첨하고 알랑거리는 법을 배운 적이 없고, 무조건 복종하는 법도 배운 적이 없다."[7] 남들은 이를 다르게 보았다. 당대의 한 지식인은 건조한 어조로 이렇게 썼다. "그의 기지는 날렵하다. 그러나 그는 거기에 질서를 잡아줄 줄을 모른다."[8]

오늘날 프란체스코 필렐포는 중세 말 서방 전역에서 흥성했던 이례적인 지적 세계와 예술 세계를 생각하면서 가장 먼저 떠올리는 사람 가운데 들어 있지 않다. 옳든 그르든 그의 천재성과 학문은 그가 그의 당대 일부 사람(특히 시각예술 쪽 사람)의 마음을 사로잡았던 것처럼 현대 대중의 마음을 사로잡지는 못했다.

지금 이 시대의 슈퍼스타는 레오나르도 다빈치와 산드로 보티첼리, 브루넬레스키와 미켈란젤로, 라파엘로와 티치아노, 피코델라미란돌라와 마키아벨리, 얀 판에이크와 로히르 판더르베이던과 알브레히트 뒤러 같은 사람들이었다. 필렐포는 이런 1급 인물에 들지 않으며, 어쩌면 2급에도 들지 못할지 모른다. 그러나 그의 덜 알려진 이야기에 이 시대의 본질을 요약하는 무언가가 있다.

14세기 말부터 먼저 이탈리아에서, 그리고 곧이어 알프스산맥 너머의 북유럽에서 '문예부흥'으로 알려진 문화 운동이 활기를 띠었다. 문예부흥(이를 가리키는 프랑스어 'Renaissance'의 문자적 의미는 '재탄생'이다)은 창조적인 사람들이 문학, 예술, 건축에 대한 새로운(또는 잊어버렸던) 접근법을 발견한 시기였다. 여기서 정치철학, 자연과학, 의학, 해부학의 새로운 이론도 솟아 나왔다.

문예부흥에서는 고대 그리스 및 로마 문화의 영광에 대한 관심이 되살아나고 강렬해졌으며, 회화와 조각에서 기법이 빠르게 진보했고, 교육과 치국 같은 일에 관한 새로운 생각이 전파되었다. 거대한 공공미술이 거리 풍경을 바꾸었다. 초상화법이 정치가에게 새로운 선전 도구를 제공했다. 문예부흥은 여러 세대에 걸쳐 진행되고 발전했다. 가장 길게 잡은 역사 분석에서는 그것이 17세기 초에도 여전히 진행되고 있는 것으로 보았다. 결정적으로, 맨 처음부터 이 시기를 살았던 사람 가운데 일부는 그들이 새로운 시대에 살고 있음을 알고 있었다.

그것을 가장 먼저 이야기한 사람 가운데 하나가 레오나르도 브루니였다. 그는 대작 《피렌체인의 역사(Historiarum Florentini populi)》를 썼다. 이 책에서 그는 5세기 서로마 제국 붕괴를 커다란 한 시기의 종말로 보고 15세기 초 자신의 시대를 문명으로 돌아가는 긴 과정의 정점으로 간주했다.[9] 이런 생각은 중세의 범위에 대한 우리의 인식을 여전히 뒷받침한다. 바로 이 책 같은 책들이 보여주는 범위다.

문예부흥은 천재성과 천재가 풀려난 시기였다. 그러나 창작자만큼이나 후원자도 중요했다. 미술과 발명은 돈, 권력, 군주의 야망과 긴밀하게 엮여 있었다. 똑똑하고 창조적인 사람은 자기네가 하고자 하는 일에 돈을 대줄 부자에게로 몰려들었다. 힘센 사람은 예술가를 지원해 자기네의 아취와 자기네 도시의 세련미를 자랑했다. 따라서 모든 필렐포에게는 저마다의 코시모가 있었다. 여러 코시모는 대략 비슷한 방식으로 필렐포들을 울리고 웃길 수 있었다.

수백 년 동안 사람들은 문예부흥을 되돌아보고 그것을 획기적인 문화적 전환으로 받아들였다. 중세와 근대의 경계로 본 것이다. 그러나 오늘날 일부 역사가들은 이 용어를 마뜩잖게 생각한다. 그 이전 시기에 창조나 어떤 사상의 변화가 없었음을 암시한다는 이유에서다. 또 어떤 사람들은 '문예부흥'이라는 용어를 조금 더 이른 중세의 다른 시기에 적용해 새롭게 정의함으로써 물타기를 하고자 했다. 이 책에서도 여기까지 오는 도중에 '12세기 문예부흥'을 이야기한 바 있다(11장 참조).

좋다. 그러나 '문예부흥'이라는 말을 좋아하든 싫어하든, 특히 15세기에 문화적·지적 노력이 고조되었음을 부인하는 사람은 용감하거나 어리석은 사람이라는 사실만은 분명하다. 여기서 인류 역사상 가장 유명한 미술 및 문학 작품 일부가 만들어졌다. 거물급(때로는 오히려 지저분하기도 했지만) 고객의 후원을 받아서다. 따라서 중세 말 예술 및 인본주의 폭발과 이를 뒷받침한 때로 피비린내 나는 속임수를 살펴보면서 생각해야 할 것은 바로 이 시대다.

첫 번째 인본주의자

필렐포가 코시모 데메디치와 사이가 틀어지기 104년 전인 1327년 예수 수난 기념일, 젊은 시인이자 외교관인 프란체스코 페트라르카는 교황이 있는 도시 아비뇽의 교회에 갔다. 그가 나중에 사정을 이야기했듯이, 그가 '로라'라는 여성을 처음 만난 것이 바로 그곳이었다. 기독교의 1년 가운데 가장 엄숙한 날에 말이다. 이 여성은 아마도 귀족인 위그 드사드 백작과 갓 결혼한 로라 드노브였을 것이다(그러나 확실치는 않다).

로라 드노브는 열일곱 살로 사춘기를 채 벗어나지 못한 상태였다. 14세기에는 그런 나이에 신부가 되는 일이 흔했다. 여섯 살 위의 페트라르카는 이 여성에게 매혹되었다. 이 끌림은 부분적으로 신체적인 것이었다. 피렌체의 로렌초 도서관에 소장된 로라 드노브의 사후(그리고 상상이 가미된) 초상화는 한 예쁜 여성의 모습을 보여준다. 코는 가늘고 우아하며, 크게 굴곡진 눈썹 아래 둥근 눈이 있고, 입과 턱은 작다.

그러나 로라의 신체적 아름다움이 전부는 아니었다. 페트라르카는 로라의 "사랑스러운 눈빛"이 반짝이자 "사랑, 행동, 말에 관한 생각"이 일어났다고 썼다.[10] 그 직후 시작된 순결하고 정신적인 관계 속에서 로라는 그의 시적 영감의 원천이 되었다. 페트라르카의 긴 생애와 로라의 짧은 생애 동안 그는 로라에 관한, 그리고 로라에게 바치는 수백 편의 시를 쓴다.†

단테와 마찬가지로 페트라르카는 자신의 최고의 시 대부분을 라틴어가 아니라 이탈리아어로 썼다. 그는 또한 소네토라는 14행의 운문 형식을 완성했다. 페트라르카는 소네토를 창조하지 않았다. 그것이 분명하게 '발명'된 것이라면 그것은 13세기 초 프리드리히(페데리코) 호엔슈타우펜의 시칠리아 궁정에서 왔다. 그러나 페트라르카는 이것의 틀을 만들고 숙달했다. 지금 이탈리아 시의 중심이 '페트라르카 소네토'일 정도다. 영국 시의 중심이 '셰익스피어 소네트'이듯이 말이다.[11]

페트라르카의 소네토의(그리고 다른 초기 시의) 주제는 한 여성에 대한 이루기 어려운 낭만적인 사랑으로 그치는 것이 아니었다. 그는 또한 로라에 대한 애모를 인생 자체의 신비, 쾌락, 슬픔을 탐구하기 위한 도약대로 삼았다. 서방에서 거의 1000년 동안 이 주제들을 논의하는 데 사용된 표준적인 틀은 예수와 그의 수난에 대한 명상이었다. 이제 페트라르카가 전통적인 모델을 완전히 뒤집었다.

그는 의문의 여지 없이 독실한 기독교도였다. 사실 그는 공식적으로 성직자였다. 그러나 그는 이 개인에게서 숭고함을 발견했다. 다른 것이 아니었다. 그는 한 사람의 정서적이고 내적인 삶에 무한한 의미와 고등 진리를 드러내는 힘을 집어넣었다. 모든 것은 여전히 신에게 되돌아갔다. 그러나 그 경로는 완전히 달랐다. 그리고 페트라르카의 접근법은 문예부흥의 성과를 추동한 인본주의로 알려진 지배적인 심미철학 및 윤리학의 핵심에 놓이게 된다. 미래 세대는 그를 첫 번째 인본주의자로 보았다.

14세기에 페트라르카가 유명해지는 데는 그리 많은 시간이 걸리지 않

---

† 요즘 개념으로 페트라르카는 어느 정도 스토커라고 생각할 수 있다. 아첨과 집착의 경계는 언제나 뚜렷하지 않고 넘나들었다. 시인에게는 특히 그랬다.

았다. 그는 아름다운 글을 썼고, 열심히 편지를 썼으며, 여행벽을 억누를 수 없었다. 그는 10대 시절, 차분히 앉아서 법률가 공부를 하라는 아버지의 조언을 거부했다. 자신이 나날들을 볼로냐의 책상에 앉아 법적 소송 제기 업무를 하기보다는 세상을 돌아다니고 책을 읽고 글을 쓰면서 보내기를 원한다는 사실을 이미 알았기 때문이다.

그리고 그는 로라를 처음 만난 이후의 시기에 이 방랑벽에 탐닉했다. 1330년대에 그는 프랑스, 독일 제국, 플란데런 등 라허란던의 도시를 돌아다니며 내내 자문할 학자와 고전기 자료를 베낀 필사본을 볼 수 있는 도서관을 살펴보았다. 그는 자신의 소유인 집과 가장 비슷한 곳에 자주 갔다. 아비뇽 동쪽 30킬로미터에 있는 한 계곡에 숨겨진 보클뤼즈라는 외딴 마을이었다. 그러나 그는 거기에 완전히 정착하지는 않았다. 온갖 자연의 장관과 거대한 건물과 책이 있는 세상은 억누를 수 없는 영감의 원천이었다.

1337년 그는 로마를 찾았고, 이 제국의 수도를 돌아다니면서 로마-카르타고 전쟁 이야기에 푹 빠졌다. 이 이후 그는 〈아프리카〉라는 장편 서사시를 (이탈리아어가 아닌 라틴어로) 쓰기 시작했다. 카르타고의 한니발이 결국 스키피오 아프리카누스에게 패배하는 서기전 218~서기전 201년의 2차 로마-카르타고 전쟁을 이야기한 것이다. 〈아프리카〉는 결국 아홉 권짜리, 7000행 가까이나 되었다. 다만 페트라르카는 그것이 완성되었다고 생각한 적이 없었고, 살아 있을 때는 그것이 널리 유포되는 것을 허락하려 하지 않았다.[12]

머지않아 그의 명성이 커졌다. 이에 따라 힘센 친구도 많아졌다. 그는 생애 전반기에 조반니 콜론나 추기경을 위해 일했다. 그는 힘센 로마 귀족 가문의 일원이었고, 페트라르카는 한 소네토에서 그를 "명예로운 콜론나!"[13]라고 묘사했다. 페트라르카는 이후 늘 상층부에서 놀았다. 그의 가장 유명한 후원자 가운데 하나가 나폴리왕 로베르토 당조(재위 1309~1343)였다. 로베르토는 이탈리아의 걸출한 지배자가 되겠다는 야망을 품었으며, 당시의 일급 예술가 및 작가와 연결해 힘을 과시하는 일의 가치를 잘 알고 있었다.

로베르토는 1341년 페트라르카에게 매력적인 제안을 했다. 로마로 와서 계관시인이 되라는 것이었다. 그의 탁월함을 인정하기 위해 특별히 되살린 옛 칭호였다. 페트라르카는 이를 받아들였고, 다만 알랑거리는 조건을 붙였다. 왕궁에서 사흘 동안 로베르토왕으로부터 구술시험을 보아 자신이 자격이 있음을 입증하겠다는 것이었다. 로베르토는 매우 기뻐했고, 그를 시험에서 통과시켜주었다.

페트라르카는 1341년 부활절에 카피톨리누스 언덕에서 월계관을 썼다. 이것은 여러 의미가 있는 의식이었다. '우릅스 아이테르나'(영원한 도시) 로마의 폐허는 옛 세계의 붕괴와 임박한 고대 정신의 부활 모두를 암시했다.[14] 페트라르카는 자신의 대관 연설에서 로마인에게 절절한 찬사를 보냈다. 그는 루카누스를 인용하며 "시인의 임무는 성스럽고 위대하다"라고 청중에게 말했다.

시인이 더 행복했던 시대, 그들이 가장 큰 존경을 받았던 시대가 있었습니다. 처음엔 그리스였고, 이어 이탈리아였습니다. 특히 카이사르 아우구스투스가 제국을 통치하던 시대입니다. 그의 치세에 탁월한 시인이 많이 배출되었습니다. 베르길리우스, 바리우스, 오비디우스, 호라티우스, 기타 많은 사람이었습니다. (…) 그러나 오늘날에는 여러분도 잘 아시다시피 이 모든 것이 변했습니다.[15]

시는 평가절하되었다고 그는 주장했다. 그러나 시인은 자기네의 말을 통해 신학자가 기독교 성서에서 캐는 그 어떤 것보다도 깊은 진리를 드러낼 수 있었다. 독자가 인식할 수 있다면 말이다.

시인은 허구라는 덮개 아래서 물리적·도덕적·역사적 진실을 제시했습니다. (…) 한편의 시인과 다른 한편의 역사가나 윤리학자나 자연과학자 사이의 차이는 구름 낀 하늘과 맑은 하늘 사이의 차이나 마찬가지입니다. 두 경우 모두 보는 사물에는 똑같은 빛이 존재하지만 관찰자의 능력에 따라 인식되는 정도가 다른 것이기 때문입니다.[16]

페트라르카의 통렬한 운문 옹호와 예술이 신을 찾아내는 렌즈라는 그의 더 폭넓은 주장은 1340년대에는 감동적이고 도발적인 것이었다. 그의 통찰이 서방 전역의 작가, 예술가, 사상가에 의해 완전히 해독되려면 200년의 시간이 더 필요했다. 그러나 그의 대관 연설은 결국 전체 문예부흥의 선언으로 간주되기에 이른다.[17]

로마에서 거행된 페트라르카의 대관 이후 그의 삶은 지금 와서 보면 문예부흥이라는 새로운 지적·문화적 세계의 표본으로 읽을 수 있다. 앞서 보았듯이 페트라르카는 1348년의 흑사병에서 살아남았지만, 그가 사랑한 로라나 그의 여러 친구는 그러지 못했다(13장 참조). 그는 나이가 들어가면서 더 외로워졌고 더 신앙심이 깊어졌다. 1350년에 그는 세속적 즐거움을 가능한 한 많이 버리고 명상과 연구라는 보다 은둔적인 생활에 전념하기로 결심했다.

그러나 중세의 가장 위대한 인물이 모두 그렇듯이 페트라르카는 스스로 기독교 사상에 몰두하는 것이 반드시 고전을 버린다는 의미는 아님을 인식했다. 그는 자신의 여행과 노력을 통해 유럽 최대 수준의 개인 장서를 모았다. 그 가운데는 수백 년 동안 읽히지 않았던 글도 있었다. 드러나지 않고 있던 키케로의 개인 서한 같은 것인데, 그는 이를 베로나에서 발견했다.

페트라르카는 또한 자신이 쓴 글을 정리하는 데도 공을 들였다. 그는 자신의 소네토를 이탈리아어로 《칸초니에레》('노래책')로 알려진 모음으로 정리했고, 여러 해에 걸쳐 보카치오 같은 친구들에게 보낸 편지를 모았으며, 《개선》이라는 야심 찬 서정시집 작업을 꾸준히 진행했다. 이것은 사랑, 순결, 죽음, 명성, 시간, 영원 등 여섯 개의 대주제로 정리되었다. 그리고 인간 생명의 유한하고 영적인 행로를 내세에 이르기까지 죽 그려냈다. 《개선》은 거기서 다루는 거창한 생각, 고통·분투·찬양에 대한 생생한 묘사, 구약에 나오는 족장으로부터 술탄 살라훗딘 같은 가까운 시기의 인물에 이르는 유명인이 나오는 여러 명장면 등으로 인해 중세 말에 매우 인기가 있었고, (때로는 화려한 그림이 들어 있는) 많은 사본이 만들어졌다.

페트라르카가 《개선》의 원본을 완성하는 데는 20년 가까운 시간이 걸렸고, 그는 이를 1370년대 초에야 끝마쳤다. 이때는 그가 이탈리아에 살고 있었고, 그는 자신의 시간을 파도바와 아르쿠아라는 인근의 조용한 시골에서 나누어 보냈다. 그는 교황 궁정과 여전히 가깝게 지냈으며, 그곳에서 통치하는 모든 교황을 지지한 것은 아니지만 교황청이 1367년 아비뇽의 이른바 '바빌론 억류'를 끝내고 로마로 귀환하기 시작하자 기쁨을 드러냈다.† 그러나 유감스럽게도 그는 교황청이 로마로 완전히 복귀하는 것을

---

† 아비뇽 교황 시대는 클레멘스 5세 때인 1309년 시작되었다. 1367년 교황 우르바누스 5세는 로마로 돌아갔지만 1370년 떠나지 않을 수 없었다. 6년 뒤 고레고리우스 11세는 영구히 로마로 돌아갔지만, 교회는 이때 분열로 쪼개졌고 이런 상황은 1417년까지 계속되었다. 16장 참조.

보지 못하고 죽었다. 1374년 그의 70회 생일 전날인 7월 19일 책상 앞에서 죽었기 때문이다.

그는 잠자는 듯한 모습으로 발견되었다고 하며, 그의 머리는 베르길리우스의 사본 위에 놓여 있었다. 베르길리우스는 통상 단테와 가장 가깝게 연결되었고(지금도 그렇다), 단테는 페트라르카보다 한 세대 전 사람이었다. 그러나 그것은 상관없었다. 단테와 페트라르카는 모두 14세기 최고의 이탈리아 작가였다. 그들은 많은 존경을 받는 고전기 선조들과 대등했으며, 문예부흥기의 여러 위대한 예술가 및 작가가 그 어깨에 올라타게 되는 거인이었다.

페트라르카가 죽은 지 500년쯤 뒤에 그의 삶을 돌아본 야콥 부르크하르트라는 스위스의 학자는 문예부흥이 '시작'된 정확한 순간을 콕 집어낼 수 있다고 생각했다. 그 순간은 바로 1326년 4월 26일 토요일이었다. 젊은 페트라르카와 그의 동생 게라르도가 보클뤼즈에서 그리 멀지 않은 방투산을 오르기로 결정했을 때다.

이 산은 해발 2000미터 가까이 되며, 오늘날 투르 드프랑스 사이클 경기의 도로 가운데 가장 오르기 어려운 곳 가운데 하나로 유명하다. 페트라르카 자신에 따르면 그는 어렸을 때부터 이 산에 오르는 것을 꿈꿨다. 그 꼭대기에서 무엇이 보이는지 알고 싶어서였다. 그 산이 "바위투성이고 거의 접근할 수 없는 벼랑이 있는 깎아지른 산"이라는 사실이나 나이 든 양치기의 포기하라는 구체적인 경고도 형제를 단념시킬 수는 없었다. 그래서 그들은 올라갔다.[18]

분명히 등반은 끔찍했다. 그러나 그들은 끝까지 밀어붙였다. 그리고 올라가고 내려오는 힘든 과정 속에서 페트라르카는 아우구스티누스 성인의 저작에 관해 명상했다. 그 일은 종교적 계시의 근원으로서 자기성찰과 육체적 노력의 중요성을 알게 해주었다고 그는 나중에 썼다. 사람들은 "안에서 찾을 수 있는 것을 밖으로 찾으러 나간다." 부르크하르트에 따르면 이 성찰과, 자연을 그 자체로 경험한다는 단순한 목적을 가지고 산을 오른다는 생각은 페트라르카의 시대 이전에는 그 누구에게도 떠오르지 않았다. 두 개념이 그 이후의 세대에게는 완전히 정상으로 보이는 것과 똑같이 말이다.[19] 이것이 페트라르카를 특별하게 만들었다고 부르크하르트는 주장했다.

오늘날 문예부흥이 언제 시작되었느냐에 관한 부르크하르트의 판단에 동의하는 사람은 많지 않을 것이다. 그렇지만 1374년 페트라르카가 죽은 뒤에 훌륭한 문학 작품이 쏟아졌음은 부정할 수 없고, 그것은 서방의 여러 나라에서 느낄 수 있었다.

1375년에 죽은 보카치오가 그의 《데카메론》을 그 20년 전에 끝마쳤다. 잉글랜드에서는 열렬한 이탈리아광 제프리 초서가 1387년 무렵에 그의 《캔터베리 이야기》를 시작해 1400년 그가 죽을 때까지 작업을 했다. (초서는 또한 페트라르카의 시를 영어로 번역하고 그의 라틴어 이야기 가운데 하나인 《그리셀다(Griselda)》를 《서생의 이야기(The Clerk's Tale)》로 번안했다.)

프랑스에서는 베네치아 태생의 시인이자 역사가로서 궁정에 출입했던 크리스틴 드피장(크리스티나 다피차노)이 '광인' 샤를 6세의 프랑스 궁정의 스타로서 명성을 떨쳤다. 이곳에서 드피장은 트로야에서 기원한 새롭고도 놀라운 이야기를 프랑크인을 위해 풀어냈고, 아마도 최초의 여성주의 역사라 할 수 있는 《여자의 도시(La Cité des dames)》를 썼다. 프랑스 토착어로 된 역사 속 위대한 여성들의 삶과 행적에 대한 개설서다.

크리스틴 드피장이 이 책을 완성하고 20년 뒤에 레오나르도 브루니와 필렐포가 이탈리아에서 활동했다. 그로부터 오래 지나지 않아(아마도 1440년대에) 도나텔로가 유명한 그의 〈다비드〉 청동상을 조각했다. 일반적으로 중세의 첫 자연주의 남성 나체 조각으로 받아들여지고 있는 작품이다.

이 모든 것이 페트라르카가 한 것은 아니다. 직접적으로든 간접적으로든 말이다. 그러나 합쳐놓고 보면 이것은 대단한 장면이다.

우리는 곧 이탈리아로 돌아갈 것이다. 그러나 그러기 전에 15세기 초 또 하나의 활기찬 예술 및 창작 혁신의 중심지를 살펴봐야 한다. 알프스산맥 북쪽의 부르고뉴에 있는 곳이다. 부르고뉴 공국은 사라진 같은 이름의 왕국(그러나 번역어에서 왕국은 게르만계 부르군트인의 이름을 살린 '부르군트 왕국'으로, 공국은 프랑스화한 이름인 '부르고뉴 공국'으로 익숙한 표기에 차이가 있다)의 후계 국가다. 왕국은 6세기에 프랑크인의 국가에 합쳐졌다. 이 공국은 자주의식이 강한 15세기 공작들이 속한 가문의 지도 아래 레망호 북안에서 플란데런의 북해 해안까지 이르렀다.

그 지배자들은 자기네가 다른 상황이었다면 공작이 아니라 제대로 된 군주인 왕이었으리라는 사실을 잊지 않았고, 가능한 모든 방법으로 이를 강조하고자 했다. 그들은 잉글랜드와 프랑스 사이의 백년전쟁 마지막 국면에서 강력한 중재자 역할을 했다. 그들은 십자가를 들고 오스만에 맞선 십자군으로 싸웠다. 그러나 그들은 또한 예술과 예술가에 대한 너그럽고 아낌없는 후원자였고, 15세기에 공국 궁정은 유럽 각지에서 온 창조적인 천재들의 집결지가 되었다.

좋은 것, 나쁜 것, 사랑스러운 것

1434~1435년 서북 유럽의 겨울은 혹독하게 추웠다. 잉글랜드에서는 템

스강이 그 어귀까지 얼어붙었다. 스코틀랜드 전역에서는 얼음이 아주 두껍게 얼어 몇 주 동안 계속해서 물레방아 바퀴를 돌리지 못하는 바람에 밀가루와 빵의 품귀 현상이 벌어지는 곳이 많았다.

그리고 플란데런의 아라스에서는 넉 달 동안 쉬지 않고 눈이 내려 사람들이 신화적이거나 초자연적인 존재, 정치적·역사적 인물의 형상으로 정교한 눈사람을 만들어 세웠다. 한 거리에는 에페소스의 '잠자는 일곱 성자'〔로마의 데키우스 황제 시절 기독교 박해를 피해 암굴에 들어가 200년간 잠을 잔 후 깨어나 보니 로마가 기독교화되었더라는 7인의 귀족)가 만들어져 있었다. 또 다른 거리에는 서리가 덮인 해골들이 당스마카브르(으스스한 춤)를 추며 흉측하게 뛰놀고 있었다. 당제Danger라는 우화적인 인물은 프티마르셰(작은 시장)의 입구를 지켰다. 그리고 이 모든 것의 한가운데에 한 여자 눈사람이 남자 눈사람 전사의 소부대를 이끌고 있었다.[20] 이 여성은 잔 다르크였고, 눈에 갇힌 거리를 종종걸음으로 지나가는 모든 보행자가 쉽게 알아볼 수 있었다.

지난 10년의 짧은 기간 동안 (동부 프랑스 부르고뉴 영토의 한가운데에 있는) 동레미 출신의 시골 처녀 잔은 유럽에서 가장 유명한 여성이었다. 잔이 열세 살쯤이던 1425년, 대천사들이 찾아와 왕위에 오르지 못한, 죽은 샤를 6세의 아들이자 상속자(도팽(왕태자)으로만 알려졌다)를 찾아내 그가 잉글랜드군을 프랑스에서 몰아낼 수 있도록 도우라고 말했다. 잉글랜드는 프랑스를 침략해 이 나라 북부의 상당 부분을 점령하고 있었다.†

---

† 이 지점에서 프랑스 국가와 백년전쟁에 대해 간단히 요약해볼 필요가 있겠다. 앞서 말했듯이 (13장 참조) 길고 험난한 샤를 6세(재위 1380~1422)의 치세에 프랑스는 아르마냐크파와 부르고뉴파로 알려진 경쟁하는 두 진영으로 갈라졌다. 이 정치적 분열을 틈타 잉글랜드의 헨리 5세(재위 1413~1422)가 침공해 아쟁쿠르 전투(1415년 10월 25일)에서 아르마냐크파 프랑스군을 물리치고 나아가 노르망디와 왕국 북부의 상당 부분을 정복했다. 트루아 조약(1420)으로 프랑스는 헨리와 그

놀랍게도 잔은 자신의 임무를 완수했고, 이제 열일곱 살쯤이 된 1420년 대 말에는 잉글랜드에 대한 반격에 나선 도팽의 군대와 함께 진군했다. 잔은 때로 남자 갑옷을 입었고, 비록 직접 전투에 나서지는 않았지만 신이 자기네 편이라는 멋진 상상을 제공했다. 어디를 가든 승리를 고무하는 것처럼 보였다. 1429년, 고전했던 오를레앙 포위전에서 승리를 거두었을 때 잔은 깃발을 들고 프랑스 군대와 함께 있었다. 이듬해에는 빛나는 갑옷을 입고 깃발을 든 채 자신의 주군 도팽이 랭스 대성당에서 샤를 7세로 즉위하는 데 참석했다.[21]

그러나 1430년 5월, 잔은 콩피에뉴 포위전에서 포로가 되었다. 그리고 아라스로 이송되어 수감되었다. 잔을 잡은 사람은 콩피에뉴에서 잉글랜드 편이 되어서 싸웠던 장 드뤽상부르라는 귀족이었다. 그는 잉글랜드의 가장 중요한 동맹자인 부르고뉴 공작 '선량인' 필리프에게 충성을 바쳐야 했고, 공작의 중개에 따라 잔 다르크를 잉글랜드에 팔아넘겼다.

1년 뒤에 잔은 교회 재판에서 이단으로 판정되어 루앙에서 화형에 처해졌다. 부르고뉴 공작은 잔이 처형당할 때 그 도시에 없었다. 그는 잔이 감옥에 있을 때 한 번 만났지만, 둘 사이에 무슨 이야기를 나누었는지는 밝히지 않았고 이 연약한 여자를 팔아넘기는 일을 중개한 데 대해 죄책감 (사람들이 결국 잔을 죽이리라는 것을 그는 틀림없이 알았을 것이다)을 드러내지

상속자가 샤를 6세의 적법한 계승자임을 인정했다. 잉글랜드와 프랑스 왕위를 결합한다는 백년전쟁의 최종 목표를 사실상 확보한 것이다. 이에 따라 샤를 6세의 맏아들(도팽)은 상속권을 빼앗겼다. 그는 아르마냐크파 쪽에 서 있었다. 이 모든 것은 부르고뉴파가 잉글랜드를 돕지 않았다면 이루어질 수 없었을 것이다. 1430년대 초에는 헨리 5세와 샤를 6세가 모두 죽었고, 형식상 헨리의 어린 아들 헨리 6세가 양쪽 모두를 승계했다. 프랑스는 사실상 셋으로 갈라졌다. 잉글랜드가 지배하는 북쪽 지역, 아르마냐크파의 남쪽 지역, 부르고뉴파 지역(부르고뉴와 플란데런을 포함하는 라허란던까지)이다. 강성한 이 세 세력 가운데 어느 둘이 동맹하더라도 나머지 하나는 매우 불리한 입장에 처할 수밖에 없었다.

않았다.

그리고 나중에 밝혀졌듯이 공작은 그의 동맹자인 잉글랜드의 충성심을 그다지 걱정하지도 않았다. 실제로 아라스에 죽은 잔의 눈 조각상이 만들어지던 1434~1435년의 추운 겨울에 '선량인' 필리프는 잉글랜드와 완전히 결별할 준비를 하고 있었다. 마침내 눈이 녹고 반년 뒤인 1435년 9월, 필리프는 샤를 7세와 아라스 조약에 합의했다. 그는 프랑스 안에서의 잉글랜드 지원을 모두 철회하고 어린 잉글랜드왕 헨리 6세가 스스로를 프랑스왕이라 칭하는 것을 거부했으며, 잉글랜드에 매우 적대적인 세력 연합 (스코틀랜드와 카스티야 왕국 등이 포함되었다)에 합류했다.

그것은 놀라운 일격이었고, 이후 잉글랜드의 대의명분은 회복되지 못했다. 그것은 결국 백년전쟁에서 잉글랜드의 마지막 패배로 이어졌다. 1453년의 카스티용 전투다. 따라서 아라스 조약은 중·단기적으로 부르고뉴 공작이 유럽 무대에서 힘을 발휘할 수 있음을 강력하게 과시한 것이었다.

외교사가들과 군사사가들은 아라스 조약의 조항과 결과를 분석하는 데 많은 시간을 들였다. 여기서 그것을 살펴볼 필요는 없다. 중요한 것은 '선량인' 필리프가 훌륭한 공작 가문의 훌륭한 공작이었다는 것이다. 그러나 그의 야망은 왕이 되는 것이었다. 그는 훌륭한 군주가 하는 일 가운데 하나가 전투에서 정치적 능력과 용맹을 보여주는 것임을 인식했으며, 자신이 유럽 왕국 사이에 벌어진 끝없는 외교전에서 진정한 강자로 인정받고 있다고 확신했다.

그러나 그는 권력을 파악하는 것이 사절이나 군대를 가지는 것을 훨씬 뛰어넘는 일임을 잘 알고 있었다. 그것은 또한 겉치레이자 고상한 행사와 관련된 문제였다. 따라서 '선량인' 필리프가 1430년대에 스스로를 단순한 권력 중개자 이상으로 조심스럽게 위치를 잡은 것은 결코 우연이 아니었다. 그는 또한 유럽 최고의 예술 후원자 역할을 차지해가고 있었다. 그는 자신의 주위에 눈부신 창작자 집단을 거느리고 있었다. 그들의 노력은 이 활기찬 공작의 통치가 왕국의 그것임을 입증했다. 그들 가운데 가장 뛰어난 사람은 얀 판에이크였다. 그는 생존 시에도 서방 미술의 흐름을 완전히 바꾸었다는 평가를 받았던 화가였다.

아라스 조약이 맺어지던 시기에 판에이크는 50대 중반이었고, 필리프의 가까운 상담역이자 친구 가운데 하나였다.

그는 아마도 마세이크(현대의 벨기에)에서 1390년 무렵 태어났다. 그에게는 휘버르트라는 이름의 형이 하나 있었던 듯한데, 그 역시 화가였다. 그리고 미술사가들은 얀의 작품이라는 것 가운데 실제로는 휘버르트가 그린 것이 얼마나 되는지를 놓고 오랜 논쟁을 벌였다. 분명한 사실은 둘 가운데 얀이 한 단계 높은 대가였다는 점이다.

젊은 시절 얀 판에이크는 플란데런과 라허란던 곳곳을 돌아다니며 기교를 연마했고, 리에주와 헨트(현대의 벨기에)에서 살았다. 그는 처음에는 상당히 전통적이고 고딕 양식의 영향을 받은 종교적 장면들을 그렸다. 기독교 복음서에 나오는 여러 가지 사건 속의 예수와 동정녀 마리아의 모습을 보여주는 것이었다.

1420년대 초에 그의 후원자는 주교에서 귀족으로 변신한 '냉혈한' 요한이라는 사람이었다. 요한의 별명은 1408년 리에주에서 일어난 반란을 진압할 때 그가 반란자를 한 사람도 남기지 않고 죽여 얻은 것이다. 이 불쾌한 학살을 그와 함께 저지른 것이 다름 아닌 '선량인' 필리프의 아버지 '무외자無畏者' 장이었다. 그러나 1425년에는 이미 '무외자' 장이나 '냉혈한'

요한이 모두 살해된 뒤였다(장은 다리 위에서 맞아 죽었고, 요한은 독이 묻은 기도서로 암살당했다). 이에 따라 필리프는 플란데런 안팎에서 두각을 나타내는 인물이 되었고, 판에이크는 자연스럽게 그의 휘하로 들어갔다. 그해 봄부터 그는 필리프의 시종이자 (공작의 궁정 소속이지만 그 밖에서는 자유롭게 활동하도록 허용되는) 일종의 반자유 화가로서 100파리리브르라는 상당한 액수의 봉급을 받았다. 이 역할은 그에게 꼭 맞았다.

1425년 얀 판에이크가 들어간 공작의 궁정은 활기차고 과시적이며 때로는 상스러운 곳이었다. 판에이크와 비슷한 또래였던 필리프는 매력적이고 카리스마가 있는 인물이었다. 한 역사 기록자의 말에 따르면 그는 키가 크고 홀쭉했으며, 온몸의 핏줄이 튀어나와 있었다. 그는 가족 특유의 매부리코를 물려받았고, 햇볕에 그을린 듯한 얼굴에 "화가 나면 뿔처럼 쑥 튀어나오는 짙은 눈썹"을 하고 있었다.[22] 판에이크의 동시대 대가 로히르 판데르베이던이 그린 초상화를 보면 이 묘사를 확인할 수 있다. 이것은 또한 공작이 "옷을 말쑥하지만 화려하게 차려입었다"라는 역사 기록자의 주장도 뒷받침한다. 판데르베이던이 그린 초상화에서 필리프는 사치스러운 검은색 겉옷을 입고, 자신이 소속한 황금양모기사단의 멋진 보석이 박힌 목걸이에, 머리에는 크고 검은 두건 같은 머리장식을 하고 있다.

판에이크는 이 매력적인 귀족이 전통적인 경건함과 사치의 과잉을 함께 지니고 있음을 금세 알아차렸을 것이다. 공작은 매일 미사에 참석했지만, (아침이 아니라) 오후 두 시에서 세 시 사이에 할 수 있도록 교황의 특별 허가를 얻었다. 그가 밤에 잔치를 열어 술을 마시고 춤추며 모임을 갖는 것을 좋아했기 때문이다. 때로는 새벽까지 이어지기도 했다. 따라서 그는 아주 늦게 일어났고, 공식 방문자도 그가 전날의 즐거움을 떨쳐버리기 위한 잠에 아직 빠져 있을 때 오면 되돌아가야 했다.[23] 그는 흠잡을 데가 없을 만큼 예의범절을 차렸고, 특히 여자에게는 더했다. 자신이 대하는 사람이 언제나 각자의 집에서는 진짜 지배자여서 그들을 기쁘게 할 필요가 있기 때문이었다. 그러나 그는 세 명의 아내에 더해 20~33명의 애인을 두었고, 최소 11명의 사생아를 낳았다.

공작은 또한 매우 비현실적이고 심지어 야단스러운 유머 감각이 있었다. 그는 사적인 편지를 끝맺을 때 "안녕, 똥아"라는 구절을 썼다. 그리고 판에이크의 궁정 동료 미술가 하나에게 1000파운드를 주고 자신의 에댕성에 있는 방들에 장난치기와 골려주기 시설을 설치하게 했다. 지나가는 신하에게 물을 뿜는 조각상, "잘 빠져나가는 모든 사람의 머리와 어깨를 때리는" 출입구의 권투 장갑 장치, 바닥에 숨겨 위로 숙녀의 치마에 물을 분사하게 하는 장치가 있었다. 그 밖에 말하는 목조 은자隱者가 있는 방, 방문자에게 천장에서 가짜 뇌우를 뿌리는 기계, 가짜 바닥이 있는 가짜 비가림막(비를 피하러 들어온 사람이 커다란 깃털 자루 속에 빠지게 된다)도 있었다.[24]

이런 장치는 공작의 익살스럽고 약간 잔인한 구석을 이야기해준다. 그러나 이들은 또한 발명과 예술성에 대한 공작의 한없는 애호에서 솟아 나온 것이었다. 그는 태피스트리, 정교하게 장식한 성스러운 제의祭衣, 보석으로 장식한 성인 유골함, 아름답게 채색한 필사본 등에 돈을 썼다.[25] 그는 자신의 시대 이탈리아 이외 지역의 어느 지배자보다 더 대규모로 음악가, 화가, 금 세공사, 작가, 기타 기술공을 고용했다. 그가 소장한 보석들을 조사하는 데만도 사흘이 걸린다고 그 관리자가 말했다.[26] 그리고 물론 그는 판에이크를 고용했다. 판에이크는 그의 후원 아래 재능을 꽃피워, 16세기 작가 조르조 바사리가 말한 대로 미술의 연금술사가 되었다. 그가 바로 유화를 사실상 발명한 사람이었다.[27]

판에이크가 모든 시간을 필리프 공작과 보낸 것은 아니었다. 그가 맺은 계약은 그가 궁정에 살도록 요구하지 않는 것이었고, 그는 자신의 화실에서 일할 수 있었다. 필리프도 가끔 그곳에 들렀다. 그러나 그들은 여러 중요한 순간에 함께 있었다. 판에이크의 일은 필리프의 정치적 야망과 연결되어 있었고, 공작이 그를 깊이 신뢰했기 때문이다.

판에이크는 처음 고용될 때부터 민감한 임무를 띤 사절로서 외교관으로 활동했다. 1426년에 그는 공작의 기록에 '순례'로 등록된 임무를 띠고 파견되었다. 아마도 아라곤에 가서 국왕 알폰소 5세에게 결혼동맹에 관해 알아보고 신붓감들의 초상화를 보내오는 조용한 사실 조사 임무였을 것이다.[28] 그는 1428년 포르투갈로 가는 이런 종류의 비밀 임무에 분명히 참여했다. 이 여행을 통해 서른 살의 포르투갈 인판타(공주) 이자벨을 필리프의 세 번째 아내로 맞아들일 수 있었다. 판에이크는 포르투갈 궁정에서 아마도 인판타를 그린 두 폭의 화폭 초상화를 그렸을 것이다. 그것은 부르고뉴로 보내져 공작이 공주를 마음에 들어 하는지의 여부를 결정하도록 해야 했다. 분명히 판에이크는 일을 잘 해냈다. 두 사람은 결국 결혼을 하게 되었기 때문이다.

그리고 그는 일을 잘한 덕에 두둑한 가외의 보수를 챙겼을 뿐만 아니라 필리프의 우정과 존경도 얻어냈다. 아라스 조약이 맺어지던 1435년에 필리프는 판에이크와 그 아내 마르가레타의 첫 아이의 대부가 되었다. 그리고 이 화가의 봉급을 700퍼센트 올렸다. 필리프는 어안이 벙벙해진 회계 담당자에게 이 인상이 아주 합당하다고 말했다. "우리가 그렇게 좋아하면서도 미술과 과학에 뛰어난 사람은 다시 찾을 수 없을 것"[29]이기 때문이었다. 그것이 붓을 잡은 사람의 힘이었다.

그리고 틀림없이 필리프의 지원을 확보한 판에이크는 이 단계에서 자신의 재능의 정점에 도달했다. 런던 국립미술관에 걸려 있는 자화상인 듯한 그림은 약간 근엄한 표정의 중년 남성이 복잡하고 붉은 머리장식을 하고 있는 모습이다. 이것은 분명히 실감 나는 유화 솜씨다. 명암을 사용해 긴장된 피부, 모델 얼굴의 주름살, 그의 눈의 반짝임을 두드러지게 해서 놀라움을 안겼다.

그의 시대에 이는 혁명적인 것이었다. 판에이크가 성년이 되었을 때는 대부분의 중세 미술을 특징 지웠던 평면적이고 이상화 또는 우상화된 형태의 인간 초상화가, 깊이와 풍부한 색채가 넘치는 이 훨씬 실감 나는 작업 양식에 밀려나기 시작하던 순간이었다. 페트라르카가 시를 사용해 영혼에 불을 밝혔듯이, 15세기의 화가는 초상화를 통해 내면의 진실(개인의 본질)을 포착하고자 했다. 1430년대에 판에이크는 모든 작품을 통해 이런 추세를 한 차원 끌어올리고 있었다.

판에이크의 재능의 상당 부분은 그의 예리한 눈길, 그의 이례적인 붓놀림, 그의 색채 배치에 대한 이해, 그의 사소한 세부에 대한 사랑, 그의 비길 데 없는 손과 눈의 협업에 있었다. 그러나 그는 또한 기법상의 도약도 이루었다. 판에이크는 유화물감을 다른 정유精油로 희석해 매우 부드럽고 연한 전색제展色劑를 만들어내는 방법을 발견했고, 그것이 미술가로 하여금 얼굴에 난 털 하나, 작은 여드름, 망가진 모세혈관, 튼 입술을 그려낼 수 있게 했다.

판에이크는 이제 보석의 순간적인 반짝임을 완벽하게 표현할 수 있었다. 빛이 옷의 주름을 따라 떨어지는 모습을 그대로 그릴 수 있게 되었다. 달의 분화구를 포착할 수 있게 되었다. 먼 하늘에서 날개를 펴는 제비의 모습을 포착할 수 있었고, 우아하게 늘어진 붓꽃의 꽃잎에 햇빛이 떨어지는 모습을 정확하게 묘사할 수 있었다. 기사의 피 묻은 판갑板甲의 곡면에 반사되는 햇빛의 차가운 공포를 재현할 수 있었고, 동시에 기사 눈 속의 무정해진 공허한 시선을 포착할 수 있었다.

판에이크의 동시대인인 이탈리아의 인본주의 작가 바르톨로메오 파치오가 그를 그 시대의 가장 걸출한 화가라 부르고 그의 작품을 문학과 함께 심원한 예술 형태, 걸출한 부류에 속한 사람의 작품으로 간주되어야 마땅하다고 주장한 것은 충분한 이유가 있었다.[30] 판에이크는 그야말로 기법의 천재였다. 그리고 1430년대에 그는 자신의 시대의 걸작 회화 두 점을 완성했다.

1432년에 판에이크는 헨트(현대의 벨기에) 신트바보 대성당의 20폭짜리 제단화祭壇畫를 완성했다. '폴립티크'(여러 개의 판자에 양면으로 작업을 한 것)로 알려진 〈헨트 제단화〉는 얀의 형 휘버르트와의 합작품으로 시작되었을 것이다. 그러나 누가 어느 부분을 맡았느냐 하는 학구적인 역사 논쟁은 작품 전체가 훌륭함으로 인해 의미를 잃었다.†

그 한가운데에는 〈신의 어린양에 대한 경배〉로 알려진 판자가 있다. 천사, 주교, 성인, 왕, 왕비, 숙녀, 군인, 상인, 은자가 제단 주위에 모여 있고, 제단 위에는 신의 어린양이 서 있다. 양은 가슴에서 피를 흘리고 있으며, 그 피는 황금 성배로 들어간다. 그 위 판자들에는 보좌에 앉은 장엄한 모습의 예수가 있고, 양옆에는 동정녀 마리아와 세례자 요한이 있고, 노래를 부르며 악기를 연주하는 천사들이 있다.

제단화의 양쪽 '날개'에는 아담과 하와가 서 있다. 벌거벗었지만 무화과 나뭇잎으로 가렸고, 하와는 수줍어하면서 그러나 불충분하게 음모를

---

† 〈헨트 제단화〉는 최근 멋지게 복구되었다. 이전 몇 차례 복구에서 했던 덧칠과 광택제를 벗겨냈다. 오늘날 이것은 1432년 판에이크가 완성해 수백 년 동안 유지되었던 모습에 아주 가까운 상태가 되었다.

가리려 애쓰고 있다. 이는 때로 알려진 중세의 첫 음모 묘사로 지적되기도 한다.

폴립티크의 뒤쪽 판자(경첩이 달린 제단화를 접어놓았을 때 보이는 부분)에 판에이크는 수태고지受胎告知 장면, 세례자 요한과 복음사가 요한의 모습, 제단화를 처음 주문한 헨트시장 요스 페이트와 그 아내 엘리사베트의 모습을 그렸다.

판에이크는 〈헨트 제단화〉를 완성하고 조금 뒤에 또 하나의 매우 다른 걸작을 만들었다. 〈아르놀피니 부부 초상화〉다. 이것은 루카와 브뤼허 사이에서 장사하던 이탈리아 직물상 조반니 아르놀피니와 그의 젊은 아내를 그린 것이다.

이 부부는 서로 손을 잡은 채 양초 하나를 밝힌 침실에 서 있다. 그들의 신은 바닥에 흩어져 있고, 까부는 갈색의 작은 애완견이 그들의 발 사이에서 자세를 취하고 있다. 아름답지만 약간 으스스하게, 벽에 걸린 거울은 방에 다른 두 사람이 화가가 있으리라고 짐작되는 곳에 서 있는 모습을 보여준다. 거울을 통해 방은 휘어지고 길어져 그림에서 깊숙한 곳의 외형을 축소하고 있다. 그것은 수직으로 달리는 초상화의 다른 모든 주요 선의 방향과 어긋나 있다. 그림에 나타나 있는 기하학적 전문성과 현미경으로나 보아야 할 듯한 세부에 대한 예리한 관심을 떠나서 〈아르놀피니 부부 초상화〉는 인본주의 미술의 걸작이다. 상인의 사시는 그 눈을 제대로 바라볼 수 없게 하며, 나이와 출신 성분이 다른 듯한 두 동반자를 짓누르는 시간의 무게는 그들의 얼굴 표정에 분명하게 나타나 있다.

〈헨트 제단화〉와 〈아르놀피니 부부 초상화〉는 판에이크가 그의 시대 최고의 완성된 화가임을 입증하고 있다. 흥미롭게도 둘 중 어느 것도 '선량인' 필리프가 주문한 것이 아니다. 판에이크에게 많은 돈을 안겨준 그 후원자 말이다. 하지만 이것들은 역시 그 궁정과 연결되어 있었다. 헨트는 부르고뉴 궁정의 통제를 받는 도시였고, 이 도시의 자랑은 다시 공작에게로 돌려졌다. 한편 아르놀피니는 1420년대에 '선량인' 필리프가 교황의 궁정에서 부르고뉴의 위신을 높이는 일을 도왔다. 공작에게 좋은 태피스트리 여섯 점을 공급해 이를 교황 마르티누스 5세에게 선물로 보내게 한 것이다.[31]

필리프는 바로 판에이크가 유럽 어디서나 후원자를 선택할 수 있기 때문에 그런 거금을 들여 관계를 유지하려 한 것으로 보인다. 서방의 거물 가운데 거의 필적할 사람이 없을 정도의 속도와 양으로 좋은 것을 모은 공작에게는 이 거장 미술가와 손잡는 것만으로도(그리고 다른 누구도 포괄적인 후원자 지위를 주장할 수 없음을 아는 것으로) 충분했다. 1430년대 말에 공작은 판에이크에게 계속해서 거금을 주며 부르고뉴를 대표하게 했고, 그의 붓과 그의 눈이 필요할 만한 곳에 외교 사절로 그를 더 내보냈다.

다른 후원자 역시 판에이크 고용을 환영해 거래가 있었던 듯하다. 잉글랜드에 부르고뉴 사절로 갔던 침울한 보두앵 드라누아가 그 하나고, 브뤼허에서 활동했던 부유한 금 세공사 얀 더레이우가 다른 하나다. 그러나 그들이 판에이크를 독점할 수는 없었다.

판에이크는 1441년에 죽었다. 이퍼르의 한 수도원에 걸기 위해 주문된 〈니콜라스 판마엘베커의 성모상〉으로 알려진 그림을 그리는 중이었다(오늘날에는 복제품만 남아 있다). 그는 두 번 매장되었다. 처음에는 브뤼허의 신트도나스 성당 교회 경내에, 그리고 나중에 교회 안에 매장되었다. 이 교회는 프랑스혁명 이후 파괴되어 지금은 남아 있지 않다.

그가 '선량인' 필리프의 궁정과 맺은 인연은 16년 동안 지속되었고, 그의 최고의 작품 대부분은 다른 고객을 위해 그린 것이었지만 그는 영원히 부르고뉴와 연결된다. 판에이크는 유럽 전역의 궁정에서 "회화 예술의 최고 거장"으로 기억되었으며, 다른 미술가가(심지어 이탈리아에서도) 어떻게 하면 그의 훌륭한 솜씨를 재현할 수 있는지 배우고 싶어서 그의 작업을 연구하기 위해 수백 킬로미터 떨어진 부르고뉴 치하의 이 플란데런과 라허란던의 도시들을 찾았다.[32] 결국 이것이 '선량인' 필리프가 그를 고용한 이유였다. 그는 잉글랜드와 아르마냐크파 사이에서 보여주었던 수많은 음험한 정치 공작이나 양다리 걸치기 만큼 부르고뉴를 유명하게 만들었다.

필리프는 자신이 고용했던 최고의 미술가가 죽은 뒤 사반세기를 더 살아 1467년 일흔 살의 나이에 죽었다. 15세기 말이 되면 그의 후손들이 부르고뉴를 왕국으로 변모시킬 수 없음이 드러났고, 심지어 부르고뉴는 독립 국가로서 유지해나갈 수조차 없었다. 1490년대에 부르고뉴는 쪼개졌고, 그 영토의 상당 부분이 합스부르크가※ 신성로마 제국이 되는 곳으로 합쳐졌다. 그러나 잠깐 머물렀던 유럽의 이 반半왕국이 문화 세력으로서 기대 이상의 성과를 냈다는 명성은 이후 수백 년 동안 이어졌다. 그리고 후원을 통해 기품을 쌓아가는 필리프의 방식은 지금 널리 퍼져 있다.

'만능 천재'

1482년 무렵, 서른 살의 화가 레오나르도 다빈치는 루도비코 스포르차에게 편지를 썼다. 일모로(무어인)라는 별명으로 불리던 루도비코는 도시국가 밀라노를 통치하는 사람이었다. 레오나르도는 루도비코에게 일자리를 달라고 청했다.

그는 이 편지를 쓰기 전 여러 해 동안 피렌체의 높은 평가를 받는 미술가의 공방에서 일했다. 안드레아 델베로키오가 운영하는 곳으로, 훈련하기에 매우 좋은 곳이었다. 베로키오 자신이 매우 훌륭한 미술가였고, 그의 고객 가운데는 피렌체의 가장 부유하고 가장 명망 있는 가문이 있었다. 메디치가도 포함되었다. 그의 공방은 멋진 그림, 금속 세공품, 조각, 의례용 갑옷, 직물을 만들어냈다. 그리고 브루넬레스키의 돔 위에 올린 빛나는 단조 구리 공을 만들었다. 이것은 예술과 공학의 위업으로, 햇빛을 하나의 열점으로 집중시키는 오목거울로 만든 납땜 토치가 필요한 것이었다.[33]

레오나르도는 베로키오 밑에서 일하면서 이미 자신의 솜씨를 보여줄 중요한 기회를 얻은 바 있었다. 그는 사부와 협업으로 많은 초상화를 그렸다. 〈토빗과 천사〉(오늘날 런던 국립미술관에 소장되어 있다), 〈마돈나와 아기〉(지금 베를린박물관에 있다) 같은 것이다. 그러나 레오나르도는 30대로 접어들면서 더 높은 곳을 바라봤다. 그는 그저 자립적인 미술가가 되거나 피렌체에 자신의 공방을 가질 기회를 원한 것이 아니었다. 그는 차원이 다른 더 큰 무언가를 원했다. 그는 루도비코 스포르차에게 보낸 편지에서 자신이 무엇을 할 수 있는지를 설명했다. "나는 쉽게 옮길 수 있는 매우 가볍고 강한 다리를 설계했습니다. 나는 포위전 때 해자에서 물을 빼는 방법을 압니다. (⋯) 나는 어떤 성채도 깰 방법이 있습니다. 그것이 단단한 바위 위에 세워졌더라도 말입니다. 내게는 대포가 있습니다. (⋯) 그것은 작은 돌을 우박처럼 쏠 수 있습니다."

그는 자신이 해전 무기를 만들고 갱도와 땅굴을 설계할 수 있다고 자랑했다. 그리고 "난공불락의 무장 전차를 만들어 그 포를 가지고 적병의 진영을 관통"할 수 있다고 했다. 그는 총과 투석기와 "흔히 사용되지 않는 다른 효율적인 기계들"을 제작할 수 있다고 말했다. 그는 군사공학 외에도 "건축과 공·사의 건물 설계, 물을 한 곳에서 다른 곳으로 끌어가는 일"의 대가라고 주장했다. 그는 자신이 죽은 루도비코의 아버지 프란체스코 스포르차 공작에게 바치는 거대한 청동 말을 만들어 세우는 밀라노의 유명한 거대 공공 미술 사업을 완성시킬 수 있을 것이라고 썼다. 그리고 그는 거의 보충하는 식으로 이렇게 언급했다. "마찬가지로 그림에서 나는 다른 모든 사람들(그 사람이 어떤 사람이든)과 마찬가지로 모든 일을 할 수 있습니다."[34]

레오나르도의 이 편지는 그의 공책에 초안의 형태로 보존되어 있는데, 역사상 가장 위대한 천재로 여겨지기도 하는 어느 중세인의 다재다능한 정신을 단면으로 보여주고 있다. 레오나르도는 관심 분야를 한정하지 않았고, 그가 할 수 없는 일은 거의 없었다. 시대를 불문하고 가장 유명한 몇몇 작품(〈모나리사〉, 〈최후의 만찬〉, 〈바위굴의 동정녀〉, 〈구세주〉[†] 등)을 그리고 상징적인 〈비트루비우스 인체도〉를 그린 외에, 그는 해부학, 광학, 천문학, 물리학, 공학의 여러 분야를 섭렵했다. 그가 공책에 설계한 발명품(거기엔 비행기와 탱크도 있었다)은 때로 너무 야심 찬 것이어서 그가 죽고 수백 년 뒤에도 현실화되지 못한 것이 있었다. 그의 자신만을 위한 메모는 깔끔하게 왼손으로 좌우를 뒤집어 쓴 것이었는데, 방대한 분야의 지적·실용적 주제에 걸쳐 있었다.

레오나르도는 박식가였고, 두려움 없는 사색가였다. 그리고 스스로 그것을 알았다. 그가 루도비코 스포르차에게 편지를 쓴 이유가 그것이었다.

[†] 〈구세주〉는 레오나르도의 가장 위대한 작품 목록에 비교적 최근에 올라갔다. 이 작품이 목록에 올라간 것은 2017년 이것이 경매에서 4억 5000만 달러를 약간 웃도는 금액에 팔린 것이 한몫했다. 역사상 가장 비싼(책을 쓰고 있는 시기 기준) 미술 작품이 된 것이다.

그는 만족할 줄 모르는 호기심에서 생겨나고 엄청난 자신감에 의해 고양된 그의 능력이 정치적 후원자이자 전사이자 심미가인 '일모로' 같은 사람에게 매우 귀중하리라고 생각했다.

그의 생각은 옳았다. 레오나르도는 이 편지를 쓴 후 17년을 밀라노에서 일하며 보냈다. 그리고 이는 그의 긴 이력의 일부일 뿐이었다. 레오나르도는 이탈리아와 프랑스의 여러 굵직한 주인을 섬기게 된다. 그들 모두는 그를 붙잡은 것이 행운이었다. 바사리의 말대로 그는 "믿을 수 없고 성스러운"[35] 존재였기 때문이다.

레오나르도는 1452년, 피렌체에서 말을 타고 하루를 가야 하는 소도시 빈치에서 태어났다. 아버지는 공증인이었다. 어머니는 열여섯 살의 시골 소녀였다. 그들은 결혼을 하지 않았지만, 당시에는 혼외자라는 것이 그리 큰 문제는 아니었다. 그저 레오나르도가 조부모의 양육을 받았고, 철저한 라틴어 교육을 받지 못했을 뿐이었다.

열두 살 때 그는 아버지와 함께 빈치에서 피렌체로 이주했고, 2년 뒤 베로키오의 문하에 들어갔다. 그 무리에는 뛰어난 화가 산드로 보티첼리도 있었을 것이다.[36] 베로키오 밑에서 학생들은 그림과 조각만 배운 것이 아니었다. 그들은 그들이 만들어내는 미술작품의 대상물을 더 잘 이해하기 위해 실용 기하학과 해부학을 익히고 고전 문학을 공부했다. 레오나르도는 그 모든 것을 소화했다.

그가 성인이 되던 1470년대 초에 피렌체는 40년 전 코시모 데메디치와 프란체스코 필렐포의 시대에 비해 미술가가 되기에 더 좋은 곳이 되어 있었다. 이 도시의 사실상의 지배자는 이제 '장엄자' 로렌초 데메디치였다. 그는 1469년 가업을 물려받았다. 메디치 은행의 재정이 삐걱거리고 있었지만(그들은 1470년대에 브뤼허 지점 쪽에서 못된 현지 관리자가 '선량인' 필리프의 아들이자 후계자인 부르고뉴 공작 '담대자' 샤를에게 담보 없이 거액을 빌려주었다가 엄청난 손실을 보았다), 아낌없이 돈을 쓰려는 로렌초의 열의로 인해 그가 가업을 맡았던 시대는 문예부흥의 황금기가 되었다.

1470~1480년대에 피렌체에서 활동하고 떠오른 예술가를 일별해보면 그것이 세계 역사상 가장 뛰어난 작가 일부의 명단임을 알 수 있다. 베로키오, 보티첼리, 레오나르도와 함께 이 도시는 도메니코 기를란다요와 안토니오 델폴라이올로 및 피에로 델폴라이올로 형제의 본거지였다. 시인이자 그리스어 학자인 안젤로 암브로지니(폴리치아노로 알려졌다)는 로렌초 데메디치의 아이들을 가르치는 일과 병행해 호메로스의《일리아스》를 라틴어 운문으로 번역하는 일을 했다. 1484년, 마키아벨리가 "거의 초자연적인 천재성을 지닌 사람"이라고 한 학자 조반니 피코델라미란돌라가 로렌초의 후원을 기대하고 이곳에 왔다. 그는 자신이 기독교 교리에서 마법에 이르는 900개 논제에 대해 자신에게 도전하는 모든 사람을 상대로 변론을 펼칠 수 있다고 떠벌렸다.³⁷ 몇 년 뒤, 열세 살의 미켈란젤로 부오나로티가 기를란다요의 문하로 들어갔다. 그는 성장해 이탈리아 문예부흥의 최고 화가로서 레오나르도에 가장 근접한 경쟁자가 된다.

메디치가의 부는 이 창조적 투자의 상당 부분을 움직이는 동력이 되었다. 해마다 로렌초는 자신의 할아버지가 시작한 가족의 전통을 이어갔다. 오늘날 개념으로 수천만(어쩌면 수억) 달러를 문화 활동에 쏟아붓는 것이다. 그는 자신과 발언권이 있는 거의 모든 사람이 이에 대해 돈을 잘 썼다고 생각하기 때문에 이 일을 한 것이다. 우선 과시적 소비는 그 자체로 만족스러운 것이었다. 오늘날의 억만장자가 여전히 그렇듯이 말이다. 또 하나, 로렌초는 예술 후원자로서 자신의 명성을 쌓는 데 관심이 있었다.

특히 시 안에서 벌인 자신의 몇몇 수상쩍은 거래를 가리기 위해 그랬다. 그리고 후원은 외교에도 유용했다. 피렌체의 예술가는 때로 다른 중요한 유력자에게 '대여'돼 그들의 호의를 증진하는 데 이용되었다. 로렌초는 자기 아들 가운데 하나에게 추기경 모자를 씌워주려고 애쓰면서 화가 필리피노 리피를 로마에 보내 또 다른 추기경의 개인 예배당을 장식해주게 했다. 이런 일들이 레오나르도로 하여금 밀라노의 스포르차 가문의 호의를 얻으러 나서도록 자극했을 것이다.

그러나 그의 후원이 순전히 이기적인 것만은 아니었다. 좋은 미술품을 축적하는 것, 특히 공공장소에서 좋은 미술품을 전시하는 것은 피렌체 공화국 자체의 내면의 미덕을 반영하는 것으로 생각되었다. 마키아벨리는 로렌초가 아름다운 것을 위해 많은 돈을 쓰는 이유가 "도시가 풍족한 공급을 받고 사람들이 단결하게 하며 귀족들이 명예를 누리게"[38] 하기 위해서라고 주장했다. 틀림없이 로렌초는 그렇게 하는 개인적 이유가 있었다. 그러나 그 가운데에 진정한 시민의 자긍심이 있었다. 그것은 15세기에 지도자의 일과 불가분의 관계에 있었다.

그러나 로렌초의 피렌체(레오나르도 다빈치를 낳은 도시다)는 아름다운 것이 많았지만 또한 폭력적이고 위험하기도 했다. 아마도 코시모의 시대보다도 더 심했을 것이다. 이 도시의 파벌 갈등은 여전히 쉽게 끓어올라 커다란 유혈 사태를 빚었다. 1478년 파치가家의 음모가 그런 경우다. 교황 식스투스 4세의 지원을 받은 파치 가문의 암살자들이 산타마리아 델피오레 대성당에서 로렌초와 그 동생 줄리아노를 암살하고자 했다. 대중의 불화는 피렌체 정치문화에서 뿌리가 매우 깊은 것이었고, 그것은 레오나르도에게도 흔적을 남겼다. 그의 공책에는 인상적인 잉크 스케치가 있다. 파치 음모자 가운데 하나인 베르나르도 반디니 바론첼리가 올가미에 매달려 교수되는 모습이다. (이 스케치 위에는 바론첼리의 옷 색깔에 대한 레오나르도의 발랄한 메모가 적혀 있다.)

활기차고 많은 후원금이 오가는 문예부흥기 세계에서 살며 일하기 위해서는 그 무서운 현실과 유혈·범죄·전쟁의 편재를 받아들여야 했다. 따라서 레오나르도가 루도비코 스포르차에게 자신을 그저 천사처럼 그리는 것 이상을 할 수 있다고 내세운 것은 우연한 일이 아니었다. 그는 진정으로 위대해지려면 실용주의라는 수단이 필요함을 알고 있었다. 자신의 창의력을 온갖 목적을 위해 사용할 수 있어야 했다. 필요하다면 사악한 것까지도 포함해서 말이다.

레오나르도는 밀라노에서 바쁘고 생산적인 17년을 보냈다. 잘생기고 매력적이었던("빼어난 미모와 한없는 우아함을 지닌 사람"이라고 바사리는 썼다) 그는 점잖은 마음도 가지고 있었다. 그는 동물을 무척 좋아했으며, 고기를 입에 대지 않았다. 그는 무표정하면서도 사교성이 있어 사람을 쉽게 사귀었다.

그러나 그의 가장 가까운 동료는 그의 젊은 조수 잔 자코모 카프로티였다. '살라이'(작은 악마)로 더 잘 알려진 그는 1490년 열 살의 나이에 레오나르도 문하로 들어왔다. 아름답고 제멋대로이고 도벽의 기미가 있었던 살라이는 레오나르도의 영감의 원천, 조수, 제자, 아들, 연인(거의 확실하게)의 여러 역할을 겸하며 사반세기 동안 그와 함께했다. 살라이는 인격이 형성되는 10대 시기를 밀라노의 레오나르도 곁에서 보냈다.

레오나르도는 이 도시에 있는 동안 큰 계약들을 따냈다. 이들은 대부분 군사공학 분야가 아니라 민간 영역의 것이었지만 말이다. 그는 밀라노의 거대하고 구조적으로 불안한 고딕 양식 대성당 개수 공사에 조언을 해주었다. 그는 많은 시간을 들여 루도비코의 신하들의 오락을 위해 공연 설비를 설계했다.

그는 두 가지의 〈바위굴의 동정녀〉를 그렸다(지금 파리 루브르박물관과 런던 국립미술관에 걸려 있다). 또한 오늘날 〈음악가의 초상〉, 〈흰담비를 안은 귀부인〉, 〈아름다운 장신구의 여인〉으로 알려진 화려하고 은밀하며 세속적인 초상화를 그렸다. 그리고 〈최후의 만찬〉을 그리는 데 2년 이상을 투자했다. 산타마리아 델레그라치에('은총의 성모 마리아') 수녀원 교회 휴게실의 벽화다. 그곳에서는 호기심 어린 시민들이 와서 그리기를 잊은 채 하루 종일 발판에 앉아 있는 레오나르도의 모습을 구경했다.

한편 그는 개인적으로 해부학을 공부했다. 동물과 인체 모두였다. 인간 형상의 기하학적 비례를 보여주는 그의 과학 그림 〈비트루비우스 인체도〉 역시 그의 일생 중 이 시기의 것이었다. 그는 그동안 계속해서 자신의 공책에 기계 설계, 수학적 관찰, 자연스러운 움직임에 관한 연구, 기타 여러 가지를 채워 넣었다. 매우 결실이 많았던 시기였다. 그러나 그런 시기는 영원히 계속되지 않았다.

1482년 레오나르도가 루도비코 스포르차에게 했던 여러 가지 대담한 제안 가운데 그가 달성에 가장 가까이 다가갔던 것은 거대한 청동 마상 제작이었다. 루도비코의 아버지 프란체스코 스포르차 공작에게 헌정하기 위해 오랫동안 논의되어오던 기념물이었다.

1489년 초에 그는 마침내 이 일을 맡아 작업실을 차렸다. 여섯 명의 조수를 두고 여태까지 세상에 알려진 것 가운데 가장 큰 기마상을 설계했다. 그것은 실물 크기의 세 배나 되며, 무게는 75톤에 이르도록 설계되었다. 그리고 1401년 이후에야 밀라노의 권좌에 앉아 자기네의 관록 부족을 벌충할 거창한 방법을 갈망하던 스포르차 가문의 힘을 과시하기 위한 것이었다.[39] 이 거대한 기념물에 대한 레오나르도의 설계는 대담함 그 이상이었다. 그것은 공상적이었다. 그는 이를 통짜로 주조하고자 했다. 살아있는 어느 누구도 구상하거나 감히 시도하려 하지 않았던 방식이었다. 1493년 말에 그는 주형 만들기, 주조, 냉각의 구조적 문제들을 극복해 거의 시작할 준비를 마쳤다.

그러나 거대한 말은 결국 실현되지 않았다. 바로 그때 프랑스 군대가 북부 이탈리아 침공을 준비하고 있었기 때문이다. 이탈리아반도 지배를 둘러싼 65년에 걸친 일련의 격렬한 전쟁이 시작되었다. 주로 프랑스와 새로 통합된 에스파냐 왕국 사이에서 벌어진 것이었다. 이후 이탈리아 도시국가는 수시로 군사적 위험에 처하게 된다. 그리고 루도비코 스포르차는 이제 커다란 말에 좋은 금속을 허비할 여유가 없었다. 그는 레오나르도의 동상에 배정했던 청동을 250킬로미터 동쪽의 도시 페라라로 보냈고, 그곳에서 그것은 대포를 만드는 데 쓰였다.

어쩔 수 없었다. 그것은 실망스러웠지만 레오나르도는 충분히 실용적이어서, 자신이 할 수 있는 일이 없음을 잘 알았다. "나는 시대를 알고 있었다"라고 그는 썼다.[40] 유럽의 지도는 갑자기, 그리고 극적으로 바뀌고 있었다. 예술가와 기술공은 최선을 다해 대응해야 했다. 레오나르도는 이제 어느 궁정에도 17년씩 소속되어 일하는 사치를 누리지 못하게 된다. 그러나 그는 이전보다도 더 나은 후원자 선택을 하게 된다. 전쟁이 그의 예술적·공학적 전문성에 대한 웃돈을 끌어올렸기 때문이다.

1499년, 또 다른 프랑스 군대가 알프스산맥을 넘어 진격해 북부 이탈리아를 침공하고 루도비코 스포르차를 권좌에서 끌어내렸다(그는 결국 1508년 프랑스의 한 지하 감옥에서 죽었다). 레오나르도는 달아났다. 그는 다시 피렌체로 향했는데, 잠시 만토바와 베네치아에 들렀다. 만토바에서는 이 도시의 젊고 한결같은 예술 후원자 이사벨라 데스테를 만났고(그리고 스케치했고), 베네치아에서는 오스만의 침공 가능성에 대비해 방어 시설에 대해 조언했다. 그러나 1500년에는 고향으로 돌아와 여러 가지 새로운 일에 매달렸다.

그는 잠시 체사레 보르자에게 고용되었다. 체사레는 위험하고, 가학적으로 거칠며, 방종하고, 지나치게 교활한 군 지휘관이자 군주 후보였다. 그의 아버지는 방탕하고 성적으로 문란한 교황 알렉산데르 6세였다. 체사레는 16세기 초에 피렌체 인근의 작은 도시들을 정복하며 보냈는데, 피렌체 자체만은 보호비를 받고 그대로 두었다. 그는 레오나르도를 군사고문 및 지도 제작자로 고용했고, 레오나르도는 1년 가까이 그를 위해 일했다. 그동안에도 보르자는 이탈리아를 돌아다니며 포위전을 하고 살육을 했다.

레오나르도의 천재성에는 냉정하고 실용적인 기미가 있었다. 그것은 그의 보다 부드럽고 인본주의적인 관심과 맞지 않았다.[41] 후원자는 후원자였던 듯하다. 레오나르도는 보르자를 위해 일하면서 지도 제작, 교량 건설, 성채 설계에 관한 기술을 발전시켰다. 그것은 분명 어떤 도덕적인 문제가 있더라도 못 본 체하고 넘기기에 충분한 소득이었다.[42]

그러나 아마도 체사레 보르자를 오래 참아주기는 어려웠을 것이다. 레오나르도는 1503년 그의 곁을 떠났다. 다음 10년 동안 그는 토스카나와 롬바르디아 사이를 오가며 보냈다. 메디치가의 피렌체와 프랑스에 점령된 밀라노였다. 그러면서 이제 더 넓은 지역의 특징이 된 급격한 정치적 변화와 운수의 역전에 적응했다. 덜 강건하고 세상 물정에 밝지 않은 성격이었다면 격변과 상시적인 동란에 흔들렸을 것이다. 그러나 레오나르도는 언제나 춤추듯 전진하는 것 같았다. 시대가 어려웠음에도 불구하고 그의 작업 품질은 여전히 최상급이었다.

그가 리사 델조콘도(모나리사, 본성 게라르디니)의 초상화를 그리기 시작한 것은 아마도 1503년에서 1506년 사이 피렌체에서였을 것이다. 그것을 그는 죽을 때까지 만지작거리게 된다.[43] 그는 또한 '옛 궁전'의 벽화를 그렸다(지금은 없다). 이 그림은 앙기아리 전투에서 사람과 말이 뒤엉켜 있는 모습을 그린 것이었다. 1440년 밀라노와 피렌체가 각기 이끄는 동맹군 사이에 벌어진 충돌이다. 그와 그 조수들은 〈실감개를 든 성모〉라는 그림을 여러 가지로 그렸다. 1509년 밀라노에서는 성별 구분이 없는 이례적인 세례자 요한 초상화 작업을 시작했다.

그리고 그는 현실화되지 않은 거대한 군사 및 민간 공사 계획을 추진했다. 그는 아르노강의 물길을 돌려 피렌체의 지배를 거부하는 피사에 가뭄을 일으키려는 계획을 세웠다. 그는 소도시 피옴비노 주변 습지의 물을 빼내고 매립한 땅에 난공불락의 성채를 건설한다는 구상을 했다. 이런 일들은 무산되었다. 그러나 레오나르도는 꿈꾸기를 멈추지 않았다.

그러나 레오나르도는 꿈을 꾸면서, 나이가 들어가면서, 16세기가 밝아오면서 자신이 늙은이임을 발견했다. 그가 60대에 접어든 1512년에 스케치한 자화상은 머리칼이 희끗희끗하고 코가 길며 머리가 벗어진 사람의 모습을 보여준다. 수염이 드리워졌으며 어깨는 굽기 시작했다. 그러나 그는 위대한 시대의 최고 거장이었다. 그의 동료 가운데는 성격이 모나고 투쟁적이며 성적으로 비밀스럽고 때로 엄청나게 화를 내는 천재 미켈란젤로가 있었고, 그는 1504년 피렌체에서 〈다비드〉 조각상을 발표했다. 그러나 그 미켈란젤로조차도 '옛 궁전' 밖에서 전시 승인을 얻으려면 레오나르도와 기타 피렌체 장로의 허락을 구해야 했다. 따라서 그의 시대는 아직 저물지 않았다.

그 결과로 그의 후원자에는 이제 그가 사는 세계에서 가장 힘센 사람이 포함되었다. 1513년에 로렌초 데메디치의 아들 가운데 하나인 조반니가 교황으로 선출되어 레오 10세가 되었다. 그는 레오나르도를 대대적인 보수 작업이 진행 중이던 교황 궁정에서 써야겠다고 생각했다. 그해 9월에 레오나르도는 피렌체를 떠나 로마로 갔고, 그의 인생의 마지막 단계를 시작했다.

레오나르도가 메디치가 출신 교황 밑에서 일한 시기는 아마도 자신이 바랐던 것만큼 훌륭하지는 않았던 듯하다. 우선 그는 '성도聖都'에서 벌어지고 있던 가장 재미있는 사업에 참여하지 못했다. 미켈란젤로는 자신이 1512년 완성한 시스티나 예배당 천장을 장식하는 일을 맡았다. 라파엘로는 교황의 방에 그림을 그리고 있었다. 이들은 훨씬 어린 사람이었지만, 새로운 산피에트로 대성당을 건설하는 알짜배기 일(아마도 지구상 최대의 건축 발주였을 것이다)은 1506년 레오나르도의 동시대인 도나토 브라만테에게로 넘어갔다.

따라서 그는 바티칸에 있는 교황의 궁궐에 좋은 방들을 가지고 있었지만 거의 혼자 방치되어 있었다. 기하학과 반사광을 연구하고, 도마뱀을 길들이고 그것을 위해 수은 덮인 비늘로 껍질을 만들어주었으며, 인체를 해부하고 해부학 노트를 만들었다. 이것은 흥미로운 작업이었고, 그는 별로 하는 일도 없이 상당한 봉급을 받았다. 그러나 그것으로 만족할 수는 없었다.

그래서 레오나르도는 1516년 로마를 떠나 그의 긴 생애에서 처음으로 이탈리아 바깥으로 향해, 또 다른 후원자를 위해 일하게 되었다. 젊고 카리스마 있는 프랑스의 새 국왕 프랑수아 1세였다. 레오나르도보다 40세

이상 어린 프랑수아는 진정한 문예부흥의 아이였다. 프랑수아는 자신의 동년배이자 스파링 상대였던 잉글랜드의 헨리 8세와 마찬가지로 엄청나게 키가 크고 잘생겼으며, 좋은 것과 인본주의의 풍부한 과실에 본능적인 애호를 갖고 있었다.

그는 스무 살이던 1515년 첫날 왕위에 올랐으며, 그해 연말에 교황과 함께 레오나르도를 만났다. 레오나르도를 프랑스로 초빙하는 것은(그는 레오나르도를 그림 같은 앙부아즈 마을에 머물게 했다) 새 프랑스 군주의 가치관을 세계에 알릴 수 있는 귀중한 기회였다. 그것은 또한 프랑수아가 살아 있는 위대한 박학자를 직접 연구할 수 있는 기회이기도 했다.

이후 3년 동안 레오나르도와 프랑수아는 함께 있으면서 서로 즐거운 나날을 보냈다. 레오나르도는 밀라노에 있던 오랜 기간 동안 했던 대로 궁중의 오락거리를 설계했다. 그는 〈모나리사〉 같은 자신의 대작 그림을 손보았다. 그는 로모랑탱에 문예부흥기의 최신식 궁궐과 도시를 설계하기 시작했다. 그는 수학과 물의 움직임을 연구했다.

그는 서서히, 우아하게 늙어갔다. 뇌졸중이 몇 차례 발작한 끝에 그는 1519년 5월 2일 숨을 거두었다. 바사리로부터 시작된 한 전승은 그가 죽을 때 프랑수아가 침대맡에 있었다고 한다. 더 나아가 그가 "왕의 팔에 안겨 죽었다"라고 한다. 바사리가 보기에 이는 그렇게 위대한 인물에게 적절하고 고귀한 종말이었다. 바사리는 이렇게 썼다. 레오나르도는 "아무리 누추하고 허름한 주거라도 온갖 방법을 다해 꾸미고 화려하게 했다. 피렌체는 레오나르도의 탄생으로 매우 큰 선물을 받았고, 그의 죽음으로 측량할 수 없는 손실을 입었다."[44] 그리고 피렌체만이 아니었다. 레오나르도를 고용했던 (잔혹한 체사레 보르자에서 세련된 프랑수아 1세에 이르는) 모든 후원자가 그의 천재성 덕을 입었다. 그가 떠남으로써 세계는 큰 손실을 입었다.

황금시대

레오나르도 다빈치는 최고의 '문예부흥기 만능 교양인(Renaissance man)'이
었다. 그런 까닭에 그를 중세의 산물로 생각하기 어려운 때가 자주 있다. 그
러나 그는 잉글랜드 국왕 리처드 3세와 같은 해에 태어났다. 그는 폴란드
과학자 미코와이 코페르닉(코페르니쿠스)이 하늘의 한가운데 있는 것은 지
구가 아니라 태양일 것이라는 주장†을 내놓기 수십 년 전에 죽었다. 레오
나르도의 많은 계획은 너무 앞선 것이어서 그의 시대가 아니라 우리 시대
에 현실화되었다. 헬리콥터나 잠수종潛水鐘 같은 것이 그렇다. 그는 기본적
으로 경계인이었다. 우리 세계에 동시에 속할 수 있는 사람이고, 우리를 정
서적으로나 지적으로나 중세와 연결시킬 수 있는 힘을 지닌 사람이었다.

그러나 레오나르도는 그 자신의 시대에 단연 프리무스 인테르 파레스
(동료 중 첫째)였다. 그가 태어나지 않았더라면(또는 그가 그 아버지의 사생아
가 아니어서 통상적인 교육을 받고 공증인으로서 탄탄한 이력을 쌓았다면) 우리는
아직도 문예부흥을 서방 및 세계 역사에서 경계이자 과도기라고 말할 수
있을 것이다. 그 이후 문학, 예술, 인문과학에서 새로운 발상, 방법, 양식이
폭포수처럼 쏟아져 내리는 분기점 말이다. 보티첼리와 도나텔로에서 미
켈란젤로와 라파엘로에 이르는 레오나르도의 동료는 그것을 확실히 했을
것이다. 그리고 물론 이탈리아인에만 한정되지 않았을 것이다. 문예부흥
의 주요 원천은 이탈리아에 있었지만, 16세기가 되면 문화혁명은 서방의
거의 모든 지역에 손을 뻗치기 시작했기 때문이다.

---

† 코페르닉은 이 주제에 관해 유일하게 발표된 자신의 핵심 저작 《천구의 회전에 관하여》를 자신이
죽던 해인 1543년에야 출판했다.

잉글랜드에서 인본주의 작가 토머스 모어는 헨리 8세의 궁정 주변에서 글을 쓰고 (그의 사회 비평과 정치철학을 담은 풍자적인 작품인)《유토피아》같은 책을 출판했다. 프랑스에서는 레오나르도가 차지했던 프랑수아 1세 궁정의 가장 재능 있는 화가 자리에 장 클루에가 올랐고 나중에 그의 아들 프랑수아 클루에가 뒤를 이었다. 프랑수아 클루에가 그린 국왕 프랑수아 및 그 며느리 카테리나 데메디치 같은 프랑스 궁정 인물의 초상화는 1530년대 한스 홀바인(아들)이 그린 잉글랜드 궁정의 그림만큼이나 우상화되었다. 폴란드에서는 시인 미코와이 레이가 폴란드어로 시를 쓰기 시작했고, 스타니스와프 사모스트셸닉은 새로운 양식의 필사본 채식彩飾과 프레스코를 실험했다. 이탈리아인 바르톨롬메오 베레치와 독일의 화가이자 착색유리 제작자 한스 폰쿨름바흐 같은 외국인이 동쪽으로 가져온 풍조를 따른 것이다.

이 창의적인 사람들(그리고 비슷한 많은 사람)은 16세기 내내, 그리고 17세기 초에 들어서도 계속해서 잘나갔다. 그리고 그 오랜 기간 줄곧 후원자와 예술가 사이의 긴밀한 상호 의존이 있었다. 어느 쪽도 상대가 없어서는 곤란했다. 사실 문예부흥의 거대한 창조성이 14세기의 발생 이후 그렇게 오랫동안 지속된 이유 가운데 하나는 유럽의 가장 힘센 남녀가 갈수록 더욱 부유해지고 금과 귀중품의 새로운 산지에 접근할 수 있었기 때문이다. 그들 이전의 어느 세대도 상상조차 할 수 없었을 정도였다. 대체로 그들은 언제나 새로 발견한 부를 예쁜 것에 소비하는 일을 즐겼다.

하지만 이 모든 부는 어디서 왔을까? 해답은 서방에 있었다. 레오나르도가 죽던 그해에 독일의 판화가이자 화가인 알브레히트 뒤러는 문예부흥기의 스케치와 색칠에 관한 여러 가지 기법과 통찰을 가지고 뉘른베르크로 왔다. 뒤러는 채울 수 없는 호기심을 지닌 여행광이었고, 레오나르도와 다르지 않은 관심 범위와 지적 능력을 갖고 있었다. 그는 이탈리아와 네덜란드를 여행하며 회화와 판화, 해부학과 기하학에 관해 많은 것을 배웠다. 그는 유럽 전역의 다른 학식과 재능을 갖춘 인물과 편지를 나누었으며, 그보다 오래전에 살았던 페트라르카와 마찬가지로 아름다움 자체라는 파악하기 어려운 화두를 들고 골똘히 생각했다. 그는 신성로마 황제 막시밀리안 1세 같은 대국 군주의 초상화를 그리는 것만큼이나 아주 먼 나라의 이국적인 동물을 그리는 것도 즐겼다. (지금 워싱턴 국립미술관에 있는 뒤러의 코뿔소 목판화는 참으로 절묘하다.) 그는 광범위한 곳에서 영감을 얻었고, 언제나 자신이 보는 모든 것을 분석하고 이해할 수 있었다.

그러나 1520년 늦여름 뒤러가 아내와 함께 부르고뉴 공국의 라허란던에 갔을 때 그는 자신이 쉽게 설명할 수도 없고 자신의 작업에 끌어들일 수도 없는 것을 보았다. 부부는 브뤼셀을 방문하면서 시청을 찾았다가 금·은제 보물 전시를 보았다. 그 아름다움은 거의 설명할 수가 없을 정도였다. 이는 신성로마 황제 카를 5세의 것이었고, 뒤러는 라허란던에서 그에게 후원을 청했다. 뒤러는 자신이 본 것을 일기에 이렇게 적었다.

폭이 너끈히 한 발은 되는 순금으로 만든 태양, 같은 크기의 순은으로 만든 달, 또한 두 방을 가득 채운 갑옷, (…) 그리고 온갖 종류의 경이로운 무기, (…) 매우 낯선 옷과 침대보, 그리고 인간이 사용하는 모든 종류의 놀라운 물건(불가사의보다 훨씬 더 볼만한 가치가 있었다). 이 물건들은 모두 매우 귀중한 것이어서 그 가치가 10만 플로리노에 달했다. 나는 내 평생 이 물건들만큼 나의 가슴을 뛰게 하는 것을 본 적이 없다. (…) 그리고 나는 다른 나라 사람의 절묘한 솜씨에 경탄했다.[45]

이 보물들이 10만 플로리노에 달한다는 뒤러의 개략적인 평가는 그 자체로 거의 믿기 어려울 정도다. 그 자신이 카를의 전임 신성로마 황제 막시밀리안으로부터 받은 연봉이 300플로리노였다. 이것도 상당한 액수였다.

그러나 외국인의 솜씨에 대한 그의 상찬은 더욱 중요했다. 그해 브뤼셀에서 뒤러가 본 것은 문예부흥의 입김이 전혀 닿지 않은 곳의 예술가들이 만든 것이었기 때문이다. 전시된 보물은 에르난 코르테스가 멕시코에서 유럽으로 가져온 것이었다. 코르테스는 배를 타고 대서양을 건너가 거대 도시 테노치티틀란(현대의 멕시코시)을 찾아간 모험가이자 콩키스타도르(정복자)였다. 이 비장물은 아스테카 지배자 모테쿠소마 2세의 선물이었고, 이는 코르테스와 다른 유럽인이 아메리카 대륙에서 탐험을 시작한 새로운 나라에 있는 엄청난 부의 맛보기에 불과할 뿐이었다. 이는 문예부흥의 다음 단계에 자금을 대는 재물이었다(물론 그 밖의 다른 많은 곳으로도 갔다).

16세기로 넘어가면서 세계는 더욱 커지고 더욱 부유해졌다. 그리고 더욱 피비린내가 진동했다. 지구의 지도는 확대되고 있었다. 그리고 모든 지배자는 변화하고 있었다.

15장

항해자들

❧

해외 십자군 원정을 한 것은 매우 오래전의 일이다.
— 존 맨더빌, 14세기 여행 작가

그 대포는 너무도 커서, 그것을 옮기기 위해 60마리의 힘센 황소 부대와 200명의 병사가 동원되었다. 그것은 헝가리인 기술공이 만들었고, 그는 자신의 상상을 마음껏 펼치는 대가로 두둑한 돈을 받았다.[1]

포신은 길이가 8미터†였고, 폭은 500톤 이상의 무게가 나가는 돌을 쏠 수 있을 정도로 넓었다. 돌 포탄을 장전하는 것은 매우 품이 많이 들어 전투에서 하루에 일곱 번밖에 발사할 수 없었다. 그러나 장전 속도가 느린 것은 이 괴물 포가 발사되면 보상을 받고도 남았다. 발사 폭음을 들은 한 역사 기록자에 따르면, 그 폭음이 너무 커서 구경꾼은 할 말을 잃었고 임신부가 유산을 할 정도였다.[2] 중세 말의 도시와 성벽은 각종 투석기, 공

---

† 이는 오늘날 미국, 오스트레일리아, 캐나다, 인도 육군이 사용하는 155밀리미터 구경 야포인 M777 곡사포보다도 훨씬 길다. M777 포신의 길이는 5미터를 약간 넘는다.

성탑, 기뢰의 공격에 견디도록 건설되었다. 그러나 "초석, 황, 탄소, 약초"로 제조한 화약을 장착한 본격적인 야포의 공격에는 속절없이 무너져버렸다.[3]

1453년 봄, 스물한 살의 오스만 술탄 메흐메드 2세가 자기네의 가장 큰 대포를 본거지인 아드리아노폴리스(에디르네)에서 동쪽으로 200킬로미터 이상 떨어진 콘스탄티노폴리스 교외로 가져오라고 명령한 이유가 바로 그것이었다. 메흐메드의 군대는 적어도 8만 명 이상의 병력이 있었고, 여기에 해군 함대까지 합치면 이 동로마 수도를 봉쇄하기에 충분한 대병력이었다. 그러나 메흐메드는 이 '여왕 도시'의 유명한 이중 성벽을 넘어갈 가능성을 현실화하기 위해 인력 이상의 것이 필요했다.

그것이 바로 대포였다. 메흐메드를 알고 존경했으며 이 공격 이후 콘스탄티노폴리스에 갔던 역사 기록자 미하일 크리토불로스(임브로스의 크리토불로스라고도 한다)에 따르면 그것은 "보기에 가장 무시무시하고 전혀 믿기지 않는 것"이었다.[4]

술탄 메흐메드가 콘스탄티노폴리스를 포위 공격할 때 그는 오스만을 단독으로 통치한 지 2년이 된 상태였다.[5] 그러나 그가 권력을 경험하고 군사적 결정을 내린 것은 열두 살 때부터였다. 그는 싸움에 타고난 사람이었다. 그리고 그는 죽은 아버지 무라드 2세와 이전의 여러 술탄을 고무했던 같은 충동에 추동되고 있었다. 바로 오스만 제국의 영토와 영광스러운 평판을 아나톨리아와 발칸반도 전역으로 확대하는 것이었다.

이 호전적인 이슬람 국가는 1299년 오스만 1세에 의해 건국되었다. 오스만은 콘스탄티노폴리스 바로 남쪽 소아시아를 근거지로 한 시시한 튀르크 군사 지도자였다. 15세기 중반이 되면 오스만의 후예는 떠오르는 초강대국을 지배하게 된다. 그들은 발칸반도의 이전 동로마 영토 상당 부분과 소아시아의 절반가량을 지배했고, 유럽과 몽골 사이의 방파제가 되었다. 콘스탄티노폴리스를 점령하면 자기네가 동부 지중해의 패권자라는 그들의 주장을 확인하고, 세르비아, 헝가리, 알바니아 같은 왕국으로의 추가적인 팽창 가능성도 열릴 터였다. 지역의 패권은 감질나게도 젊은 메흐메드의 손아귀에 있었다.

메흐메드의 경이로운 포와 기타 작은 청동 대포의 콘스탄티노폴리스를 향한 포격은 그야말로 무시무시했다. 크리토불로스는 이 집중 포격을 직접 보지는 못했지만, 이 가장 큰 대포의 포격이 어땠는지를 나중에 들었다. "무시무시한 굉음이 나고 땅 아래와 멀리 떨어진 곳에서도 진동이 있었으며, 이전에 들어보지 못한 소음도 일었다. 그리고 경악스러운 천둥, 무시무시한 굉음, 주변의 모든 것을 환하게 밝혔다가 다시 그것들을 시커멓게 만든 불길, (…) 건조하고 뜨거운 일진광풍이 일면서 돌이 갑작스레 튕겨 나갔다. (…) 그리고 엄청난 힘과 속도가 가해진 돌이 성벽을 때렸다. 성벽은 곧바로 흔들리고 무너졌으며, 여러 조각으로 부서져 흩어졌다. 이 파편이 사방으로 날리는 바람에 부근에 있던 사람들이 죽었다."[6] 이런 발포로 성벽과 포탑과 탑의 한 부분이 무너질 때마다 시민들이 달려 나와 파편을 가지고 최선을 다해 구멍을 막았다. 한동안은 이 단편적인 땜질 전략이 메흐메드가 포의 엄호 사격 아래 병사를 도시로 들여보내는 일을 막았다. 그러나 이것은 장기적인 해법이 될 수 없었다.

포위전이 47일 동안 지속된 뒤인 1453년 5월 28일 밤, 메흐메드의 병사들이 이제는 헐거워진 콘스탄티노폴리스 성벽으로 달려들었다. 그 안에서는 그리스인, 제노바인, 베네치아인 병사로 이루어진 방어군이 마흔아홉 살의 동로마 황제 콘스탄티노스(11세) 팔라이올로고스의 지휘 아래 용감하게 싸웠다. 대포의 포격이 불을 뿜었고, 하늘에서는 화살, 석궁살,

그리스 화염이 쏟아졌다.[7] 크리토불로스는 이렇게 썼다. "양쪽에서 수많은 아우성이 일었다. 신성모독, 욕설, 위협이 뒤섞인 것이었다. 공격자와 방어자, 쏜 자와 맞은 자, 죽이는 자와 죽어가는 자, 아파하고 분노하는 모든 사람이 온갖 종류의 무서운 짓을 저질렀다."[8] 그러나 새벽이 되자 방어자는 화력에서 밀리고 병력에서 밀려 무력해졌다. 바닷가에서는 혼란스러운 해상 탈출이 벌어지고 있었고, 거리에서는 야만스러운 약탈이 일어났다. 오스만 병사와 예니체리로 알려진 술탄의 정예 경호 부대가 마구 날뛰었다.

측은하고 끔찍한 장면이었다. 크리토불로스에 따르면 오스만군은 "온 도시에 겁을 주기 위해, 살육에 의해 모든 사람을 공포에 몰아넣고 노예로 삼기 위해 죽였다." 교회는 약탈당하고 사당은 훼손되었다. 귀중한 필사본이 거리에서 무더기로 쌓여 불태워졌다. 여자는 자기네 집에서 붙잡혀 노예로 끌려갔다. "살인으로 손에 피가 묻은 칼을 든 자들이 분노를 뿜어내고 닥치는 대로 죽이겠다고 외치며 온갖 나쁜 짓을 해서 얼굴이 달아올랐다. (…) 거칠고 흉포한 짐승처럼 민가로 뛰어 들어가 매몰차게 (그리스인을) 내몰고, 끌어가고, 떼어놓고, 강제하고, 그들을 수치스럽게 공공도로로 끌어가고, 그들을 모욕하고, 온갖 나쁜 짓을 다 했다."[9]

그날 이후 아마도 콘스탄티노폴리스 사람 5만 명이 포로로 잡혀간 듯하다. 그 밖에 수천 명이 죽었다. 죽은 사람 가운데에는 콘스탄티노스 황제도 있었다. 그는 싸우는 부하 틈으로 내려가 백병전을 벌였다. 그의 시신은 발견되지 않았다. 도시 함락의 혼란 속에서 그의 잘린 머리를 창에 꿰어 행진하는 것을 보았다고 생각하는 목격자가 일부 있었지만 말이다.[10]

한편 메흐메드 2세는 화려하게 콘스탄티노폴리스에 입성해 백마를 타고 거리를 돌아다녔다. 그는 옛 명소에 찬탄을 보내며 부하들에게 그것을 훼손하지 말라고 명령했다. (메흐메드는 한 병사가 하기아소피아의 대리석 바닥을 부수는 것을 보고 직접 그 머리를 때렸다.) 그는 포로를 살펴 가장 예쁜 소녀와 어린 소년을 자신이 즐기기 위해 골라냈다. 그는 잔치를 벌이고 술을 마셨다. 그리고 이 도시를 재건하고 회생시킬 계획을 세우기 시작했다. 이 도시는 그가 점령하기 전에도 인구가 줄어 도시 쇠락이 진척된 상태였다.

이 모든 것은 승리자인 메흐메드의 특권이었다. 콘스탄티노폴리스는 1100년 넘게 기독교도 황제가 통치해왔다. 로마, 동로마, 로마니아(라틴)의 황제였다. 그 시대는 이제 끝났다. 콘스탄티노폴리스는 오스만 땅이었다. 로마 황제는 죽었다. 크리토불로스는 이렇게 썼다. "그 자신의 시대에 영예, 영토, 부를 엄청난 수준으로 끌어올려 그 주위 모든 도시로 하여금 한없이 빛을 잃게 만들었던 거대한 도시 콘스탄티노폴리스는 그 영광, 부, 권위, 권력, 위대함과 다른 모든 우수성으로 유명했는데, (…) 이렇게 그 종말을 맞았다."[11] 시적인 과장을 인정하더라도, 이때는 콘스탄티노폴리스의 역사에서(그리고 서방의 역사에서) 중요한 순간이었다. 이 도시가 함락된 후 온 세계가 변하게 된다.

1453년의 콘스탄티노폴리스 정복은 살라흣딘의 1187년 예루살렘 점령과 거의 비슷한 방식으로 유럽 기독교 세계에 충격을 안겼다. 놀랍지 않았다. 많은 이탈리아 상인과 모험적인 순례자에게 콘스탄티노폴리스는 세계의 동쪽 절반으로 들어가는 긴요하고 영광스러운 관문이었다. 더 많은 사람에게 콘스탄티노폴리스는 하나의 관념이었다. 그것은 로마 제국이 지구상에 영원히 존재하고 역사적 연속성이 아득한 옛날까지 거슬러 올라간다는 사실을 의미했다.

이 도시는 1000년 이상 동안 기독교 세계의 기둥이었고, 그것이 튀르크인 및 이슬람 군대와 거리를 둘 수 있게 해주는 듯했다. 물론 실제로 동로 마는 여러 세대 동안 그런 종류의 무언가를 하기에는 너무 허약한 정치체였다. 심지어 1453년 정복 이전에도 이 도시는 손발이 잘려 이미 오스만에 정복된 영토에 둘러싸여 있었고, 황제들은 오스만의 봉신封臣이나 다름없는 처지로 전락했다. 그럼에도 불구하고 콘스탄티노폴리스 생존의 상징성은 그 실재와 마찬가지로 중요했다(2차 세계대전 이후 서베를린의 경우와 마찬가지다). 그곳이 함락된다면 다음은 어디가 될까? 소문이 서방에서 돌았기 때문에 메흐메드는 처음으로 콘스탄티노폴리스에 들어가서 자신에게 승리를 허락한 데 대해 무함마드에게 감사를 드렸다. 그러고는 이렇게 덧붙였다. "나는 그분께서, 내가 '새 로마'를 정복하고 복속시켰듯이 '옛 로마'를 정복하고 복속시킬 수 있는 수명을 허락해주실 것을 기도합니다."[12] 이것은 무서운 생각이었다. 바티칸의 성문을 두드리는 이슬람 군대의 망령은 오랫동안 유럽 기독교도의 악몽에 출몰했다. (그것이 21세기 초의 알카에다와 '이슬람국' 선전의 중심이 된 것에는 충분한 이유가 있다.) 그것은 분명히 15세기 이탈리아인의 등골을 오싹하게 했을 것이다. 그리고 나중에 드러나듯이 그들의 공포는 현실에 바탕을 두고 있는 것으로 보였다.

메흐메드는 애매한 태도를 보였다. 한편으로 그는 기독교도, 유대교도, 외국 상인이 이 도시에서 거의 방해받지 않고 계속 살아갈 수 있게 했다. 그리고 그는 문예부흥의 예술가에 흥미를 가졌다. 그는 1479~1480년에 재능 있는 베네치아의 화가 젠틸레 벨리니를 '임차'했고, 그에게 자신의 초상화를 그리게 했다. 이슬람교와 다소 맞지 않는 일이었다.[13] 그러나 다른 한편으로 메흐메드는 콘스탄티노폴리스의 이름을 이스탄불로 고쳤고, 하기아소피아를 이슬람 사원 아야소피아로 바꾸었다. 그는 개화를 통해 호의적일 가능성이 있었고 종교적으로 열성 신자는 전혀 아니었지만,

여전히 튀르크인이었다. 그 추종자들은 그를 '파티흐'(정복자)라 불렀다. 그러나 교황 니콜라우스 5세는 메흐메드를 '악마·파멸·죽음의 아들'이라 불렀고, 교황 피우스 2세는 그를 '독룡毒龍'이라 불렀다.[14]

1453년 이후 메흐메드는 자신의 확장 사업을 계속했다. 그는 동유럽, 흑해 연안, 그리스의 섬을 정복한다는 목표를 세웠다(그리고 배와 병력을 그 일에 투입했다). 1454~1459년에 그는 세르비아에 군대를 보냈고, 결국 그곳을 오스만 제국에 합병했다. 1460년대에는 보스니아, 알바니아, 펠로폰네소스반도를 점령했다.

1463년에서 1479년 사이, 그는 베네치아 공화국과 길고도 치열한 전쟁을 벌였다. 이 전쟁이 마무리되자마자, 메흐메드는 1480년 이탈리아 남부 오트란토를 침공했다. 그의 부하들이 그곳을 약탈하고 불태웠다. 이 도시의 탈환을 위해서는 이듬해 소규모 십자군이 소집되어야 했다. 이 모든 것은 튀르크인의 위협이 그저 임박한 것이 아니라 실제 상황임을 유럽인에게 확신시키기에 충분했다. 15세기부터 17세기까지 튀르크인은 유럽 기독교도 침대맡의 귀신이었다.†

오스만이 정말로 그런 명성에 부합했는지의 여부는 논란이 있는 문제지만, 그것 때문에 여기서 머뭇거릴 필요는 없다. 15세기 말에 정말로 중요했던 것은 오스만의 부상이 세계 무역, 여행, 탐험의 더 넓은 패턴에 끼친 영향이다. 이런 측면에서 그들은 오랜 확실성을 뒤흔들어 놓았다.

우선 오스만의 부상은 어떤 사람에게는 세상의 종말이 임박했음을 알리는 것으로 여겨졌다. 러시아에서 계산한 바에 따르면 종말은 15세기가

---

† 중기적으로 오스만의 유럽 진격은 1683년 오스트리아 빈의 성벽 밖에서 그들이 패배하고서야 끝났다. 그 후에도 오스만 제국은 여전히 의구심과 약간의 공포의 대상이었고, 그런 상황은 그들이 1차 세계대전에서 최종적으로 멸망할 때까지 이어졌다.

끝나기 전에 오는 것으로 예정되어 있었다.[15] 또 어떤 사람은 기독교 세계의 다른(더 넓은) 손실, 특히 콘스탄티노폴리스와 마찬가지로 예루살렘 역시 비기독교도의 손아귀에 있고 여러 세대 동안 그곳을 탈환하기 위한 노력이 거의 이루어지지 않고 있다는 점에 생각을 집중했다.

또 어떤 사람에게는 이제 사업을 하는 데 어떤 실질적인 어려움이 생긴 것이었다. 지중해의 주요 중세 상업 국가는 15세기 중반에 대단한 모습이었다. 그러나 그들은 오스만과 완전히 조화로운 관계를 누리지는 못했다. 베네치아는 아예 오스만과 15년 동안 전쟁을 했고, 네그로폰테의 중요한 무역 기지를 그들에게 빼앗겼다. 제노바는 그들의 가장 중요한 흑해 항구 카파를 빼앗겼다. 어떤 특정 분야는 전면 중지되었다. 흑해 주변에서 잡은 튀르크인 노예를 맘루크 이집트에 보내는 수익성 있는 무역 같은 것이다.[16] 오스만이 갑자기 동부 지중해를 봉쇄한 것은 아니었다. 그러나 그들 때문에 사업의 매력은 이전에 비해 재정적 측면과 민족적 측면 모두에서 어느 정도 떨어졌다.

그 결과로 15세기 유럽의 상업적 모험가들은 야심 찬 새 군주(특히 에스파냐와 포르투갈)와 손잡고 다른 무역 통로로 진출하는 것을 고려하기 시작했다. 그리고 불신자인 튀르크인에 대한 반격을 도울 수 있는 새로운 구조를 만들어내고자 했다. 그들 상당수가 서쪽의 대서양 건너를 주시하기 시작했다. 그곳에 무엇이 있는지는 (만약 있다면) 분명치 않았다. 그러나 많은 탐험가와 후원자는 찾아내고 싶었다. 그들의 가장 강렬한 열망은 대서양 항해가 동방으로 가는 새로운 길을 열어주리라는 것이었다. 오스만 지역을 우회하는 길이었다. 그러나 결과적으로 그들은 전혀 다른 것을 발견했다. 아메리카 대륙의 본토와 섬, 그리고 풍요롭고 치명적이며 취약하고 놀라운 '신세계' 땅이었다.

성인, 노르드인, 항해자

아메리카 대륙에 인류가 거주한 것은 적어도 1만 3000년 이상, 아마도 그 두 배 이상 될 것이다.[17] 인류가 이곳에 도달한 정확한 시기에 대해 고고학자들이 의견을 같이하지는 못했지만, 마지막 빙하기의 어느 시기에 이주자가 동북아시아에서 나와 육상으로 이동했다는 데 대해서는 대부분 동의하고 있다.

그들은 당시 시베리아와 알래스카 사이의 육교였던 곳을 건넌 뒤 남쪽으로 향해 태평양 연안을 따라가거나, 빙하가 덮치지 않은 회랑을 통해 아메리카 내륙으로 들어갔다. 이 거대한 대륙의 초기 주민은 초목을 채집하고 동물을 사냥해 삶을 이어갔으며, 석기와 창끝을 만들고 동굴에 거주했다.

칠레의 한 유적지에서 현대의 연구자들이 나무로 만들고 동물 가죽으로 보호한 커다란 공동 주거지의 흔적을 발견했다. 화덕, 연장, 견과류와 종자가 남아 있었다. 또한 석기시대 사람이 그곳에 살면서 감자를 재배한 흔적도 있었다. 일부는 자기네가 먹었고, 일부는 200킬로미터 이상 떨어진 곳의 사람에게 팔았다. (그들은 이 동굴에 사람이 산 것이 1만 4500년 전이라고 추정했다.[18])

따라서 첫 '아메리카인'은 세계 여러 곳의 다른 석기시대 사람과 비슷하게 살았다. 그러나 그들은 고립되어 살았다. 대빙하가 녹고 시베리아-알래스카 육교가 상승하는 해수면 아래로 가라앉은 이후 아메리카 대륙에 살던 사람은 대체로 지구촌의 다른 지역과 단절되어 있었다. 세계에서 가장 큰 두 대양 사이에 갇힌 그들은 1만 년 이상 동안 지구촌 다른 곳의 발전에 영향을 받지 않은 과정을 개척했다.

한때는 아메리카인과 처음 접촉한 중세 항해자가 15세기의 남부 유럽인이라고 생각되었다. 이제는 그렇지 않다는 사실이 밝혀졌다. 중세의 여러 시기에 다른 사람과 광범위한 접촉이 있었다(또는 접촉했다는 주장이 있었다).

6세기 아일랜드의 수행자 브렌던 성인은 배를 타고 브리튼제도 곳곳을 돌아다녔고, 아마도 멀리 푀리아르(페로)제도까지 갔던 듯하다.[19] 10세기 이래 필사본으로 널리 퍼진 그에 관한 전승에 따르면, 브렌던은 나무를 얽어 만든 코러클 배를 타고 바다로 나갔다. 배는 "오크나무 껍질 위에 무두질한 소가죽을 씌웠"고, 동물 기름을 발랐다. 그와 몇 명의 일행은 이 배를 타고 먼 곳으로 갔다. 굶주림과 갈증을 참고 불을 뿜는 바다 괴물을 피하며 몇 년을 항해한 끝에 한 섬을 발견했다. "너무 넓어서 40일 동안이나 돌아다녔지만 반대쪽 해안에 닿지 못한" 곳이었다.[20]

어떤 사람은 이것을 브렌던이 대서양을 완전히 건너 항해했다는 의미라고 생각했다. 사실 브렌던 전승의 큰 섬은 아메리카 대륙에 대한 문자적인 묘사라기보다는 에덴에 대한 비유였던 듯하다. 그러나 아일랜드 서쪽에 무언가가 있어야 한다는 생각은 분명히 존재했다. 정확하게 어떤 것인지는 아무도 몰랐지만 말이다. 어떤 사람들은 '브라질'이라는 섬이 있고 거기에 아서왕이 묻혀 있다고 생각했다.

10세기의 뛰어난 아라비아 지리학자 알마스우디는 대서양이 "깊이나 폭의 한계가 없는 암흑의 바다"라고 생각했다. "그 끝을 알 수 없기 때문"이다.[21] (알마스우디는 하시하시라는 코르도바 출신의 젊은 항해자가 한번은 이 바다에 도전해 "많은 전리품을 싣고" 돌아왔다는 이베리아의 소문을 전했다. 그러나 정확히 그가 어디에, 어떻게 갔는지는 여전히 오리무중이었다.[22]) 말리의 한 전승에 따르면 아부바크르 2세라는 14세기의 한 만사(대략 왕 또는 황제에 해당)

가 대서양을 건너는 데 인생을 걸기 위해 왕위에서 물러났다. 그는 자취를 감췄고, 아마도 바다에서 실종된 것으로 여겨졌다. 모두 매우 흥분되는 이야기였다. 그러나 이 모든 것은 잘 꾸민 이야기나 꿈의 수준을 넘어서지 못했다.

대서양†을 건너 아메리카 대륙에 갔던 첫 중세인으로 알려진 사람들은 10~11세기의 노르드인이었다.[23] 중세 스칸디나비아인은 지구상에서 가장 모험적이고 외부 진출이 많았던 사람 가운데 하나였고(5장 참조), 그들은 세계의 다른 곳과 마찬가지로 북대서양을 건너다녔다. 9세기에는 노르드인이 아이슬란드에 정착했다. 980년대에 '붉은 수염' 에이리크로 알려진 추방된 법법자가 그린란드 식민을 시작했다.[24]

그리고 거의 비슷한 시기에 노르드 모험담들은 수백 명의 여행자가 자기네가 빈란드라고 부르는 곳으로 갔다고 주장했다. 그들을 이끈 것은 '진짜 사나이' 토르핀과 '원정자' 구드리드 부부, 또는 에이릭손의 아들 레이프라는 탐험가였다고 한다. 이곳에서 그들은 자기네가 조롱조로 스크렐링기(대략 '야만인'이라는 뜻)라 이름 붙인 원주민을 만나 그들과 물물교환을 하고 싸움을 했으며, 그들에게서 아이들을 납치하고 그들로부터 병이 옮았다. 역사가들은 이 스크렐링기가 지금은 소멸된 베오투크인이라는 선주민과 관련이 있는 것으로 생각하고 있다.[25] 그러나 확실한 것을 알기는 쉽지 않다.

분명한 것은 1000년 무렵에 뉴펀들랜드에 작고 얼마 유지되지는 못했지만 노르드인 정착지가 있었다는 것이다. 랑스오메도스라는 곳이다. 고

---

† 태평양은 문제가 좀 다르다. 폴리네시아 뱃사람들이 1000년 무렵 남아메리카 대륙으로 가서 자신도 모르게 고구마와 닭뼈라는 그들의 방문 기념품을 남겨놓았다는 흥미로운 고고학적 증거가 있다.

고학적 증거는 100명 정도의 노르드인이 한동안 그곳에 살았음을 시사한다. 그들은 벌목을 하며 아마도 그곳을 해안의 더 많은 지점을 탐험하는 기지로 삼고, 지금의 퀘벡이나 심지어 미국의 메인주까지도 내려갔던 듯하다.

거의 틀림없이 랑스오메도스(또는 보다 광범위한 지역)가 빈란드였을 것이다. 그리고 그곳에 머물렀던 노르드인은 아마도 자기네가 마주친 광대한 대륙의 크기를 알지 못했겠지만, 그들이 이 땅에 발을 내딛고 현지인과 교역 및 전쟁을 했으며 그 존재에 대해 고향으로 소식을 보냈던 것만은 사실이다. 이것이 중요했다. 그들은 아메리카 대륙의 인간 사회를 동아시아와 연결시키는 인간 교류의 사슬을 완성했다. 그것이 아무리 짧고 미약했더라도 말이다.[26]

그러나 노르드인이 중세 빈란드의 나무를 베어내고 550년 뒤에, 대서양을 건너는 의미 있는 교환은 분명하게 실패했다. 나무로 만든 건물과 뗏장을 떼어 만든 집으로 이루어진 랑스오메도스의 노르드인 정착지는 건설된 지 한 세대 만에 버려지고 불태워졌다. 결국 노르드인은 그린란드에서도 철수했다. 따라서 흑해, 발트해, 지중해가 모두 상업 해운으로 부산했지만 대서양은 중세 말까지 세계 지도 위의 커다란 물음표로 남았다. 그것은 다리 쪽보다는 장벽 쪽에 훨씬 더 가까웠다.

그러나 15세기에 상황이 변하기 시작했다. 대서양 '건너편'이 유럽의 통상 항로로 열리는 과정은 점진적이고 느렸다. 그럼에도 불구하고 그것은 결국 이루어졌다. 그리고 대서양 탐험을 자극한 가장 중요한 인물은 아마도 역사에 '항해자' 엔히크로 알려진 포르투갈 왕자였을 것이다.

엔히크는 포르투갈왕 주앙 1세와 그의 잉글랜드인 아내인 랭커스터의 필리파 사이의 아들이었다. 그는 1394년에 태어났으며, 정치적 야망으로 상당히 부산스러운 궁정에서 자랐다.[27] 주앙 1세는 아비스라는 새 왕조의 첫 번째 왕이었고, 포르투갈을 유럽의 주요 강국으로 끌어올리기를 원했다.[28] 이에 따라 그는 잉글랜드와 영구 평화 조약을 체결해 백년전쟁에 뛰어들었다.[†] 그는 자기네 수도 리스본을 이탈리아 은행가와 플란데런 상인에게 개방하고 포르투갈을 플란데런·잉글랜드 항구와 지중해 항구 사이의 중간 기착지로 홍보했으며, 자신의 가족이 그의 거대한 사업에 참여하도록 길들였다.[29]

그의 자녀들은 최고급 교육을 받았고, 좋은 혼처를 구해 결혼했다. 이미 보았듯이 그의 딸인 이자벨 공주는 '선량인' 필리프와 결혼했다. 얀 판에이크 같은 예술가를 후원한 약삭빠른 부르고뉴 공작이었다(14장 참조). 한편 엔히크와 그 형제는 포르투갈의 영향력을 왕국 밖으로 확산시키는 일을 돕도록 자극을 받았다. 대개 무력을 이용한 것이었다.

영토 확장은 포르투갈의 역사와 정체성에 깊숙이 뿌리박혀 있었다. 이 왕국의 존재 자체는 여러 세대에 걸친 십자군 활동으로까지 이어졌다. 그들은 레콩키스타에서 이베리아반도 대서양 연안을 따라 길고 좁은 나라를 얻어내기 위해 싸웠으며, 알무라비툰과 알무와히둔 및 알안달루스의 타이파왕王을 상대로 해마다 힘겨운 싸움을 벌였다. 이것은 길고도 힘든 과정이었다. 그들은 리스본을 1147년 2차 십자군 때가 되어서야 이슬람교도의 손에서 빼앗았다. 제대로 된 왕국을 수립하고 영토를 남쪽 끝의 알가르브까지 확장하는 데는 그로부터 또 100년이 걸렸다. 그러나 결국 이

[†] 1386년의 윈저 조약(이를 통해 주앙 1세가 곤트의 존의 장녀 필리파와 결혼하고 두 왕국 사이의 우호 관계가 수립되었다)을 통해 맺어진 잉글랜드-포르투갈 동맹은 역사상 가장 오랫동안 유지된 평화 협정이었고, 이후 잉글랜드와 포르투갈은 내내 평화로운 관계를 유지했다.

일은 완수되었다. 그리고 '항해자' 엔히크의 시대에는 더 이상 정복할 본토의 땅이 남아 있지 않았다. 미래는 바다 건너에 있었다.

엔히크는 스물한 살이던 1415년 여름, 아버지와 함께 모로코 북쪽 해안의 세우타에 갔다. 지브롤터해협 입구에 있는 곳이었다. 이곳은 지중해와 대서양 사이의 관문으로, 한때 '헤라클레스의 기둥'이 있는 곳으로 유명했다. 세우타는 모로코 술탄이 지배했지만, 포르투갈에 엄청난 경제적 매력을 지니고 있었다. 특히 북아프리카를 이리저리 누비는 낙타 상인단의 해안 종점이었기 때문이다. 이곳에는 매년 서西수단(대략 현재의 니제르 이서의, 사하라사막과 기니만 북쪽 해안 지역 사이에 긴 띠 모양의 지역이다)으로 알려진 지역의 광산으로부터 사하라사막을 건너 많은 금이 들어왔다.[30]

이곳 역시 이슬람교도가 지배하는 도시였다. 그것은 이교도가 장악한 지역으로 팽창해온 포르투갈의 역사와 잘 맞아떨어졌다. 그곳을 점령하기 위해 국왕 주앙은 대규모 함대를 준비했다. 수만 명의 병사를 싣고 자신이 지휘를 맡았다. 그는 이 도시 점령을 위해 세심한 계획을 세웠고, 이에 따라 8월 21일 그가 이 도시 공격을 개시하자 최소한의 전투만으로 도시를 점령할 수 있었다. 채 하루도 걸리지 않았다.

엔히크는 전투에서 부상을 당했지만 심각한 것은 아니었다. 전투가 끝난 뒤 포르투갈인은 세우타의 이슬람 사원을 임시 교회로 바꾸고 미사를 올렸다. 엔히크는 갑옷 차림으로 기사 작위를 받았고("보기에 멋진 일이었다"라고 한 목격자는 썼다), 그의 아버지는 그를 도시의 부책임자로 임명했다.[31] 젊은 그는 이로 인해 세우타를 포르투갈의 장악하에 유지하는 일(분노한 모로코인들이 도시를 탈환하고자 했기 때문에 자주 위협을 받았다)에 관심을 갖게 되었다. 그리고 길고 풍요로운 서아프리카 해안을 따라 내려가면서 포르투갈의 이익을 확장하는 일에도 평생 매혹되었다.

엔히크는 그의 역사적 별명이 의미하는 것처럼 직접 나서는 '항해자'는 아니었지만, 개략적으로만 알려진 땅을 찾아 용감하게 남쪽으로 모험에 나서는 선원들의 주요 후원자이자 응원단장이었다.

사하라사막 너머에 엄청난 천연자원이 있다는 것은 전혀 비밀이 아니었다. 1375년에 마요르카에서 만들어진 유명한 세계지도는 아프리카의 중심부를 흑인 왕들이 사는 곳으로 그렸다. 그들은 금으로 치장하고 길고 사치스러운 옷을 입고 낙타 등에 올라타 백성을 노예처럼 부리는 우아한 사람이었다. 가장 큰 문제는 접근이었고, 그것은 이슬람교도의 중개에 크게 의존했다. 포르투갈인의 목표는 사하라사막을 건너는 낙타 행렬을 지워버리고 해로를 열어 서아프리카의 모든 부를 지중해로 직접 가져오는 것이었다. 그렇게 할 수 있다면 그들은 모두 돈을 벌 수가 있다고 엔히크는 생각했다. (그가 후원한 사업에서 개인적으로 떼는 세금은 전체 이익의 20퍼센트였다.)

방법은 분명히 찾을 수 있었다. 선박 기술은 발전하고 있었다. 15세기에는 카라벨라선船이 개발되었다. 삼각돛(라틴lateen 범장帆裝)을 단 가볍고 빠른 배다. 삼각돛은 배가 장거리를 항해할 수 있게 해주면서도 좁은 만과 항구, 해안선에서 여전히 쉽게 조종할 수 있었다. 라틴 범장은 또한 바람을 거슬러 나아갈 수 있었다. 가로돛으로는 거의 불가능한 일이었다.[32] 이와 동시에 대서양의 풍향에 대한 이해도 높아져 항해자는 적도까지 또는 그 너머까지 갔다가 돌아오는 방법을 알게 되었다. 선원들은 남쪽으로 갔다가 대서양으로 나간 뒤 빙 돌아 이베리아반도로 돌아올 수 있었다. 굳이 고생스럽게 해안선을 따라 돌아올 필요가 없었다. 이런 중요한 해운의 진보 덕분에 미지의 세계로 나가려는 지원자가 끊이지 않았다.

엔히크의 지원을 받은 첫 원정은 세우타 전투 직후에 출발했다. 그들은 약간의 우연으로 마데이라제도에 상륙했고, 엔히크는 그곳을 포르투갈령으로 삼도록 명령했다. 그로부터 얼마 지나지 않은 1420년대 말과 1430년대 초에 아소르스제도 역시 식민지가 되었다.

1450년대에 알비세 카다모스토라는 베네치아의 탐험가 겸 노예 상인이 기니 해안을 따라 탐사하다가 카부베르드제도에 대한 권리를 주장했다. 이 섬의 지도를 그린 탐험자들은 그 과정에서 자기네에게 기쁨과 놀라움을 안겨준 많은 것을 보았다. 카다모스토는 마데이라제도를 지나면서 이 땅의 비옥하고 풍성한 자연에 감탄했다. 여기서는 여러 가지 유용한 목재를 얻을 수 있고, 사탕수수와 포도†가 쉽게 자랐다. 그는 이렇게 썼다. "주민 상당수는 부유하고, 나라 자체도 마찬가지다. 섬이 정원이나 마찬가지고, 거기서 자라는 모든 것은 금이나 마찬가지기 때문이다." 이 미개척지의 전망은 분명했다. "이곳은 농경에 딱 맞는 곳이기 때문에 (사람들은) 성스러운 주간(부활절 기간을 말한다)에 포도가 익는다고 말했다. 내가 본 모든 것 가운데 가장 놀라운 일이 이것이었다."³³ 그러면서 포르투갈 선박(그 상당수는 엔히크가 후원한 것이었다)은 아프리카 본토에도 정박했다. 그들은 새로운 항해 때마다 조금씩 더 남쪽으로 내려가 15세기 중반에는 기니만까지 도달했다. 현재의 코트디부아르, 가나, 토고, 베냉 해안이다.

포르투갈인이 서아프리카 해안 도시의 상인과 맺은 거래 관계는 때로 풍성한 결실을 맺었다. 그 상당수는 현재의 우리에게 도덕적으로 혐오스러운 인상을 주지만 말이다. 아프리카의 가장 오랜 무역품 가운데 하나가 인간 노예였고, 포르투갈인은 거기에 뛰어드는 데 전혀 거리낌이 없었다.

---

† 오늘날 마데이라의 가장 유명한 수출품은 여전히 강화포도주다. '항해자' 엔히크 시대에 도입된 포도나무의 포도로 만든 것이다.

그들은 14세기 말 이래 카스티야인이 장악한 카나리아제도를 통해 이 시장에 손을 대기 시작했지만, 서아프리카와의 접촉이 급증하면서 아프리카인 포로에 대한 그들의 이용과 욕구도 급증했다. 이 포로들은 어떤 곳에서는 유럽의 말과 교환되었는데, 말 한 필에 포로 9~14명의 비율이었다.

1440년대 이후 포르투갈 항구 라구스(알가르브의 해안에 있다)에서 아프리카인이 화물로서 내려지는 광경은 흔하면서도 애절한 모습이 되었다. 이 거래의 비도덕성은 적어도 일부 관찰자에게는 괴로운 것이었다. 역사 기록자 고메스 이아네스 드주라라는 1444년 라구스에서 235명의 아프리카인 남녀와 아이가 카라벨라선에서 내리는 모습을 보고 복잡한 심사를 기록했다. 그들은 잔인하게 분리되어 가족이 해체되고 어머니가 아이와 헤어졌으며, 각자는 고향에서 수천 킬로미터나 떨어진 곳에서 강제 노역 생활을 하기 위해 끌려갔다.

아무리 무심한 사람이라 해도 이 무리를 보면서 연민에 휩싸이지 않을 수 있을까? 어떤 사람들은 얼굴이 눈물범벅이 된 채 고개를 떨어뜨리고 서로를 바라보았다. 또 어떤 사람들은 처절한 신음을 내며 서서 하늘 꼭대기를 올려다보았다. 눈을 그곳에 고정시키고 크게 울부짖으며 조물주에게 도움을 청하는 듯했다. 또 어떤 사람들은 손바닥으로 자신의 머리를 치고 땅바닥에 큰대자로 누워버렸다. 또 어떤 사람들은 자기네 나라의 방식대로 노래를 부르듯이 신세 한탄을 했다. 그들의 말을 알아들을 수는 없었지만 그들이 얼마나 슬퍼하고 있는지를 나타내고 있는 듯했다.[34]

고메스는 이 거래가 내포하고 있는 정서적·신체적 고통이 무척 불편했다. 그러나 이 인간 전리품의 분배를 감독하는 '항해자' 엔히크는 이런 생각으로 괴로워하고 있는 것 같지 않았다.

인판치(왕자)가 그곳에 있었다. 힘센 말을 타고 시종들을 거느린 채 여럿에게 호의를 베풀었다. 자기 몫에서 작은 이득만 챙기려는 사람 같았다. 그는 자신의 몫인 5분의 1(이득에 대해 그가 떼는 20퍼센트의 세금)에 해당하는 46명을 아주 빠르게 분배했기 때문이다. 그는 잃어버릴 뻔했던 이 영혼들을 구제하게 된 데 큰 기쁨을 드러냈다.[35]

엔히크에게 새로운 땅은 이득을 위해 필요했다. 불신자는 세례를 주기 위해 필요했다. 그리고 목적은 수단을 정당화했다. 엔히크의 생각은 십자군 운동과 정복의 전통으로 충만했다. 두 가지 모두 겁쟁이가 할 수 있는 일이 아니었다. 그는 신전기사단 포르투갈 지부인 재건된 그리스도기사단의 단장이었고, 이 기사단을 포르투갈의 새 영토 개척에 깊숙이 개입시켰다.

그는 또한 자신이 보내는 항해자, 정복자, 노예상에게 로마 교황청의 보증을 붙여주었다. 1452년과 1456년에 포르투갈은 "사라센인, 이교도, 기타 불신자와 그 밖의 그리스도의 적을 침공하고 정복하고 싸우고 복속"시키며, 그들의 땅을 정복하고, "그 사람들을 종신 노역으로 인도"할 수 있는 교황의 면허를 얻었다.[36] 고조된 15세기의 반이슬람 정서를 모험 정신 및 성지에서 멀리 떨어진 곳의 불신자에 대한 정복과 융합하는 데는 그다지 큰 상상력의 도약이 필요치 않았다. 그러나 이것은 12세기 팔레스티나와 시리아에 십자군 국가가 창설되었던 이래 볼 수 없었던 종류의 군사적·경제적 사업에 귀중한 종교적 허가를 제공했다.

1460년 11월 '항해자' 엔히크가 죽을 무렵에 포르투갈 탐험자는 아프리카 해안을 따라 멀리 시에라리온까지 진출했다. (40년 뒤에 그들은 내처 희망봉까지 도달했다.) 그들은 서유럽에서 가장 강력한 무역 국가가 되기에 좋은 위치에 있었다. 그들의 유일한 경쟁자는 카스티야였다. 16세기 초에 노련한 항해자 두아르트 파셰쿠 페레이라(별명이 '포르투갈의 아킬레우스'였다)는 이 이례적인 팽창 활동의 공을 오로지 엔히크에게 돌렸다. "고결한 왕자 엔히크가 (포르투갈에) 가져다준 이득에 그 국왕과 국민은 큰 빚을 진 것이다. 포르투갈의 국민 대다수는 이제 그가 발견한 땅을 통해 생계를 꾸리고 있고, (포르투갈) 국왕은 이 교역에서 큰 이득을 얻고 있기 때문이다."[37] 이후 여러 세대에 걸쳐 개별적이고 조직적인 고통을 당한(그리고 당하게 되는) 사람에 대해 페레이라는 한마디도 하지 않았다.

크리스토포로 콜롬보

1492년 1월 2일, 남부 에스파냐에서 엄숙한 의식이 치러졌다. 그라나다의 산속에 자리 잡은 웅장한 알람브라 궁전에서 이베리아 본토의 마지막 이슬람 지배자가 공식으로 술탄 자리에서 물러나 집을 나왔다.

기독교도에게는 아부압딜라흐가 변형된 보압딜로 알려진 무함마드 12세는 10년 전 자신의 험난한 치세를 시작했다. 그는 자신이 주변 왕국에 가차 없이 쥐어짜이고 있음을 알게 되었다. 수백 년에 걸친 레콩키스타 전쟁은 이슬람 치하 알안달루스의 얼마 남지 않은 영토를 깎아냈고, 1469년 기독교의 이베리아는 하나의 거대 왕국으로 사실상 통합되었다. 아라곤왕 페르난도 2세가 카스티야 여왕 이사벨 1세와 결혼해 이루어진 일이었다. 이는 그라나다 술탄국에 조종을 울린 사건이었고, 종말이 오기까지 20년 이상이 걸리기는 했지만 종말은 결국 왔다.

1492년 1월 2일 동이 트고 얼마 지나지 않아서, 서른을 갓 넘은 무함마드는 의식 절차에 따라 알람브라를 에스파냐군 장교에게 넘겨준 뒤 말을 타고 그라나다 교외로 나갔다. 그곳에서 그는 페르난도왕 및 이사벨 여왕을 만나 그들에게 도시의 열쇠를 건넸다. 그는 페르난도에게 아라비아어로 이렇게 말했다.

"신은 당신을 매우 사랑하십니다. 전하, 이것이 이 천국의 열쇠입니다. 저와 그 안에 있는 사람은 당신의 것입니다."

그리고 선물이 교환되었고, 무려 9년 동안이나 에스파냐 궁정에 인질로 잡혀 있던 무함마드의 아들이 아버지 품으로 돌아왔다. 마침내 무함마드는 떠나갔다. 그해 연말에 그는 모로코에 정착했고, 그곳에서 망명 생활을 꾸려나가게 된다.[38] 그는 얼굴에 눈물을 줄줄 흘리며 새로운 집을 향해 떠나갔다.

그날 그라나다에서 벌어진 일을 목격한 사람이 오늘날 영어식 이름인 크리스토퍼 콜럼버스로 더 잘 알려진 크리스토포로 콜롬보라는 제노바의 모험가였다.[39] 그는 거의 20년 동안 이베리아반도 안팎에 있다가 1470년대에 리스본으로 이주해 왔다. 이때 콜롬보는 상시적인 대서양의 뱃사람이 되어서 배를 타고 포르투갈의 새로운 섬 전초 기지인 아소르스와 마데이라를 왕래했으며, 더 먼 곳으로 나가기도 했다. 기니 해안을 따라 항해하고, 멀리 북대서양의 아이슬란드까지도 갔다(후자는 그의 주장이다).

그러나 그는 이에 더해 세계의 모습과 알려지지 않은 지역의 신비에 관해 오랫동안 열심히 생각했다. 콜롬보는 열렬한 독서가였고, 고대 그리스의 박식가 프톨레마이오스에서부터 13세기 베네치아의 모험가 마르코 폴로(10장 참조)에 이르는 역사에 남을 만한 여행가의 저작을 공부했다.

그는 또한 존 맨더빌이라는 잉글랜드의 기사가 썼다는 재미있는 14세기 여행기(다른 자료에서 가져온 것과 상상이 뒤섞여 있었다)를 자세히 읽었다. 저자는 "해외 십자군 원정이 있은 지 오랜 시간이 지났기 때문에, 그리고 많은 사람이 그 땅(이전의 예루살렘 왕국이다)과 인근의 여러 나라에 대해 듣기를 원하기 때문에" 이 여행기를 썼다고 주장했다. 그는 소아시아에서 인도까지의 지역을 묘사했으며, 사제왕 요한 이야기 같은 진부한 옛 신화를 재탕했다.[40]

콜롬보는 이를 덥석 받아들였다. 그리고 자신이 읽은 것으로부터(바다에서 얻은 개인적 경험도 가미해) 두 가지 큰 결론을 내렸다. 첫 번째는 대서양 건너에 엄청난 부가 있다는 것이었다. 프톨레마이오스가 주장했듯이 지구가 구체라면 5000킬로미터도 가지 않아서 동아시아에 도달할 것이라고 콜롬보는 생각했다(틀린 계산이었다). 마르코 폴로와 맨더빌이 그 아찔한 부에 대해 장황하게 설명했던 그곳 말이다. 콜롬보의 두 번째 믿음은 자신이 동방으로 가면 칸 또는 다른 동방의 몇몇 대왕을 기독교로 개종시키는 계획을 되살릴 수 있다는 것이었다. 그것이 지중해 주변의 이슬람교도가 믿고 있는 '우상 숭배'와 '영원한 벌 교리'에 대적하는 최고의 전략이라고 그는 주장했다.[41]

시간이 지나면서 콜롬보는 역사 속의 다른 열성파처럼 자신의 거창한 계획에 갈수록 집착하게 됐다. 그에게 필요한 것은 자신을 후원해줄 사람뿐이었다. 그리고 페르난도와 이사벨이 등장하는 것은 바로 이 대목이었다. 그들은 이슬람 술탄을 몰아낸 사람이었고, 이베리아반도 최대 왕국의 공동 지배자였으며, 이제 스스로를 '가톨릭 군주'로 포장하고 있었다.

1492년 1월 말(여러 해에 걸쳐 에스파냐와 포르투갈 등 여러 곳에 애원하고 매달렸지만 대체로 소득이 없던 와중이었다) 콜롬보가 자신의 계획을 에스파냐 궁정에 제출하자 이사벨은 마침내 그를 지원하기로 동의했다. 콜롬보에게 스스로 '대제독'이라 부를 권리를 주고, 그의 항해에서 나오는 수익의 10퍼센트를 가져가기로 했다. 모든 관련자에게 그것은 도박이었다. 그러나 그 도박은 성공했다.

전설 속의 오디세우스가 트로야 전쟁터에서 이타케의 고향으로 돌아온 이후 1969년 아폴로 11호가 달에 가기까지, 인류 역사에서 1492년 콜롬보의 서쪽을 향한 첫 항해보다 더 유명한 여행은 아마도 없을 것이다. 그 상세한 내용은 잘 알려져 있다. 콜롬보가 항해 일지를 기록했기 때문이다 (원본은 없어졌지만 그 내용은 역사가 바르톨로메 데라스카사스가 작성한 요약본에 보존되어 있다).

이에 따르면 콜롬보는 8월 3일 "일출 30분 전"에 그의 카라벨라선 세 척(니냐, 핀타, 산타마리아)을 이끌고 에스파냐 남해안의 팔로스를 출발해 카나리아제도로 향했다. 카나리아의 현지인은 그가 멀리 가지 않아도 될 것이라고 확언했다. 매일 해 질 무렵에 "그들은 서쪽에 있는 땅을 보았"[42]기 때문이다. 그것이 사실이라면 이는 아메리카 대륙이 5~30킬로미터 밖에 있다는 말이었다. 분명히 그렇지는 않았다.

콜롬보는 배를 손보고 좋은 날씨를 기다린 끝에 9월 8일 토요일 카나리아를 떠나 서쪽으로 나아갔다. 그와 승무원들은 다음 한 달 동안 항해를 계속하면서 새, 해초, 게, 고래, 돌고래를 주의 깊게 살폈다. 모두 육지가 가까이 있다는 징표라고 콜롬보가 주장한 것이었다. 땅이 나타날 기미는 보이지 않고 선원들의 불안감이 커지자 콜롬보는 자기네가 얼마나 멀리 왔는지에 대해 그들에게 거짓말을 하기 시작했다. 자기네가 어느 곳에서도 수백 리그league[본래 로마 시대의 갈리아레우가leuga Gallica는 약 2.2킬로미터이나 영어권의 바다 거리 '리그'는 3해리, 즉 약 5.6킬로미터다]나 떨어져 있다는 너무도 분명한 사실을 무시했다.

그들은 바다에서 모두 33일을 보냈다. 선원들이 반란을 일으키기 직전인 10월 11일에야 로드리고라는 선원이 땅을 발견했다. 바하마제도의 한 산호섬이었고, 그들은 여기에 산살바도르(성스러운 구세주)라는 이름을 붙였다. "모두가 한시름을 놓았고, 환호했다"라고 콜롬보는 썼다. 그날 밤 그들은 섬 앞바다에 닻을 내렸고, 이튿날 아침 콜롬보와 승무원 몇 명이 페르난도와 이사벨 이름의 머리글자와 십자군식의 십자가가 있는 깃발을 든 채 무장한 작은 배를 타고 섬으로 갔다.[43]

그들은 해변에서 매우 신기해하는 아주 벌거벗은 남녀 몇 명을 만났고, 콜롬보는 그들에게 "붉은 모자와 유리구슬, (…) 그리고 다른 많은 시시한 것"을 선물했다. 기분이 좋아진 섬사람들은 그 대가로 "앵무새와 무명실 뭉치와 창"을 주었고, "자기네가 가진 모든 물건을 아주 기꺼이 교환"했다.[44] 즐거운 만남이었다. "그들은 놀랄 만큼 친절하게 우리를 대해줬다"라고 콜롬보는 썼다.[45]

이 사람들의 모습을 본 콜롬보는 복잡한 심사에 휩싸였다. 그들은 분명히 번듯한 외모의 젊은이였다. 피부는 연한 갈색이었고, "쭉 뻗은 다리에 배가 나오지 않았으며, 보기 좋은 체격이었다." 그러나 그들은 거의 우스울 정도로 원시적이었다. 몸에 물감 칠만 한 채로 돌아다녔고, 통나무를 깎아 만든 긴 통나무배를 탔으며, 칼 같은 아주 기본적인 무기조차 전혀 모르는 듯했고, 거래에도 아주 순진한 모습을 보였다. 콜롬보는 대칸의 것과 맞먹는 궁정을 지닌 고도의 문화를 찾아왔다. 그 대신 그는 선진 종족에서 온 외계인 취급을 받고 있었다.[46]

그에게 곧바로 한 가지 생각이 떠올랐다. 이 섬사람은 '가톨릭 군주들'〔에스파냐의 공동 지배자 페르난도와 이사벨을 가리킨다〕이 교역 상대자로 삼고

함께 새로운 세계 질서를 만들어나갈 상대는 분명 아니었다. "그들은 좋은 하인이 될 수 있고 매우 똑똑할 것이다. (…) 그리고 나는 그들이 쉽게 기독교도가 될 것이라고 생각한다. 내가 보기에 그들에게는 종교가 없는 듯하기 때문이다." 그는 그들 가운데 여섯 명을 포로로 잡아 페르난도와 이사벨에게 데려가기로 결정했다. "그들이 말하는 것을 배울 수 있도록 하기 위해서"[47]였다. 그리고 그는 두 '가톨릭 군주'를 대신해 이곳을 취득했음을 표시하기 위해 그들의 섬에 에스파냐 깃발을 꽂았다. 그런 뒤에 그는 그곳에 권리 주장을 할 곳이 더 있는지 찾아 나섰다.

이후 몇 주 동안 콜롬보와 승무원들은 부근 섬을 탐험했다. 콜롬보는 자신이 지금 있는 곳보다 훨씬 동쪽에 있는 어딘가(치팡구 열도의 외딴섬)에 가기를 희망하면서 '키타이'〔거란을 일컫는 말에서 유래해 서양인이 중국을 지칭하는 말로 썼다〕 본토를 찾았다. 그 대신에 그가 발견한 것은 카리브해의 다른 여러 작은 섬이었고, 그 뒤 10월 말과 11월 초에 훨씬 더 큰 땅인 쿠바섬과 아이티섬(그는 이를 에스파뇰라섬으로 불렀다)을 발견했다.

그의 승무원들은 곳곳에 널려 있는 외국 것에 호기심을 보이고 즐거워했다. 진주와 금, 약초와 향신료, 새로운 근채류根菜類, 달고 즙이 많은 과일, 수많은 목화, 그리고 "어떤 향이 나는 약초"(그것은 나중에 담뱃잎으로 알려지게 된다) 등이었다. 그러나 그들은 현지의 어떤 풍습에는 질겁을 하기도 했다. 콜롬보의 아들 페르난도는 나중에 이렇게 썼다. "인도인†은 불결한 것을 곧잘 먹는다. 크고 살진 거미나 썩은 나무 속에서 번식하는 흰 벌레 같은 것이다. (…) 그들은 어떤 물고기는 거의 날로, 잡자마자 바로 먹

---

† 이는 '신세계' 사람에 대한 통칭이었다. 물론 첫 항해자들이 자기네가 동방의 인도 제국에 갔다고 생각했다는 사실에서 나온 것이었다.

는다. 삶아 먹을 때도 그 전에 눈을 떼어내 그 자리에서 먹는다. 그들은 에스파냐인이라면 구토가 일어날 뿐만 아니라 먹어보면 중독될 것 같은 것도 많이 먹는다."[48] 이것이 이 세계의 방식 그 자체였다. 매혹됨과 기괴함이 번갈아 느껴졌다. 콜롬보는 고국에 돌아가면 자기네가 본 모든 것을 남에게 설명하기가 불가능할 것이라고 자기 승무원들에게 자주 말했다고 했다. "내 말재주로는 그들에 관한 모든 진실을 전달할 수 없고 내 손으로는 그것을 모두 써낼 수 없을 것"이기 때문이다. 한편 마찬가지로 거의 말문이 막히는 놀라운 감정은 그가 만났던 사람들 역시 사로잡았던 듯하다. 에스파뇰라에서 높은 사람 하나는 콜롬보에게 그의 후원자가 "매우 대단한 군주일 것"이라고 말했다. 그들이 콜롬보를 "그 먼 하늘에서 대담하게도 보냈기 때문"이었다.[49]

콜롬보는 예수 탄생 기념일 때까지 새로운 땅에 머물렀다. 예수 탄생 기념일 전날에 그는 배 하나를 잃어버렸다. 산타마리아호가 에스파뇰라 앞바다의 얕은 물에서 암초에 걸린 것이다. 콜롬보는 난파선에서 건져낸 목재로 임시 나무 보루를 만들도록 승무원들에게 명령했다. 그는 부하 한 사람을 시켜 인도인에게 총을 시범 발사하게 했다. 그들이 보루를 공격할 생각을 하지 못하게 하려는 것이었다. 그는 이 보루를 수비하기 위해 부하 36명을 배치했다. 이들이 핵심을 이루어 푸에르토 데라나비다드(크리스마스의 항구)라는 마을이 만들어졌다. "서방 세계(그들이 새로 '발견'한 서반구를 말한다) 최초의 기독교도 마을이자 정착지"[50]였다.

1493년 1월 16일, 그는 남은 카라벨라선 두 척을 다시 바다에 띄우고 에스파냐로 향했다. 자신이 보고 행한 모든 것을 자랑하기 위해서였다. 다시 한번 긴 여정이었고, 이번에는 니냐호와 핀타호가 폭풍우를 만나 서로 헤어졌다. 그러나 3월 초 "거센 바람이 불고 심한 파도가 일며 온 하늘에 (…) 천둥과 번개가 무섭게 치는" 가운데 콜롬보는 천천히 리스본 항구로 들어왔다. 그는 잠시 포르투갈왕 주앙 2세(주앙 1세의 증손자다)의 궁정에 들러 왕에게 이야기를 해주어 즐겁게 하고 자신이 아프리카에서 포르투갈의 이익을 침해하지 않았음을 주장했다.† 그런 뒤에 그는 자신의 후원자를 만나러 갔다.

이번에는 육로 여행이었다. 그는 4월 중순에 바르셀로나에 있는 에스파냐 궁정에 갔고, 그가 도착하자 페르난도 국왕이 직접 그를 맞았다. 그들은 나란히 말을 타고 시내를 달렸다. 콜롬보가 왕족이라도 된 듯했다. '가톨릭 군주들'은 흥분했다고 콜롬보는 썼다. 그들은 "무한한 기쁨과 만족으로"⁵¹ 얼굴이 환했다. 여러 해에 걸친 고생 끝에 대서양 건너에 무언가 대단한 것이 있다는 콜롬보의 믿음이 입증되었다. 페르난도의 사제이자 궁정 역사가인 피에트로 마르티레는 이 발견을 어떻게 생각해야 할지 알 수 없어 "새로운 세계에 대해 말해야겠다. 매우 멀고 문명과 종교가 없는 곳이다"⁵²라고 썼다. 그러나 콜롬보는 모든 선량한 기독교도가 자신에게 감사해야 한다고 확신했다. "수많은 사람을 우리의 성스러운 믿음으로 개종시킴으로써 얻게 될 커다란 승리로 인해, 그리고 그 뒤에 올 에스파냐뿐만 아니라 모든 기독교 세계의 세속적인 이득으로 인해서 말이다."⁵³ 이는 그가 매우 오랫동안 꿈꿨던 그 승리였다.

크리스토포로 콜롬보의 편지와 메모를 자세히 읽어보면 그가 특별히

---

† 콜롬보가 포르투갈왕을 찾아간 일로 인해 토르데시야스 조약 체결이 빨라졌다. 이 조약은 카부베르드제도 서쪽 370리그에 가상의 수직 구분선(토르데시야스 자오선)을 그어 그 동쪽에서 발견되는 모든 것은 포르투갈에, 서쪽에서 발견되는 것은 카스티야(에스파냐)에 속하는 것으로 간주하도록 했다.

매력적인 인물로 보이지는 않는다. 이 '제독'(그는 이렇게 불리는 것을 좋아했다)은 허풍선이였고, 때로는 노골적인 거짓말쟁이였다. 그는 자신의 의도와 자기네 원정의 과정에 관해 휘하 승무원을 속였다. 그는 바하마에서 처음 땅을 발견한 것이 자신이라고 주장했다. 사실이 그렇지 않음에도 말이다. 그는 새로운 땅에서 만난 사람들의 선한 본성을 이용했다. 그가 그들에 대해 가졌던 일시적인 인류학적 관심은 모두 언제나 그와 미래의 에스파냐 원정대가 그들의 자원과 노동력을 착취할 방법에 대한 그의 이기적인 시선 다음이었다. 그리고 그는 에스파냐로 돌아와서 자신의 성과와 자신이 발견한 것의 잠재력을 부풀렸다. 에스파뇰라섬이 이베리아반도 전체보다 크고 이미 아름다운 항구가 있으며 매장량이 풍부한 금광이 많다고 주장했다(그러나 없었다). 그리고 쿠바섬은 "잉글랜드와 스코틀랜드를 합친 것보다 더 크"다고 말했다.[54]

그러나 이 모든 것에도 불구하고 그가 1492년에 이룬 성과의 크기는 의문의 여지가 없다. 중세 기술의 상대적인 수준을 감안하면 아메리카 대륙과 유럽 사이의 접촉은 오직 한 방향으로 이루어질 수밖에 없었다. 그리고 콜롬보가 그 항해를 하지 않았다면 다른 누군가가 그 뒤 곧 그 일을 했으리라는 것이 분명하기는 하지만, 일에 뛰어들어 성공을 거둘 만큼 용감했고 계획을 세웠고 완전한 행운을 얻었던 것이 바로 그였다는 사실은 변하지 않는다.

역사를 꼭 선한 사람이 만들어야 하는 것은 아니다. 사실 지금까지 이 책에서 해온 중세사 여행은 그런 경우가 매우 드물다는 사실을 보여주었을 것이다. 따라서 콜롬보에게 어떤 잘못과 결점과 편견(분명히 그의 시대 기준보다는 21세기의 기준과 더 큰 차이를 보일 것이다)이 있더라도 그는 중세 전체를 통틀어 가장 중요한 인물 가운데 하나이며 지금도 그렇게 생각되고 있다. 그리고 그가 카리브해에서 돌아온 순간 그가 인류 역사의 새로운 시대를 열었다는 것은 분명했다.

콜롬보는 1493년 에스파냐에 돌아온 뒤 곧바로 서쪽으로 가는 그의 다음 여행을 계획했다. 여행은 모두 세 차례 더 하게 된다. 1493~1496년 그는 열일곱 척의 대규모 선단을 이끌고 카리브해에 도착해 앤틸리스제도를 거쳐 푸에르토리코와 자메이카로 갔다. 1498~1500년에 그는 더 남쪽을 탐험해 트리니다드섬에 들르고 잠깐 남아메리카 본토에 상륙했다. 지금의 베네수엘라 땅이다. 그리고 1502~1504년의 그의 마지막 모험에서 그는 중앙아메리카 해안(현대의 온두라스, 니카라과, 코스타리카)을 탐사했다.

그는 여러 해를 바다에서, 그리고 외국 땅에서 보냈다. 질병의 위험, 변덕스러운 카리브해의 기후, 이주자 식민지 건설의 악독한 정치가 모두 곧바로 그에게 닥쳤다. 이 몇 년 동안에 그는 배를 띄우지 못하고 태풍에 두드려 맞고 성난 부족의 공격을 받고 병으로 쓰러졌다. 그는 세 번째 항해 때 새로운 땅의 '부왕 제독 겸 총독'으로서의 권력을 잘못 사용한 혐의로 기소되고 체포되고 수감되고 쇠사슬에 묶인 채 배에 실려 에스파냐로 송환되었다. 이 경험은 그가 죽는 날까지 회한으로 남았다.

그러나 콜롬보가 스스로 그릇된 대우를 받았다고 생각해도 그만 그런 것은 아니었다. 그의 처음 임무였던 답사는 영유권을 주장하고 식민화하기 위한 더 많은 원정으로 이어졌고, 유럽인의 신세계 팽창의 본질적인 부분이 되는 공포가 시작되었기 때문이다.

맨 처음부터 이 새로운 땅은 거칠었다. 콜롬보가 1493년 에스파뇰라에 남겨놓은 첫 수비대의 운명이 그것을 경고했다. 제독이 떠나자 그의 부하들은 재빨리 금과 여자를 빼앗기 위해 현지 부족을 습격하고 자기네끼리 다툼을 벌였다. 그들은 곧 카오나보라는 현지 지도자에 의해 집단으로 살해당했다.[55] 콜롬보는 두 번째 항해로 에스파뇰라에 돌아온 뒤 그들의 죽음에 대해 곧바로 복수하지 않았다.

그러나 그는 자비로운 방문자도 아니었다. 콜롬보는 원주민을 잔혹하게 다루지 말라는 구체적인 명령을 받았지만 듣지 않았다. 그들에게 금을 공물로 바치라고 요구하고, 그들을 납치해 노예로 삼고, 그들의 땅에 요새를 건설했다. 어느 시점에 그는 '가톨릭 군주들'에게 보낸 회신에서 새로운 땅에서 경제적 성공을 거두는 최고의 전략은 현지 주민을 대량으로 노역시키고 기독교로 강제 개종시키는 것이라고 조언했다. 페르난도와 이사벨은 그런 가혹한 전술에 그다지 열의를 보이지 않았다. 그러나 결국 그것은 상관없었다. 콜롬보의 잔인한 냉소는 역사 속 거의 모든 식민 사업의 냉엄한 현실에 자리를 잡았다. 잔인성과 비인도성은 제국주의 팽창의 시녀였다. '신세계'가 달라야 할 이유는 없었다.

에스파뇰라와 쿠바에 전초 기지를 세우기 위해 콜롬보의 뒤를 이어 온 많은 예비 정착자와 투기꾼은 때로 조금 달랐다. '제독'이 세 번째 원정 때 체포된 뒤 에스파냐의 새 총독 니콜라스 데오반도라는 십자군 기사는 타이노로 알려진 현지인(그들은 이제 에스파냐인의 진주에 약이 올라 있었다)을 상대로 단호한 조치를 취했다. 오반도는 수백 명의 병사를 섬에 데려왔으며, 그들을 불운한 타이노족에게 풀어놓았다. 일부는 학살당했다. 그들의 여왕 아나카오나는 공개 교수형에 처해졌다. 그 밖에 많은 사람이 포로로 잡혔고, 오반도는 그들을 처리하는 데서 옛 십자군의 논리를 따랐다. 전쟁에서 사로잡힌 불신자는 노예로 삼는 게 당연하다는 것이었다. 그들은 1510년 무렵에 수천 명에 달한 이주민을 위해 일해야 했다.

게다가 오반도는 또한 사하라 이남 아프리카의 노예도 에스파뇰라로 수입하기 시작했다. 식민자가 채굴하는 금광에서 부리기 위해서였다. 식민화의 청사진이 구체화되고 있었다. 그리고 그것은 콜롬보가 처음 해안에 닿았을 때 산살바도르에서 해변을 부산스럽게 했던 흥분된 호기심 표출의 정서와는 상당한 차이가 있었다. '신세계'에서의 짤막한 순수의 시대는 모두 시작되기도 전에 끝나버렸다.

1504년 이후 크리스토포로 콜롬보는 카리브해를 다시 찾지 못했다. 그의 빛은 세 번째 항해 이후 바랬다. 그리고 그는 자신의 몰락에 대해 대체로 다른 사람을 비난했다. 특히 국왕 페르난도에 대해 콜롬보는 그가 이사벨(1504년 죽었다)에 비해 훨씬 덜 우호적이었다고 의심하게 되었다. 이것이 정말로 확실한 이야기였는지는 아마도 중요하지 않을 것이다. 콜롬보의 사소한 원한보다 훨씬 중요한 것은 이 세 사람이 함께 시작한 사업의 기세가 이제는 멈출 수 없게 되었다는 점이었다.

콜롬보는 "통풍과 기타 질병, 그리고 높은 지위에서 굴러떨어진 스스로를 보는 슬픔"[56]으로 인해 고통을 겪다가 1506년 5월 20일 죽었다고 그의 아들은 썼다. 그러나 그가 숨을 거두면서 그가 중요한 역할을 한 '탐험의 시대'는 궤도에 오르고 있었다.

1520년대 중반에 콩키스타도르(정복자)로 알려진 에스파냐와 포르투갈의 탐험자와 전사는 카리브해 일대뿐만 아니라 우리가 멕시코, 과테말라, 플로리다, 브라질(해안)로 알고 있는 대륙부까지 몰려들었다. 그들은 중갑重甲, 권총, 대포를 가지고 왔다. 그것이 급증하면서 토착민 사이에 공포가 확실하게 퍼졌다. 그들은 이전에 화약에 대해 보거나 들은 적이 전혀 없었다.

이 콩키스타도르 가운데 하나가 에르난 코르테스였다. 이 거만한 에스파냐인은 1519~1521년 원정 뒤 막대한 양의 금을 멕시코에서 본국으로 보냈으며, 이 원정에서 그의 군대는 아스테카 제국을 격파하고 멸망시

컸다. 그 마지막 황제 모테쿠소마 2세는 폐위되고 아마도 살해당했을 것이다. 이 금 가운데 일부가 1520년 브뤼셀 시청에 전시되어 알브레히트 뒤러가 보았던 그 보물이었다. 그러나 이는 결국 '신세계'에서 약탈되는 것의 극히 일부일 뿐이었다. '신세계'의 본토에는 아스테카 수도 테노치티틀란 같은 거대 도시가 있었고, 특히 테노치티틀란을 본 사람들은 어느 모로 보나 그곳이 베네치아만큼 화려하다고 판단했다.

콩키스타도르는 우월한 기술과 무기를 전개하고 천연두 같은 질병(아메리카 토착민은 이에 대해 저항력이 거의 또는 전혀 없었다)을 가져와 아메리카의 고대 왕국을 쓸어내고 그 대신에 대서양 건너의 자기네 제국을 건설했다. 그들은 이 식민지를 온갖 방법으로 쥐어짜 유럽의 자기네 모국의 영광을 드높였다. 이 '신세계' 제국의 등장은 역사가들이 오늘날 중세의 종착점을 판별하는 데 사용하는 큰 변화 가운데 하나다.

인도로, 그 너머로

15세기 초 아프리카 해안을 내려가면서 침략하던 시기와 콜롬보의 카리브해 탐험 사이의 기간에 중세 말 항해자는 세계 지리에 대해 방대한 양의 지식을 얻었다. 그들은 금에서 목재와 대구어에 이르는 원자재의 산지에 관한 귀중한 새 정보를 밝혀냈다. 그러나 그들이 하지 못한 것은 프톨레마이오스 시대 이래 해결하지 못한 근본적인 문제를 푸는 것이었다. 동쪽이 아니라 서쪽으로 가서 인도 제국에 도달할 수 있는지 아닌지의 여부였다.

첫 대서양 횡단 발견 항해와 관련된 어떤 것도 그것을 바꾸지 못했다. 콜롬보 이후 카나리아나 카부베르드에서 어떤 위도를 따라 서쪽으로 향하는 모든 선원은 결국 카리브해의 섬, 그리고 그 너머의 아메리카(이 이름은 1501~1502년 브라질 해안의 지도를 작성한 피렌체 항해자 아메리고 베스푸치의 이름을 따서 16세기 초에 그렇게 붙여졌다) 대륙으로 갔다.

한편 더 북쪽으로 향하면 조금 차이가 났다. 1497년, 잉글랜드 튜더 왕가의 첫 왕 헨리 7세에게 고용된 베네치아 선원 조반니 카보토는 브리스틀을 출발해 동아시아로 가는 '서북 해로'를 찾아 나섰다. 그 역시 성공하지 못했다. 아마도 뉴펀들랜드(랑스오메도스의 옛 노르드인 정착지가 있던 곳이다)였던 듯한 땅을 만나고 돌아왔다. 1508~1509년 카보토의 아들 세바스티아노가 또 하나의 시도를 했다. 나중에 허드슨만灣이라는 이름이 붙게 되는 곳을 발견하고 남쪽 방향을 선택해 북아메리카 해안을 정찰해 멀리 체서피크만灣까지 갔다. 이 모든 것은 특히 16세기 후반에 첫 북아메리카 식민지가 만들어지면서 역사적으로 매우 중요해지게 된다. 그러나 이 가운데 어느 것도 유럽 국가에서 칸의 나라로 가는 지름길에 가까이 다가서게 하지는 못했다.

그러나 1488년, 바르톨로메우 디아스라는 포르투갈인 선장이 또 다른 해로가 존재할 것이라는 감질나는 증거를 제공했다. 디아스는 주앙 2세로부터 아프리카 해안을 따라 더 내려가라는 임무를 부여받았다. 그 이전 어느 유럽인이 갔던 곳보다도 더 멀리 말이다.

그는 거의 1년 반에 걸친 바다와의 사투 끝에 이 일을 해냈다. 1488년 2월 그는 희망봉(당초 그는 '폭풍의 곳'이라는 뜻의 'Cabo das Tormentas'로 불렀으나 나중에 '좋은 소망의 곳'인 'Cabo da Boa Esperança'로 바꾸었다)을 돌아 알고아만灣(현대의 남아프리카 포트엘리자베스 동쪽의 작은 만이다)까지 갔다. 거기서 그의 승무원들은 더 이상 가라고 하면 목을 따버리겠다고 그에게 솔직하게 이야기했다.

그의 임무는 아프리카를 돌아 항해하는 것이 (쉽지는 않겠지만) 가능할지 확인하는 것이었다. 그것이 가능하다면 동북으로 방향을 잡아 항해하면 결국 인도로 가게 된다는 결론이 나온다. 이것은 말 그대로 세계를 바꾸는 일이었다. 디아스의 여행 이후에 만들어지는 세계 지도는 인도양이 탐험되지 않은 땅으로 둘러싸인 것(프톨레마이오스가 그렇게 생각했다)이 아니라 남쪽으로부터 들어갈 수 있는 곳이라는 사실을 염두에 두고 수정되어야 했다. 포르투갈은 이 지식으로 무장하고 1493년 이후에는 크리스토포로 콜롬보가 서부 대서양에서 이룬 성과에 자극받아 디아스의 이정표 너머로 밀고 가는 시도를 할 준비가 되어 있었다.

중세 말 항해의 역사에서 콜롬보에 이어 두 번째 자리를 차지할 인물이 바스쿠 다가마다. 1497년에 다가마는 30대였고, 십자군 운동을 하는 산티아고기사단의 일원이었다. 그래서 과거 기사단 단장이던 국왕 주앙 2세의 총애를 받았고, 인도양을 갈 수 있는 데까지 멀리 가서 탐험하도록 허락을 받은 바 있었다. 그는 7월에 네 척의 배와 170명의 부하를 거느리고 리스본을 떠났다. 그는 포르투갈의 새 국왕 마누엘 1세(재위 1495~1521)로부터 "신에 대한 봉사와 우리 자신의 이익이 되는 바다에서의 발견을 이루기"[57] 위해 필요한 모든 일을 할 수 있다는 허가를 받았다.

그는 왕의 지시를 그대로 이행했다. 다가마는 아프리카 해안을 따라 남쪽으로 항해해 시에라리온까지 간 뒤 용감하게, 그리고 아마도 약간 광적으로 곧바로 앞으로 계속 나아가 대서양 너른 바다로 나갔다. 결국 서풍이 그의 함대를 아프리카 대륙의 남쪽 끝 방향으로 데려다줄 것이라는 디아스의 주장을 믿었다.

그는 옳았다. 그러나 거기에는 막대한 의지와 생존 노력이 필요했다. 그리고 어느 방향으로도 육지의 낌새가 전혀 없는 바다에서 석 달을 버텨야 했다. 한 주가 가고 또 한 주가 가도 다가마와 승무원들에게 보이는 것이라고는 파도, 고래, 이따금 나타나는 바닷새뿐이었다. 역사에 기록된 사람 가운데 그렇게 오랫동안 바다에 나가 있었던 사람은 없었다. 그러나 11월 4일 토요일, 마침내 땅이 시야에 들어왔다. 다가마의 승무원들은 "우리의 축제복을 입고, 우리의 포를 쏘아 (선장에게) 경의를 표했으며, 배에 깃발을 올렸다."[58] 그들은 제대로 가고 있었다.

1497년 11월 말, 함대는 희망봉을 돌았다. 예수 탄생 기념일 무렵에 그들은 지나는 해안의 아프리카 흑인과 거래를 했다. 유리구슬, 모자, 팔찌를 주고 구워 먹을 살진 황소를 받았다. 또 아마포와 금속을 교환했다. 그들은 당나귀처럼 우는 새와 가죽이 너무 단단해 작살이 들어가지 않는 바다사자를 보고 눈이 휘둥그레졌다. 그들은 분명히 공급이 풍부해 보이는 구리 같은 광물, 소금, 주석, 상아에 주목했다. 오직 그들의 기독교 전도 시도만은 완전히 실패로 끝난 듯했다. 승무원들이 아프리카의 한 만灣에 들러 기념비와 십자가를 세웠는데, 그들이 배를 타고 떠나면서 보니 혐오감에 찬 부족민 10여 명이 그것을 모두 박살 내고 있었다.[59]

새해가 되면서 다가마와 승무원들은 더 많은 어려움을 겪기 시작했다. 그들은 자기네 배 한 척을 자침(고의적으로 가라앉히는 것)시켜야 했다. 그들 상당수는 괴혈병에 걸렸다. "그들의 손과 발이 붓고, 잇몸이 이 위로 부풀어 올라 음식을 먹을 수가 없었다."[60] 모삼비크에서 그들은 부유한 이슬람교도 주민 하나를 만났는데, 그는 그들의 평화 제의에 코웃음 쳤다. 그리고 그들은 사제왕 요한이 비교적 가까운 곳에 있음을 알게 되었다. 그는 사막 깊숙한 곳에 살고 있었다. 낙타를 타고 여러 날 가야 하는 곳이었다.

그들이 몸바사(현대의 케냐)에 들렀을 때, 분명히 우호적이었던 환영이 곧 험악하게 변했고, 사람들이 헤엄쳐 가서 정박 중인 배를 파괴하려

했다. 카리브해와 달리 인도양은 정교하고 매우 발전된 해상 무역 지대였다. 다가마의 대포는 그들이 때로 사람들을 물러나게 할 필요가 있을 때 효과적인 방위 수단임이 입증되기는 했지만, 화약은 낡은 것이었고 포르투갈인은 크리스토포로 콜롬보가 덕을 입었던 기술적 이점 같은 것을 누리지 못했다. 그러나 결국 다가마는 아프리카 해안을 떠나 다시 공해로 들어가고 아라비아해로 향하도록 방향을 잡는 데 도와줄 노련한 현지 항해사를 구하는 데 성공했다.

5월 20일, 다가마와 승무원들은 인도 서남 해안에 도착했고, 말라바르 해안의 코리코드(코지코드)(영어로는 캘리컷, 현대의 케랄람(케랄라)주) 바로 앞바다에 정박했다. 사무티리로 알려진 현지 지배자가 사람을 보내 무엇을 원하느냐고 묻자 다가마가 솔직하고 단도직입적인 태도를 보이며 이렇게 대답했다.

"기독교도와 향신료입니다."

그의 운은 약간만 좋을 뿐이었다. 다가마는 사무티리가 자신의 개인적 신분과 그가 제안한 거래 조건에 완전히 실망했음을 알아차렸다. 그와 승무원들은 이곳의 주민 상당수가 기독교 어떤 종파의 신도라고 생각했다. 그러나 그들 가운데 어느 누구도 사제왕 요한처럼 보이지 않았다. 그의 승무원 가운데 한 사람이 익명의 일기에 이렇게 적었다.

(남자들은) 얼굴이 황갈색이다. 그들 가운데 어떤 사람은 수염이 무성하고 머리털이 길다. 반면에 또 어떤 사람은 머리칼을 짧게 깎거나 아예 밀어버리고 정수리에 한 줌만 남겼다(그들이 기독교도라는 증표다). 그들은 또한 콧수염도 기르고 있다. 그들은 귓불을 뚫고 거기에 금을 주렁주렁 매단다. 허리 위는 알몸이며, 하체는 매우 고운 면제품으로 덮는다. 그러나 이렇게 하는 것은

가장 높은 사람뿐이다. 나머지는 그저 할 수 있는 만큼만 하기 때문이다. 이 나라의 여자들은 보통 못생기고 키가 작다. 그들은 목에 금으로 된 장신구를 잔뜩 감고 팔에 팔찌를 여러 개 하며 발가락에 보석을 박은 반지를 낀다. 이 사람들은 모두 호의적이고 분명히 온화한 성격이다. 처음 보면 그들은 욕심 많고 무식해 보인다.[61]

그러나 "욕심 많고 무식"하다는 묘사는 그들 자신에게도 똑같이 적용될 수 있었다. 그들은 코리코드의 상인 및 당국자와 흥정하려 할 때마다 판판이 완전하게 압도당했다. 그들이 5월부터 8월 말까지 그곳에 머물기는 했지만 말이다.

그럼에도 불구하고 이 원정은 즉각적인 부를 만들어내지는 못했어도 다가마가 주문받았던 더 큰 부분은 입증했다. 복잡하고 위험한 오스만 지배하의 지중해를 헤쳐 나오거나 마르코 폴로의 발자취를 따라 중앙아시아를 통과하는 고된 육상 여행에 매달리지 않고도 인도로 갈 수 있었다.

물론 쉽지는 않았다. 고국 포르투갈로 돌아가는 다가마의 뱃길 여행도 1년 가까이나 걸렸다. 그사이에 괴혈병, 식수 부족, 기타 질병으로 절반가량의 부하가 죽었다. 이에 따라 그는 또 한 척의 배를 자침시켜야 했다. 그러나 남은 두 척의 배가 1499년 7월 마침내 포르투갈로 돌아오자 그들은 환호와 대중의 축하에 휩싸였다. 국왕 마누엘 1세는 의기양양해 '가톨릭 군주들'(페르난도와 이사벨)에게 편지를 써서 이를 알렸다(두 공동통치자는 마누엘의 장인·장모였다).

(나의 항해사들이 그곳에) 도달해 인도와 다른 왕국과 그 주변의 영주를 발견했습니다. 그들은 그 바다에 들어가 항해하고 큰 도시와 큰 건물과 강, 많은

주민을 발견했습니다. 그들과 향신료 및 귀금속을 모두 거래하고 그것을 배에 실어 보냈습니다. (…) 메카로, 그리고 거기서 카이로로, 거기서 다시 온 세계로 배포될 것입니다. 그들은 이것(향신료 등)을 많이 가져왔습니다. 계피, 정향, 생강, 육두구, 후추 같은 것이며, (…) 홍옥 같은 온갖 종류의 고운 돌도 많습니다. 그리고 그들은 또한 금광이 있는 나라에도 갔는데, 그것(금)은 향신료와 보석처럼 충분히 가져오지 못했습니다.

에스파냐가 서쪽에서 '신세계'로 진출하는 길을 열었지만 포르투갈도 그들을 바짝 뒤쫓고 있었다.

다가마의 첫 원정 이후 포르투갈은 꾸준히 인도에 원정대를 보냈다. 두 번째 큰 원정(다가마 때보다 훨씬 큰 규모였다)은 페드루 알바르스 카브랄이 지휘했다. 그는 1500~1501년 대규모 항해를 했다. 먼저 브라질 해안에 갔고, 이어 동쪽으로 희망봉으로 가고 모삼비크를 거쳐 코리코드와 인도 말라바르 해안의 또 다른 지점인 코치 왕국에 갔다. 카브랄과 그 승무원들은 폭풍우와 인도에서 벌어진 아라비아 상인(그들은 신참자가 와서 화가 났다)과의 계속된 싸움에 상당히 녹초가 되어서 돌아왔다. 그러나 향신료를 가득 싣고 왔고, 이를 유럽에서 팔아 많은 이득을 남겼다.

이 마법이 좋은 것일 뿐만 아니라 반복될 수 있음을 알게 되자 이제 수백 년 뒤에 '카레이라 다인디아'(인도 항로)로 알려지게 되는 길을 따라 연례 선단이 파견되었다. 포르투갈 선단은 대서양의 무역풍과 인도양의 계절풍 패턴의 이점을 살려 리스본에서 출발해 카부베르드로 가고 서남쪽 브라질로 갔다가 다시 아프리카의 남쪽 끝을 돌아 거기서 인도로 갔다. 때로는 모삼비크와 마다가스카르섬 사이의 해협을 지나기도 했고, 또 어떤 때는 마다가스카르섬 바깥으로 돌아가기도 했다.

선단은 배 몇 척부터 십여 척에 이르기도 했는데, 포르투갈 왕국의 전담 부서가 운송 수요를 감독했다. 국가는 사실상 국가사업이 되는 것의 비용을 후원하고 보증하는 일에 잘, 그리고 진정으로 뛰어들었다. 그리고 이 상업 활동은 갈수록 군사력으로 뒷받침되었다. 포르투갈은 인도 서남 해안 곳곳에 요새를 건설하는 협상을 타결시켰고, 적대적인 인도 지배자를 대포 공격으로 혼내주었다. 유럽의 침입자와 인도양 토박이 상인 사이의 해전은 더욱 잦아졌다. 그러나 1510년에 포르투갈은 인도 본토의 자기네 전초 기지를 관리하는 상주 총독을 임명하고 고아를 중심으로 하는 지역을 잘라내 정착지로 만들었다.

150년 뒤, 포르투갈은 인도 해안선 수백 킬로미터와 스리랑카의 상당 부분, 현대 방글라데시와 미얀마 일부, 중국 남부 아오먼(포르투갈어 마카우)의 작은 반도와 섬을 정복하고 있었다. 그들의 배는 후추, 계피, 정향, 육두구를 싣고 리스본 항구로 돌아왔다. 동방에서 그들은 면포와 금·은괴를 거래했다. 곧 그들은 서로를 적대시하고 있는 일본과 중국 사이에서 무역 중개인으로 끼어들게 된다. 이들은 사이가 매우 나빠 둘 사이의 직접 교역이 불법이었다. 한편 지구 반대편에서 그들은 또한 브라질을 장악하고 있었다. '카레이라 다인디아' 첫 단계에서 중간 기착지였던 곳이다.

이 나라는 참으로 세계 제국이었다. 포르투갈의 요새, 항구, 무역 기지, 공장, 수비대가 알려진 세계 곳곳에 진주 목걸이처럼 뻗쳐 있었다. (그리고 이런 상황은 부분적으로 바로 현대에 이르기까지 지속되기도 했다. 고아는 1961년에야 인도에 반환되었고, 마카우는 1999년에 반환되었다.) 마지막 대결이 눈에 보이기 시작했다.

일주의 완성

서쪽으로 항해해 동방에 도착하는 오랜 난제를 푼 항해는 포르투갈의 탐험가 페르낭 드마갈량이스(마젤란)가 이루었다. 그는 세비야에서 과달키비르강을 내려가 1519년 8월 항해에 나섰다. 세계를 일주한다는 계획이었다. 마갈량이스는 비밀스럽고 매우 독실한 사람이었으며, 콜롬보와 마찬가지로 그들이 어디를 가는지, 그가 무엇을 이루기 원하는지에 대해 끊임없이 자신의 승무원들을 속였다. 그는 여행이 끝나기 전에 죽었다.[62] 그럼에도 불구하고 그것은 휘하 간부 가운데 한 사람인 후안 세바스티안 엘카노라는 카스티아인의 지휘로 마무리되었다.

이 3년에 걸친 웅대한 모험으로 용감무쌍한 그 대원들은 대서양을 건너고 남아메리카의 남쪽 끝을 돌아 태평양을 건너고 필리핀 및 인도네시아로 갔다. 막탄섬에서 벌어진 원주민(그들은 마갈량이스가 떠안기려 한 기독교 신앙을 받아들이기를 꺼렸다)과의 전투에서 마갈량이스가 죽은 뒤 엘카노가 귀환 여정을 지휘했다. 그들은 인도양을 건너고 희망봉을 돌아 에스파냐로 돌아갔다. 그곳에서 이 항해의 후원자인 카를로스 1세는 너무도 흥분해서 엘카노에게 문장紋章을 하사했다. 거기에는 이런 제명題銘이 적혀 있었다.

Primus circumdedisti me
(그대는 세상을 돌아 내게로 온 첫 사람이다.)

이 여행은 참여자의 엄청난 희생이 따랐다. 300명 가까운 사람이 출발했지만 고국으로 돌아온 것은 스무 명도 되지 않았다. 그럼에도 불구하고 이것은 항해의 이례적인 위업이자 동시에 인간의 진보에서 상징적인 대사건이었다. 지구의 모양과 본질은 유사 이래 추측과 불가사의의 문제였는데, 이제 인간이 완전히 이해할 수 있는 범위의 대상이 되었다. 그리고 오스트랄라시아 대륙(아시아 남쪽의 대륙이어서 사실상 오스트레일리아를 가리킨다), 중부 아프리카의 상당 부분, 아마존 우림, 아메리카 내륙, 남극 대륙, 히말라야 고봉 같은 많은 곳이 여전히 서방인에게 알려지지 않고 탐험되지 않은 채로 남았지만, 그런 곳의 지도를 만드는 것은 이제 '가능성 여부'나 '방법'의 문제가 아니라 단순한 '시기'의 문제가 되었다.

마갈량이스와 엘카노의 세계 일주에서 쿡 선장의 오스트레일리아 도착, 텐징 노르가이 및 에드먼드 힐러리의 에베레스트산 등정, 인공위성 탐사 및 구글어스의 현시대까지의 거리는 멀지만 그 관계는 직접적이다. 15세기 유럽인의 발견 항해 이전에 세계 지도는 부분적으로 맞춰진 조각그림 맞추기였다. 그 이후 해수면 위의 어느 곳도 탐험가와 항해자가 가지 못할 곳은 없게 되었다.

따라서 유럽인의 발견 항해는 중세의 종말을 가져온 결정적인 요인 가운데 하나였다. 마갈량이스의 세계 일주의 지리적·심리적 성과 외에도 그들은 또한 유럽의 세계 제국의 새로운 시대를 열었다. 에스파냐와 포르투갈이 수천 킬로미터 밖의 땅을 식민화하기 시작한 첫 거대 해상 세력이었지만, 그 후 오래지 않아 특히 잉글랜드, 프랑스, 네덜란드 등이 그 뒤를 따랐다. 이 광대하고 멀리 떨어진 영토의 건설은 세계 상업의 성격을 심각하게 변화시켰고, 그것은 세계 모든 대륙에서 오래된 세력 구조를 부숴버리고 다시 그리게 했다.

그것은 어떤 개인과 왕국에는 상상할 수 없는 부와 번영을 가져다주었지만, 또 누군가에게는 지독한 고통과 예속과 재난을 떠안겼다. 제국주의의 유산은 21세기에도 여전히 격렬하고 매우 감정적인 논쟁의 주제다. 유럽 식민 제국주의 시대와 그 유산에 대한 전모는 이 책의 범위를 훨씬 벗어난다. 그러나 부정할 수 없는 것은 그것이 중세에 뿌리를 두고 있다는 것이다. 콜롬보와 다가마 같은 모험가가 세계를 여행하는 새로운 방법을 찾아 나섰고, 결국 어느 모로 보나 마르코 폴로가 몽골 칸의 전성기에 발견한 것만큼이나 매혹적인 경이를 만났다.

이 모든 것으로 이제 중세 세계를 통과하는 긴 여행에서 살펴봐야 할 것이 딱 하나 남았다. 15세기에 세계의 성격이 바뀐 것과 마찬가지로 교회의 모습도 바뀌었기 때문이다. 새로운 대륙과 동방으로 가는 새로운 해로가 중세의 지구에 관한 생각을 근본적으로 개조한 것과 동시에, 아주 다른 혁명 하나가 하늘에 관한 생각을 박살 내려 하고 있었다. 이것이 종교개혁이었고, 이는 1430년대 독일에서 시작되었다. 요하네스 구텐베르크라는 금 세공사가 책을 인쇄하는 방법을 만들어냈을 때다.

16장

개신교도들

❧

신의 말씀이, 어떤 군주나 황제도 큰 손상을 입히지 못했던
교황권을 아주 약하게 만들었다.
— 마르틴 루터

1455년 가을, 독일의 도시 마인츠에서 금 세공사 두 명이 소송을 벌였다. 그들의 분쟁은 돈 문제로 일어났고, 한 프란체스코회 수도원 식당에서 교회 당국자가 심리했다.

첫 번째 금 세공사 요하네스 구텐베르크는 쓰기의 본질을 바꾸겠다는 희망을 가지고 기계를 만들면서 장비와 노동력과 자신의 시간에 투자하기 위해 1600굴덴(상당한 액수였다)을 빌렸다. 두 번째 금 세공사 요한 푸스트가 그 돈을 빌려줬다. 그 투자에서 나오는 수익으로 부자가 될 것이라는 생각이었다. 그러나 몇 년이 지나도록 구텐베르크는 이익을 내지 못했다. 이제 푸스트의 인내심은 바닥이 났고, 자신의 사업 파트너를 상대로 소송을 제기함으로써 본전을 찾고자 했다. 푸스트는 투자금을 돌려받든지 아니면 구텐베르크의 작업장을 털어 그 액수에 해당하는 장비와 물건을 빼앗아 오든지 해야 했다. 푸스트에게 이 소송은 자존심과 정당성의 문제

였다. 구텐베르크에게 이것은 살아남느냐 망하느냐의 문제였다.

구텐베르크가 발명하고자 애쓴 것은 인쇄기였다. 중세의 문서는 보통 서기가 양 또는 소의 피지皮紙로 알려진, 늘려 가공한 동물 가죽 위에 손으로 써서 만들었다. 깃펜과 수지로 만든 잉크가 담긴 병이 동원되었다. 최고의 서기는 능률적인 필사자이거나 재능 있는 예술가였고, 때로는 둘을 겸했다. 그러나 그들도 인간이었다. 그들은 한 쪽 한 쪽 작업을 했고, 한 번에 사본 하나를 만들었다. 기독교 성서, 성인의 전기, 아리스토텔레스나 프톨레마이오스의 논문 같은 긴 문서는 필사를 마무리하는 데 수백 시간, 심지어 수천 시간이 걸렸다.

구텐베르크는 이것이 너무 힘들다는 것을 알았고, 성인이 된 후 상당한 시간을 사본 제작 혁신을 추구하는 데 들였다. 그가 처음으로 인쇄라는 개념을 생각해 낸 것은 아니었다. 날짜가 박힌 중국의 첫 인쇄 두루마리(《금강경》이라는 불경 사본이었다)는 868년 목판으로 찍은 것이었고, 금속활자는 한국에서 13세기부터 사용되었다. 그러나 그런 기술은 서방에 알려지지 않았다. 그때까지는 말이다.

구텐베르크가 만든 인쇄기는 기술자 몇 명이 이전에 상상할 수 없었던 양의 사본을 만들어낼 수 있었다. (활자로 알려진) 개개 문자를 금속으로 주조한 뒤 조합해 단어, 문장, 문단을 이루었다. 여기에 기름을 기반으로 한 잉크를 바르고 피지 또는 이탈리아에서 만든 종이(또 다른 중세 초 중국의 발명품으로 서방에 갓 들어온 것이었다)에 대고 누른다. 필요한 만큼 몇 번이고 눌러 동일한 쪽을 여러 장 인쇄해낸다. 이 모든 것은 돈이 많이 들고 힘든 과정이며 노련한 금속공의 상당한 주의와 집중이 필요한 것이었지만, 그것은 예전의 사본 제작 방식을 밀어내고 말을 기록하는 데 완전히 새로운 시대를 열 수 있는 잠재력이 있다고 구텐베르크는 생각했다.

문제는 역사 속의 모든 신기술 사업가와 마찬가지로 구텐베르크의 야망과 상상력의 폭이 그가 다른 사람의 돈을 사용할 수 있는 능력 때문에 제한된다는 점이었다. 따라서 푸스트가 대출금을 회수하려 하자 그것은 구텐베르크의 신생 사업체에 재앙으로 다가왔다. 1455년 11월, 마인츠의 법정은 푸스트의 손을 들어줬고, 그 직후 푸스트는 구텐베르크의 인쇄기, 그의 활자, 그의 작업장을 몰수할 권리를 얻었다. 설성가상으로 푸스트는 구텐베르크의 상품 재고까지 가져갔다.

구텐베르크는 몇 년 동안 두 권짜리 기독교 성서 인쇄본을 만들어왔다. 히에로니무스 성인의 4세기 라틴어 통속역본을 15세기의 기술로 만들어내는 것이다. 그는 인쇄를 거의 마쳤고, 두 종류로 판매할 계획이었다. 하나는 종이 인쇄본이었고, 또 하나는 보다 고급스럽고 질긴 피지 인쇄본이었다.

기독교 성서가 곧 나온다는 소문이 유럽 상류층 사이에 확 퍼졌다. 에네아 실비오 피콜로미니(나중의 교황 피우스 2세다)라는 독일의 한 교황 대리인이 1455년 3월 에스파냐의 한 추기경에게 편지를 써서, 자신이 제본되지 않은 그 낱장을 보았는데 매우 인상적이었다고 말했다. 그렇지만 금세 매진될 것으로 보여 한 부 구하기는 거의 불가능할 것이라고 그는 예상했다. "서체가 매우 산뜻하고 읽기 쉬워 읽어나가기가 전혀 어렵지 않았습니다. 각하께서도 힘들이지 않고 읽을 수 있을 것이고, 특히 안경도 필요 없을 것입니다."[1] 이제 푸스트는 구텐베르크의 수습생 가운데 하나인 페터 쇠퍼와 함께 이를 차지하고 마무리되기까지 일을 감독했다.

구텐베르크 성서는 푸스트와 쇠퍼에 의해 곧 출판되었고, 1456년 8월 이전에 판매되었다. 그것은 큰 책으로 강대상에 놓고 읽도록 한 것이었다. 두 권 합쳐 1200쪽이 넘었고, 42줄씩 2단으로 배치되었다. 활자는 흑색·

청색·적색이었고, 곳곳에 멋진 채색 문자가 있었으며 여백에도 간간이 삽화가 있었다.[2] 그것은 필사본과 매우 닮아 보였다. 그러나 필사본이 아니었다. 구텐베르크 성서는 서방의 첫 중요 인쇄본이었다.

그것은 쓰기와 출판의 역사에서 일대 사건이었다. 그러나 그보다 더 중요하게는 중세 소통 혁명의 출발점이었다. 기계화 인쇄는 15세기 서방 문화를 근본적이고도 심각하게 바꾸었다. 21세기로 접어들 무렵 스마트폰이 만들어져 세계를 바꾼 것과 같은 정도였다. 그것은 문학, 식자識字, 교육, 대중정치, 지도 제작, 역사, 광고, 선전, 행정의 포괄적인 발전으로 이어졌다.[3] 철학자이자 정치가였던 프랜시스 베이컨은 17세기에 이를 되돌아보며 인쇄가 화약 및 나침반과 함께 "전 세계의 모습과 상태"를 변화시킨 요소로 꼽았다.[4]

그러나 우리의 목적에서 가장 중요한 것으로, 인쇄기는 종교개혁에서 중심적인 위치를 차지했다. 이는 16세기에 로마 교회를 찢어놓은 혁명이었다. 첫째로, 구텐베르크 같은 인쇄업자는 교황권이 윤리와 조직적인 부패의 위기로 곤두박질치게 만드는 도구를 제공했다. 그리고 인쇄기는 기성 질서에 대한 반대 의견이 맹렬한 속도로 전 유럽으로 확산될 수 있게 했다. 그 결과로 중세 유럽은 불과 수십 년 사이에 새로운 움직임(개신교 신앙)이 자리 잡으면서 종교적·정치적 혼란에 빠져들었고, 1000년 만에 가톨릭 신앙에 대한 첫 번째의 심각한 도전을 제공했다.

종교개혁을 서술하는 것이 우리가 중세 이야기를 끝내기 전에 마지막으로 해야 할 일이다. 이 여정은 분투하는 금 세공사 요하네스 구텐베르크의 마인츠 작업장에서 시작해 교황청 바깥 거리에서의 폭동과 새 시대를 연 두 번째 로마 약탈로 이어진다.

면죄부 추문

활판으로 인쇄되어 남아 있는 서방의 가장 이른 문서(또는 적어도 확인할 수 있는 날짜가 박힌 첫 번째 것)는 성서나 기타 부류의 것†이 아니라 교황의 면죄 증서로 알려진 문서다. 이는 마인츠 또는 그 부근에서 만들어졌고(확실한 것은 아니지만 아마도 구텐베르크 자신이 만들었을 것이다), 이는 대략 비슷한 시기에 인쇄된 여러 동일한 증서 가운데 하나다.

이 면죄부는 우피지에 31행으로 인쇄된 문서다. 여기에서 유일하게 인쇄되지 않은 부분은 개별적인 세부 사항을 손으로 적어넣은 곳이며, 이것이 1454년 10월 22일 마르가레테 크레머라는 여성에게 발급된 것임을 말해준다.[5]

이 면죄부는 인쇄된 본문에서 이것이 무슨 용도인지를 분명하게 밝히고 있다. 이것은 파울리누스 차페라는 키프로스 귀족이 보내온 것이었다. 그는 자신이 키프로스왕의 대변인이라고 주장했다. 이 특정 군주는 1454년 오스만 술탄 메흐메드 2세에게 시달리고 있었다. 막 콘스탄티노폴리스를 정복한 메흐메드는 동부 지중해 지역의 기독교도가 장악하고 있는 다른 땅을 노리고 있었다. 이 면죄부는 키프로스왕이 돈이 절실하게 필요해 교황 니콜라우스 5세가 3년 동안 교회에 헌금하는 자는 모두 고해신부에게 가서 자신이 지상에서 지은 모든 죄를 완전히 사면받았다고 주장할 권리는 주는 데 동의했다고 설명한다.

이것은 물론 상당히 중요한 일이었다. 마르가레테 크레머가 무슨 죄를 지어 고해성사나 다른 선행으로 속죄할 수 없다고 스스로 느꼈는지

---

† 전문 용어로 1500년 이전에 인쇄된 책은 '인쿠나불룸'(요람본·搖籃本)으로 알려져 있다.

는(또는 그것을 원치 않았는지는) 알 수 없다. 그러나 1215년 이후 보통의 서방 기독교도에게 연 1회 고해성사는 의무였고, 그들은 통상 이를 부활절 의식 동안에 반공개적으로 치렀다. 죄와 내세의 벌은 현실 속의 개념이었다.[6] 따라서 면죄 제안은 매력적이었고, 그것이 마르가레테가 교황의 대리인에게 돈을 주고 날짜와 개인 신원이 박힌 면죄 증서를 산 이유였다.

마르가레테는 면죄부 기한 만료일(이 경우에는 1455년 4월 30일이었다)까지 이를 교회 고해신부에게 제출하고 자신의 죄를 고백하며 진심으로 회개한다면 자신의 영혼이 경건하고 오점 없는 상태로 돌아갔다고 생각할 수 있었다.[7] 마르가레테가 또 다른 죄를 저지르는 일이 생기기 전에 벼락을 맞거나 소에게 밟히거나 전염병에 걸리거나 강도에 해를 당해 죽게 되면 천국으로 가는 것을 보장받게 된다. 마르가레테 크레머는 면죄부를 구매함으로써 천국으로 가는 차비를 지불한 것이다.

마르가레테의 것과 같은 면죄부는 중세 말 유럽 전역에서 흔한 것이었다. 면죄부의 목적은 본질적으로 간단했다. 영적인 통과증과 돈의 교환이었다. 교황이 발급 또는 보증한 증서가 소지자에게 죄의 사면을 주장할 권리를 주는 것이었다. 죄 지은 자가 그런 문서를 사는 이점은 분명했다. 연옥의 고통을 겪으며 보내도록 정해진 시간을 줄이는 것이었다. 교회가 그것을 팔아서 얻는 이점 역시 마찬가지로 분명했다. 이익과 권위였다. 죄와 참회의 시장을 조성하는 것은 사회 통제에 분명히 영향을 미치기 때문이다. 면죄부는 대량으로 발급되었고(현대의 주식, 국채, 로또 복권과 약간 비슷하다), 현금을 받고 개별적으로 판매되었다.

마르가레테 크레머에게 발급된 마인츠의 인쇄 면죄부는 그 자체로 신기하게 생각될 수 있다. 출판의 역사에서 중요한 인공물이지만 그 이상은 아니다. 그러나 그것의 상징성은 인쇄물의 역사에서 한 역할을 훨씬 넘어

선다. 교황의 면죄부 판매는 15세기 말에 로마 교회 전체에 대한 비판에서 핵심적인 중요성을 지니게 되는 문제이기 때문이다. 그리고 북유럽의 개혁가들이 교황의 권위와 가톨릭의 모든 측면에서 대중의 신뢰를 무너뜨리는 데 사용한 것이기 때문이다. 이것이 그렇게 된 과정과 이유를 이해하기 위해서는 조금 뒤로 돌아가 보다 광범위한 중세 말 교회의 역사라는 맥락에서 교황의 면죄부의 발전을 살펴볼 필요가 있다.

중세 교황 권력의 절정은 13세기 초 인노켄티우스 3세의 재위 때였다. 인노켄티우스가 권력의 정점에 있던 잠시 동안은 교황이 그의 영적 권위를 성지에서 대서양 연안에 이르는 모든 곳의 정치적 패권으로 돌리는 과정을 밟는 것도 가능하리라고 생각되었다. 그는 새로운 적(이교도도 있었고 기독교도도 있었다)을 상대로 십자군 운동을 확대했고, 자기 마음에 들지 않는 군주를 파문했으며, 4차 라테라노 공의회에서 교회의 법, 관행, 행정을 전면적으로 개혁했다(9장 참조).

그러나 인노켄티우스 이후 어떤 교황도 이 일을 마무리할 방법을 찾지 못했다. 사실 인노켄티우스가 자신의 후계자들에게 물려준 유산은 서방의 중요한 문제들을 지휘하는 데서 차지하는 교회의 적절한 위치에 관한, 불가능할 정도로 과장된 의식이었다. 그리고 13~14세기에 유럽 군주가 자기네 권력을 심화하고 확장하면서 교황은 자기네 신민들과 전쟁에 빠져들게 되는 경우가 많았다.

13세기 전반에 그들은 독일과 시칠리아의 호엔슈타우펜가 지배자들(가장 대표적으로 프리드리히 2세 황제)과 싸웠다. 이 싸움은 오랫동안 지속된 구엘피-기벨리니 전쟁으로 이어졌고, 이 전쟁은 15세기에 접어든 이후까지도 이탈리아 도시국가를 괴롭혔다. 이와 동시에 1290년대 및 1300년대 초에 보니파티우스 8세가 프랑스의 필리프 4세와 격렬하게 충돌한 결과로 보니파티우스 자신이 죽었을 뿐만 아니라 교황청이 로마를 완전히 떠나 아비뇽으로 옮겨야 했다. 교황들은 67년 동안 그곳에 머물며 프랑스왕의 눈치를 봐야 했다. 페트라르카가 교황의 '바빌론 억류'라 부른 시기다.

교황의 아비뇽 시대는 1309년에서 1376년까지 이어졌지만, 그 기간이 끝났다고 해서 사정이 더 나아지지는 않았다. 불과 2년 뒤에 서방 교회는 본격적인 분열 상태에 빠졌다. 이탈리아의 교황이 로마에 있었고, 프랑스-에스파냐와 손잡은 대립교황은 아비뇽에서 통치했다. 1410년에는 또다른 대립교황이 피사에 자리 잡았다. 짧은 기간 동안 자신이 교황이라고 주장하는 사람이 세 명 있었다는 얘기다. 난장판이었다.

대분열은 결국 1414~1418년의 콘스탄츠 공의회에서 해결되었다. 이회의는 교황의 관을 이탈리아 법률가 마르티누스 5세의 머리에 씌워주었다. 그러나 교황의 명성 손상의 여파는 지속적이고 심각했다. 이 자리에 선출된 모든 사람이 여전히 베드로 성인의 정통 계승자이자 모든 기독교 신자의 지도자를 자처했다. 교황은 계속해서 '신세계' 영토의 비기독교도 주민에 대한 처우처럼 엄청난 중요성을 지닌 사안에 결정권을 행사했다. 새로운 종교 시설, 특히 대학과 대성당에서는 여전히 교황과 추기경의 허락이 필요했다. 그리고 문예부흥이 한창일 때 교황은 거액을 들여 로마를 꾸미고 그곳의 으리으리한 바티칸 본부에 온 인류 역사상 만들어진 것 가운데 가장 절묘한 미술품을 갖추게 했다. 교황이 비판과 비난에서 자유로웠던 시기가 있기는 했지만, 15세기 말에는 그것이 끝나버렸다.

교황의 권위가 차례로 침식되고 도전받고 흩어지면서 비판자들은 이 자리에 대한 그들의 무시와 가톨릭교회 전체에 대한 그들의 불만을 토로 하는 데 더욱 자유로움을 느꼈다. 1320~1330년대에 잉글랜드 철학자이자 탁발수도사였던 오컴의 윌리엄은 교황 요안네스 22세를 이단자로 규탄해야 마땅하다고 생각했으며, 교황 일반을 천박한 모자를 쓴 인간일 뿐이라고 일축했다. "교황이 말하는 것이 신앙의 원칙에 의해 합리성을 드러내지 않는다면 신앙과 관련된 문제에 대해 교황을 믿을 사람은 아무도 없을 것이다."[8]

14세기 초에 보헤미아의 이단자 얀 후스(그는 악명 높은 옥스퍼드의 신학자 존 위클리프(11장 참조)의 영향을 받았다)는 교황의 부패에 대해 악담을 퍼부었다. 후스 또는 그 주변의 누군가가 〈적그리스도 해부〉로 알려진 라틴어 논박문을 작성했는데, 이 글은 교황이 왜 사실상 악마인가에 대해 매우 길게 설명했다. 교황은 "성소를 훼손하는 가증스러운 자"이고 "바닥 없는 나락의 수호자"이며 "숫염소"이고 "사악하고 불경스러운 지배자"였다.[9] 후스는 1415년 화형에 처해졌으며, 그 지지자들은 십자군에게 도륙당했다. 그러나 일반적으로 종교개혁이 시작되었다고 하는 16세기가 되기 훨씬 전에 교황의 지상권은 전제에서 단순한 의견의 문제로 격하되었다.

후스가 로마의 부패를 겨냥했을 때 그가 가장 큰 병폐로 여긴 것 가운데 하나가 면죄부 판매였다. 면죄부 개념은 오래된 것이었다. 그것은 11세기의 십자군과 거의 동시에 시작되었다. 죄의 사면은 먼저 고된 순례의 대가로 주어졌고, 이어 그리스도의 적과 싸우기 위해 해외로 나가는 병사에게 대량으로 주어졌다.[10] 그 이후 면죄부는 저절로 굴러갔는데, 연옥이라는 개념의 창안에 큰 도움을 받았다. 연옥은 1160년에서 1180년 사이에 가톨릭 교리로 개발되었다. 12~13세기에 아라비아인이나 이교도와 싸워야 하는 의무가 없는 면죄부가 유럽 전역에서 필요에 따라 원하는 고객에게 팔렸다. 그리고 1343년에 교황 클레멘스 6세가 이 체계를 공식화했다.

사실상 면죄부를 승인된 성직자에게 돈을 내고 살 수 있게 확정한 것이다. 이렇게 해서 북적이는 시장이 형성되었다. 후스나 그런 부류의 많은 사람이 이를 로마 교회를 특징 지은 참을 수 없는 갈퀴질의 상징이라고 생각했다.

1390년대에 제프리 초서는 자신의 《캔터베리 이야기》에서 면죄부와 성직자의 다른 사취 행위를 풍자했다. 여기에서 우스꽝스럽게 부패한 사면원赦免員(면죄부 판매원을 가리키는 흔한 용어였다)은 그의 이야기의 서두를 가짜 고백으로 시작하면서 자신이 멍청한 기독교 신도에게 가짜 성인 유골을 사도록 속이며, 그들의 죄를 가지고 그들을 호되게 야단쳐 자신에게 달려와 면죄부를 사게 함으로써 큰 부자가 된다고 자랑한다.

> 내 쪽에서 얻어내려는 의도가 없는 것은 아니고
> 죄를 바로잡는 것과는 관계가 없지.[11]

초서는 특유의 풍자적인 재치로 그의 시대에 이미 익숙한 교황을 업은 사기꾼 장사치의 단면을 조롱한다. 20년 후 초서보다 더 화가 난 후스가 같은 문제를 건드렸다(초서는 그만큼 초연하고 대의를 위해 죽을 각오가 되어 있지 않았다). 그는 이렇게 항의했다. "사람들은 고해성사를 위해, 미사를 위해, 성례聖禮를 위해, 면죄부를 위해, 출산 여성의 교회 재출석†을 위해, 축복을 위해, 매장을 위해, 장례식과 기도를 위해 돈을 낸다. 노파가 도둑과 강도를 피해 꾸러미에 꽁꽁 숨겨놓았던 마지막 한 푼조차도 지킬 수 없다.

---

† 아이를 낳은 어머니는 출산 이후 일정 기간 남의 눈에 띄지 않게 격리되었다가 의례를 거쳐 기독교 신도 집단에 다시 합류했다.

악랄한 사제가 채간다."[12] 이러한 불만이 풍자, 항의, 국지적 폭동의 영역에서 본격적인 혁명으로 뒤엎어지는 데는 100년 이상이 걸리게 된다. 그러나 씨앗은 뿌려졌다.

면죄부가 돈이 될 수 있음을 감안하면 1450년대 기계화 인쇄의 도래가 교회에 축복처럼 느껴졌던 이유가 분명해진다. 구원의 증서를 이전에는 사람이 손으로 직접 썼는데, 이제는 대량 생산이 가능해졌다. 그리고 실제로 대량 생산을 했다.

구텐베르크 성서 출판 이후 사반세기 동안 유럽 곳곳에서 인쇄소가 문을 열었다. 옥스퍼드, 런던, 파리, 리옹, 밀라노, 로마, 베네치아, 프라하, 크라쿠프 등이었다. 그로부터 오래 지나지 않아 포르투갈, 에스파냐의 왕국, 스웨덴, 이스탄불에서 인쇄소가 영업을 했다. 면죄부 인쇄는 한 번에 보통 5000장에서 2만 장을 찍었고, 이를 통해 교황의 금고와 지역 사업(대체로 돈이 많이 드는 건설 공사였다)을 위한 돈이 들어왔다.

1498년 바르셀로나에서 활동한 인쇄업자 요한 루슈너는 1만 8000장의 면죄부를 인쇄해 몬세라트 대수도원에 도움을 주었다. 이와 함께 오스만과 구호기사단 사이의 전투 때 일어난 기적을 묘사하는 싸구려 소책자도 찍었다. 고객이 대의에 이바지하도록 자극하려는 의도가 담긴 감동적인 이야기였다.[13] 거의 비슷한 시기에 오스트리아 포라우의 한 수도원을 위한 모금에서는 몇 달 사이에 무려 5만 장의 면죄부가 팔려나갔다.[14]

이렇게 인쇄는 급성장했다. 면죄 장사 역시 마찬가지였다. 면죄부 판매자는 이제 대량 전달 매체를 곧바로 이용할 수 있었고, 이를 이용해 그들은 자기네의 주장을 펴고, 자기네 물건을 팔고, 자기네 주머니를 채웠다. 보통 사람도 변화하는 시대에 발맞추었다. 사면원은 거부하는 사람에게 원치 않는 물건을 속여 파는 것이 아니었다. 오히려 그 반대였다.[15] 중세의 남녀는 21세기의 소셜미디어 이용자처럼 자기네가 정말로 원하는 무언가를 제공해주는 체계로 달려가 어울렸다. 그것은 그들이 이해할 수 있는 것보다 더 큰 체계 안에서 그들 각자의 이익을 위한 수단으로 바뀌지만 말이다.

　그들을 이 때문에 너무 가혹하게 판단할 필요는 없다. 흑사병으로 황폐화되고 끊임없는 작은 전쟁으로 고통을 당한 서방 세계에서 죄를 사면해주고 지옥의 고통에서 벗어날 수 있도록 보장해주는 이 새로운 수단은 필요하고도 반가운 것이었을 듯하다. 면죄부 산업이 광범위한 학계의 불만 대상이 되는 것은 50년 이상에 걸친 점진적인 과정이었을 뿐이며, 그것이 본격적인 문화혁명을 촉진하는 데는 더 오랜 시간이 걸렸다.

　면죄부 사업을 도움에서 추문으로 밀어 넣은 것은 기본적으로 단순한 탐욕이었다. 1470년대에 교황 식스투스 4세(이 악명 높고 매우 족벌주의적인 교황은 적에게 온갖 종류의 성적 타락으로 비난받았고, 사랑하는 소년들에게 추기경 모자를 나눠주었다는 수군거림이 있었다)는 비용을 감당할 수 없는 상황이 되었다. 이탈리아에서 벌어지는 전쟁으로 인해 교황국은 성채 건설 사업을 벌이지 않을 수 없었다. 오스만은 끊임없이 기독교 세계를 위협했다. 가까이 본국의 일로 식스투스는 로마를 영광스럽게 하기 위한 거창한 계획을 세우고 있었다. 수십 개의 교회를 복원하거나 건설하고, 도시의 도로를 포장하고 확장하며, 테베레강에 다리를 놓고, 바티칸의 교황청 예배당을 복원하는 것 등이었다. (나중에 미켈란젤로가 세계적으로 유명한 천장 그림을 그리게 되는 시스티나 예배당은 바로 식스투스의 이름을 딴 것이다.)

　이 공사를 위해 식스투스가 즐겨 이용한 모금 방법 가운데 하나가 면죄부 판매였다. 그리고 이는 산 자만을 위한 것이 아니었다. 면죄부를 모든 영혼(그들이 어디에 있든)에 대해 팔 수 있다면 시장이 기하급수적으로 커질 수 있다고 계산한 식스투스는 교황으로서는 처음으로 면죄부를 죽은 자를 대신해 살 수 있다고 공언했다.

그는 프랑스의 도시 생트의 대성당 재건을 위한 기존 면죄부를 확인하는 1476년 교황 허가서에 이 새로운 개념을 끼워넣었다. 자신의 생각에 대해 레이문드 페롤이라는 신학자이자 미래의 추기경의 지원을 받은 식스투스는 생트의 면죄부를 다시 작성했다. 그것은 이제 '대속代贖'을 위해 사용될 수 있었다. 연옥에 있는 것으로 간주되는 영혼의 친척들이 자신은 물론 사랑하는 고인을 위해서도 그것을 살 수 있다는 얘기였다. 여기서 모금된 돈은 생트 대성당과 튀르크인을 상대로 한 십자군 원정 자금으로 분배될 예정이었다.[16] 그러나 실제로 이 면죄부 수익의 상당 부분은 식스투스의 교황청 금고로 들어가게 된다. 일단 그곳으로 들어간 돈이 어떻게 되었는지는 아무도 모른다.

당연한 일이지만 면죄부의 이 극적인 범위 확장은 사람들의 눈살을 찌푸리게 했다. 파리대학의 신학자도 마찬가지였다.[17] 그러나 식스투스는 끄떡없었다. 그는 못마땅해하는 학자보다 더 중요한 걱정거리가 있었다. 그리고 면죄부 판매는 무시하기에는 너무 요긴한 교황의 수입원이었다. 이에 따라 이 방식은 규모가 더 커지고 확대되었다. 면죄부는 로마에 의해 계속해서 승인되었다. 수만 장씩 인쇄되어 서방 각지의 원하는 고객에게 팔렸다. 특히 북유럽에서 많이 팔렸다. 그곳에서는 죄의 사면과 사자에 대한 대속의 욕구가 갈수록 점점 더 강해지는 듯했다.

그렇게 식스투스의 교황 재위기는 별다른 큰 반대 없이 지나갔다. 인쇄소에서는 계속해서 면죄부를 찍어냈고, 고객은 계속해서 그것을 채 갔다.

16세기 초가 되어서야 갈수록 부도덕해지는 이런 체제에 대한 불만이 교황과 교회에 대한 노골적인 공격으로 비화했다. 문제를 촉발한 면죄부는 〈사크로상크티스〉로 알려진 교황 칙령에서 시작되었다. 이것은 교황 레오 10세('장엄자' 로렌초 데메디치의 둘째 아들이다)가 발포했는데, 그 궁극적인 목표는 걷잡을 수 없이 돈이 많이 드는 산피에트로 대성당 재건 비용을 대는 것이었다. 그리고 이것이 폭풍우를 몰고 왔다. 이 구조에 대한 반대에 불을 붙여 종교개혁에 이르게 한 사람은 비텐베르크대학의 젊은 교수 마르틴 루터였다. 그는 어느 모로 보나 중세 유럽의 종말을 가져오는 데 구텐베르크나 콜럼버스만큼 중요한 역할을 했다.

〈95개조 반박문〉

15세기 말에 인쇄소는 기독교 성서와 면죄부 외에도 온갖 종류의 인쇄물을 취급하고 있었다. 1500년 무렵에 유럽 지역에서는 2만 7000종의 책이 인쇄되었다.[18] 그리고 책은 단지 그 일부일 뿐이었다. 구텐베르크 자신은 달력을 인쇄했다. 종교 축일이나 한 달 가운데 피를 뽑고 완하제를 먹기 가장 좋은 시기까지 자세히 적혀 있는 것이었다.[19] 초기 신문도 유통되어 온갖 종류의 놀라운 사건을 알려주었다. 1492년 독일의 한 낱장 신문은 커다란 운석이 엔시사임 마을 부근에 떨어졌다고 전했다. 이듬해에 파리, 바젤, 로마에서 라틴어 낱장 신문이 인쇄되어 '인도해'에서의 콜럼버스의 모험을 전했다.[20]

몇 년 뒤에 독일 황제 막시밀리안 1세는 인쇄 전단에 정치적 발표를 담아 자신의 영토 안에서 돌렸고, 그 뒤에는 베네치아 시민에게 자기네 지배자를 상대로 반란을 일으키라고 선동하는 반反베네치아 선전 소책자를 주문한다. 이는 기구에 실어 벌판에 있던 베네치아 군대 머리 위로 투하되었다. 20세기의 큰 전쟁에서 비행기를 통해 심리전 도구를 살포한 것과 흡사했다.[21]

마르틴 루터의 유명한 〈95개조 반박문〉 발표는 바로 이런 맥락에서 이해해야 한다. 이는 면죄부 판매 관행에 대한 분노의 표출로, 저자는 1517년 가을 비텐베르크에서 이를 발표했다. 이 반박문은 서방 교회의 상황에 관한 여러 가지 학술적 문제를 다루었으며, 서두에 이에 동의하지 않는 모든 사람에게 와서 이 문제에 관해 루터와 토론하자는 초청을 담았다.[22] 그리고 이는 대중의 이해를 전제로 한 것이었다.

루터는 자신의 교회 비판을 공개적으로 학술 논쟁에 초청하는 형식으로 만들었기 때문에 이를 복제해 관심이 있을 듯한 사람들에게 배포하는 것은 당연히 해야 할 일이었다. 후대의 개신교 전승에 따르면 그는 사본 한 부를 자기네 동네 교회 문에 못으로 박아 갈음했다. 이는 분명히 근거 없는 얘기일 것이다. 실제로 이 반박문의 남아 있는 가장 이른 사본은 루터가 10월 31일 마인츠 대주교 알브레히트에게 우편으로 보낸 것이다. 어찌 되었든 그 결과는 엄청났다.

16세기 초에 이 반박문을 복제하는 가장 쉬운 방법은 당연히 이를 루터의 대학에서 인쇄하는 것이었다. 그러나 첫 발표 이후 루터는 복제와 재인쇄 과정을 통제할 수 없었다. 이 반박문이 일반에 공개되자 그것은 신경을 긁었다. 그리고 여기저기 돌아다녔다. 사람들은 이에 관해 들었고, 그들이 이를 읽고 싶어 하자 인쇄업자가 이를 복제했다. 몇 주 안에 루터는 요즘 말로 입소문이 났다.

1517년 후반에 그의 반박문은 독일에서 수백 부의 사본으로 만들어졌다. 어떤 것은 라틴어 원본이었고, 또 어떤 것은 현지어 번역본이었다. 한 해가 되지 않아서 루터의 저작들이 잉글랜드, 프랑스, 이탈리아에서도 지식인과 서적상에게 알려졌다.[23] 엄청난 명성은 루터의 야심이나 의도가 아니었고, 그는 나중에 그의 반박문이 일으킨 열광에 자신이 놀랐음을 내비쳤다. 물론 현대 역사에서 입소문이 나는 경우를 보면 폭발적인 명성은 계획적일 수도 있지만 때로 우발적임을 알 수 있다. 1517년 이후 상황은 이미 걷잡을 수 없어졌다.

루터는 언젠가 자신의 아버지도, 할아버지도, 증조할아버지도 농부였다고 말한 적이 있다. 그가 교육받을 기회를 얻은 것은 오직 그의 아버지가 대대로 살던 마을을 떠나 라이프치히에서 서북쪽으로 100킬로미터쯤 떨어진 현대 독일 작센안할트주의 만스펠트에서 구리 제련업으로 성공했기 때문이었다. 루터는 1483년 그곳에서 태어났다.

그는 자라서 마그데부르크의 성당 학교에 다녔고, 에어푸르트대학에 갔다. 스물두 살이던 1505년 석사 학위를 받았고, 아우구스티누스 수도회[†] 수도사로서 성직자가 되었다. 3년 뒤 그는 비텐베르크의 신학 강사가 되었고, 그곳에서 스물아홉 살 때 신학 박사 학위를 받았다. 그는 〈시편〉과 바울로 성인의 〈로마인들에게 보낸 편지〉를 전공했다. 표면적으로 그에게는 아무런 이상 징후가 없었다.

그러나 루터는 신학을 연구하는 과정에서 갈수록 신의 용서의 본질에

[†] 또는 보다 정확하게는 성 아우구스티누스 탁발수도단(Ordo eremitarum sancti Augustini)이며, 아우구스투스 의전사제단(Canonici Regulares Sancti Augustini)과는 다르다. 루터는 탁발수도사였고, 의전사제나 가끔 그렇게 묘사되듯이 수행자가 아니었다. 탁발수도사가 전도를 통해서뿐만 아니라 고해를 듣는 것을 통해서도 공동체에 관여한다는 관점에서 이 구분의 중요성은 MacCulloch, Diarmaid, 'The World Took Sides', *London Review of Books* 38 (2016), www.lrb.co.uk/the-paper/v38/n16/diarmaid-macculloch/the-world-took-sides에서 논의되고 있다.

대해 흥미를 느꼈다. 그는 그것이 무언가를 함으로써 얻는 것이라기보다는 믿음의 문제라고 생각했다. 이것은 지금 봐서는 모호하고 기술적인 구분으로 느껴질 것이다. 분명히 그것은 당초 자신의 불완전한 영혼에 대한 루터의 신경증에 가까운 개인적 집착에서 나온 것이었다. 그러나 그는 생각을 해나가면서 그것에 심각한 정치적 의미가 있다는 결론에 이르렀다.

로마 교회가 구원을 (고행을 하거나 구원에 더 가까운 자신의 방법을 사거나 해서) 습득해야 하는 어떤 것이라는 바탕 위에 부를 쌓아가는 세계에서, 천국으로 가는 길은 행위가 아니라 믿음을 통해야 한다는 루터의 주장은 매우 불편한 것이었다. 필요한 것이 단지 믿고 회개하고 다른 사람을 사랑하고 신의 은총을 비는 것뿐이라면 1515년 공포되고 요한 테첼(신학 연구에서 루터와 맞먹을 만큼의 깊이가 있었다)이라는 도밍고회 탁발수도사가 독일 여러 나라에서 적극적으로 전파한 〈사크로상크티스〉을 통해 제공된 것 같은 교황의 면죄부가 들어설 자리는 찾기 어려웠다.

따라서 루터의 반박문은 테첼의 면죄부 전도라는 형태로 목표물이 주어진 그 자신의 신학적 진흙탕 싸움의 산물이라고 볼 수 있었다. 그 결과로 그들은 모두 열정적이었고, 정치적으로 선동적이었다. 루터는 자신의 반박문 제6조에서 "교황은 어떤 죄도 사면할 수 없다"라고 주장했다. "면죄부 전도사는 교황의 면죄부로 모든 처벌이 면제되고 구원을 얻는다고 주장하지만 그것은 옳지 않다. (…) 교황은 연옥에 있는 영혼을 사면할 수 없다." 그는 사람들이 테첼과 연관시키는 선전 구호를 겨냥했다. 이런 산뜻한 단가였다. "금고의 동전이 짤랑거리면 연옥의 영혼이 튀어나온다네." 말도 안 된다고 루터는 썼다. 사실 면죄부 제도는 사기이며, 판매자와 구매자 모두 잘못이라는 것이었다. 루터는 이렇게 썼다. "정직하게 면죄부를 사는 사람은 정직하게 참회하는 사람만큼이나 드물다."

이런 비판이 아주 새로운 것은 아니었다. 멀리 12세기에 작가 푸아티에의 피에르는 구원을 돈만 주면 살 수 있다고 생각하는 것은 터무니없는 일이라고 주장했다. 피에르는 이렇게 썼다. 신은 "얼마나 많이 내느냐를 보는 것이 아니라 (…) 어떤 생각으로 내느냐를 본다."[24] 그러나 루터가 달랐던 것은 이례적으로 솔직하고 인신공격적이었다는 점이다. "자신이 면죄 증서를 가졌으니 구원을 확신할 수 있다고 믿는 사람은 영원한 천벌을 받을 것이다. 그렇게 가르친 자도 마찬가지다."[25] 틀림없이 이는 문제가 될 수밖에 없었다.

루터의 〈95개조 반박문〉이 1517년에 관심을 끌었던 것은 그가 매도한 교황 레오 10세가 단지 방탕한 성향이 있는 정도가 아니라 정말로 부패했기 때문이었다. 물론 레오는 메디치가의 일원이었고, 이는 이탈리아에서 언제나 정치와 종교를 망가뜨리는 요인 가운데 하나였다. 그는 또한 올바른 일을 하는 데에 매우 잘못된 인식을 갖고 있었다. 그는 틀림없이 너그러운 예술 후원자였고, 세련된 지식인이었다. 그러나 (산피에트로 대성당 재건에서 오스만과의 싸움에 이르기까지) 자신의 여러 사업을 위한 모금 활동을 통해 스스로 자신과 교황청 모두를 얼마나 형편없이 만드는가에 대한 인식이 거의 없어 보였다.

독일에서 전파된 면죄부는 적나라한 경제적 타락으로 번진 레오의 무감각한 태도의 전형적인 사례였다. 기본적으로 〈사크로상크티스〉는 착취에 해당했다. 가난한 자가 부자의 쾌락을 위해 돈을 내도록 쥐어짜는 것이다. 루터는 자신의 반박문에서 과장된 어투로 묻는다. "지금 로마 시대 최고의 부자 크라수스보다도 더 부유한 교황은 왜 자기 돈으로 이 산

피에트로 대성당 하나를 짓지 못하는가?"[26] 그러나 그것이 다는 아니었다. 〈사크로상크티스〉는 사실 유럽의 세 강력한 가문 지도자 사이의 공모가 드러난 모습이었다. 교황 레오로 대표되는 메디치가, 아우크스부르크의 금융 및 광업 명가의 지도자이자 인류 역사상 가장 부유했다고 흔히 일컬어지는 야콥 푸거, 정치적으로 영향력 있는 호엔촐레른 왕가의 일원이자 루터가 자신의 반박문 첫 사본을 보낸(우연이 아니었다) 마인츠 대주교 알브레히트다.

이 세 세력의 합의의 본질은 대체로 이런 것이다. 이미 마그데부르크 대주교였던 알브레히트는 교황으로부터 마인츠 대주교를 겸직하는 것을 허락받았다. 이로써 그는 독일에서 최고위 성직자가 되었을 뿐만 아니라, 누가 독일 황제가 되느냐를 결정하는 일곱 장의 선거권 가운데 두 장을 손에 넣었다는 얘기였다. (그 두 장과 별도의 또 한 장은 이미 그의 형이 가지고 있었다.) 막대한 사례금이 로마의 교황에게로 갔다. 대주교 자리를 얻는 대가였다.

그러나 알브레히트는 푸거로부터 돈을 빌린 덕분에 이를 낼 수 있었다. 푸거는 자신이 호엔촐레른가와 그 선거권을 움직인다는 전제하에 그 돈을 선불했다. 알브레히트 쪽에서는 독일 기독교도가 가능한 한 면죄부를 많이 사도록 자신이 최선을 다하겠다고 레오에게 약속했다. 이는 수익금 가운데 자신의 몫으로 푸거에게 진 빚을 갚아야 한다는 이유도 있었고, 산 피에트로 대성당 완공을 위해 돈이 빨리 로마의 레오에게 흘러가야 하기 때문이기도 했다.

모든 관련 당사자에게 이는 자기가 원하는 것을 모두 얻을 수 있는 깔끔한 방안이었다. 신자도 자신의 역할을 다해 사면의 대가로 계속해서 돈을 내주기만 한다면 말이다.[27] 그러나 이를 보는 사람(특히 호엔촐레른가의 과도한 권력을 우려하는 독일 군주)에게 이것은 매우 불쾌한 거래였고, 반대를 불러일으켰다.

정계 고위층과 종교계 고위층 사이의 이 은밀한 연결은 루터의 반박문이 1517년과 그 이후 시기에 유럽에서 회자된 한 가지 이유였다. 그는 줄곧 죄, 사면, 신의 사랑의 본질 등 넓은 분야에 관해 쓰고 전파하고 탐구해왔기 때문에 다른 때 같으면 인본주의 학자 및 기타 학자에게나 흥미가 있었을 이 주장이 독일의 선거 정략과 메디치가 교황에게 매우 밀접한 관련이 있는 것이 되었다.

게다가 루터의 저작들이 계속해서 인쇄되어 유포되었다. 그는 동시대의 어느 누구보다도 출판을 많이 했다. 아마도 네덜란드의 명석한 인본주의자 데시데리위스 에라스뮈스만이 예외일 수 있을 것이다. 루터 스스로도 어쩔 수 없는 상황인 듯했다. 현대에 나온 루터의 전집은 100여 권에 달한다. 온갖 종류의 문제가 다 있고, 그가 믿은 것이 신의 인간 사랑에 관한 진실이었음을 꾸미거나 숨기지 않는다는 큰 주제로 묶이는 것이었다. 기성 질서 옹호자를 짜증 나게 하면서 루터의 저작이 거듭거듭 주장한 것은 그가 세속적인 문제가 아니라 신성과 은총에만 관심이 있다는 것이었다. 그러나 이윽고 루터는 자신이 무엇을 쓰든 그 말이 정곡을 찌르고 있음을 받아들이게 되었다. 그는 언젠가 이렇게 쓴 적이 있다. "내가 자거나 비텐베르크 맥주를 마시는 동안, 신의 말씀이 어떤 군주나 황제도 큰 손상을 입히지 못했던 교황권을 아주 약하게 만들었다."[28]

따라서 이 무명의 독일 박사가 곧장 교회 지도층 앞에 서게 되는 데는 단 1년이 걸렸다. 1518년 10월, 루터는 아우크스부르크로 소환되어 톰마소 다퀴노(토마스 아퀴나스) 전문가인 이탈리아 추기경 톰마소 데비오와 토론을 벌이게 되었다. 톰마소 다퀴노는 13세기의 대학자로, 그의 저작은 교회 정통의 지적 기념비로 생각되었다. 루터는 이미 자신의 자유를 위협하고 심지어 생명을 위협하는 사태가 벌어지고 있음을 알았지만, 작센 선제후選帝侯이자 독일의 반反호엔촐레른 지도자 가운데 한 사람인 '현자' 프리드리히 3세〔신성로마 황제 프리드리히 3세와는 다른 인물이다〕의 보호 아래 아우크스부르크로 갔다. 그러나 톰마소와 사흘 동안 왕성한 토론을 벌인 뒤 루터는 자신이 그곳에 머물러 있다가는 이단자로 체포될 위험이 있다고 확신했다. 그는 도망쳤고, 다시 책 속에 파묻혔다.

그러나 논쟁은 이제 그를 혼자 내버려두지 않았고, 그도 논쟁에서 떠나고 싶어 하지 않았다. 1519년 여름, 그가 라이프치히대학에서 열린 한 토론에 나갔다. 그곳에서 그는 말을 마구 쏟아낸 끝에 자신이 기독교 성서 문제에 관해 교황의 권위를 부정한다고까지 했으며, 혐오의 대상인 보헤미아의 죽은 이단자 얀 후스가 때로 선을 넘었을지 모르지만 대체로 좋은 기독교도였다고 주장했다. 당연한 일이지만 루터는 이듬해 여름 바로 교황 레오 10세로부터 공식적인 규탄을 당했다. 〈주여, 일어나소서〉라는 교황 칙서를 통해서였다. 이에 대응해 루터는 비텐베르크 성문 밖에서 칙서 사본 한 부를 불태웠다. 그리고 그렇게 전선이 그어졌다.

루터는 그해 쓴 한 저작에서 '로마파'(레오와 그 지지자, 그리고 사실상 자신의 생각에 동의하지 않는 모든 사람을 가리킨다)를 "적그리스도와 악마의 친구"라고 불렀다. 그들은 "이름만 기독교도"였다.[29] 그리고 이 모든 것은 보편 학술 언어인 라틴어로 인쇄되고 유포된 편지와 책을 통해 공개적으로 행해졌다.

당연하게도 교황 레오는 1520년 말에 인내의 한계에 도달했다. 1521년 1월 3일, 그는 루터를 파문해 그를 교회와 모든 신도의 공식적인 적으로 만들었다. 이제 기독교도 지배자를 자처하는 모든 사람은 이 조숙한 박사와 맞서는 것이 의무가 되었다. 이것은 루터의 입을 막으려는 의도였지만, 결과는 그 반대였다. 레오는 알지 못했지만, 파멸이 시작되고 있었다.

왕들의 판정

1521년 봄, 잉글랜드왕 헨리 8세는《일곱 가지 성례에 대한 주장》이라는 제목의 책에 멋지게 서명을 했다. 스물아홉 살의 헨리는 자신을 문예부흥 군주의 표상이라고 생각했다. 그는 좋은 교육을 받았고, 어린 시절 이래 에라스뮈스 같은 훌륭한 인본주의 작가와 논전을 벌였다. 그는 또한 한 신하의 표현대로 그의 "미덕, 영예, 불멸성"을 향상시키는 방법을 찾기 위해 끊임없이 안달했다.[30] 그래서 헨리는 루터의 저작을 둘러싸고 커져가는 논란에 지대한 관심을 가지고 있었다. 교회가 루터의 책을 금서로 선포하자 그는 잉글랜드의 도시에서 그의 책을 대량 소각하는 일을 승인했다. 한편 헨리는 사적으로 정치가로서뿐만 아니라 사색가로서의 자신의 명성을 빛낼 수 있는 기회를 발견했다. 신학 논쟁의 직접 이바지함으로써다.

그의《일곱 가지 성례에 대한 주장》(깔끔하게 장정된 그 서명판이 영국 왕실 수장품으로 남아 있다)은 루터의 1520년 저작《교회의 바빌론 억류 서곡》에 대한 반응이었다. 독일 교수는 자신의 책에서 교회의 일곱 가지 성례(세례성사, 성체성사, 견진성사, 고해성사, 병자성사, 혼인성사, 성품성사)가 대체로 아주 어리석은 짓이고 날조된 것이라고 주장했다. 오직 앞의 두 가지만이 기독교 성서에 약간의 근거가 있다고 그는 지적했다. 이것은 분명히 1000여 년 지속되어온 기독교 전통에 대한 모욕이었다. 이에 따라 헨리는 펜을 들고 씩씩거리며 논박에 나섰다(저명한 옥스퍼드대학 및 케임브리지대학 학자 집단과 위대한 인본주의 작가 토머스 모어의 도움을 받았다).[31] 그는 루터를 "흉악한 늑대"이자 "악마의 중요한 부하"라고 부르고, 루터가 "영원한 어둠 속에 있어야 할 이단"을 지옥에서 끄집어 올렸다고 말했다.[32]

8월에 왕의 수석 각료인 토머스 울지가 마무리된《일곱 가지 성례에 대한 주장》인쇄본 27부를 로마의 교황청에 있는 잉글랜드 성직자에게 보냈다. 울지는 동봉한 편지에서 그중 한 부에 금란金襴을 씌워 레오 교황에게 전달하라고 요구했다. 교황이 가능한 한 많은 사람과 함께 있을 때 전달하라는 지시도 있었다. 잉글랜드왕의 독실함과 지적 능력에 대한 소문이 퍼지게 하려는 것이었다.

그런 뒤에 성직자가 레오에게 호의를 청해야 한다고 울지는 말했다. 헨리는 자신이 기독교 군주로서의 위엄을 과시할 수 있는 공식 칭호를 바랐다. 에스파냐의 페르난도와 이사벨(헨리의 장인·장모였다)은 '가톨릭 군주'로 알려졌고, 프랑스 지배자들(그 가운데는 헨리와 같은 시대의 경쟁자 프랑수아 1세도 있었다)은 자기네를 '최고의 기독교도 국왕'으로 포장했다. 헨리는 '그리스도의 교회 가톨릭 신앙의 궁극적인 옹호자'로 알려지길 원했다.[33]

헨리는 울지와 로마에 있는 그의 대리인 덕분에 바라던 것을 거의 얻었다. 레오 교황은 그해 여름 그 책을 보았다. 교황은 그것을 본 다음 날 헨리가 왕칭의 수식어로 라틴어 단어 '피데이 데펜소르'(신앙의 옹호자)를 덧붙일 권리를 공식으로 부여했다. (이 칭호는 오늘날에도 유지되고 있으며, 영국 주화의 군주 이름 뒤에 새겨져 있다.) 그리고 레오의 승인에 힘입어《일곱 가지 성례에 대한 주장》도 준準베스트셀러가 되었다. 이 책은 10쇄를 찍었으며, 특히 그것이 라틴어에서 독일어로 번역되자 유럽의 많은 독자에게 유포되었다.

한편 로체스터 주교이자 케임브리지대학 총장이었던 존 피셔 같은 잉글랜드 신학자의 또 다른 저작도 반反루터 정통파의 보루라는 잉글랜드의 명성을 강화하는 데 이바지했다. 그곳은 이단자와 개혁자가 환영받지 못하는 곳이었다. 1520년대 중반에 잉글랜드 당국은 루터파 이단에 대한 야단스러운 초경계 태세에 들어갔다. 독일 상인은 자기네 집을 습격당하기 십상이었고, 이단에 반대하는 설교가 런던에서 자주 벌어졌다. 그리고 정부는 윌리엄 틴들이라는 망명 학자가 쾰른에서 준비하고 있는 신약의 영어 번역본 도착에 맞서기 위한 계획을 준비했다.

물론 지금 와서 보자면 이 모든 일에는 거대한 역사적 역설이 있었다. 헨리 8세는 오랜 재위 기간에 자신이 약속했던 가톨릭 신앙의 진정한 옹호자임을 입증한 적이 없었다. 1520년대 말에 그는 왕비인 아라곤의 카탈리나와의 결혼을 취소할 마음을 먹었다. 카탈리나에게서 그는 잉글랜드 왕위를 이을 아들을 얻지 못했다. 헨리는 교황으로부터 이혼 승인을 얻어내지 못하게 되자(그 이유는 곧 밝혀지게 된다), 놀라운 종교적 표변을 보였다. 그는 이제 '피데이 데펜소르'로서의 자신의 역할을 자의적으로 재해석해, 기독교 신앙을 옹호하는 것은 사실 자신이 교황에게 복종해야 하는 것이 아니라 그 반대라는 생각을 가졌다.

1534년, 그는 로마에 대한 잉글랜드의 오랜 충성을 철회하고 독자적인 잉글랜드교회(성공회)를 설립했다. 그 자신이 최고 수장이었다. 이 모든 과정을 거치면서 헨리는 카탈리나 왕비를 버리고 험악하게 대했으며, 그 대신 왕비로 맞아들인 앤 불린을 결혼 3년 뒤 살해했다. 울지는 몰락해 좌절한 채 죽었다. 피셔 주교와 토머스 모어는 왕의 지상권을 인정하기를 거부해 처형되었다. 그리고 한때 루터파 이단에 대한 정통파의 용의주도한 채찍이었던 헨리 자신은 반교황 정치의 대표자가 되었다. 1520년대 초에 결코 재미있다고 생각될 수 없었을 사태 변화였다.

잉글랜드 대중의 종교는 여러 세대 동안 여전히 완고하게 인습적이었지만, 튜더 왕가 치하의 잉글랜드는 16세기 말이 되면 유럽에서 가장 강력한 개신교 국가가 되어, 18세기 말과 19세기 초의 노예 해방 운동 시기까지 가톨릭에 사실상 적대적이었다. 영국 역사의 큰 틀에서 로마와의 결별은 역사가이자 개신교 논객인 존 폭스 같은 당대인이 중세가 끝나고 새로운 시대인 근대가 시작되는 때로 인식한 순간이었다(머리말 참조).

잉글랜드에서의 이런 사태 전개가 분명히 중요하기는 했지만(그리고 브렉시트의 시대인 지금도 여전히 그렇게 생각된다), 루터에 대한 입장으로 인해 서방 역사에 가장 결정적이고 지속적인 영향을 미친 군주는 헨리가 아니라 그와 동시대의 다른 군주였다. 바로 신성로마 제국 황제 카를 5세였다.

그는 에스파냐, 독일, 나폴리, 시칠리아 왕이었으며, 오스트리아 대공이었고, 라허란던 부르고뉴 공국의 지배자였다. 헨리의 허세와 프랑수아 1세의 야망에도 불구하고 카를은 그들과 상당한 격차가 있는 당대의 가장 강력한 유럽 군주였고, 중부 유럽의 합스부르크 제국에서 멕시코 왕국에 걸치는 나라의 역사에서 초석을 놓은 인물이었다. 그는 죽은 뒤 "역사상 가장 위대한 사람"으로 기억되었다(물론 친구의 기억이지만).[34] 그러나 그보다 오래전인 1520년대에 그가 루터, 루터교, 교황에 대해 취한 입장은 중세 세계의 종말을 상징한 정치적·종교적 소용돌이에 결정적인 중요성을 지니고 있었다.

헨리 8세가 루터를 상대로 한 그의 《일곱 가지 성례에 대한 주장》을 내놓기 불과 몇 달 전인 1521년 1월 말, 카를 5세는 프랑크푸르트 약간 남쪽의 라인 강변에 있는 도시 보름스 자유시에서 정치 집회인 제국 디에타('의회')를 소집했다. 이 디에타는 전년 가을 아헨에서 있었던 카를의 독일 황제 즉위를 기념하는 것이었다. 이 영광스러운 의식은 이 젊은이가 스스로를 새 샤를마뉴로 자리매김하는 것이었지만, 또한 그의 장래 정부의 모습과 구조에 관해 많은 난제를 제기하는 것이기도 했다.†

이 디에타에서는 수십 가지의 민감한 문제가 고려 대상에 올랐다. 독일의 법, 경제 정책에 대한 우려, 제국과 카를의 광대한 나머지 영토 사이의 관계에 대한 기술적인 문제 같은 것이었다. 그러나 나중에 이 디에타는 단 하나의 일로만 기억되었다. 탁발수도사복을 입고 자신의 종교적 정당성으로 거의 터질 듯이 부풀어 오른 루터가, 자신이 왜 교황과 로마 교회의 명성을 진흙탕에 처박으려고 고집했는지를 새 황제에게 직접 설명할 때 펼쳐진 극적인 장면이었다.

디에타에서의 루터 청문회는 4월 17일 오후 시작되어 며칠 동안에 걸쳐 열렸다. 카를의 숙소(보통 현지 주교 공관이다)에 있는 방들에서 열린 특별 회합에서였다. 루터는 이전과 마찬가지로 보름스에 갈 수 있는 안전 통행권을 얻었고, 그의 개인적 안전은 그의 후원자인 작센 선제후 프리드리히가 보증했다. 그는 거기에 가도 체포돼 로마로 보내져 교황 레오를 대면하는 일은 없을 것이라는 약속을 받았다. 그럼에도 불구하고 도착 순간, 카를이 루터의 가장 심한 의견과 저작을 철회하도록 유도하고자 한다는 사실이 분명해졌다. 이는 좋은 결과를 가져오는 방법이 아니었다. 늘 그렇듯이 루터는 힘으로 입을 다물게 할 수도 없었고, 논리로도 입을 다물려 하지 않았기 때문이다.

---

† 1500년에 태어난 카를은 어린아이였던 1506년에 이미 라허란던 부르고뉴 공국의 지배자가 되었으며, 1516년 연합체인 에스파냐의 지배권을 차지해 그 어머니인 '광녀' 후아나('가톨릭 군주' 페르난도와 이사벨의 두 딸 가운데 하나로, 다른 딸은 헨리 8세의 왕비 아라곤의 카탈리나이다)를 대신해 권력을 행사했다. 그리고 1519년 조부 막시밀리안이 죽은 뒤 오스트리아를 지배했다.

루터는 라틴어와 독일어로 몇 차례 발표(프랑스어를 사용했던 카를은 이를 따라가기가 버거웠다)하는 과정에서 자신이 엄청난 토론자이자 학자가 되었음을 드러냈다. 그는 황제(또는 누구라도)를 대면하면 무너질 것이라는 일각의 기대를 금세 일축했다. 그리고 마침내 자신이 명백하게 끝없이 고집을 부리는 근거를 통렬하게 요약했다. "나의 양심이 신의 말씀에 매여 있는 한, 나는 철회할 수도 없고 철회하지도 않을 것입니다. 양심을 거슬러 행동하는 것은 안전하지도 않고 옳지도 않기 때문입니다. 신이시여, 저를 도와주소서."[35]

며칠 뒤, 불가피한 판정이 내려졌다. 카를은 루터가 구제 불능임을 직접 목격했고, 자신이 그것을 처리해야 함을 알았다. 루터를 규탄한 교황 칙령은 유지되어야 하고, 이 교수와 모든 그의 추종자들은 교회뿐만 아니라 제국의 적으로 간주되어야 했다. 카를은 이렇게 약속했다. "우리는 마르틴 본인과 그 지지자들에 대한 파문을 따르고 그들을 제거하기 위해 가능한 다른 방법을 사용할 것이다."[36] 전에도 그랬듯이, 루터는 달아났다.

그러나 카를의 거친 발언에도 불구하고 루터는 작센의 프리드리히가 그를 안전하게 해주려고 하는 한 안전했다. 새 황제는 루터가 입을 다물기를 열렬하게 원했지만, 그 문제로 독일의 새 신민과 전쟁을 벌일 생각은 없었다. 이에 따라 루터는 5월 초 작센의 보호 아래 아이제나흐의 바르트부르크에 있는 선제후 프리드리히의 성채에 편안히 머물렀다.

그는 그곳에 1년 가까이 머물며 수도서원修道誓願, 대중의 강제 고해, 심지어 서방에서 일반적으로 이루어지는 미사의 기반을 무너뜨리는 책들을 썼다. 또한 신약을 독일어로 번역하고, 찬송가를 썼으며, 유럽의 유대인이 기독교로 개종하지 않을 수 없게 만드는 방법을 궁리했다. 마지막 것은 마르틴 루터 같은 혁명적인 인물조차도 뒤엎을 수 없을 정도로 뿌리 깊은 중세의 몇몇 편견이 있음을 시사했지만, 다른 거의 모든 측면에서 그는 완전히 새로운 교회의 바탕이 될 글을 쓰기 시작했다.

한편 루터가 머물고 있는 성채의 성벽 밖에서는 그의 친구와 지지자가 그의 이론을 실천하기 시작했다. 임명된 사제 없이 미사를 올리고, 신의 말씀을 자유롭게 전도할 것을 요구하며, 성인 조각상의 머리와 팔을 떼어 내 그것들을 파괴하고, 술집과 유곽 같은 부도덕한 시설에 대해 조치를 취하라고 시 당국에 요구했다.

새로운 전도자(일부는 루터보다도 훨씬 급진적이었고, 그들 상당수는 철저한 선동가였다)는 새로운 종교적 사고방식에 대한 대중의 열성을 자극하기 위해 동분서주했다. 그들은 개인과, 그들의 공적 권위의 전통적 상징에 대한 거부에 한껏 집중했다. 가장 극단적인 개혁가(스위스의 전도자 울리히 츠빙글리가 이끌었다)는 심지어 유아세례 같은 성례에 대해서도 의문을 제기하기 시작했다. (이 때문에 그들은 재세례파再洗禮派로 알려지게 된다.)

이에 따라 루터교는 신학적이고 이단적인 입장의 장바구니에서 나아가 사회 운동의 성격을 띠기 시작했다. 그러면서 루터교는 어떠한 저항도 용납하지 않는 매우 적대적인 성격을 키워갔다. 에라스뮈스도 1524년 루터교에 관해 쓰면서 그 점을 지적했다. 그는 새로운 사상가 가운데서 "천성적으로 자신의 견해에 꼼짝없이 붙잡혀 그와 반대되는 어떤 것도 견디지 못하는 몇몇 사람이 있다"라고 불평하며, 그 모든 것의 결과가 어떻게 될지 모르겠다고 의문을 표했다. "사람들이 이런 식으로 행동한다면 어떤 종류의 진실한 판단이 있을 수 있는지 묻지 않을 수 없다. 이런 식의 토론에서 무언가 알찬 것을 배울 수 있는 사람이 어디 있겠는가. 이런 토론을 해봐야 남의 쓰레기나 뒤집어쓰는 결과만을 얻을 뿐이다."[37] 오래지 않아 이 말이 옳았음이 드러났다.

'흉악한 도둑 떼'

1522년 봄 루터가 바르트부르크 성채를 떠나 비텐베르크로 돌아가기로 결정했을 때 그 바탕에는 세계(아니면 적어도 자신이 속한 그 일부)가 대개혁을 받아들일 상황이 되었다는 판단이 있었다. 그는 대학 강단으로 돌아왔고, 계속해서 글을 썼다(때로는 열광적으로). 자신의 새로운 '교회'를 만들어내고, 책과 소책자를 펴냈다. 그는 출판을 검열하고자 하는 당국의 욕구가 그들의 정보의 흐름을 통제할 수 있는 능력과 전혀 부합하지 않는다는 사실을 믿었다.[†] 그는 작센과 멀게는 취리히 및 스트라스부르의 개혁 지향적 지식인을 열성적으로 격려해 가톨릭 신앙의 관행을 무너뜨리기 시작했으며, 로마의 통제권 바깥에 새로운 예배 방식과 성직자 집단을 만들어나갔다.

그리고 그는 성직자 결혼의 열렬한 지지자가 되었다. 자신도 결혼했다. 1525년 루터는 자신이 그리마 마을 부근의 한 수녀원에서 탈출(그들은 청어 수레의 뒤를 따라 갇혀 있던 곳에서 몰래 빠져나왔다)하게 도와준 수십 명의 수녀 가운데 한 사람인 카타리나 폰보라와 결혼했다. 이것은 루터 개인의 인생에서, 그리고 (기독교 성서에 나온 그대로의 말씀만이 성스러운 것인) 개혁가로서의 그의 전진에 중요한 이정표였다. 그러나 루터가 결혼한 바로 그해에 낡은 확신을 상대로 벌이던 그의 전쟁의 의도치 않은 결과가 무서우리만큼 분명해졌다. 독일이 대중 반란에 휩싸이게 된 것이다.

1525년 농민전쟁은 남부 독일 일대에서 일어난 여러 개의 이질적인 별

[†] 검열에 대한 정부의 욕구를 그 실제 적용과 부합시키는 문제가 우리의 현대 정보혁명의 시대에도 핵심적인 특징인 것은 우연의 일치가 아니다.

개의 저항이 합쳐진 것이었다. 그것은 1524년 가을부터 서서히 끓어오르기 시작해 이듬해 봄에는 중부 유럽 일대의 영지와 도시를 휩쓰는 거대한 대중 봉기가 되었다.

첫 반란의 발발은 14세기의 대중 반란(13장 참조)과 마찬가지로 여러 가지 지역적인 문제로 인한 것이었다. 그러나 이는 부자와 권력자에 대한 널리 퍼지고 구조화된 불만의 감정에 의해 한데 합쳐졌고, 갓 발생한 루터교 개혁 정신(하나 이상의 수준에서 우상파괴적이었다)에 자극되었다(당연한 일이었다). 그러나 14세기의 반란자와 달리 1525년의 반란자는 출판에 의해 뒷받침을 잘 받고 있었고, 그것은 반란 집단이 선전물과 저항 문서를 돌려볼 수 있게 해주었다.[38]

이 가운데 가장 유명한 것이 3월 초 슈바벤의 시골 반란자 집단의 이름으로 발표되고 제바스티안 로처라는 루터파 전도자가 쓴 〈12개조〉라는 글이다.[39] 이 선언문은 모든 종류의 자유를 위한 너무도 분명한 외침이었으며, 종교 개혁 요구에 대단히 호의적이었다. 반란자들은 시골 사람이 기독교 성서에 충실한 설교자를 임명할 권리를 요구하고, 농노제 폐지를 요구했으며, 귀족이 빼앗아 사적으로 이용하고 있는 공유지 반환을 요구했다.[40] 〈12개조〉는 인쇄되어 독일 전역에 퍼졌으며, 반란이 절정에 이르렀던 몇 달 동안 수만 부가 유통되었다.

슈바벤 사람들 같은 반란자는 스스로 독실하고 천벌을 인정하는 시대정신에 따라 잘 행동하고 있다고 생각했지만, 루터는 많은 사람이 그를 빙자해 사용하고 있는 수단을 보고 두려움을 느꼈다. 에어푸르트에서는 4월 말에 1만 1000명가량의 농민이 시를 습격해 주교 관저의 문에 "보습, 낫, 위에 편자를 단 팽이"를 휘두르고 이곳을 "앞으로 '농민관'으로 부른다"라는 명령을 내린 뒤 도시의 교회에서 강제로 루터교 미사를 도입하고자 했다.[41]

한편 (슈투트가르트에서 조금 북쪽에 있는) 바인스베르크에서는 더 잔혹한 일이 벌어졌다. 현지의 한 교구 사제에 따르면 한 무리의 농민이 4월 중순 바인스베르크성에 도착해 성벽을 기어올라 그곳 귀족이자 통치자인 루트비히 폰헬펜슈타인 백작의 아내와 아이들을 납치하고 그의 물건을 약탈한 뒤 백작을 찾기 위해 인근 도시로 떠났다. 루터교도였던 도시 사람들이 반란자들을 들어오게 했다. 이 교구 사제는 이렇게 말했다. "그러자 루키페르(타락 천사)와 그의 모든 천사가 풀려났다. 그들은 마치 미친 것처럼, 모든 마귀가 들린 것처럼 분노하고 공격했다. 그들은 먼저 백작을 붙잡고 이어 귀족과 기사를 붙잡았으며, 일부는 그들이 반항하면 칼을 찔러댔다."

한 부유한 주민이 교회 탑으로 피신하려 했다. "그는 아래의 농민들에게 살려달라고 외쳤다. 돈을 주겠다고 했다. 누군가가 위로 그에게 총을 쏘아 그를 맞혔다. 그런 뒤에 기어 올라가 그를 창문 밖으로 던져버렸다." 그런 뒤에 백작과 그의 가족, 하인(모두 해서 스무 명이 넘었다)이 도시 성벽 밖의 들판으로 끌려 나가 살해되었다. "백작은 자신을 살려주면 많은 돈을 내겠다고 제안했지만, 꼼짝없이 죽는 수밖에 다른 도리가 없었다. 백작은 그것을 보면서 꼼짝도 하지 못하고 서 있다가 결국 그들의 칼을 맞았다. (⋯) 이렇게 그들의 시신 모두는 창으로 구멍이 났으며, (⋯) 그런 뒤에 끌려 나가 벌거벗겨진 채 그곳에 방치되었다. (⋯) 이 모든 일이 끝난 뒤에 (농민들은) 성에 불을 질러 그것을 불태웠으며, 그리고 나서 뷔르츠부르크로 떠나갔다."[42]

분명히 루터는 면죄부의 성서적 근거에 관한 연구를 시작했을 때 이런 장면을 예상하지 못했다. 자신이 시작한 개혁 운동의 이름으로 지금 저질러지고 있는 범죄에 두려움을 느낀 그는 점점 더 반란자의 행동으로부터 거리를 두려 노력했다. 그의 첫 번째 노력은《평화에 대한 권고》라는 소책자였다. 이는 반란자들에게 흥분을 가라앉히고 더 나은 상황을 만들기 위해 협상하라고 충고하는 것이었다.

그러나 그것이 받아들여지지 않자 그는 회유의 정도를 훨씬 낮춘 〈흉악한 농민 도둑 떼에 반대하며〉라는 제목의 글을 썼다. 이 글에서 그는 농민이 교회 개혁의 대의를 악용해 무서운 죄악과 범죄 행위를 비호한다고 비난하고 그들보다 사회적으로 우월한 위치에 있는 자의 강력한 탄압을 옹호했다. 분명히 루터는 자신이 본 것으로 인해 충격을 받은 것이다. 그러나 그 모든 것은 이제 그가 어떻게 할 수 있는 범위를 벗어나 있었다.

농민전쟁이 터지면서 루터의 뒤를 따라 유명해진 다른 개혁가(대표적인 사람이 토마스 뮌처라는 급진적인 전도자다)가 반란자의 편에 서서 싸우는 데 몸을 던졌다. 그러나 루터는 그들 대열에 합류할 수 없었다. 이렇게 그는 귀족 편에 서게 되었고, 그곳은 머무르기에 좋은 자리가 아니었다.

어느 정도의 마비 기간이 지난 뒤인 1525년 5월, 독일 귀족들이 회합해 횡포한 힘과 극단적인 보복으로 농민들을 짓밟아버렸다.[43] 독일 전역에서 펼쳐진 일련의 단호한 군사 공격에서 수만 명의 농민이 학살되었다. 뮌처 같은 전도자 겸 지도자가 체포되어 고문을 당한 뒤 살해되었다. 5월 21일 루터는 자신의 고향 만스펠트의 한 시의원으로부터 편지 한 통을 받았다. 그 지역에서 어떤 처벌이 이루어지고 있는지를 전하는 것이었다.

헬드룽겐에서 그들은 사제 다섯 명을 참수했습니다. 프랑켄하우젠의 시민 상당수가 살해당하고 다른 사람들이 포로로 잡힌 뒤 살아남은 사람은 도시 여자들의 애원에 따라 풀려났습니다. 하지만 아직 그곳에 있던 사제 두 명을 여자들이 처벌해야 한다는 조건이 붙어 있었습니다. 두 사제가 죽은 뒤 시장에 있던 모든 여자가 달려들어 30분 동안 몽둥이로 두들겨 팼다고 합니다.

이는 유감스러운 행동이었습니다. 그런 행동을 보고 연민을 느끼지 않는 사람이 있다면 그는 정말로 사람이 아닙니다. 나는 당신이 영주들의 선지자 노릇을 하고 있는 것처럼 보여 두렵습니다. (…) 그런 처벌이 너무 많아 나는 튀링겐과 백작령의 회복이 느리지 않을까 두렵습니다. (…) 강도와 살인이 여기서는 일상다반사입니다.[44]

이는 충격적인 사건의 야만적인 종말이었다. 18세기 말 프랑스혁명 이전 유럽 역사에서 가장 피를 많이 흘린 대중 봉기였다. 카를 5세가 반란에 대한 공식 대응을 논의하기 위해 소집한 1526년의 제국 디에타는 "평민이 아주 통탄스럽게도 제 분수를 잊었다"라고 결론지었으나 추가적인 대중 봉기의 발생을 막기 위해 관용을 권고했다.[45] 이는 자비심을 베푸는 드문 경우였다. 그러나 이것은 결코 유혈 사태의 종말이 아니었고, 격렬한 루터의 저항을 불러왔다.

독일농민전쟁은 제국 중심부의 평온을 크게 교란시킨 것이었지만, 카를 5세는 대체로 그에 대한 정치적 대응을 동생인 오스트리아 대공 페르디난트에게 위임하고 있었다. 대공은 중부 및 동부 유럽에서 그에 이은 사실상의 2인자였다. 이는 관심이 없어서가 아니었고, 카를이 이탈리아 전쟁에 몰두하고 있었기 때문이었다. 알프스산맥 이남의 패권을 둘러싼 유럽 강국 사이의 산발적인 다툼이 이탈리아에서 30년 동안 단속적으로 벌어지고 있었다. 독일 농민이 무기를 든 1525년에 카를은 완전한 승리 가능성의 냄새를 맡은 것 같았다.

그 냄새는 밀라노 공국에서 풍겨 나왔다. 그곳에서 2월 24일 카를 휘하의 노련한 지휘관 샤를 드라누아가 이끄는 제국 군대가 소도시 파비아를 포위하고 있는 프랑스 군대를 공격했다. 라누아의 목표는 프랑스를 파비아에서 몰아내고 궁극적으로 공국 전체에서 몰아내는 것이었다. 그러나 그는 그것을 훨씬 넘어서는 일을 해냈다.

네 시간의 싸움을 통해 제국 군대는 프랑스를 격파하고 프랑스의 고위 귀족 여럿을 죽였다. 더욱 대단했던 것은 전쟁터에서 잡은 포로 가운데 바로 국왕 프랑수아 1세가 들어 있었다는 점이었다. 왕은 전쟁터에서 기품 있게 항복했지만, 이후 특별히 호의적인 대우를 받지 못했다. 프랑수아는 이탈리아에서 마드리드로 이송되어 그곳에서 1년 가까이 억류되었다. 그는 1526년 3월에 가서야 석방되었다. 그가 카를의 조건을 받아들이고 땅덩어리를 내준 덕분이었다. 이 협정은 제국에 일방적으로 유리한 것이었다. 프랑수아는 부르고뉴, 밀라노, 플란데런에 대한 권리를 황제에게 넘겨주고 자신의 두 어린 아들을 인질로 보내야 했다. 완전한 굴욕이었다.

이것은 카를에게 대단한 승리인 듯 보였다. 그러나 곧 밝혀지듯이 그렇지가 않았다. 우선 파비아에서 승리를 거두기 전까지 오랜 기간의 전쟁 비용이 천문학적이었다. 파비아를 점령하고 프랑수아를 잡을 때 카를은 그의 군대에 대한 미불금이 이미 60만 두카토(상상을 초월하는 거액이다)에 이르고 있었다.[46] 둘째로, 프랑수아왕은 자신이 동의한 조건 어느 것도 지킬 의사가 없었다.

불만에 찬 이 프랑스왕은 풀려나는 것과 거의 동시에 마드리드 조약을 무시하겠다는 자신의 의도를 분명히 드러내고, 그것이 협박으로 이루어진 수치스러운 평화라고 주장했다. 그는 교황에게 편지를 써서 도덕적·정치적 지원을 요청했다. 이때 레오 교황은 죽고 없었다. 그의 후계자 하드리아누스 6세 역시 채 2년도 재위하지 못하고 죽었다. 그래서 새 교황이 즉위했는데, 그는 또 한 사람의 메디치가 출신 교황이었다. 바로 레오의 사촌 줄리오였다. 오랜 경험을 가진 성직자 출신으로, 클레멘스 7세라는 이름을 택했다. 클레멘스는 거의 프랑수아만큼이나 카를 5세를 경계했다. 그래서 그는 프랑수아가 제국의 포로였을 때 했던 모든 약속을 공식적으로 면제시켜주었다.

그리고 한발 더 나아갔다. 클레멘스는 프랑수아가 약속을 지키지 않아도 되게 해주었을 뿐만 아니라 교황청이 프랑스와 공식 동맹을 맺겠다고 약속했다. 그 목적은 카를과 그 제국의 영향력을 전체 이탈리아반도에서 몰아내는 것이었다. 이 동맹은 코냐크 동맹이라 불렸다. 참여국은 프랑스, 교황국, 베네치아, 밀라노, 피렌체였다. 물론 그 존재는 그 자체로 카를에게 심한 모욕이었다. 그는 자신의 승리가 허탕이었음을 깨달으면서, 그리고 자신이 스스로의 풍부한 재력으로도 이미 감당할 수 없는 전쟁을 계속해야 한다는 사실에 우울해졌다. 제국 궁정에 파견된 잉글랜드 대사는 그가 "온통 의기소침해하고 혼자 생각에 빠졌다"라고 썼다.[47] 그러나 부루퉁해 있을 시간은 많지 않았다. 이탈리아반도에서 또 한 차례의 전쟁이 벌어지고 있었다.

로마 약탈

1527년 부활절에 브란다노로 알려진 불그레한 얼굴의 미친 전도자가 반나체로 로마 거리를 활보하며 심판의 날이 임박했다고 예언했다. 브란다노(그는 마르틴 루터가 오랫동안 그랬듯이 아우구스티누스회 탁발수도사복을 걸치고 있었다)는 암울한 예언 전문가로, 여태까지 살아오면서 치안 방해에 대한 처벌로 감옥을 들락거렸다. 지금 그는 또 그 짓을 하고 있었다.

세족洗足 목요일에 클레멘스 7세가 산피에트로의 신도들 앞에 나오자 브란다노는 바울로 성인의 조각상을 흔들어 올리며 교황을 향해 회개하라고 소리를 지르기 시작했다. 그는 클레멘스를 "너 소돔의 자식"이라 부르고, 모든 로마인이 그들의 엄청난 죄를 회개하지 않으면 2주일 안에 신이 구약에 나올 법한 처벌을 내릴 것이라고 모인 군중에게 경고했다.[48] 브란다노는 곧바로 체포되어 다시 한번 감방에 처넣어졌다. 그러나 그는 할 말을 했고, 게다가 그의 말은 사실로 드러났다.

그해 봄에 제국 군대는 이탈리아에서 활보하고 있었고, '성도'를 향해 가고 있었다. 코냐크 동맹 결성은 카를 5세를 이탈리아에서 쫓아내기는커녕 황제를 자극해 패를 밀고 나아가게 했다. 동방에서 온 소식 역시 마찬가지였다. '장엄자' 쉴레이만 술탄 휘하의 오스만은 1526년 모하치 전투에서 헝가리군을 격파했고, 이제 동남 유럽을 휩쓸고 있었다. 카를이 튀르크인으로부터 유럽을 방어하려면 이탈리아에서 적을 제압하는 것이 더욱 필수적인 듯했다.

물론 이탈리아에 있는 카를의 군대에 봉급을 줄 방도는 여전히 막막하기만 했다. 심지어 먹이는 것도 벅찼다. 그러나 그의 자문관들은 유럽에서 약탈하고 자급자족하며 먹고살 수 있는 곳이 있다면 그곳은 이탈리아라고 판단했다. 게다가 카를은 군사를 일으키고 클레멘스 7세에게 압박을 가하는 두 가지 일을 겸하기 위해 놀라우리만큼 기회주의적인 방법을 찾아냈다. 그는 6년 전 보름스 디에타에서 부과했던 루터교도에 대한 벌금을 유예할 뜻을 내비쳤다.[49] 그리고 이탈리아에 대규모 란츠크네히트 부대를 보냈다. 이들은 독일어를 사용하는 사나운 용병 부대로, 총포와 창을 사용하며 그들 상당수가 돌격대로 단련되었을 뿐만 아니라 루터교 지지자였다. 이 조합은 엄청난 힘을 발휘하게 된다.

이탈리아의 제국 군대(총 2만 명인데 에스파냐파, 이탈리아파, 독일파로 나뉘어 있었다)는 부르봉 공작 샤를로 알려진 장군이 지휘하고 있었다. 그는 프랑수아 1세와 사이가 틀어진 뒤 프랑스를 배반하고 황제에게로 넘어온 사람이었다. 관련된 모두에게 불행한 일이었지만, 1527년 봄이 되자 샤를은 군대에 대한 통제력을 거의 상실했다. 병사들은 봉급도 받지 못하고 병들고 배고픈 상태에서 들판에서 겨울을 보낸 뒤 반항적이 되고 약탈에 눈이 벌게져, 이제 샤를이 그들을 몰아대는 만큼 그들도 샤를을 몰아댔다.

전년 가을 밀라노에 있었던 그들은 4월에 피렌체를 공격해 집적거려 봤지만, 점령하기가 너무 어렵다고 판단했다. 진짜배기 횡재는 로마에 있다고 샤를과 그 병사들은 결론지었다. 거기에는 그들의 봉급을 벌충할 수 있는 두 가지 방법이 있었다. 클레멘스를 윽박질러 주머니를 털게 하거나, 그곳을 전리품으로 차지하는 것이었다. 4월 말에 그들은 토스카나를 출발해 '성도' 쪽으로 향했다. 그들은 빠르게 행군해 강을 건너고 거의 뛰다시피 로마 가도를 돌진해 내려갔다. 하루 30킬로미터 이상의 속도였다. 그들은 2주도 되지 않아서(바로 미친 전도자 브란다노가 예언했던 그대로다) 로마 성문 밖에 도달했다.

샤를과 2만 명의 그 부하가 5월 5일 로마 앞에 나타났고, 그들은 수는 많았지만 확률은 매우 낮아 보였다. 그들에게는 변변한 대포도 없었고, 병사 절반은 굶어 죽기 직전이었기 때문이다. 그러나 절망적인 상황은 그 자체가 강력한 자극이었다. 그들은 무서운 속도로 도시를 향해 돌진했다. 뛰어난 피렌체 역사가이자 메디치가와 가까웠던 루이지 귀차르디니는 이렇게 썼다. "안에 있던 사람은 물리적으로나 정신적으로나 준비를 하지 못했고, 어떤 식으로도 전투를 위해 조직화되어 있지 않았다."[50] 게다가 제국 군대가 밤에 야영을 할 때 로마 상공에 깔린 안개가 시계를 2미터 이하로 줄여버려 도시 방어군이 가지고 있는 중포를 사용할 수 없게 만들었다.[51] 몇 시간 동안 싸움은 거의 비등할 수밖에 없었다.

5월 6일 동틀 무렵에 샤를은 갑옷 위에 흰색 외투를 걸치고 로마의 성벽을 공격하라고 명령했다. 그들은 사다리와 휴대 무기를 소지했다. 그는 출전 연설에서 자기 앞에 모인 에스파냐인, 이탈리아인, 독일인 병사들의 잡다한 무리에게 당근을 제시했다. 그는 전리품과 영예에 대해, 그리고 도시 안에 놓여 있는 "헤아릴 수 없는 금은 재물"에 대해 이야기했다.

그는 에스파냐인에게 눈길을 주면서, 로마가 함락되면 그것은 세계 정복의 시작이 될 것이라고 말했다. 이탈리아 전역과 프랑스가 정복되고, 그런 뒤에 카를 5세가 군대를 이끌고 오스만을 향해 진격할 것이라고 했다. 이어 이렇게 말했다. "너희들과 함께 아시아 및 아프리카 곳곳에서 승리를 거두고, (…) 너희들은 다리우시(다리우스), 알렉산드로스 대왕 또는 역사상 알려진 다른 어떤 지배자의 비길 데 없는 군대가 지녔던 영광과 부를 훨씬 뛰어넘는 것을 너희들이 가졌음을 만방에 과시할 수많은 기회를 갖게 될 것이다." 그런 뒤에 샤를은 독일인을 향해 신은 안중에도 없는 로마 가톨릭 성직자의 부패에 대해 성토했다. 그들은 시민을 "음탕하고 나약한 오락으로 이끌었으며, (…) 기독교의 경건함을 내걸고 사기와 약탈과 잔인성을 동원해 금과 은을 모으는 데 완전히 몰두했다." 로마를 점령하는 것은 "결코 틀리는 법이 없는 우리의 선지자 마르틴 루터가 여러 번 이야기했던" 그 꿈을 실현하는 것이라고 그는 병사들에게 말했다.[52] 모두에게 나름대로 짚이는 바가 있는 듯했다. 샤를은 병사들을 흥분시켰고, 그들을 출정케 했다.

짙은 안개와 이른 아침의 혼란 속에서 굶주린 제국 군대는 세 시간도 되지 않아 로마의 성벽을 뚫었다. 그들은 이 일을 사다리를 기어올라 손으로 돌을 뽑아내는 구닥다리 방식의 조합으로 해냈다. 그러나 돌파가 이루어지는 그 순간에 재앙이 닥쳤다. 샤를이 한창 올라가고 있는 중이었고, 공성 사다리에 손을 올리고 위에 있는 부하들에게 최대한 빨리 성벽 꼭대기로 올라가라고 독려하고 있었다. 갑자기 하켄뷕세로 알려진 장총에서 몸과 안개비에 눌려 발사된 총알이 곧바로 그의 머리로 날아들었다. 그는 즉사했다. 그의 주위, 로마 방어선 양쪽에서 공포와 유혈 충동이 동시에 터져 나왔다.

샤를은 살아 있을 때에도 병사들을 잘 통제하지 못했다. 그러나 이제 그마저 죽었고, 그들을 통제할 사람은 아무도 없었다. 관통된 장군의 머리에서 피가 흘러나오는 순간에도 제국 병사들은 로마의 성벽을 기어 올라가 대포에 맞아 구멍이 난 곳으로 잠입한 뒤 성문을 활짝 열어젖혔다. 도시는 무력으로 점령당했고, 광란이 허용되었다. 410년의 대재앙 이후 1000여 년 만에 이방인이 마침내 돌아왔다.

1527년 5월의 로마 약탈은 일주일 이상 지속되었다. 제국 병사들은 소리를 지르며 도시로 돌진해 들어가 마구 날뛰었다.

"에스파냐! 에스파냐! 죽여라! 죽여라!"

그들은 고작 수천 명의 방어군을 재빨리 해치웠다. 교황의 '스위스 근위대' 대부분도 마찬가지였다. 그들은 산피에트로 대성당 앞에서 참살당했다. 그 이후 이 도시는 그들의 것이 되었다.

클레멘스 자신은 산탄젤로성으로 달아났다. 도시에서 가장 안전한 요새였다. 거기서 그는 몇몇 추기경 및 성문이 내려지기 전에 그곳으로 들어간 여러 부류의 다른 시민 무리와 함께 숨어 있었다. 그나 그와 함께 그곳에 들어간 사람은 운이 좋은 사람이었다. 성채 바깥에서는 성문이 다시 잠기기 전에 로마를 빠져나오지 못한 사람들이 모두 큰 고통을 당했다.

귀차르디니는 이렇게 썼다. "방어군이 모두 달아나고 그들이 정말로 도시를 장악하자 에스파냐인 병사들은 민가를 차지하고 (그 안에 있는 모든 사람 및 모든 물건과 함께) 포로를 잡았다. (…) 그러나 독일인은 군율을 지키면서 마주치는 사람을 모조리 난도질했다."[53] 곧 지옥도가 펼쳐졌다. 여자와 아이도 모든 면에서 남자나 마찬가지로 취약했고, 성직자는 평신도와 함께 살육되었다. 사실 성직자는 노골적으로 목표가 되었다. 이해 초에, 란츠크네히트의 이전 사령관 게오르크 폰프룬츠베르크(그는 봄에 병사들이 반란을 일으키기 시작하자 낙담을 하고 이탈리아를 떠났다)는 몸에 황금 올가미를 가지고 다녔다고 한다. 교황을 만나면 목매달기 위해서였다.

이제 독일 용병들은 그런 격한 기분을 풀 기회를 잡았다. 베드로 성인, 바울로 성인, 안드레아 성인의 두개골이나 성십자가 잔편 및 가시왕관 같은 성스러운 유물이 "그 광란의 와중에 수치스럽게도 짓밟혔다."[54] 교황들의 무덤이 약탈당했다. 한 무리는 당나귀에게 사제복을 입히고 당나귀에게 성찬을 먹이라는 요구를 거부한 성직자를 죽였다.[55] 귀차르디니의 길고도 충격적인 약탈에 대한 기록은 제국 병사가 얼마나 심하게 성직자를 증오했는지를, 그리고 교황의 부의 상징에 대한 그들의 공격이 얼마나 쉽게 적나라한 비인도 행위로 번질 수 있는지를 분명하게 보여준다.

거리에는 가장 화려한 제례복과 성직자 장신구가 든 큰 보따리와 온갖 종류의 금은 그릇으로 가득 찬 자루를 나르는 폭력배와 사기꾼만 보였다. 소박한 빈궁과 그리스도의 종교에 대한 진정한 헌신보다는 로마 교황청의 부와 공허한 겉치레만을 입증하고 있었다. 온갖 부류의 수많은 포로가 신음하며 울부짖는 모습도 볼 수 있었다. 그들은 재빨리 임시 감옥으로 끌려갔다. 거리에는 시신이 많았다. 여러 귀족이 토막 난 채 널브러져 있었고, 그들은 진흙과 자신이 흘린 피로 덮여 있었다. 그리고 아직 목숨이 끊어지지 않은 많은 사람도 가련하게 땅에서 뒹굴고 있었다.[56]

수녀는 강간당했다. 사제는 제단에서 살해당했다. 교회를 어느 정도까지 훼손해야 하는지를 놓고 에스파냐인과 독일인 사이에서 간간이 언쟁이 벌어지기는 했지만, 이는 성직자 자신에게는 아무런 도움이나 위안도 되지 않았다. 그들이 아주 살해되지 않는다 해도 "찢어지고 피 묻은 옷차림으로, 무차별적인 채찍질과 몽둥이질로 온몸에 긁히고 멍든 자국을 드러낸 채" 거리를 방황하게 될 것이기 때문이다. "어떤 사람은 수염이 텁수룩하고 반들반들했다. 어떤 사람은 얼굴에 낙인이 찍혔다. 그리고 어떤 사람은 이가 빠져나갔다. 또 어떤 사람은 코나 귀가 없었다."[57]

그러는 동안에 무장한 무리가 집집마다 돌아다니며 사람들을 고문해 귀중품이 어디 있는지 털어놓으라고 다그쳤다. 귀족에게는 맨손으로 오물통을 비우게 하며 오물 속에 귀중품을 숨겼는지 알아보았다. 어떤 사람은 코가 잘렸다. 어떤 사람에게는 자신의 생식기를 강제로 먹였다. 침략자에게 이런 것은 너무도 쉬웠다. 귀차르디니는 이렇게 썼다. "로마인은 기습당했고, 약탈당했고, 살육당했다. 믿을 수 없을 만큼 쉽게, 그리고 막대한 이익을 뜯기면서." 옳은 말이었다.

로마인의 고통 해소는 아주 느리게 진행되었다. 약탈의 공포는 열흘쯤 이어졌지만, 그 뒤에도 로마는 여전히 점령당한 도시였다. 교황과 그 측근들은 한 달 동안 산탄젤로성에 틀어박혀 있다가 6월 7일에야 40만 두카토의 돈을 내고 자기네의 안전을 약속받았다. 그렇지만 이 성채에 틀어박혔던 대부분의 사람이 떠나도록 허용된 가운데서도 클레멘스만은 그곳에 머물러야 했다. 그 자신의 안전을 위해서였다. 그는 12월 초가 되어서야 풀려났다. 그것도 어둠을 틈타서였다. 점령군 사병들을 격분시킬까 두려워한 것이다.

이 무렵까지 광란을 벌인 제국 병사에게 살해된 로마인은 8000명가량이었다. 그리고 그 외에 다른 원인으로 죽은 사람은 그 두 배쯤 되었을 것이다. 질병이 로마 인구를 확 베어낸 것이다. 침략군과 망가진 도시의 불결한 상황이 확산시킨 질병이었다.[58]

이것은 틀림없이 클레멘스 교황 재임기의 바닥이었다. 그리고 그는 개인적으로 안전했지만, 그 이후 줄곧 카를 5세의 손아귀에 잡혀 있었다. 황제는 약탈 소식이 처음 그의 궁정에 들어왔을 때 거의 주체할 수 없을 정도로 환호했다. 한 목격자는 카를이 너무 많이 웃어서 저녁조차 먹기 어려울 정도였다고 말했다.[59] 교황이 그의 손아귀에 있었다. 이탈리아는 따를 것이다. 그의 긴 나머지 재위 기간에 여러 심각한 도전이 있겠지만, 이것은 틀을 짓는 획기적인 성과였다.

1530년 2월 22일, 카를은 볼로냐에 나타났고, 클레멘스 교황은 그에게 랑고바르드의 철관을 씌워주었다. 수백 년 전 샤를마뉴가 처음 제국에 가져온 것이었다. 이틀 뒤인 그의 서른 번째 생일날, 카를은 신성로마 제국 황제로 공식 즉위했다. 그는 클레멘스를 옆에 세우고 도시에서 행진을 벌였다. 놀라운 새 10년이(사실은 새 시대가) 그의 앞에 펼쳐져 있었다.

1527년 로마 약탈은 중요한 결과를 가져왔다. 그 가운데 많은 것이 오늘날의 우리에게까지 이어지고 있다. 이것은 잉글랜드에서 가장 잘 알려졌다. 이로 인해 왕비인 아라곤의 카탈리나와의 결혼을 취소하려던 국왕 헨리 8세의 계획에 차질이 생겼기 때문이다. 헨리의 사절들은 클레멘스가 로마에서 사실상의 가택연금 상태에 있던 1527년 가을에 이혼에 대한 교황의 특별 허가 요청을 제출했다. 카탈리나는 카를의 이모였기 때문에 이 요청이 허락될 수는 없었다. 그 결과 황소고집인 헨리는 또 다른, 훨씬 파괴적인 길로 달려갔다. 앞서 보았듯이 그는 잉글랜드를 로마 교회로부터 빼내고 자신이 교회와 국가 양쪽 모두의 문제에 관해 지상권을 지닌다고 선언했으며, 이전에 루터교가 금지되었던 자신의 왕국에서 이를 허용했다. 잉글랜드(그리고 결국 영국과 아일랜드) 역사의 한 장이 넘어갔고, 헨리의 치세는 지금도 중세와 근세의 경계로 인식되고 있다.

물론 잉글랜드는 한 부분일 뿐이었다. 그것은 서방 전역에 심각한 결과를 초래했다. 이탈리아에서는 로마가 폐허 비슷한 상태가 되었고, 그 인구는 말 그대로 열에 하나로 줄었다. 1530년대에 일부 지역에서 나타나고 있던 통일되고 자주적인 이탈리아에 대한 모든 꿈은 이제 표류 상태에 빠져 19세기의 리소르지멘토('재생') 운동이 일어날 때까지 되살아나지 못했다.

한편 문예부흥 예술가의 중심지로서의 이탈리아반도의 매력은 너덜너덜해졌다. 오랜 시간이 지난 지금 와서 보면 이탈리아 문예부흥의 절정은 1520년 라파엘로가 죽었을 때 지나가 버렸다고 할 수 있다(물론 미켈란젤로가 1540년대에 여전히 시스티나 예배당에서 작업을 하고 있었지만 말이다). 그리고 약탈의 심리적·경제적 충격은 분명히 이 놀라운 운동이 나중에 다시 한번 꽃을 피우지 못하게 못을 박는 요소가 되었다.

반면에 에스파냐는 날아올랐다. 그리고 '신세계' 및 '구세계'에서의 으스대는 발걸음이 합쳐지고 아라곤 왕국과 카스티야 왕국의 공식 통합이 가세하면서 이베리아반도에서 새로운 황금시대를 열었다. 그것은 마침내 카를 5세의 아들이자 에스파냐 계승자인 펠리페 2세로 그 화신을 삼았다.

그의 후원 아래 마드리드와 엘에스코리알의 대궁전은 유럽의 교양의 펄떡이는 심장이 되었다.

프랑스 쪽은 1527년의 사건에 당혹해하며 제국에 맞서는 새로운 친구를 찾아 오스만 제국과의 동맹으로 옮겨 갔다. 분명히 그것은 여러 세대에 걸친 중세 프랑스의 십자군 전사를 놀라게 했을 것이다. 그러나 그것은 다가오는 시대를 상징적으로 보여주는 것이었다. 중세 말에 시작된 프랑스-오스만 동맹은 16세기 중반부터 나폴레옹의 치세까지 이어졌으며, 이를 통해 발칸반도와 오스트리아 경계에 이르는 동유럽은 1차 세계대전 직전까지 오스만의 영향권 아래에 있어야 했다.

한편 세계 유수의 이슬람 세력과의 화해가 1527년의 사건이 프랑스에 남긴 유일한 유산은 아니었다. 종교적 악영향 역시 그에 못지않게 중요했다. 로마 함락 이후 확산되는 개혁 운동이 장 칼뱅 같은 국내의 개혁가를 자극해 1530년대 이후 만개했기 때문이다. 16세기 중반에 위그노로 알려진 개신교도 집단이 프랑스 왕권에 심각한 문제를 제기하기 시작했고, 마침내 프랑스 종교전쟁에서 긴장이 폭발했다. 이 전쟁은 1560년대에서 1590년대 사이에 벌어져 수만 명이 죽고 프랑스 사회에 종교적 상처를 남겼다. 유혈은 18세기까지 계속되었다.

물론 신학적으로 로마 약탈은 가톨릭교회에 심각한 영향을 미쳤다. 카를 5세는 한동안 루터파 이단과 불이 붙은 종교개혁에 대처하는 범汎교회 전략을 결정하기 위한 교회 회의를 열기를 원했다. 교황을 손아귀에 넣은 그는 결국 자신의 뜻을 관철시켰다. 고통스럽게 늘어진(1545년에서 1563년 사이에 여러 차례 회의를 열었다) 트렌토 공의회는 이후 300년 동안 유지된 형태로 가톨릭교회의 방침을 근본적으로 재구성하고 변경했다.

매우 때늦은 개혁이 입법화되었다. 면죄부는 금지되지 않았지만, 그 판매는 1567년 마침내 금지되었다. 그러나 트렌토 공의회는 개신교도와의 화해는 있을 수 없음도 매우 분명하게 밝혔다. 이에 따라 오늘날까지 이어지는 서방 교회의 분열이 완성되었다. 그리고 루터나 카를은 이를 확인하지 못하고 죽었지만(루터는 1546년에 죽었고 카를은 1558년에 그 뒤를 따랐다), 그들 및 그 지지자 무리(겹치는 부분이 있다)는 그것이 그렇게 되도록 보장하는 데 결정적인 역할을 했다. 오늘날 세계 인구의 8분의 1(9억 명 이상)이 개신교 신도라는 사실의 바탕에 있는 것이 그들의 투쟁이다.[60]

물론 이 모든 것은 제국 군대가 1527년 피비린내 나는 로마 거리에서 슬그머니 빠져나가면서 떠오른 세계에 대한 최소한의 요약일 뿐이다. 여기서 조금이라도 더 나아가려 한다면 그것은 이미 두꺼워진 이 책의 둑을 허무는 일이 될 것이다. 내가 바라는 것은 이 장과 이미 지나온 여러 장을 통해 1530년대가 되면 서방 세계가 더 이상 중세로 인식될 수 없음을 충분히 이해했으면 하는 것이다.

인쇄의 등장, '신세계'와의 만남, 교회 투쟁의 붕괴와 분열, 흑사병 파도로 인한 인구 구성의 변화, 문예부흥을 통한 인본주의 및 예술의 혁명. 이 모든 것과 그 밖의 것이 서방의 외형과 느낌을 변화시켰다. (심지어 과정이 진행되고 있는 상태에서도) 당대인조차 분명하게 알 수 있었던 방식으로 말이다. 중세가 1527년 로마 거리에서 분명하게 죽지는 않았다. 그러나 그 이후 무언가가 사라졌다는 것은 매우 분명했다. 그리고 그것은 다시 돌아오지 않았다.

21세기 초를 살고 있는 우리는 전 세계에 걸친 획기적인 변화의 한가운데에 있지만 이에 대해서는 잘 인식하지 못하고 있다. 우리를 둘러싼 우리 세계는 또한 세계 기후의 변화, 세계적 유행병, 기술 진보, 정보통신과 출판의 혁명, 급속하고 통제할 수 없는 대량 이주, 개성 찬양에 초점을 둔 문화적 가치관의 개혁이 결합되어 재구성되고 있다.

우리가 온통 뒤죽박죽인 사회를 산 중세 사람에게 흥미를 가질 뿐만 아니라 심지어 그들을 이해할 수 있을까, 아니면 그것은 비역사적인 생각일까? 그 대답은 독자에게 맡겨야겠다. 이제는 늦었기 때문이다. 나는 많은 것을 썼고, 이제 물러가야 할 시간이다. 마르틴 루터는 이를 1530년에 쓴 한 편지를 마무리하면서 잘 표현했다. 그가 '황야'라고만 부른 비밀 장소에서 카를 5세를 피해 숨어 있을 때 쓴 편지다. 그는 이렇게 썼다.

너무 길어지고 있군요. (…) 다음에 더 이야기하죠. 편지가 길었던 걸 이해해주세요. (…) 아멘.[61]

옮긴이의 말

개인적으로 중세사는 역사 분야 중에서도 왠지 먼 동네였다. 한국사도 그렇지만 서양사는 더욱 그랬다. 여기에 게으름이 겹치니 서양 중세에 관해 장원과 농노, 교황과 마녀 같은 판에 박힌 이미지를 아직 갈아엎지 못하고 있었다. 그러던 차에 중세 전반을 아우르는 두툼한 책을 번역하게 돼서 반가웠다.

구성이 재미있다. 4×4=16. 각 장의 제목은 어떤 부류의 '사람들'이다. 나라 또는 민족이 여섯(로마인, 이방인, 동로마인, 아라비아인, 프랑크인, 몽골인), 나머지는 어떤 직업 또는 어떤 일에 매달린 사람들이다. 전자는 그것만 나열해보아도 이 중세 1000년의 흐름이 대략 잡힐 정도고, 후자는 그 큰 흐름 속에서 어떤 부류의 사람들이 이 시기 역사를 이끌어갔는지를 짐작할 수 있게 해준다.

우선 중세를 이야기하자면 고대의 종말부터 말해야 한다. 서양에서 고대의 종말은 서로마의 멸망이다. 그리고 그 멸망은 북방 이민족들의 대이동(그것은 다시 동방 훈족의 압박 때문이다)으로 인한 것이었다. 앞 두 장에서 로마인과 이방인을 이야기한 것은 그런 이유에서다.

그러나 로마가 완전히 멸망한 것은 아니었다. 동쪽의 절반은 남았다.

망할 것을 알고 그것에 대비하기 위해서였는지, 그 전에 동쪽에 새 수도 콘스탄티노폴리스를 건설하고 황제도 동·서로 이원화시켰다. 동쪽의 로마도 북방 이민족에게 시달리기는 했지만 망하지는 않고 살아남았다. 그들은 로마라는 이름은 유지했지만,† 그리스어권을 중심으로 한 국가였기 때문에 나중에 공용어가 그리스어로 바뀌었다. 그들이 3장의 주인공들이다.

이 책이 중세사를 다루지만 서양사 중심인데, 서양의 중세에는 살아남은 동로마에 맞서고 그를 압도하는 세력이 나타났다. 7세기에 등장한 이슬람교 세력이다. 그들은 처음에 아라비아인이 중심이었고 결국 아라비아어가 공용어였기 때문에 4장의 제목은 그들로부터 나왔다. 그들은 옛 로마의 남쪽 부분인 아프리카 북부와 유럽 일부를 차지하고 서아시아와 중앙아시아를 아울러 전성기 로마를 능가하는 대제국을 건설했다. 7세기에 신흥 강국으로 급부상했고, 중세의 끝으로 보는 15세기 동로마의 멸망 역시 같은 이슬람 세력인 튀르크인에 의해 이루어졌으니, 사실 중세는 이슬람의 시대라 해도 과언이 아니다.

옛 로마의 남쪽은 이슬람 세력, 동쪽은 동로마가 차지하고 있었지만, 서쪽·북쪽은 처음에 이민족의 잡거 상태였다. 그러다가 하나의 큰 세력으

---

† 동로마라는 명칭은 그들의 자칭이 아니라 후대의 역사에서 서쪽의 로마와 구분하기 위한 '식별 기호'로 '동'을 추가한 것이다. 중국사의 '촉한', '동진', '북위', '후연' 같은 두 자 국명의 상당 부분도 그런 식별 기호가 붙어 그런 것이다.
동로마를 비잔틴 또는 비잔티움으로 부르기도 하는데, 그것은 그들과 관계없이 밖에서, 역시 후대에 붙인 편의적인 명칭이다. 그 수도 콘스탄티노폴리스가 건설되기 전의 그곳이 작은 도시 비잔티온이었고 그 라틴어형이 비잔티움인데, 영어에서 '제국' 앞에 그 형용사형 '비잔틴'을 붙여 '비잔틴 제국'으로 불러서 '비잔틴'이 국명처럼 된 것이다(우리나라에서는 형용사형이 국명이 될 수 없다 해서 비잔티움으로 바꾸기도 했다). 그러나 동로마라는 실체가 생긴 것은 아무리 거슬러 올라가도 콘스탄티노폴리스 건설 이후이니 그 이전 이 도시의 명칭은 이 나라를 지칭하기에는 너무 먼 존재다.

로 떠오른 것이 5장의 주인공 프랑크인이다. 그들은 오늘날 서유럽 지도의 큰 윤곽을 그렸다.

서양의 중세는 역시 종교가 두드러졌으므로 그런 부류의 사람들이 역사의 전면에 나섰다. 6~8장의 수행자, 기사, 십자군이 그들이다. 영성을 추구하는 수행자는 종교가 이끌어가는 사회에서 중시되지 않을 수 없었고, 그들은 세속 군주에 못지않은 권력을 가진 교황을 비롯해 성직을 가지고 사회에서 중요한 역할을 했을 뿐 아니라 세속 군주를 위해서도 일했다. 이 시기는 또 크고 작은 내부 및 대외 전쟁으로 인해 전사 계급인 기사의 역할이 두드러졌고, 종교-전쟁 결합의 정점인 십자군이 생겨났다.

서양을 다루고 있는 책이기는 하지만 9장의 몽골인은 빠질 수 없다. 유럽의 동쪽과 서아시아를 차지하고 대제국을 건설해 세계에 큰 영향을 미쳤기 때문이다. 서양 중세를 뒤흔든 일들 가운데 하나인 대유행병도 그쪽에서, 그들이 진흥시킨 동-서 교류 확대와 그들이 닦아놓은 길을 통해 왔다.

10~12장에 나오는 사람들은 역자처럼 '중세=암흑시대' 관념을 벗어버리지 못한 사람들에게 필요하다. 새로운 기법들을 개발해 상업을 한 단계 올려놓은 상인들, 오늘날까지 이어지는 대학을 만든 학자들, 거대한 역사를 설계하고 지휘한 건설자들이다. 중세는 결코 암흑시대가 아니었고, 그 시기에도 발전은 이루어지고 있었다.

마무리는 역시 새로운 시대를 향해 노력한 사람들의 이야기다. 역설적으로 새로운 시대의 시작은 대파괴다. 13장에 나오는 흑사병은 그런 대파괴였고, 거기서 살아남은 사람들이 새로운 시대를 열어야 했다. 14~16장의 문예부흥을 이끈 사람들, 바다를 개척한 사람들, 종교개혁을 이끈 사람들, 그리고 그 밖의 많은 사람이 새로운 시대를 열었다.

이 서양의 중세는 보통 콘스탄티노폴리스가 오스만에게 함락돼 동로마가 멸망할 무렵에 마감되는 것으로 본다. 몇 년 전에 그 동로마의 멸망을 자세하게 다룬 책을 번역한 적이 있는데(다룬 기간이 짧았지만 그것 역시 '벽돌 책'이었다), 개인적으로는 마감부터 먼저 보고 시작으로 돌아가 1000년을 훑은 셈이다. 순서야 어찌됐든, 무식을 약간 채운 것으로 보람을 삼고자 한다.

이재황

주

머리말

1 《옥스퍼드 영어사전》은 이 'medieval'(처음에는 'mediæval'로 썼다)이라는 단어의 최초 사용을 1817년으로까지 거슬러 올라가고 있다.
2 예컨대 Olstein, Diego, '"Proto-globalization" and "Protoglocalizations" in the Middle Millennium', in Kedar, Benjamin Z. and Wiesner-Hanks, Merry E. *The Cambridge World History V: State Formations* (Cambridge: 2015).
3 Wickham, Chris, *The inheritance of Rome: A history of Europe from 400 to 1000* (London: 2010).
4 유럽 바깥의 중세에 관한 매우 흥미로운 연구가 비교적 연륜이 짧은 *Journal of Medieval Worlds*에 발표됐다. 그 강령에 관해서는 Frankopan, Peter, 'Why we need to think about the global Middle Ages', *Journal of Medieval Worlds* I (2019), pp. 5-10.

1장 로마인들

1 나무 궤와 보물을 합치면 대략 40킬로그램쯤이었다. Johns, Catherine, *The Hoxne Late Roman Treasure: Gold Jewellery and Silver Plate* (London: 2010), p. 201.
2 de la Bédoyère, Guy, *Roman Britain: A New History* (revd. edn.) (London: 2013), pp. 226-7. Mattingly, David, *An Imperial Possession: Britain in the Roman Empire* (London: 2006), pp. 294-5. 또 다른 역사가는 노예의 가격을 오늘날의 개념으로 "대략 새 승용차 한 대 가격"으로 추산한다. Woolf, Greg, *Rome: An Empire's Story* (Oxford: 2012), p. 91.
3 Johns, *The Hoxne Late Roman Treasure*, pp. 168-9.
4 흙에 관해서는 ibid. p. 9.
5 Hamilton, Walter (trans.) and Wallace-Hadrill (intro.), *Ammianus Marcellinus / The Later Roman Empire (A.D. 354-378)* (London, 1986) pp. 45-6.
6 '영원한 로마'라는 관념의 지속에 대해 이 글이 잘 요약하고 있다. Pratt, Kenneth J., 'Rome as Eternal', *Journal of the History of Ideas* 26 (1965), pp. 25-44.

7   West, David (trans. and ed.), *Virgil / The Aeneid* (revd. edn.) (London: 2003), 1,279, p. 11.

8   De Sélincourt, Aubrey (trans.), *Livy / The Early History of Rome*, (revd. edn.), (London: 2002), p. 122.

9   *Ammianus Marcellinus*, p. 46.

10 Gibbon, Edward, *The History of the Decline and Fall of the Roman Empire: Abridged Edition* (London: 2000), p. 9.

11 화산 활동이 전 세계적으로 정치 및 사회 위기를 가중시킨 좋은 사례는 1815년 4월의 인도네시아 탐보라(Tambora) 화산 분출이다. Oppenheimer, Clive, 'Climatic, environmental and human consequences of the largest known historic eruption: Tambora volcano (Indonesia) 1815', *Progress 660 notes in Physical Geography: Earth and Environment* 27 (2003), pp. 230-59.

12 Ibid. pp. 44-9.

13 Graves, Robert (trans.) Rives J. B. (rev. and intro), *Suetonius / The Twelve Caesars* (London, 2007), pp. 15, 3.

14 이 묘사는 수에토니우스를 따른 것이다. ibid. pp. 88-9.

15 Church, Alfred John and Brodribb, William Jackson (trans.), Lane Fox, Robin (intro.), *Tacitus / Annals and Histories* (New York: 2009), pp. 9-10.

16 Graves, *Suetonius / Twelve Caesars*, p. 59.

17 *Aeneid*, VI. 851-54. This translation West, *Virgil / The Aeneid* p. 138.

18 Waterfield, Robin (trans.), *Polybius / The Histories* (Oxford: 2010), pp. 398-399.

19 *Tacitus / Annals and Histories*, p. 648.

20 Ibid. pp. 653-4.

21 Luttwak, Edward N., *The Grand Strategy of the Roman Empire: From the First Century A.D. to the Third* (Baltimore/London: 1976), p. 3.

22 클라우디우스의 연설은 리옹시의 동판에 보존돼 있다. 원로원의 불평을 포함한 상세한 내용은 *Tacitus / Annals and Histories*, pp. 222-4.

23 정체성이라는 맥락에서 시민권에 대해 간명하게 논의한 것으로는 Woolf, *Rome: An Empire's Story* pp. 218-229; 사회 위계라는 맥락에서는 Garnsey, Peter and Saller, Richard, *The Roman Empire: Economy, Society and Culture* 2nd edn. (London/New York: 2014), pp. 131-49.

24 Johnson, Allan Chester, Coleman-Norton, Paul R and Bourne, Frank Card (eds.), *Ancient Roman Statutes: A Translation With Introduction, Commentary, Glossary, and Index* (Austin: 1961), p. 226.

25 Bodel, John, 'Caveat emptor: Towards a Study of Roman Slave Traders', *Journal of Roman Archaeology* 18 (2005), p. 184.

26 세계사적인 맥락에서의 로마의 노예제에 관해서는 Hunt, Peter, 'Slavery' in Benjamin, Craig (ed.), *The Cambridge World History* vol. 4: *A World with States, Empires and Networks, 1200BCE-900CE* (Cambridge: 2015), pp. 76-100.

27 〈레위기〉 25:44.

28 Hornblower, Simon, Spawforth, Anthony, Eidinow, Esther (eds.) *The Oxford Classical*

Dictionary (4th ed) (Oxford: 2012), p. 1375.

29 Trimble, Jennifer, 'The Zoninus Collar and the Archaeology of Roman Slavery', *American Journal of Archaeology* 120 (2016), pp. 447-8.

30 Kenney, E.J. (trans.), *Apuleius / The Golden Ass* (revd. edn.) (London: 2004), p. 153.

31 Jones, Horace Leonard (trans.), *The Geography of Strabo* vol. VI (Cambridge, Mass: 1929), pp. 328-9.

32 This translation Harper, Kyle, *Slavery in the Late Roman World, AD 275-425* (Cambridge: 2011), pp. 35-6.

33 Harper, *Slavery in the Late Roman World*, p. 33.

34 Richardson, John, 'Roman Law in the Provinces' in Johnston, David (ed.), *The Cambridge Companion to Roman Law* (Cambridge: 2015), pp. 52-3.

35 Rudd, Niall (trans.), *Cicero / The Republic, and The Laws* (Oxford: 1998), p. 69.

36 Radice, Betty (trans.), *The Letters of the Younger Pliny* (London: 1969), 10.96, 293-5.

37 Williamson, G.A. (trans.), *Eusebius / The History of the Church* (revd. edn.) (London: 1989), p. 265.

38 MacCulloch, Diarmaid, *A History of Christianity* (London: 2009), p. 196.

39 Hammond, Martin (trans.) *Marcus Aurelius / Meditations* (London: 2014), p. 48.

2장 이방인들

1 *Ammianus Marcellinus*, p. 410.

2 Ridley, Ronald T. (trans.), *Zosimus / New History* (Sydney: 2006), p. 79.

3 Bettenson, Henry (trans.), *Saint Augustine / City of God* (London: 2003), pp. 43-4.

4 *Ammianus Marcellinus*, p. 410.

5 초기 훈족의 정치 조직에 관한 상세한 내용은 Kim, Hyun Jin, *The Huns* (London/New York: 2016), pp. 12-36. 흉노족과 4세기 훈족 사이의 관계에 대해 여기와 기타 여러 군데에 제시된 것에 비해 보다 회의적인 관점은 Heather, Peter, *The Fall of the Roman Empire: A New History of Rome and the Barbarians* (Oxford: 2006), pp. 148-9.

6 De la Vaissière, Étienne, 'The Steppe World and the Rise of the Huns' in Maas, Michael (ed.), *The Cambridge Companion to The Age of Attila* (Cambridge: 2014), pp. 179-80.

7 De la Vaissière, Étienne, *Sogdian Traders: A History* (Leiden: 2005), pp. 43-4.

8 *Ammianus Marcellinus*, pp. 411-2.

9 Ibid.

10 Cook, Edward R. 'Megadroughts, ENSO, and the Invasion of Late-Roman Europe by the Huns and Avars' in Harris, William V. (ed.), *The Ancient Mediterranean Environment between Science and History* (Leiden: 2013), pp. 89-102. See also Wang, Xiaofeng, Yang, Bao and Ljungqvist, Fredrik Charpentier, 'The Vulnerability of Qilian Juniper to Extreme Drought Events', *Frontiers in Plant Science* 10 (2019) doi: 10.3389/fpls.2019.01191.

11 편지가 인용된 글은 Reeve, Benjamin, *Timothy Richard, D.D., China Missionary, Statesman and Reformer* (London: 1912), p. 54.

12 *Zosimus*, p. 79.

13 *Ammianus Marcellinus*, p. 416.

14 Ibid. p. 417.

15 이 논쟁에 관해서는 Halsall, Guy, *Barbarian Migrations and the Roman West 376-568* (Cambridge: 2007), pp. 172-5.

16 *Ammianus Marcellinus*, p. 418.

17 Ibid. p. 423.

18 Ibid. pp. 424-5.

19 Ibid. p. 433.

20 Ibid. p. 434.

21 Ibid. p. 435.

22 양쪽의 수에 관한 신중한 추정은 Heather, *The Fall of the Roman Empire*, p. 181.

23 *Ammianus Marcellinus*, p. 435.

24 Ibid. pp. 435-6.

25 Ibid. p. 437.

26 이 날씨 이야기는 암브로시우스 성인에 의한 것이다. 그가 쓴 테오도시우스 추도사에서 황제가 죽을 때 비가 내리고 어둠이 깔린 것은 우주 자체가 슬퍼하는 표시라고 했다. McCauley, Leo. P. et al, *Funeral Orations by Saint Gregory and Saint Ambrose* (*The Fathers of the Church*, Volume 22) (Washington: 2010), p. 307.

27 Platnauer, Maurice (trans.), *Claudian / Volume II (Book 1)* (New York, 1922), p. 367.

28 예를 들어 다음 두 글의 이야기를 비교해보라. Heather, *The Fall of the Roman Empire*, pp. 203-5; Kim, *The Huns*, pp. 76-7.

29 *Zosimus*, p. 113.

30 Ibid.

31 이 날짜에 대해 이견을 가진 일부 학자들은 이 침략을 405년의 일로 보고자 하는데, 이는 라다가이수스의 이탈리아반도 침공과 같은 때라는 이야기가 된다. Kulikowski, Michael, 'Barbarians in Gaul, Usurpers in Britain', *Britannia* 31 (2000), pp. 325-345.

32 Fremantle, W.H. (trans.) *Saint Jerome / Select Letters and Works* (New York: 1893), p. 537.

33 오리엔티우스에 관해서는 Halsall, *Barbarian Migrations*, p. 215.

34 *Claudian / Volume II (Book 2)*, p. 173.

35 *Non est ista pax sed pactio servitutis* - recorded by *Zosimus*, p. 114.

36 *Zosimus*, p. 117.

37 *Zosimus*, p. 125.

38 *Livy / The Early History of Rome*, p. 419.

39 Kneale, Matthew, *A History of Rome in Seven Sackings* (London: 2017), p. 24.

40 *Saint Jerome / Select Letters and Works*, p. 577; cf. *Psalms* 79.

41 Winterbottom, Michael (trans.), *Gildas / The Ruin of Britain and other works* (Chichester: 1978), pp. 23-4.

42 *Gildas*, p. 28.

43 *Gildas*, p. 28.

44 *Gildas*, p. 28.

45 *Gildas*, p. 29.

46 Dewing, H.B. (trans.), *Procopius / History of the Wars*, vol. 2 (Cambridge, Mass.: 1916), pp. 30-33.

47 Weiskotten, Herbert T. (trans.), *The Life of Augustine: A Translation of the Sancti Augustini Vita by Possidius, Bishop of Calama* (Merchantville, NJ., 2008), pp. 44-56.

48 반달족 치하의 북아프리카에 대한 최근 연구에 관해서는 Merrills, A. H. (ed.), *Vandals, Romans and Berbers: New Perspectives on Late Antique North Africa* (Abingdon: 2016), 특히 pp. 49-58.

49 *Procopius / History of the Wars* vol. 2, pp. 46-9.

50 쿠오불트데우스의 표현법과 그 종교적·정치적 맥락에 관한 논의는 Vopřada, David, 'Quodvultdeus' Sermons on the Creed: a Reassessment of his Polemics against the Jews, Pagans, and Arians', *Vox Patrum* 37 (2017), pp. 355-67.

51 See Cameron, Averil et al (eds.), *The Cambridge Ancient History XIV: Late Antiquity, Empire and Successors, A.D. 425-600* (Cambridge: 2000), p. 554.

52 Procopius, *History of the Wars*, vol. 2, pp. 256-57.

53 Mierow, Charles C., *Jordanes / The Origin and deeds of the Goths*. (Princeton University doctoral thesis, 1908), p. 57.

54 Kelly, Christopher, *Attila the Hun: Barbarian Terror and the Fall of the Roman Empire* (London: 2008), p. 189.

55 Kelly, Christopher, 'Neither Conquest nor Settlement: Attila's Empire and its Impact' in Maas, Michael (ed.), *The Age of Attila* (Cambridge: 2015), p. 195.

56 Lenski, Noel, 'Captivity among the Barbarians and its Impact on the Fate of the Roman Empire' in Maas, Michael (ed.), *The Age of Attila* (Cambridge: 2015), p. 234

57 Ibid. p. 237.

58 Cameron, Averil et al (eds.), *The Cambridge Ancient History XIV: Late Antiquity, Empire and Successors, A.D. 425-600* (Cambridge: 2000), p. 15.

59 Brehaut, Earnest (trans.), *Gregory bishop of Tours / History of the Franks*, (New York: 1916), pp. 33-4.

60 Sarti, Laury, *Perceiving War and the Military in Early Christian Gaul (ca. 400-700 A.D.)*, (Leiden: 2013), p. 187.

61 Robinson, James Harvey, *Readings in European History*. Vol 1. (Boston: 1904), p. 51.

62 Given, John (trans.), *The Fragmentary History of Priscus: Attila, the Huns and the Roman Empire, AD 430-476* (Merchantville: 2014), p. 127.

63 Ibid. p. 129.

64 Robinson, George W. (trans.), *Eugippius / The Life of Saint Severinus* (Cambridge, Mass.: 1914), pp. 45-6.

65 Mariev, Sergei (trans.), *Ioannis Antiocheni Fragmenta quae supersunt Omnia* (Berlin: 2008), p. 445.

66 Heather, Peter, *The Goths* (Oxford: 1996), p. 221.

67 Watts, Victor (trans.), *Boethius / The Consolation of Philosophy* (revd. edn.) (London: 1999), pp. 23-24.

3장 동로마인들

1 Chabot, J-B (trans.), *Chronique de Michel le Syrien, patriarche jacobite d'Antioche, 1166-1199*, vol. 2 (Paris: 1901), pp. 235-8. Also see Witakowski, Witold (trans.), *Pseudo-Dionysius of Tel-Mahre, Chronicle (known also as the Chronicle of Zuqnin) part III* (Liverpool: 1996), pp. 74-101.

2 〈예레미야서〉 9:21.

3 〈신명기〉 8:20 참조.

4 Dewing, H. B. (trans.), *Procopius / History of the Wars, Books I and II* (London: 1914), pp. 455-6.

5 Keller, Marcel, et al., 'Ancient Yersinia pestis genomes from across Western Europe reveal early diversification during the First Pandemic (541-750)', *Proceedings of the National Academy of Sciences* 116 (2019). See also Wiechmann, I and Grupe, G, 'Detection of Yersinia pestis DNA in two early medieval skeletal finds from Aschheim (Upper Bavaria, 6th century A.D.)', *American Journal of Physical Anthropology* 126 (2005), pp. 48-55.

6 Moderchai, Lee and Eisenberg, Merle, 'Rejecting Catastrophe: The Case of the Justinianic Plague', *Past & Present* 244 (2019), pp. 3-50.

7 Procopius, *The Secret History*, p. 36.

8 Cisson, C.H. (trans), *Dante Alighieri, The Divine Comedy* (revd. edn.) (Oxford: 1993), *Paradiso*, 5.130-139.

9 Jeffreys, Elizabeth, Jeffreys, Michael and Scott, Roger, *The Chronicle of John Malalas* (Leiden: 1986), p. 245.

10 Williamson, G. A. and Sarris, Peter (trans.), *Procopius / The Secret History* (revd. edn.) (London: 2007), pp. 33-5.

11 *The Chronicle of John Malalas*, pp. 254-5.

12 *Procopius / The Secret History* pp. 37-9.

13 Moyle, John Baron (trans.), *The Institutes of Justinian* (Oxford: 1906), p. 1.

14 이하의 내용에 관해 더 자세한 것은 Johnston, David (ed.) *The Cambridge Companion to Roman Law* (New York: 2015), pp. 119-48, 356-7, 374-95.

15 Dewing, H. B. (trans.), *Procopius, On Buildings* (Cambridge, Mass.: 1940), pp. 7-8.

16 Kelley, Donald R., 'What Pleases the Prince: Justinian, Napoleon and the Lawyers', *History of Political Thought* 23 (2002), p. 290.

17 이 논쟁의 맥락과 개괄적인 과정에 대한 손쉬운 안내는 MacCulloch, *A History of Christianity*, pp. 222-8.

18 *The Chronicle of John Malalas*, pp. 253.

19 이 과정은 Constantelos, Demetrios J., 'Paganism and the State in the Age of Justinian', *The Catholic Historical Review* 50 (1964), pp. 372-380에 시간순으로 간명하게 정리돼 있다.

20 *The Chronicle of John Malalas*, p. 264. 말랄라스의 이 말이 정확하게 어떤 의미인지와 그가 이 내용을 전한 맥락에 대한 상세한 논의는 Watts, Edward, 'Justinian, Malalas, and the End of Athenian Philosophical Teaching in A.D. 529', *The Journal of Roman Studies* 94 (2004), pp. 168-182.

21 동로마에서 신플라톤학파 철학이 살아남은 일에 대해서는 Blumenthal, H. J., '529 and its sequel: What happened to the Academy?', *Byzantion* 48 (1978), pp. 369-385 및 Watts, Edward, 'Justinian, Malalas, and the End of Athenian Philosophical Teaching in A.D. 529', *The Journal of Roman Studies* 94 (2004), pp. 168-182.

22 유스티니아누스 황제, 히포드로모스 응원단, 니카 반란에 대한 영어로 된 가장 중요한 두 논문은 Bury, J. B, 'The Nika Riot', *The Journal of Hellenic Studies* 17 (1897), pp. 92-119와 Greatrex, Geoffrey, 'The Nika Riot: A Reappraisal', *The Journal of Hellenic Studies* 117 (1997), pp. 60-86.

23 제국 귀족들의 불만도 혼란을 부추기는 데 일부 기여했을 것이다. 그들의 이른바 불만 일부는 Procopius, *The Secret History*, pp. 51, 80에 실려 있다.

24 *Procopius, History of the Wars, I Books 1-2*, pp. 224-5

25 *The Chronicle of John Malalas*, pp. 277-8.

26 *Procopius, History of the Wars, I Books 1-2*, pp. 230-1.

27 *The Chronicle of John Malalas*, p. 280.

28 *Procopius / On Buildings*, p. 12.

29 Downey, G., 'Byzantine Architects: Their Training and Methods', *Byzantion* 18 (1946-8), p. 114.

30 *Procopius / On Buildings*, p. 13.

31 Swift, Emerson H., 'Byzantine Gold Mosaic', *American Journal of Archaeology* 38 (1934), pp. 81-2.

32 Magdalino, Paul et al, 'Istanbul' in *Grove Art Online* (published online 2003), https://doi.org/10.1093/gao/9781884446054.article.T042556 III.1

33 Cross, Samuel Hazzard and Sherbowitz-Wetzor, Olgerd P. (trans.), *The Russian Primary Chronicle: Laurentian Text* (Cambridge, Mass.: 1953), p. 111.

34 Dewing, H. B. (trans.), *Procopius / History of the Wars, II, Books 3-4* (Cambridge, Mass.: 1916), pp. 88-91.

35 간략한 최근의 설명은 Merrills, Andy and Miles, Richard, *The Vandals* (Oxford: 2010), pp. 228-33.

36 *Procopius / History of the Wars, II, Books 3-4*, pp. 178-9.

37 *Procopius / History of the Wars, II, Books 3-4*, p. 267.

38 *Procopius / History of the Wars, II, Books 3-4*, pp. 282-3.

39 〈전도서〉 1:2.

40 *Procopius / History of the Wars, II, Books 3-4*, p. 329.

41 일로팡고에 관해서는 Dull, Robert A. et al, 'Radiocarbon and geologic evidence reveal Ilopango volcano as source of the colossal 'mystery' eruption of 539/40 CE', *Quaternary Science Reviews* 222 notes 665 (2019). https://doi.org/10.1016/j.quascirev.2019.07.037

42 *Procopius / History of the Wars, II, Books 3–4*, p. 329.

43 이를 강력하게 옹호한 것으로는 Harper, *The Fate of Rome*, p. 232가 있다.

44 Ibid. pp. 234–5.

45 *Procopius / The Secret History*, pp. 123.

46 Dewing, H.B. (trans.), *Procopius / History of the Wars, V, Books 7.36–8*, (Cambridge, Mass.: 1928), pp. 374–75.

47 *Procopius / On Buildings*, pp. 34–7.

4장 아라비아인들

1   이하에 나오는 추정적 연대기의 상당 부분은 Donner, Fred M., *The Early Islamic Conquests* (Princeton: 1981), pp. 111–55에 의존했다. 이 책은 여러 가지 가능한 사건 재구성에 관해 논의하고 있다.

2   이 신체적 묘사에 관해서는 Blankinship, Khalid Yahya (trans.), *The History of al-Tabari* Vol. XI: *The Challenge to the Empires* (New York: 1993), pp. 138, 152.

3   Blankinship, *al-Tabari XI*, pp. 113–4; also see Donner, *Early Islamic Conquests*, pp. 121–2.

4   Kennedy, Hugh, *The Great Arab Conquests* (London: 2007), pp. 79–80에서는 두 이야기를 모순 없이 정리하고 있다. 또한 Donner, *Early Islamic Conquests*, p. 131.

5   Blankinship, *al-Tabari XI*, p. 160.

6   Wallace-Hadrill, J.M. (trans.), *The Fourth Book of the Chronicle of Fredegar, with its continuations* (Westport: 1960), p. 55.

7   *al-Tabari XI*, pp. 87–8.

8   *The Fourth Book of the Chronicle of Fredegar*, p. 55.

9   Hoyland, Robert G., *In God's Path: The Arab Conquests and the Creation of an Islamic Empire* (Oxford: 2015), p. 45.

10 Holum, Kenneth G., 'Archaeological Evidence for the Fall of Byzantine Caesarea', *Bulletin of the American Schools of Oriental Research* 286 (1992), pp. 73–85.

11 Hoyland, *In God's Path*, p. 45.

12 Bowersock, G. W., *The Crucible of Islam* (Cambridge, Mass., 2017), pp. 48–9.

13 Donner, *Early Islamic Conquests*, pp. 51–2.

14 이 전승과 마카 및 무함마드에 관한 보다 일반적인 '전승'의 역사에 관해서는 Lings, Martin, *Muhammad: his life based on the earliest sources* (Cambridge: 1991), p. 3.

15 Bowersock, *Crucible of Islam*, pp. 50–1.

16 Lings, *Muhammad*, p. 26.

17 〈창세기〉 16:12. 설명은 Hilhorst, Anthony, 'Ishmaelites, Hagarenes, Saracens', Goodman, Martin, van Kooten, George H. and van Buiten, JTAGM (eds.), *Abraham, the Nations, and the Hagarites Jewish, Christian, and Islamic Perspectives on Kinship with Abraham* (Leiden: 2010).

18 Hoyland, *In God's Path*, p. 94.

19 Juynboll, Gautier H. A. (trans.), *The History of al-Tabari vol. XIII: The Conquest of Iraq,*

Southwestern Persia and Egypt (New York: 1989), p. 7.

20 Ibid. p. 27.

21 Ibid. p. 189.

22 Hoyland, *In God's Path*, pp. 96-7.

23 Fishbein, Michael (trans.), *The History of al-Tabari vol. VIII: The Victory of Islam* (New York: 1997), pp. 35-6.

24 Friedmann, Yohanan (trans.), *The History of al-Tabari vol. XII: The Battle of al-Qadisiyyah and the Conquest of Syria and Palestine* (New York: 1991), pp. 127-8.

25 *The Hadith* (pp. Sahih Bukhari, Vol. 4, Book 52, Hadith 46).

26 *The Hadith* (pp. Sahih Bukhari, Vol. 5, Book 57, Hadith 50).

27 Humphreys, R. Stephen (trans.), *The History of al-Tabari, vol. XV: The Crisis of the Early Caliphate*, (New York: 1990), pp. 252-3.

28 Ibid. pp. 207-11.

29 손쉽게 볼 수 있는 설명은 Hinds, Martin, 'The Murder of the Caliph 'Uthman', *International Journal of Middle East Studies* 3 (1972), pp. 450-469.

30 *al-Tabari XV*, p. 216.

31 Ettinghausen, Richard, Grabar, Oleg, and Jenkins-Madina, Marilyn, *Islamic Art and Architecture 650-1250* (2nd edn.) (New Haven/London: 2001), pp. 15-20.

32 Grabar, Oleg, *The Dome of the Rock* (Cambridge, Mass., 2006), pp. 1-3.

33 Mango, Cyril and Scott, Roger (trans.), *The Chronicle of Theophanes Confessor: Byzantine and Near Eastern History AD 284-813* (Oxford: 1997), pp. 493.

34 Ibid. pp. 493-4. '그리스 화염'의 이름과 제조법 변화에 관해서는 Roland, Alex, 'Secrecy, Technology, and War: Greek Fire and the Defense of Byzantium, 678-1204', *Technology and Culture* 33 (1992), pp. 655-679, 특히 p. 657.

35 Ibid. p. 494.

36 Ibid. p. 548.

37 Ibid. p. 550.

38 *al-Tabari XV*, p. 281-7. See also Kaeigi, Walter, *Muslim Expansion and Byzantine Collapse in North Africa* (Cambridge: 2010), p. 260.

39 Wolf, Kenneth Baxter, *Conquerors and chroniclers of early medieval Spain*, (Liverpool: 1990), p. 132.

40 Ibid., p. 132.

41 Grierson, Philip, 'The Monetary Reforms of 'Abd al-Malik: Their Metrological Basis and Their Financial Repercussions', *Journal of the Economic and Social History of the Orient* 3 (1960), pp. 16-7.

42 이 문제에 대해서는 또한 다음을 참조, Bates, Michael L., 'The Coinage of Syria Under the Umayyads, 692-750 A.D.' in Donner, Fred M., *The Articulation of Early Islamic State Structures* (London: 2017).

43 《쿠르안》 17:35.

44 Ettinghausen and Jenkings-Madina, *Islamic Art and Architecture, 650-1250*, pp. 24-6.

45 Jones, John Harris (trans.), *Ibn Abd al-Hakam / The History of the Conquest of Spain* (New York: 1969), p. 33.

46 마르티누스 성인에 대한 전승에 관해서는 Ryan, William Granger (trans.) and Duffy, Eamon (intro), Jacobus de Voragine, *The Golden Legend: Readings on the Saints* (Princeton and Oxford: 2012), pp. 678-686.

47 투르의 그레고리우스(Gregorius Turonensis)는 지금은 사라진 지 오래인 이 대성당을 이렇게 묘사하고 있다. "길이 50미터, 폭 20미터, 천장까지의 높이 15미터이며, 창문이 제단 둘레에 32개, 회중석에 20개이며, 기둥이 41개다. 건물 전체에는 창문이 52개, 기둥이 120개다. 문이 8개 있는데, 제단 둘레에 3개, 회중석 쪽에 5개다." Gregory bishop of Tours, *History of the Franks*, p. 38.

48 *The Fourth Book of the Chronicle of Fredegar*, pp. 90-1.

49 Stearns Davis, William (ed.), *Readings in Ancient History: Illustrative Extracts from the Sources*, II (Boston: 1913) pp. 362-364.

50 Sherley-Price, Leo (trans.), *Bede / A History of the English Church and People* (revd. ed) (Harmondsworth: 1968), p. 330.

51 Womersley, David (ed.), *Edward Gibbon / The History of the Decline and Fall of the Roman Empire*, vol. III (London: 1996), p. 336.

52 이들이 발간하는 *The Occidental Quarterly*는 구글 검색을 통해 온라인에서 쉽게 찾을 수 있으나, 나는 여기서 이 더러운 출판물의 전거를 자세히 밝히지는 않기로 결정했다.

5장 프랑크인들

1 Ganz, David (trans.), *Einhard and Notker the Stammerer: Two Lives of Charlemagne* (London: 2008), p. 19.

2 Wallace-Hadrill (ed.), *Chronicle of Fredegar*, p. 102.

3 Ailes, Marianne, 'Charlemagne "Father of Europe": A European Icon in the Making', *Reading Medieval Studies* 38 (2012), p. 59.

4 유럽의 거인이 되려는 자들에 대한 샤를마뉴의 이례적이고 지속적인 호소력을 요약한 것으로는 McKitterick, Rosamond, *Charlemagne: The Formation of a European Identity* (Cambridge: 2008), pp. 1-5.

5 나는 이 이야기를 다음에서 처음 알았다: MacCulloch, *A History of Christianity*, p. 348.

6 뷔르크인과 마케도니아인의 기원도 이런 식으로 설명되고 있다. Macmaster, Thomas J., 'The Origin of the Origins: Trojans, Turks and the Birth of the Myth of Trojan Origins in the Medieval World', *Atlantide* 2 (2014), pp. 1-12.

7 부장품에 대해서는 Brulet, Raymond, 'La sépulture du roi Childéric à Tournai et le site funéraire', in Vallet, Françoise and Kazanski, Michel (eds.), *La noblesse romaine et les chefs barbares du IIIe au VIIe siècle* (Paris: 1995), pp. 309-326.

8 현대 영어 번역본으로 볼 수 있다. Fischer Drew, Katherine (trans.), *The Laws of the Salian Franks* (Philadelphia: 1991).

9 *Einhard and Notker the Stammerer*, p. 19.

10 Ibid.

11 프랑크 왕실 연대기. 이 번역은 Dutton, Paul Edward, *Carolingian Civilization: A Reader* (2nd edn.) (Ontario: 2009), p. 12.

12 Aurell, Jaume, *Medieval Self-Coronations: The History and Symbolism of a Ritual* (Cambridge: 2020), pp. 128-30.

13 *Chronicle of Fredegar*, p. 104.

14 Davis, Raymond (trans.), *The Lives of the Eighth-Century Popes (Liber Pontificalis)* (Liverpool: 1992), p. 63.

15 Fried, Johannes, *Charlemagne* (Cambridge, Mass., 2016), p. 43; McKitterick, Rosamond (ed.), *The New Cambridge Medieval History* II c.700-c.900 (Cambridge: 1995), pp. 96-7.

16 *Chronicle of Fredegar*, p. 106.

17 Ibid. p. 120.

18 *Einhard and Notker the Stammerer*, pp. 34-6.

19 Notker's Deeds of Charlemagne in Ganz (trans.), *Einhard and Notker the Stammerer*, p. 109.

20 Costambys, Marios, Innes, Matthew and MacLean, Simon, *The Carolingian World* (Cambridge: 2011), pp. 67-8.

21 Collins, Roger, *Charlemagne* (Basingstoke: 1998), p. 62.

22 Ganz (trans.), *Einhard and Notker the Stammerer: Two Lives of Charlemagne*, p. 25.

23 Burgess, Glyn (trans.), *The Song of Roland* (London, 1990), p. 85.

24 Ibid. pp. 104-5.

25 Ganz (trans.), *Einhard and Notker the Stammerer: Two Lives of Charlemagne*, p. 36.

26 'Aachen' in *Grove Art Online* https://doi.org/10.1093/gao/9781884446054.article. T000002

27 See Fouracre, Paul, 'Frankish Gaul to 814' in McKitterick (ed.), *The New Cambridge Medieval History*, p. 106.

28 Dutton, *Carolingian Civilization: A Reader* (2nd edn.), pp. 92-5.

29 Ganz (trans.), *Einhard and Notker the Stammerer: Two Lives of Charlemagne*, p. 36.

30 Davis (trans.), *Lives of the Eighth-Century Popes*, pp. 185-6.

31 이 점에 관해서는 Fried, *Charlemagne*, p. 414.

32 Dümmler, Ernst (ed.), *Poetae latini aevi Carolini* I (Berlin: 1881), p. 379.

33 Davis, *Lives of the Eighth-Century Popes*, p. 188.

34 See Dümmler, Ernst, as above. This English translation, Dutton, *Carolingian Civilization: A Reader* (2nd edn.), p. 65.

35 Ganz (trans.), *Einhard and Notker the Stammerer: Two Lives of Charlemagne*, p. 38.

36 Ibid. p. 35 and Fried, *Charlemagne*, p. 425.

37 Ibid.

38 This translation, Dutton, *Carolingian Civilization: A Reader* (2nd edn.), pp. 146-7.

39 이 전조들은 모두 아인하르트에 의해 기록됐다. Ganz (trans.), *Einhard and Notker the Stammerer: Two Lives of Charlemagne*, p. 41.

40 Translation by Dutton, *Carolingian Civilization: A Reader* (2nd edn.), p. 157.

41 적어도 한 사람의 역사가는 베르나르를 가장 자극한 것이 〈제국의 통치〉에 자신이 사실상 언급되지 않은 데 따른 수치였다고 주장한다. McKitterick, Rosamond, *The Frankish Kingdoms Under the Carolingians* (London/New York: 1983), p. 135.

42 817년 〈제국의 통치〉 본문은 번역본으로 쉽게 볼 수 있다. Dutton, *Carolingian Civilization: A Reader* (2nd edn.), pp. 199-203.

43 Translated in ibid. p. 205

44 라그나르가 '털바지' 라그나르와 동일인임에 대해서는 예컨대 Price, Neil, *The Children of Ash and Elm: A History of the Vikings* (London: 2020), p. 344.

45 Ermentarius of Noirmoutier in Poupardin, René (ed.), *Monuments de l'histoire des Abbeyes de Saint-Philibert* (Paris: 1905), pp. 61-2.

46 Whitelock, Dorothy (ed.), *English Historical Documents I 500-1042* (2nd edn.) (London: 1979), pp. 775-7.

47 Poupardin (ed.), *Monuments de l'histoire des Abbeyes de Saint-Philibert*, pp. 61-2.

48 '툴레'의 위치에 관한 방대한 연구의 요약으로 유용한 것과 참고문헌 연결을 위해서는 McPhail, Cameron, Pytheas of Massalia's Route of Travel', *Phoenix* 68 (2014), pp. 252-4.

49 이를 환기시키는 설명으로 최근의 것은 Price, *The Children of Ash and Elm*, pp. 31-63. 또한 다음도 참조, Ferguson, Robert, *The Hammer and the Cross: A New History of the Vikings* (London: 2009), pp. 20-40.

50 노르드인 이주에 관해 제시된 여러 주장의 요약과 참고문헌에 관해서는 Barrett, James H., 'What caused the Viking Age?', *Antiquity* 82 (2008), pp. 671-85.

51 Baug, Irene, Skre, Dagfinn, Heldal, Tom and Janse, Øystein J., 'The Beginning of the Viking Age in the West', *Journal of Maritime Archaeology* 14 (2019), pp. 43-80.

52 DeVries, Kelly and Smith, Robert Douglas, *Medieval Military Technology* (2nd edn.) (Ontario: 2012), pp. 291-2.

53 Whitelock (ed.), *English Historical Documents I 500-1042* (2nd edn.), pp. 778-9.

54 Price, Neil, *The Children of Ash and Elm: A History of the Vikings*, pp. 438-9.

55 칙령의 현대 영어 번역은 Hill, Brian E., Charles the Bald's 'Edict of Pîtres' (864): A Translation and Commentary (미출간 석사학위 논문, University of Minnesota: 2013).

56 *Annals of St Vaast*, this translation from Robinson, James Harvey, *Readings in European History* vol 1. (Boston: 1904), p. 164.

57 Christiansen, Eric (trans.), *Dudo of St. Quentin / History of the Normans* (Woodbridge: 1998), p. 22.

58 Price, *Children of Ash and Elm*, p. 350.

59 *Annals of St Vaast*, p. 163.

60 Dass, Nirmal (trans.), *Viking Attacks on Paris: The Bella parisiacae Urbis of Abbo of Saint-Germain-des-Près* (Paris: 2007), pp. 34-5.

61 *Dudo of St. Quentin / History of the Normans*, pp. 28-9.

62 Ibid., p. 46.

63 Ibid., p. 49.

64 Price, *Children of Ash and Elm*, p. 497.

65 Licence, Tom, *Edward the Confessor* (New Haven/London: 2020), p. 48, and see n. 30.

6장 수행자들

1 Smith, M. L., *The Early History of the Monastery of Cluny* (Oxford: 1920), p. 10.

2 Ibid., pp. 11-12.

3 Rosè, Isabella, 'Interactions between Monks and the Lay Nobility (from the Carolingian Era through the Eleventh Century)', in Beach, Alison I. and Cochelin, Isabelle (eds.), *The Cambridge History of Medieval Monasticism in the Latin West* I (Cambridge: 2020), esp. pp. 579-83.

4 Smith, *Early History of the Monastery of Cluny*, p. 14 n. 5.

5 〈마태오의 복음서〉 19:21.

6 Voraigne, Jacobus de, *The Golden Legend*, p. 93.

7 Ibid. p. 96.

8 Clark, James G., *The Benedictines in the Middle Ages* (Woodbridge: 2011), pp 8-9.

9 칼케돈에서의 고행자 '문제'에 관해 요약된 것으로는 Helvétius, Anne-Marie and Kaplan, Michael, 'Asceticism and its institutions' in Noble, Thomas F. X. and Smith, Julia M. H., *The Cambridge History of Christianity III: Early Medieval Christianities c. 600-c.1100* (Cambridge: 2008), pp. 275-6.

10 Gardner, Edmund G. (ed.) *The Dialogues of Saint Gregory the Great* (Merchantville: 2010), p. 51.

11 Ibid., p. 99.

12 Fry, Timothy (trans.), *The Rule of St Benedict in English* (Collegeville: 2018), p. 15.

13 *The Dialogues of Saint Gregory the Great*, p. 99.

14 This translation, Coulton, C. G. (ed.), *Life in the Middle Ages* IV (Cambridge: 1930), p. 29.

15 Diem, Albrecht and Rousseau, Philip, 'Monastic Rules (Fourth to Ninth Century)', in Beach, Alison I. and Cochelin, Isabelle (eds.), *The Cambridge History of Medieval Monasticism in the Latin West* I (Cambridge: 2020), pp. 181-2.

16 MacCulloch, *History of Christianity*, p. 354.

17 Cantor, Norman F., 'The Crisis of Western Monasticism, 1050-1130', *The American Historical Review* (1960), p. 48.

18 Sitwell, G. (trans.), *St. Odo of Cluny: being the Life of St. Odo of Cluny / by John of Salerno. And, the Life of St. Gerald of Aurillac by St. Odo* (London: 1958), p. 16.

19 Sherley-Price (trans.), *Bede / A History of the English Church and People*, p. 256

20 Ibid. p. 254.

21 See Morghen, Raffaello, 'Monastic Reform and Cluniac Spirituality', Hunt, Noreen (ed.), *Cluniac Monasticism in the Central Middle Ages* (London: 1971), pp. 18-19.

22 새로운 개종에 대해서는 Raaijmakers, Janneke, 'Missions on the Northern and Eastern Frontiers', Beach, Alison I. and Cochelin, Isabelle (eds.), *The Cambridge History of Medieval*

Monasticism in the Latin West I (Cambridge: 2020), pp. 485-501 및 Jamroziak, Emilia, 'East-Central European Monasticism: Between East and West?', ibid. II, pp. 882-900.

23 Clark, *The Benedictines in the Middle Ages*, pp. 53-4.

24 Zhou, TianJun, Li, Bo, Man, WenMin, Zhang, LiXia, and Zhang, Jie, 'A comparison of the Medieval Warm Period, Little Ice Age and 20th century warming simulated by the FGOALS climate system model', *Chinese Science Bulletin* 56 (2011), pp. 3028-3041.

25 이 논제는 White, Jr., L., *Medieval Technology & Social Change* (Oxford: 1962)에서 완전하게 발전되고 최근에 Andersen, Thomas Barnebeck, Jensen, Peter Sandholt and Skovsgaard, Christian Stejner, 'The heavy plough and the agricultural revolution in medieval Europe', *Discussion Papers of Business and Economics* (University of Southern Denmark, Department of Business and Economics: 2013)에 의해 강력하게 뒷받침됐다.

26 한 학자는 이를 '선행 경쟁'이라 불렀다. Moore, R. I. *The First European Revolution, c.970-1215* (Oxford: 2000), p. 75.

27 Smith, *Early History of the Monastery of Cluny*, pp. 143-6은 거의 동시대인 Jotsaldus의 *Life of odilo*를 인용하고 있다.

28 이 시기 클뤼니의 건축 공사에 관한 간명한 요약으로 처음 볼 만한 것은 Bolton, Brenda M. and Morrison, Kathryn 'Cluniac Order', *Grove Art Online*, https://doi.org/10.1093/gao/9781884446054.article.T018270.

29 Fry, Timothy (ed.), *The Rule of St Benedict In English* (Collegeville: 2018), pp. 52-3.

30 베네데토회의 음악에 관한 전반적인 내용은 Clark, *The Benedictines in the Middle Ages*, pp. 102-5.

31 Biay, Sébastien, 'Building a Church with Music: The Plainchant Capitals at Cluny, c. 1100', Boynton, S. and Reilly D. J. (eds.), *Resounding Image: Medieval Intersections of Art, Music, and Sound* (Turnhout: 2015), pp. 221-2.

32 Hunt, Noreen, *Cluny under Saint Hugh, 1049-1109* (London: 1967), p. 105.

33 King, Peter, *Western Monasticism: A History of the Monastic Movement in the Latin Church* (Kalamazoo: 1999), p. 128. See also Hunt, *Cluny under Saint Hugh*, pp. 101-3.

34 Shaver-Crandell, Annie and Gerson, Paula, *The Pilgrim's Guide to Santiago de Compostela: A Gazetteer with 580 Illustrations* (London: 1995), pp. 72-3.

35 Mullins, Edwin, *In Search of Cluny: God's Lost Empire* (Oxford: 2006), pp. 72-3.

36 Mabillon, Jean, *Annales Ordinis S. Benedicti Occidentalium Monachorum Patriarchæ vol. IV* (Paris, 1707), p. 562.

37 푸아티에의 성십자가에 관해서는 Hahn, Cynthia, 'Collector and saint: Queen Radegund and devotion to the relic of the True Cross', *Word & Image* 22 (2006), pp. 268-274.

38 Werkmeister, O. K., 'Cluny III and the Pilgrimage to Santiago de Compostela', *Gesta* 27 (1988), p. 105.

39 이 꿈에 관해서는 Carty, Carolyn M., 'The Role of Gunzo's Dream in the Building of Cluny III', *Gesta* 27 (1988), pp. 113-123.

40 클뤼니 3세의 비트루비우스 비례는 다음에서 처음 묘사됐다: Conant, Kenneth J., 'The after-Life of Vitruvius in the Middle Ages', *Journal of the Society of Architectural Historians*

27 (1968), pp. 33-38.

41 Bolton and Morrison, 'Cluniac Order', *Grove Art Online*.

42 Mullins, *In Search of Cluny*, pp. 79-80.

43 Hunt, Noreen, *Cluny under Saint Hugh, 1049-1109* (London: 1967), pp. 145-6.

44 Mullins, *In Search of Cluny*, pp. 197-205.

45 Ibid. p. 221.

46 4차 라테라노 공의회의 제12조. 전체 조항은 다음에 번역 출판돼 있다: Schroeder, H. J., *Disciplinary Decrees of the General Councils: Text, Translation and Commentary* (St. Louis: 1937), pp. 236-296.

47 Greenia, M. Conrad, *Bernard of Clairvaux / In Praise of the New Knighthood* (revd. edn.) (Trappist: 2000), p. 37.

7장 기사들

1 '로렌소(Lorenzo) 성인의 눈물'로 알려진 유성우는 지구가 혜성의 꼬리를 통과함으로 인해 생기는 것이었다. 이 지식은 레히펠트 전투에 관한 영어로 된 다음의 기본 자료에서 얻었다. Bowlus, Charles R., *The Battle of Lechfeld and its Aftermath, August 955* (Aldershot: 2006). 이하의 레히펠트 전투에 관한 이야기 대부분은 이 복잡한 소모전에 관해 Bowlus가 재구성한 이야기와 그가 번역한 당대 핵심 자료(이는 그의 책 부록에 수집돼 있다)에서 정보를 얻었다.

2 *Widukind's Deeds of the Saxons*, trans. ibid. p. 180.

3 Ibid. pp. 181-2.

4 *Gerhard's Life of Bishop Ulrich of Augsburg*, translated in ibid. p. 176.

5 Ibid.

6 Ibid. p. 181.

7 Archer, Christon I., Ferris, John R., Herwig, Holger H. and Travers, Timothy H. E., *World History of Warfare* (Lincoln: 2002), pp. 136-7.

8 *Xenophon / On Horsemanship* 12.6

9 Hyland, Ann, *The Medieval Warhorse: From Byzantium to the Crusades* (London: 1994), p. 3.

10 Sewter, E. R. A (trans.), Frankopan, Peter (intro.), *Anna Komnene / The Alexiad* (revd. edn.) (London: 2009), p. 378.

11 Keen, Maurice, *Chivalry* (New Haven/London: 1984), p. 23

12 Hyland, *Medieval Warhorse*, p. 11.

13 예컨대 브리튼 도서관에 소장돼 있는 이 놀라운 문서의 사본을 보라(서가기호 Add MS 11695, f.102 v). 온라인으로도 볼 수 있다: www.bl.uk/catalogues/illuminatedmanuscripts/record.asp?MSID=8157&CollID=27&NStart=11695.

14 '등자 대논쟁'은 기본적으로 Lynn White Jr.의 논문을 둘러싼 논쟁이다. 그는 1960년대에, 등자가 중세 유럽에 들어온 것이 사람들이 말을 타고 싸우는 방식을 바꾸었을 뿐만 아니라 봉건 제도의 등장을 초래했다고 주장했다. 생생하고 유용한 역사 서술상의 논의는 Kaeuper, Richard W., *Medieval Chivalry* (Cambridge: 2016), pp. 65-8.

15 Keen, *Chivalry*, p. 25.

16 '봉건 제도'가 역사가들의 생각 속에서가 아니라 실제로 존재했는지의 여부는 중세사 연구자들 사이에서 가장 크고 가장 오랜 논쟁 가운데 하나였다. 그것이 현재와 같은 형태로 벌어진 것은 1950년대 이후다. 봉건 '혁명' 관념의 설계자는 Georges Duby다. 예컨대 Duby, Georges, *The Chivalrous Society* (Berkeley: 1977). 이 주장의 논파를 알아보는 데 중요한 논문으로는 Brown, Elizabeth A. R., 'The Tyranny of a Construct: Feudalism and Historians of Medieval Europe', *The American Historical Review* 79 (1974), pp. 1063-88. 유럽 전역의 봉건 제도에 관한 역사 서술을 개관한 보다 최근의 것으로는 Bagge, Sverre, Gelting, Michael H., and Lindkvist, Thomas (eds.), *Feudalism: New Landscapes of Debate* (Turnhout: 2011)에 실린 논문들을 함께 보라. 서북 유럽에 초점을 맞춘 국지적 연구는 West, Charles, *Reframing the Feudal Revolution: Political and Social Transformation between the Marne and the Moselle, c.800-c.1100* (Cambridge: 2013).

17 Christon et al, *World History of Warfare*, p. 146.

18 헝가리에 관해서는 Bak, Janos M., 'Feudalism in Hungary?', in Bagge, Gelting and Lindkvist (eds.), *Feudalism: New Landscapes of Debate*, pp. 209-12.

19 *Historia Roderici* translated in Barton, Simon and Fletcher, Richard, *The World of El Cid: Chronicles of the Spanish Reconquest* (Manchester: 2000), p. 99.

20 Ibid. p. 100.

21 Kaeuper, *Medieval Chivalry*, p. 69.

22 Ibid. p. 101.

23 Ibid.

24 Ibid. p. 109.

25 Ibid. pp. 111-2.

26 Ibid. p. 113.

27 Ibid. p. 117.

28 Ibid. p. 133.

29 Ibid. p. 136.

30 Ibid. p. 137.

31 Fletcher, Richard, *The Quest for El Cid* (Oxford: 1989), p. 172.

32 Barton and Fletcher, *World of El Cid*, p. 138.

33 *El Canto de mio Cid* lines 1722-26, translation via https://miocid.wlu.edu/

34 Fletcher, *The Quest for El Cid*, p. 174.

35 Ibid. p. 185에 번역돼 실린 에스파냐계 아라비아 시인 Ibn Bassam의 글.

36 Livesey, Edwina, 'Shock Dating Result: A Result of the Norman Invasion?', *Sussex Past & Present* 133 (2014), p. 6.

37 *Song of Roland*, p. 154

38 Ibid. ch. 245.

39 이 책을 쓰고 있을 때 아서 전설을 영화로 만든 가장 최근의 것은 Guy Ritchie의 *King Arthur: Legend of the Sword* (2017)와 Frank Miller 및 Tom Wheeler의 Netflix 시리즈 *Cursed* (2020)였다.

40 Kibler, William W., Chrétien de Troyes, *Arthurian Romances* (revd. edn.) (London: 2001), pp. 382-3. 이 구절에서 역시 영감을 받은 것은 Barber, Richard, *The Knight and Chivalry* (revd. edn.) (Woodbridge: 1995), p. 3.

41 예를 들어 Asbridge, Thomas, *The Greatest Knight: The Remarkable Life of William Marshal, the Power Behind Five English Thrones* (London: 2015). 이는 현재의 가장 표준적인 전기다.

42 Holden, A. J. (ed.), Gregory, S. (trans.) and Crouch, D., *History of William Marshal* I (London: 2002), pp. 30-1.

43 Ibid. pp. 38-9.

44 Ibid.

45 Ibid. pp. 52-3.

46 Ibid. pp. 60-1.

47 Crouch, David, *Tournament* (London: 2005), p. 8.

48 Translated in Strickland, Matthew, *Henry the Young King* (New Haven/London: 2016), p. 240.

49 *History of William Marshal* I, pp. 186-7.

50 Kibler (trans.), *Chrétien de Troyes / Arthurian Romances*, pp. 264-5.

51 Holden et al (eds.), *History of William Marshal* I, pp. 268-9, 276-277.

52 Ibid. pp. 448-9.

53 Holden et al (eds.), *History of William Marshal* II, pp. 60-3.

54 This translation Gillingham, J., 'The Anonymous of Béthune, King John and Magna Carta' in Loengard, J. S. (ed.), *Magna Carta and the England of King John* (Woodbridge: 2010), pp. 37-8.

55 Holden et al (eds.), *History of William Marshal* II, pp. 406-7.

56 Morris, Marc, *A Great and Terrible King: Edward I* (London: 2008), p. 164.

57 Ibid.

58 방대한 주제를 잉글랜드의 상황에서 잘 소개한 것은 Harriss, Gerald, *Shaping the Nation: England 1360-1461* (Oxford: 2005), pp. 136-86.

59 다음에 제시되고 포괄적으로 연구돼 있다: Sainty, Guy Stair, Heydel-Mankoo, Rafal, *World Orders of Knighthood and Merit* (2 vols) (Wilmington: 2006).

60 Jones, Dan, 'Meet the Americans Following in the Footsteps of the Knights Templar', *Smithsonian* (July 2018), archived online at www.smithsonianmag.com/history/meet-americans-following-footsteps-knights-templar-180969344/.

8장 십자군들

1 말라즈기르트 전투에 관한 설명은 Haldon, John, *The Byzantine Wars* (Stroud: 2008), pp. 168-81.

2 이 문제에 관한 개요는 Jones, Dan, *Crusaders: An Epic History of the Wars for the Holy Lands* (London: 2019), pp. 30-41. 이를 보다 상세하게 다룬 것은 Morris, Colin, *The Papal Monarchy: The Western Church, 1050-1250* (Oxford: 1989).

3   See Cowdrey, H. E. J., 'The Peace and the Truce of God in the Eleventh Century', *Past &*
    Present 46 (1970), pp. 42-67.

4   1차 십자군의 동기가 동로마의 간청에 대한 대응이었다는 이야기에 대한 가장 좋은 설명은
    Frankopan, Peter, *The First Crusade: The Call From the East* (London: 2012).

5   This translation, Robinson, I. S., *Eleventh Century Germany: The Swabian Chronicles*
    (Manchester: 2008), p. 324.

6   Cowdrey, H. E. J. (trans.), *The Register of Pope Gregory: 1073-1085: An English Translation*
    (Oxford: 2002), pp. 50-1.

7   Ryan, Frances Rita and Fink, Harold S. (eds.), *Fulcher of Chartres: A History of the Expedition*
    to Jerusalem, 1095-1127 (Knoxville: 1969), pp. 65-6.

8   Sweetenham, Carole (trans.), *Robert the Monk's History of the First Crusade: Historia*
    Iherosolimitana (Abingdon: 2016), p. 81.

9   See Chazan, Robert, *In the Year 1096: The First Crusade and The Jews* (Philadelphia: 1996).

10 Edgington, Susan (trans.), *Albert of Aachen / Historia Ierosolimitana: History of the Journey to*
    Jerusalem (Oxford: 2007), pp. 52-3.

11 *Anna Komnene / The Alexiad*, pp. 274-5.

12 Ibid., pp. 383-4

13 Edgington (trans.), *Albert of Aachen / Historia Ierosolimitana*, p. 145.

14 Hill, Rosalind (ed.), *Gesta Francorum et Aliorum Hierosoliminatorum: The Deeds of the Franks*
    and the Other Pilgrims to Jerusalem, (Oxford: 1962), pp. 19-20.

15 Edgington (trans.), *Albert of Aachen / Historia Ierosolimitana*, pp. 284-5.

16 Hill, John Hugh and Hill, Laurita L. (trans.), *Raymond d'Aguilers / Historia Francorum Qui*
    Ceperunt Iherusalem (Philadelphia: 1968), p. 127.

17 Richards, D. S. (trans.), *The Chronicle of Ibn al-Athir for the Crusading Period from al-Kamil*
    fi'l Ta'rikh I (Farnham: 2006), p. 22.

18 이 여행은 노르드 영웅 전설들에 재미있게 서술돼 있다. Hollander, Lee M. (trans.), Snorri
    Sturluson, *Heimskringla: History of the Kings of Norway* (Austin: 1964), pp. 688-701.

19 Wilkinson, John, Hill, Joyce and Ryan, W. F., *Jerusalem Pilgrimage 1099-1185*, (London:
    1988), p. 100.

20 Ibid. p. 171.

21 Riley-Smith, Jonathan, *The First Crusaders, 1095-1131* (Cambridge: 1997), pp. 169-188.

22 Jacoby, David, *Medieval Trade in the Eastern Mediterranean and Beyond* (Abingdon: 2018),
    pp. 109-116.

23 Galili, Ehud, Rosen, Baruch, Arenson, Sarah, Nir-El, Yoram, Jacoby, David, 'A cargo of lead
    ingots from a shipwreck off Ashkelon, Israel 11th-13th centuries AD', *International Journal*
    of Nautical Archaeology 48 (2019), pp. 453-465.

24 Ryan and Fink (eds.), *Fulcher of Chartres: A History of the Expedition to Jerusalem*, p. 150.

25 에우게니우스의 십자군 칙령 *Quantum Praedecessores* (1145). Riley-Smith, Jonathan and
    Louise (eds.), *The Crusades: Idea and Reality, 1095-1274* (London: 1981), pp. 57-9에
    번역돼 있다.

26 Berry, Virginia Gingerick, *Odo of Deuil / De Profectione Ludovici VII in Orientam* (New York: 1948), pp. 8-9.

27 Bédier, J. and Aubry, P. (eds.), *Les Chansons de Croisade avec Leurs Melodies* (Paris: 1909), pp. 8-10.

28 2차 십자군에 관해 소개한 글로 가장 좋은 것은 Phillips, Jonathan, *The Second Crusade: Extending the Frontiers of Christianity* (New Haven: 2008).

29 Babcock, Emily Atwater and Krey, A. C. (trans.), *A History of Deeds Done Beyond the Sea: By William Archbishop of Tyre* II, (New York: 1943), p. 180.

30 이 문제를 가장 잘 소개한 것은 Christiansen, Eric, *The Northern Crusades* (2nd edn.) (London: 1997).

31 가장 최근의 전기는 Phillips, Jonathan, *The Life and Legend of the Sultan Saladin* (London: 2019).

32 Broadhurst, Roland (trans.), *The Travels of Ibn Jubayr* (London: 1952), p. 311.

33 Barber, Malcolm and Bate, Keith, *Letters from the East: Crusaders, Pilgrims and Settlers in the 12th-13th Centuries* (Farnham: 2010), p. 76.

34 Lewis, Robert E. (ed.), *De miseria condicionis humane / Lotario dei Segni (Pope Innnocent III)* (Athens, GA: 1978).

35 McGrath, Alister E., *The Christian Theology Reader*, p. 498.

36 Bird, Jessalyn, Peters, Edward and Powell, James M., *Crusade and Christendom: Annotated Documents in Translation from Innocent III to the Fall of Acre, 1187-1291* (Philadelphia: 2013), p. 32.

37 제4차 십자군에 관한 기본 문헌은 Phillips, Jonathan, *The Fourth Crusade and the Sack of Constantinople* (London: 2011); Angold, Michael, *The Fourth Crusade: Event and Context* (Abingdon: 2014).

38 Andrea, Alfred J. (trans.), *The Capture of Constantinople: The 'Hystoria Constantinoplitana' of Gunther of Pairis* (Philadelphia: 1997), p. 79.

39 Magoulias, Harry J. (trans.), *O City of Byzantium, Annals of Niketas Choniates* (Detroit: 1984), p. 316.

40 Riley-Smith, *The Crusades: Idea and Reality*, p. 156.

41 Ibid. pp. 78-9.

42 Ibid. p. 81.

43 See Barber, Malcolm, *The Trial of the Templars* 2nd edition (Cambridge: 2006); Jones, Dan, *The Templars: The Rise and Fall of God's Holy Warriors* (London: 2017).

9장 몽골인들

1 Peters, Edward (ed.), *Christian Society and the Crusades 1198-1229. Sources in Translation including The Capture of Damietta by Oliver of Paderborn*, (Philadelphia: 1971), p. 113.

2 '다비드왕'에 관한 Jacques de Vitry의 상세한 편지 내용은 *Relatio de Davide*로 알려져 있고, Huygens, R. B. C. (trans.), *Lettres de Jacques de Vitry, Edition Critique* (Leiden: 1960), pp.

141-50에서 볼 수 있다(프랑스어다).

3 사제왕 요한이 동로마 황제 마누일 콤니노스에게 보냈다는 유명한 위조 편지는 Barber, Malcolm and Bate, Keith, *Letters from the East: Crusaders, Pilgrims and Settlers in the 12th-13th Centuries* (Farnham: 2013), pp. 62-8에 번역돼 있다.

4 사제왕 요한과 '다비드왕' 사이의 관계에 대해서는 Hamilton, Bernard, 'Continental Drift: Prester John's Progress through the Indies' in Rubies, Joan-Pau, *Medieval Ethnographies: European Perceptions of the World Beyond* (Abingdon: 2016).

5 Smith, Richard, 'Trade and commerce across Afro-Eurasia', in Kedar, Benjamin Z. and Weisner-Hanks, Merry E., *The Cambridge World History Vol. 5: Expanding Webs of Exchange and Conflict, 500 C.E-1500 C.E.* (Cambridge: 2013), p. 246.

6 de Rachewiltz, Igor (trans.), *The Secret History of the Mongols: A Mongolian Epic Chronicle of the Thirteenth Century* I (Leiden: 2006), p. 1.

7 Ibid. p. 13.

8 Pederson, Neil, Hessl, Amy E., Baatarbileg, Nachin, Anchukaitis, Kevin J. and Di Cosmo, Nicola, 'Pluvials, droughts, the Mongol Empire, and modern Mongolia', *Proceedings of the National Academy of Sciences* (25 March, 2014).

9 Biran, Michael, 'The Mongol Empire and inter-civilizational exchange', in Kedar, Benjamin Z. and Weisner-Hanks, Merry E., *The Cambridge World History Vol. 5: Expanding Webs of Exchange and Conflict, 500 C.E.-1500 C.E.* (Cambridge: 2013), p. 538.

10 Ibid. p. 546.

11 de Rachewiltz (trans.), *The Secret History of the Mongols*, p. 133.

12 Ibid. p. 116.

13 Ibid. p. 179.

14 Boyle, J.A. (trans.), *Genghis Khan: the history of the world conqueror / by 'Ala-ad-Din 'Ata-Malik Juvaini* (Manchester: 1997), p. 107.

15 McLynn, Frank, *Genghis Khan: The Man Who Conquered the World* (London: 2015), p. 299.

16 Translation: Ibid. p. 327.

17 Michell, Robert and Forbes, Nevill (trans.), *The Chronicle of Novgorod 1016-1471* (London: 1914), p. 64.

18 Ibid. p. 66.

19 Richard, D. S., *The Chronicle of Ibn al-Athir for the Crusading Period from al-Kamil fi'l Ta'rikh* III, (Farnham: 2006), p. 215.

20 칭기스의 죽음에 대한 여러 가지 가능성 있는 원인에 대한 다양한 논의는 McLynn, Frank, *Genghis Khan*, pp. 378-9.

21 Colbert, Benjamin (ed.), *The Travels of Marco Polo* (Ware: 1997), p. 65.

22 Michael, Maurice (trans.), *The Annals of Jan Długosz: Annales Seu Cronicae Incliti Regni Poloniae* (Chichester: 1997), p. 180.

23 몽골에 맞선 십자군에 대한 상세한 설명은 Jackson, Peter, 'The Crusade against the Mongols', *Journal of Ecclesiastical History* 42 (1991), pp. 1-18.

24 Ibid. p. 15 n. 72

25 Martin, Janet, *Medieval Russia, 980-1584* (2nd edn.) (Cambridge: 2007), p. 155.

26 Zenokovsky, Serge, *Medieval Russia's Epics, Chronicles and Tales* (New York: 1974), p. 202. See also Martin, *Medieval Russia*, p. 151.

27 조반니의 여행에 관한 서술은 Hildinger, Erik (trans.), Giovanni da Pian del Carpine, *The story of the Mongos who we call the Tartars* (Boston: 1996), pp. 88-113. 이 인용은 p. 91.

28 Ibid. p. 93.

29 Ibid. p. 95.

30 Ibid., p. 34.

31 Ibid., p. 39.

32 Ibid. p. 48.

33 Ibid. p. 99.

34 Ibid. p. 107.

35 동방에 파견된 사절들(그 상당수는 교황 인노켄티우스 4세가 보낸 것이다)에 대한 전면적인 논의는 De Rachewiltz, Igor, *Papal Envoys to the Great Khans* (London: 1971).

36 Jackson, Peter (ed.), *The Mission of Friar William of Rubruck* (Abingdon: 2016), p. 291.

37 Ibid. p. 303.

38 Ibid. p. 316.

39 몽케의 사인에 대해 제기된 여러 가지 논의 및 그 사료는 Pow, Stephen, 'Fortresses That Shatter Empires: A look at Möngke Khan's failed campaign against the Song Dynasty, 1258-9', in Jaritz, Gerhard, Lyublyanovics, Kyra, Rasson, Judith A., and Reed, Zsuzsanna (eds.), *Annual of Medieval Studies* at CEU 23 (2017), pp. 96-107.

40 Barber and Bate, *Letters from the East*, pp. 157-9.

41 Martin, *Medieval Russia*, p. 156.

42 Gibb, H. A. R. (trans.), *Ibn Battuta: Travels in Asia and Africa 1325-1354* (London: 1929), p. 166.

43 Jackson, Peter, *The Mongols and the West, 1221-1410* (Abingdon: 2005), p. 236.

44 Ibid. p. 237.

45 Jamaluddin, Syed, 'Samarqand as the First City in the World under Temür', *Proceedings of the Indian History Congress* 56 (1995), pp. 858-60.

46 Biran, 'The Mongol Empire and inter-civilizational exchange', pp. 553-4.

47 Weatherford, Jack, *Genghis Khan and the Quest for God* (New York: 2016).

10장 상인들

1 Latham, Ronald (trans.), *Marco Polo / The Travels* (London: 1958), p. 33.

2 Ibid. p. 112.

3 Ibid. p. 113.

4 Ibid. p. 41.

5 Ibid. p. 74.

6 Ibid. p. 76.

7   Ibid. p. 79.

8   Ibid. p. 88.

9   Ibid. p. 90.

10 Ibid. p. 194

11 Ibid. p. 256.

12 Ibid. p. 261.

13 Ibid. p. 287.

14 Ibid. pp. 299-303.

15 Ibid. pp. 213-31.

16 Ibid. p. 61.

17 Ibid. p. 149.

18 Ibid. p. 155.

19 Blegen, Nick, 'The earliest long-distance obsidian transport: Evidence from the ~200 ka Middle Stone Age Sibilo School Road Site, Baringo, Kenya', *Journal of Human Evolution* 103 (2017), pp. 1-19.

20 Barjamovic, Gojko, Chaney, Thomas, Cosar, Kerem and Hortaçsu, Ali, 'Trade, Merchants and the Lost Cities of the Bronze Age', *The Quarterly Journal of Economics* 134 (2019), pp. 1455-1503.

21 Holland, Tom (trans.), *Herodotus / The Histories* (London: 2013), p. 318.

22 Lopez, Robert S., *The Commercial Revolution of the Middle Ages, 950-1350* (Cambridge: 1976), p. 8.

23 McCormick, Michael, *Origins of the European Economy: Communications and Commerce, A.D. 300-900* (Cambridge: 2001), pp. 729-34.

24 Hunt, Edwin S. and Murray, James, *A History of Business in Medieval Europe, 1200-1550* (Cambridge: 1999), pp. 20-3.

25 Hunt and Murray *History of Business in Medieval Europe*, p. 26.

26 Lopez, *Commercial Revolution*, pp. 60-1.

27 다른 지역 특설 시장(특히 1350년 이후의)에 관해서는 Epstein, S. R., 'Regional Fairs, Institutional Innovation, and Economic Growth in Late Medieval Europe', *The Economic History Review* 47 (1994), pp. 459-82.

28 Blockmans, Wim, 'Transactions at the Fairs of Champagne and Flanders, 1249-1291', *Fiere e mercati nella integrazione delle economie europee secc. XIII-XVIII - Atti delle Settimane di Studi* 32, pp. 993-1000.

29 Boyle, J. A. (trans.), *The History of the World-Conqueror / 'Ala-ad-Din 'Ata Malik Juvaini* (revd. edn.) (Manchester: 1997), p. 272.

30 Lloyd, T. H., *The English Wool Trade in the Middle Ages* (Cambridge: 1977), pp. 1-3.

31 바르디의 은행가 프란체스코 발두치 페골로티가 중국인과 거래하는 피렌체 상인에게 주는 조언이 그의 상인 편람 *La Practica della Mercatura*에 들어 있다. Evans, Allan (ed.), *Francesco Balducci Pegolotti, La Practica della Mercatura* (Cambridge, Mass.: 1936); Lopez, *Commercial Revolution*, pp. 109-11 및 Hunt, Edwin S., *The Medieval Super-Companies: A*

Study of the Peruzzi Company of Florence (Cambridge: 1994), pp. 128-9.

32 Hunt, Edwin S., 'A New Look at the Dealings of the Bardi and Peruzzi with Edward III', *The Journal of Economic History* 50 (1990), pp. 151-4.

33 The Ordinances of 1311, translated in Rothwell, Harry (ed.), *English Historical Documents III: 1189-1327* (new edn.) (London: 1996), p. 533.

34 Evans, Allen (ed.), *Francesco Balducci Pegolotti / La Practica della Mercatura* (Cambridge, Mass: 1936), pp. 255-69.

35 Hunt, 'A New Look at the Dealings of the Bardi and Peruzzi with Edward III', pp. 149-50.

36 Power, Eileen, *The Wool Trade In Medieval English History* (Oxford: 1941), p. 43.

37 Fryde, E. B., 'The Deposits of Hugh Despenser the Younger with Italian Bankers', *The Economic History Review* 3 (1951), pp. 344-362.

38 Ibid. 물론 역사가에게 위험한 것은 풍부한 새 기록을 보고 관행의 혁명을 생각한다는 것이다. 그러나 이를 고려하더라도 중세 후기에 상업이 호황을 누렸음은 분명하다.

39 Lloyd, *The English Wool Trade in the Middle Ages*, pp. 144-50.

40 Ormrod, Mark, *Edward III* (New Haven: 2011), p. 230.

41 Hunt, *Medieval Super-Companies*, pp. 212-6.

42 Hunt, 'A New Look at the Dealings of the Bardi and Peruzzi with Edward III'는 에드워드의 채무 상황에 대한 빌라니의 평가와 역사가들이 이를 받아들이는 것에 대해 가장 회의적이다.

43 Puga, Diego and Trefler, Daniel, 'International Trade and Institutional Change: Medieval Venice's Response to Globalization', *The Quarterly Journal of Economics* 129 (2014), pp. 753-821.

44 Axworthy, Roger L., 'Pulteney [Neale], Sir John (d. 1349)', *Oxford Dictionary of National Biography*.

45 Turner, Marion, *Chaucer: A European Life* (Princeton: 2019), pp. 22-8.

46 Ibid. pp. 145-7.

47 Barron, Caroline M., 'Richard Whittington: The Man Behind the Myth', in Hollaender, A. E. J. and Kellaway, William, *Studies in London History* (London: 1969), p. 198.

48 Saul, Nigel, *Richard II* (New Haven: 1997), pp. 448-9.

49 Barron, 'Richard Whittington: The Man Behind the Myth', p. 200.

50 See Sumption, Jonathan, *Cursed Kings: The Hundred Years War IV* (London: 2015), p. 208.

51 Barron, 'Richard Whittington: The Man Behind the Myth', pp. 206, 237.

52 Sutton, Anne F., 'Whittington, Richard [Dick]', *Oxford Dictionary of National Biography* (2004).

53 Sumption, *Cursed Kings*, pp. 419-21.

54 Barron, 'Richard Whittington: The Man Behind the Myth', p. 237.

55 Curry, Anne, *Agincourt* (Oxford: 2015), pp. 189-90.

11장 학자들

1 Bouquet, Martin (ed.), *Receuil des historiens des Gaules et de la France* 21 (Paris: 1855), p. 649. See also Crawford, Paul F., 'The University of Paris and the Trial of the Templars' in Mallia-Milanes (ed.), *The Military Orders, Volume 3: History and Heritage* (London: 2008), p. 115.

2 Ibid. pp. 244-5.

3 클레멘스 5세에 따르면 필리프는 1305년 리옹에서 열린 교황 즉위식에서 자신을 붙잡고 신전기사단에 대해 길게 이야기했다. Barber, Malcolm and Bate, Keith (ed. and trans.), *The Templars* (Manchester: 2002), p. 243.

4 Barber, Malcom, *The Trial of the Templars* (2nd edn.) (Cambridge: 2006), p. 80.

5 1307년 11월 반포한 *Pastoralis Praeeminentiae*로 알려진 교서에서다. 신전기사단 몰락 때 일어난 사건들에 대한 보다 자세한 설명은 Barber, *The Trial of the Templars*; Jones, *The Templars*.

6 Cheney, C. R., 'The Downfall of the Templars and a Letter in their Defence' in Whitehead, F., Divernes, A. H, and Sutcliffe, F. E., *Medieval Miscellany Presented to Eugène Vinaver* (Manchester: 1965), pp. 65-79.

7 These translations in Barber and Bate, *The Templars*, pp. 258-60.

8 Barber and Bate, *The Templars*, p. 262.

9 Crawford, 'The University of Paris and the Trial of the Templars', p. 120

10 This translation Barney, Stephen A., Lewis, W. J., Beach, J. A, Berghof, Oliver (eds.), *The Etymologies of Isidore of Seville* (Cambridge: 2006), p. 7.

11 고슴도치에 관해서는 Eddy, Nicole and Wellesley, Mary, 'Isidore of Seville's Etymologies: Who's Your Daddy?', British Library *Medieval Manuscripts Blog* (2016), https://blogs.bl.uk/digitisedmanuscripts/2016/04/isidore-of-seville.html.

12 Falk, Seb, *The Light Ages: A Medieval Journey of Discovery* (London: 2020), p. 83.

13 Barney et al (eds.), *The Etymologies of Isidore of Seville*, p. 16.

14 Ibid. p. 7.

15 Wright, F.A. (trans.) *Jerome / Select Letters* (Cambridge, Mass.: 1933), pp. 344-47.

16 Haskins, Charles Homer, *The Renaissance of the Twelfth Century* (Cambridge, Mass: 1927), p. 34.

17 벽 수도원에 관해서는 ibid. p. 38.

18 이 문제에 관한 초보적 개관은 Spade, Paul Vincent, 'Medieval Philosophy', in Edward N. Zalta (ed.), *The Stanford Encyclopedia of Philosophy* (Summer 2018 Edition). 보다 상세한 것은 Klibancky, Raymond, *The continuity of the Platonic tradition during the middle ages, outlines of a Corpus platonicum medii aevi* (London: 1939).

19 지금 판단해보자면 뇌성마비였던 듯하다. 헤르만의 질병에 대한 당대의 묘사는 Robinson, I. S., *Eleventh Century Germany: The Swabian Chronicles* (Manchester: 2008), p. 108.

20 Ibid.

21 Ibid. p. 110. See also Falk, *The Light Ages*, pp. 49-50.

22 See Burnett, Charles, 'Morley, Daniel of' in *Oxford Dictionary of National Biography*.

23 After Haskins, *The Renaissance of the Twelfth Century*.

24 Ibid. pp. 129-31.

25 Smith, Terence, 'The English Medieval Windmill', *History Today* 28 (1978).

26 See Nardi, Paolo, 'Relations with Authority', De Ridder-Symoens, H. (ed.), *A History of the University in Europe* I (Cambridge: 1992), pp. 77-9.

27 Turner, Denys, *Thomas Aquinas: A Portrait* (New Haven: 2013), p. 12.

28 이곳과 아래에 묘사된 사건들의 순서는 다음의 전기 요약에 의존했다: Stump, Eleonore, *Aquinas* (London: 2003), pp. 3-12.

29 이 방대한 저작의 일부는 쉽게 구할 수 있는 다음에서 찾아볼 수 있다: McDermott, Timothy trans., Aquinas, *Selected Philosophical Writings* (Oxford: 2008).

30 Aston, T. H., 'Oxford's Medieval Alumni', *Past & Present* 74 (1977), p. 6.

31 This translation by Markowski, M., retrieved via https://sourcebooks.fordham.edu/source/eleanor.asp

32 De Mowbray, Malcolm, '1277 and All That - Students and Disputations', *Traditio* 57 (2002), pp. 217-238.

33 De Ridder-Symoens, *A History of the University in Europe* I (Cambridge: 1992), pp. 100-1.

34 애런델의 '규약'이 지닌 여러 함의는 Ghosh, K. and Gillespie, V. (eds.), *After Arundel: Religious Writing in Fifteenth-Century England* (Turnhout: 2011)에서 탐구되고 있다. 이런 맥락에서 애런델을 생각할 수 있게 자극해준 David Starkey 박사(현대의 유죄 판결을 받은 이단자다)에게 감사드린다.

12장 건설자들

1 *Calendar of Various Chancery Rolls: Supplementary Close Rolls, Welsh Rolls, Scutage Rolls, A.D. 1277-1326* (London: 1912), p. 281.

2 상세한 처형 과정은 옥스퍼드셔의 역사 기록자 Thomas Wykes가 기록했다. 다음을 참조, Luard, H. R., *Annales Monastici* vol. 4 (London: 1869), p. 294.

3 '대가' 자크의 전기에 관해서는 Taylor, A. J., 'Master James of St. George', *The English Historical Review* 65 (1950), pp. 433-57.

4 이것과 카이르나르번 건설에 관한 훌륭한 설명은 Colvin, H. M. (ed.), *The History of the King's Works I: The Middle Ages* (London: 1963), pp. 369-95.

5 Gantz, Jeffrey (trans.), *The Mabinogion* (London: 1973), pp. 119-20.

6 성의 설계도에 관해서는 Colvin (ed.), *History of the King's Works I*, p. 376.

7 Barratt, Nick, 'The English Revenue of Richard I', *The English Historical Review* 116 (2001), p. 637.

8 Colvin, *History of the King's Works* I, p. 333.

9 Ibid. p. 344.

10 Ibid. pp. 371-4.

11 Ibid. pp. 395-408.

12 Bradbury, J. M. *The Capetians: Kings of France 987-1328* (London: 2007), p. 205.

13 이 문제에 관한 소개는 Stalley, Roger, *Early Medieval Architecture* (Oxford: 1999).

14 Bony, Jean, *French Gothic Architecture of the 12th and 13th Centuries* (Berkeley: 1983), p. 61. Emma Wells 박사가 이 큰 주제에 관해 안내해주고 그의 미출간 도서 초록을 미리 제공해준 데 대해 특별히 감사드린다. 그 책은 Wells, Emma, Heaven on Earth (London: 2022).

15 예컨대 Clark, William W., 'Early Gothic', Oxford Art Online, https://doi.org/10.1093/gao /9781884446054.article.T024729.

16 Panofsky, Erwin and Panofsky-Soergel, Gerda (eds.), *Abbot Suger on the Abbey Church of St.-Denis and its Art Treasures* (2nd. ed.) (Princeton: 1979), p. 6.

17 Ibid. pp. 48-9.

18 Erlande-Brandenburg, Alain, *The Cathedral Builders of the Middle Ages* (London: 1995), pp. 141-2.

19 Panofsky and Panofsky-Soergel, *Abbot Suger on the Abbey Church of St.-Denis*, pp. 72-3.

20 Scott, Robert A., *The Gothic Enterprise: A Guide to Understanding the Medieval Cathedral* (Berkeley: 2003), p. 132.

21 Wilson, Christopher, *The Gothic Cathedral: The Architecture of the Great Church, 1130-1530* (London: 2000), p. 44.

22 Erlande-Brandenburg, *Cathedral Builders of the Middle Ages*, p. 47.

23 보베의 돔 붕괴의 정확한 원인에 대한 탐구는 Wolfe, Maury I. and Mark, Robert, 'The Collapse of the Vaults of Beauvais Cathedral in 1284', *Speculum* 51 (1976), pp. 462-76.

24 Wilson, *The Gothic Cathedral*, p. 224.

25 Foyle, Jonathan, *Lincoln Cathedral: The Biography of a Great Building* (London: 2015), p. 19.

26 Erlande-Brandenburg, *Cathedral Builders of the Middle Ages*, p. 105-7.

27 Foyle, *Lincoln Cathedral*, pp. 34-5.

28 영국은 어떤 주요 지진 단층선과도 관계가 없지만, 역사적으로 지진이 비교적 자주 일어났다. Musson, R. M. W., 'A History of British seismology', *Bulletin of Earthquake Engineering* 11 (2013), pp. 715-861. 여기서는 1185년 지진을 곁다리로 언급하고 있다. 또한 다음을 참조, Musson, R. M. W., 'The Seismicity of the British Isles to 1600', *British Geological Survey Open Report* (2008), p. 23.

29 옛 서쪽 전면에 관해서는 Taylor, David, 'The Early West Front of Lincoln Cathedral', *Archaeological Journal* 167 (2010), pp. 134-64.

30 Garton, Charles (trans.), *The Metrical Life of St Hugh* (Lincoln: 1986) p. 53.

31 Douie, Decima L. and Farmer, David Hugh, *Magna Vita Sancti Hugonis / The Life of St Hugh of Lincoln* II (Oxford: 1985), p. 219.

32 Ibid. p. 231.

33 이에 관해서는 Harrison, Stuart, 'The Original Plan of the East End of St Hugh's Choir at Lincoln Cathedral Reconsidered in the Light of New Evidence', *Journal of the British Archaeological Association* 169 (2016), pp. 1-38.

34 Wilson, *The Gothic Cathedral*, p. 184.

35 Ibid. pp. 191-223.

36 Ibid. p. 192.

37 이 겹쳐 일어난 갈등의 요약을 위해서는 Hibbert, Christopher, *Florence: The Biography of a City* (London: 1993), pp. 18-34.

38 다른 곳에서 크게 유행한 고딕 양식 운동이 이탈리아에서 거부된 이유에 대한 주장들에 대해서는 Wilson, *The Gothic Cathedral*, pp. 258-9.

39 아르놀포의 설계에 대한 가장 상세한 분석과 그가 피렌체 대성당 설계의 핵심이었다는 주장에 대해서는 Toker, Franklin, 'Arnolfo's S. Maria del Fiore: A Working Hypothesis', *Journal of the Society of Architectural Historians* 42 (1983), pp 101-20.

40 King, Ross, *Brunelleschi's Dome: The Story of the Great Cathedral in Florence* (London: 2000), p. 6.

41 See Poeschke, Joachim, 'Arnolfo di Cambio' in *Grove Art Online* https://doi.org/10.1093/gao/9781884446054.article.T004203

42 King, *Brunelleschi's Dome*, p. 10.

13장 생존자들

1 Childs, Wendy R. (trans.), *Vita Edwardi Secundi* (Oxford: 2005), pp. 120-1. 물가의 출렁임에 관해서는 Slavin, Philip, 'Market failure during the Great Famine in England and Wales (1315-1317), *Past & Present* 222 (2014), pp. 14-8.

2 대기근에 대한 표준적인 연구는 Jordan, William C., *The Great Famine: Northern Europe in the Early Fourteenth Century* (Princeton: 1996). 또한 Kershaw, Ian, 'The Great Famine and Agrarian Crisis in England 1315-1322', *Past & Present* 59 (1973), pp. 3-50. 보다 최근의 것으로는 Campbell, Bruce M. S., 'Nature as historical protagonist: environment and society in pre-industrial England', *The Economic History Review* 63 (2010), pp. 281-314.

3 Slavin, Philip, 'The Great Bovine Pestilence and its economic and environmental consequences in England and Wales, 1318-50', *The Economic History Review* 65 (2012), pp. 1240-2.

4 Kershaw, 'The Great Famine', p. 11.

5 Johannes de Trokelowe, in Riley, H. T. (ed.), *Chronica Monasterii S. Albani* III (London, 1865), pp. 92-95. 인육을 먹은 것은 아일랜드에서도 보고됐다. Kershaw, 'The Great Famine', p. 10 fn. 41.

6 Childs (trans.), *Vita Edwardi Secundi*, p. 120-3.

7 예를 들어 Miller, Gifford H. (et al.), 'Abrupt onset of the Little Ice Age triggered by volcanism and sustained by sea‥ice/ocean feedbacks', *Geophysical Research Letters* 39 (2012), https://doi.org/10.1029/2011GL050168; Zhou, TianJun (et al.), 'A comparison of the Medieval Warm Period, Little Ice Age and 20th century warming simulated by the FGOALS climate system model', *Chinese Science Bulletin* 56 (2011), pp. 3028-41.

8 최근 연구는 중세에 사하라사막 이남에 흑사병이 있었음을 강력하게 주장한다. Green,

Monica H., 'Putting Africa on the Black Death map: Narratives from genetics and history', *Afriques* 9 (2018), https://doi.org/10.4000/afriques.2125.

9   예를 들어 다음의 증상 및 동물과 새를 통한 전염에 대한 서술을 참조, Bartsocas, Christos S., 'Two Fourteenth Century Greek Descriptions of the "Black Death"', *Journal of the History of Medicine and Allied Sciences* 21 (1966), p. 395.

10   Horrox, Rosemary (trans. and ed.), *The Black Death* (Manchester: 1994), p. 9. 인도에 분명히 전파되지 않은 것에 대해서는 Sussman, George D., 'Was the Black Death in India and China?', *Bulletin of the History of Medicine* 85 (2011), pp. 332-41.

11   This translation Horrox, *The Black Death*, p. 17.

12   Ibid.

13   Ibid. p. 19.

14   Ibid.

15   흑사병이 기적적으로 보헤미아를 비껴갔다는 생각이 한동안 많았지만 최근 그것이 반박됐다. Mengel, David C., 'A Plague on Bohemia? Mapping the Black Death', *Past & Present* 211 (2011), pp. 3-34.

16   Horrox, *The Black Death*, pp. 111-184, *passim*.

17   Ibid. p. 250.

18   Bartsocas, 'Two Fourteenth Century Greek Descriptions', p. 395.

19   Ibid. pp. 248-9.

20   나는 '검은 백조' 이야기를 Taleb, Nassim Nicholas, *The Black Swan: The Impact of the Highly Improbable* (London: 2008)에서 규정한 대로 광의로 언급했다.

21   Thompson, Edward Maunde (ed.), *Adae Murimuth Continuatio Chronicarum / Robertus De Avesbury De Gestis Mirabilibus Regis Edwardi Tertii* (London: 1889), pp. 407-8.

22   Cohn, Norman, *The pursuit of the millennium: revolutionary millenarians and mystical anarchists of the Middle Ages* (London: 1970), p. 125.

23   Horrox, *The Black Death*, p. 118.

24   Lumby, J. R. (ed.), *Chronicon Henrici Knighton vel Cnitthon, Monachi Leycestrensis* II (London: 1895), p. 58.

25   Ibid.

26   〈노동자 규칙〉의 영문 초록과 요약은 Myers, A. R. (ed.), *English Historical Documents IV, 1327-1485* (London: 1969), pp. 993-4.

27   다음에서 그런 이름을 붙였다: Tuchman, Barbara, *A Distant Mirror: The Calamitous Fourteenth Century* (New York: 1978).

28   Wickham, Chris, 'Looking Forward: Peasant revolts in Europe, 600-1200' in Firnhaber-Baker, Justine and Schoenaers, Dirk, *The Routledge History Handbook of Medieval Revolt* (Abingdon: 2017), p. 156.

29   Wickham, Chris, *Framing the Early Middle Ages*, pp. 530-2.

30   Wickham, 'Looking Forward', pp. 158-62.

31   Hollander, Lee M. (trans.), *Snorri Sturluson / Heimskringla: History of the Kings of Norway* (Austin: 1964), p. 515.

32 See Cassidy-Welch, Megan, 'The Stedinger Crusade: War, Remembrance, and Absence in Thirteenth-Century Germany', *Viator* 44 (2013), pp. 159-74.

33 Cohn Jr., Samuel, 'Women in Revolt in Medieval and Early Modern Europe' in Firnhaber-Baker and Schoenaers, *The Routledge History Handbook of Medieval Revolt*, p. 209.

34 Wilson, William Burton (trans.), *John Gower / Mirour de l'Omme (The Mirror of Mankind)* (Woodbridge: 1992), pp. 347-8.

35 이 반란에 대한 짧고 고전적인 요약은 Cazelles, Raymond, 'The Jacquerie' in Hilton, R. H. and Aston, T. H., *The English Rising of 1381* (Cambridge: 1984), pp. 74-83. 영어로 된 표준적인 새 연구는 Firnhaber-Baker, Justine, *The Jacquerie of 1358: A French Peasants' Revolt* (Oxford: 2021).

36 This translation, Cohn Jr., Samuel K. *Popular Protest in Late Medieval Europe* (Manchester: 2004), pp. 150-1.

37 '자크'라는 이름을 붙인 데 대해서는 Firnhaber-Baker, Justine, 'The Eponymous Jacquerie: Making revolt mean some things' in Firnhaber-Baker and Schoenaers, *The Routledge History Handbook of Medieval Revolt*, pp. 55-75.

38 Jean Froissart, translation by Cohn Jr., *Popular Protest in Late Medieval Europe*, pp. 155-8.

39 *Anonimalle Chronicle* translated in ibid. pp. 171-3.

40 Firnhaber-Baker, Justine 'The Social Constituency of the Jacquerie Revolt of 1358', *Speculum* 95 (2020), pp. 697-701.

41 Cohn Jr., *Popular Protest in Late Medieval Europe*, p. 121.

42 Ibid. p. 99.

43 Ibid. p. 100.

44 Ibid. p. 235.

45 Ibid. p. 217.

46 Ibid. p. 219.

47 Ibid. p. 269.

48 See Putnam, B. H., *The enforcement of the statutes of labourers during the first decade after the Black Death, 1349-59* (New York: 1908).

49 Jones, Dan, *Summer of Blood: The Peasants' Revolt of 1381* (London: 2009), pp. 15-16.

50 Faith, Rosamond, 'The "Great Rumour" of 1377 and Peasant Ideology' in Hilton and Aston, *The English Rising of 1381*, pp. 47-8.

51 Prescott, Andrew, '"Great and Horrible Rumour": Shaping the English revolt of 1381', in Firnhaber-Baker and Schoenaers, *The Routledge History Handbook of Medieval Revolt*, p. 78.

52 볼의 편지는 Dobson, R. B., *The Peasants' Revolt of 1381* (2nd edn.) (London: 1983), pp. 380-3에 모여 있어 편리하게 이용할 수 있다.

53 This translation, ibid. p. 311.

54 Cohn Jr., *Popular Protest in Late Medieval Europe*, pp. 341-6; Davies, Jonathan, 'Violence and Italian universities during the Renaissance', *Renaissance Studies* 27 (2013), pp. 504-16.

55 Davies, 'Violence and Italian universities during the Renaissance', p. 504.

56 Cohn Jr., *Popular Protest in Late Medieval Europe*, p. 345

57 장미전쟁의 맥락에서 간단히 요약한 것으로는 Jones, Dan, *The Hollow Crown: The Wars of the Roses and the Rise of the Tudors* (London: 2014), pp. 111-9.

58 케이드의 요구를 보려면 Dobson, *The Peasants' Revolt*, pp. 338-42.

59 O'Callaghan, Joseph F., *A History of Medieval Spain* (Ithaca: 1975), pp. 614-5.

14장 쇄신자들

1 스투디오의 간략한 역사에 관해서는 Grendler, Paul F., 'The University of Florence and Pisa in the High Renaissance', *Renaissance and Reformation* 6 (1982), pp. 157-65.

2 필렐포의 성격에 관해서는 Robin, Diana, 'A Reassessment of the Character of Francesco Filelfo (1398-1481)', *Renaissance Quarterly* 36 (1983), pp. 202-24.

3 실제로 대성당에 특별 의자를 하나 만들어 필렐포가 거기 앉아 단테의 작품을 큰 소리로 읽게 하자는 제안이 있었다. 다음을 참조, Parker, Deborah, *Commentary and Ideology: Dante in the Renaissance* (Durham: 1993), p. 53.

4 Gilson, Simon, *Dante and Renaissance Florence* (Cambridge: 2005), p. 99.

5 Hollingsworth, Mary, *The Medici* (London: 2017), pp. 80-1.

6 This translation Robin, Diana, *Filelfo in Milan* (Princeton: 2014), pp. 19-20.

7 Ibid. p. 45.

8 George, William and Waters, Emily, *Vespasiano da Bisticci / The Vespasiano Memoirs* (London: 1926), p. 409.

9 Hankins, James (trans.), *Leonardo Bruni / History of the Florentine People Volume I: Books I-IV* (Cambridge, Mass.: 2001), xvii-xviii, pp. 86-9.

10 Sonnet 9 – 'Quando 'l pianeta che distingue l'ore'. Kline, A.S. (trans.), *Petrarch / The Complete Canzoniere*, (Poetry in Translation, 2001), p. 26.

11 물론 셰익스피어는 자신의 소네트에서 부분적으로 페트라르카의 틀을 깨고 있다. 페트라르카와 문예부흥기 시에 대해 설명해준 Oliver Morgan 박사에게 감사한다.

12 Mustard, Wilfrid P., 'Petrarch's Africa', *The American Journal of Philology* 42 (1921), p. 97.

13 Sonnet 10. —'Gloriosa columna in cui s'appoggia'. *Petrarch / The Complete Canzoniere*, p. 27.

14 Regn, Gerhard and Huss, Bernhard, 'Petrarch's Rome: The History of the Africa and the Renaissance Project', *MLN* 124 (2009), pp. 86-7.

15 Translated by Wilkins, Ernest H., 'Petrarch's Coronation Oration', *Transactions and Proceedings of the Modern Language Association of America* 68 (1953), pp. 1243-4.

16 Ibid. p. 1246.

17 Ibid. p. 1241.

18 Bernardo, Aldo (trans.), *Francesco Petrarch / Letters on Familiar Matters (Rerum Familiarium Libri) Volume 1: Books I-VIII* (New York: 1975), p. 168.

19 Middlemore, S. (trans.), *Burckhardt, Jacob / The Civilization of the Renaissance in Italy* (London: 1990), pp. 194-7.

20 Vaughan, Richard, *Philip the Good: The Apogee of Burgundy* (new edn.) (Woodbridge:

2002), p. 67, drawing on Besnier, G., 'Quelques notes sur Arras et Jeanne d'Arc', *Revue du Nord* 40 (1958), pp. 193-4.

21 현대의 가장 좋은 잔의 전기는 Castor, Helen, *Joan of Arc: A History* (London: 2014). 도팽의 즉위식에 관해서는 pp. 126-7.

22 George Chastellain, translated in Vaughan, *Philip the Good*, p. 127.

23 Ibid. p. 128

24 Ibid. p. 138. 판에이크도 이 장난치는 방 만드는 일을 도왔을 것이다. 그는 분명히 에댕 재단장 작업에 참여했다. 다음을 참조, Martens, Maximiliaan et al (eds.), *Van Eyck*, (London: 2020), p. 74.

25 Martens, Maximiliaan et al (eds.), *Van Eyck* (London: 2020), p. 22.

26 Vaughan, *Philip the Good*, p. 151.

27 De Vere, Gaston (trans.), *Giorgio Vasari / Lives of the Most Excellent Painters, Sculptors and Architects* I (London: 1996), p. 425.

28 Martens et al (eds.), *Van Eyck* (London: 2020), p. 70.

29 Ibid. p. 74.

30 Ibid. p. 141.

31 Vaughan, *Philip the Good*, p. 151.

32 Martens, Maximiliaan et al (eds.), *Van Eyck* (London: 2020), p. 22.

33 Kemp, Martin, *Leonardo by Leonardo* (New York: 2019), p. 10.

34 Richter, Irma A. (ed.), *Leonardo da Vinci / Notebooks* (Oxford: 2008), pp. 275-7.

35 De Vere (trans.) *Giorgio Vasari / Lives of the Most Excellent Painters*, p. 625.

36 Isaacson, Walter, *Leonardo da Vinci: The Biography* (London: 2017), p. 34.

37 *Machiavelli / The History of Florence* Book 8, ch 7.

38 Ibid.

39 Isaacson, *Leonardo*, pp. 160-2.

40 Ibid. p. 169.

41 레오나르도와 체사레의 전반적인 관계에 대해서는 Strathern, Paul, *The Artist, the Philosopher and the Warrior: Leonardo, Machiavelli and Borgia: A fateful collusion* (London: 2009).

42 See Richter, *Leonardo da Vinci / Notebooks*, pp. 318-24.

43 Marani, Pietro C., *Leonardo da Vinci: The Complete Paintings* (new edn.) (New York: 2019), p. 179.

44 De Vere (trans.), *Giorgio Vasari / Lives of the Most Excellent Painters*, p. 639.

45 This translation, Hess, Peter, 'Marvellous Encounters: Albrecht Dürer and Early Sixteenth-Century German Perceptions of Aztec Culture', *Daphnis* 33 (2004), p. 163 n. 5.

15장 항해자들

1 Magoulias, Harry J. (trans.), *Decline and Fall of Byzantium to the Ottoman Turks* (Detroit: 1975), pp. 200, 207.

2 Ibid. p. 201.

3 화약 제조법은 13세기 중반 이후 지중해 세계에서 유포되고 있었다. 아마도 몽골 정복 때 서쪽으로 전래됐을 것이다. 그 제조법에 대한 이 특수한 묘사에 대해서는 Riggs, Charles T. (trans.), *Mehmed the Conqueror* / by Kritovoulos (Princeton: 1954), p. 46.

4 Riggs, *Mehmed the Conqueror / by Kritovoulos*, p. 43. Also see Harris, Jonathan, *Constantinople: Capital of Byzantium* (2nd edn.) (London: 2017), p. 192.

5 영어로 번역된 고전적인 메흐메드 전기는 Babinger, Franz, *Mehmed the Conqueror and his time* (Princeton: 1978).

6 Riggs, *Mehmed the Conqueror / by Kritovoulos*, p. 45.

7 포위전의 밤 시간의 생생한 묘사는 Crowley, Roger, *Constantinople: The Last Great Siege, 1453* (London: 2005), pp. 203-16.

8 Riggs, *Mehmed the Conqueror / by Kritovoulos*, p. 69.

9 Ibid. pp. 72-3.

10 Crowley, *Constantinople*, p. 230.

11 Riggs, *Mehmed the Conqueror / by Kritovoulos*, p. 69.

12 Schwoebel, Robert, *The Shadow of the Crescent: The Renaissance Image of the Turk, 1453-1517* (New York: 1967), p. 11 See also Crowley, *Constantinople*, p. 241.

13 벨리니 초상화의 외교적·문화적 중요성에 관한 논의는 Gatward Cevizli, Antonia, 'Bellini, bronze and bombards: Sultan Mehmed II's requests reconsidered', *Renaissance Studies* 28 (2014), pp. 748-65.

14 Freely, John, *The Grand Turk: Sultan Mehmet II - Conqueror of Constantinople, Master of an Empire and Lord of Two Seas* (London: 2010), pp. 12-13.

15 Frankopan, *The Silk Roads* (London: 2015), p. 199.

16 Balard, Michel, 'European and Mediterranean trade networks', Kedar and Weisner-Hanks, *Cambridge World History V*, p. 283.

17 연구 현황 요약은 Gruhn, Ruth, 'Evidence grows for early peopling of the Americas', *Nature* 584 (August 2020), pp. 47-8.

18 Ugent, Donald, Dillehay, Tom and Ramirez, Carlos, 'Potato remains from a late Pleistocene settlement in southcentral Chile', *Economic Botany* 41 (1987), pp. 17-27.

19 재미있지만 유별난 브렌던 성인 연구로는 Ashe, Geoffrey, *Land to the West: St Brendan's Voyage to America* (London: 1962).

20 Webb, J. F. (trans.), *The Age of Bede* (revd. edn.) (London: 1998), pp. 236, 266.

21 Sprenger, Aloys (trans.), *El-Masudi's Historical Encyclopaedia Entitled 'Meadows of Gold and Mines of Gems'* I (London: 1841), pp. 282-3.

22 Ibid.

23 중세의 폴리네시아-아메리카 접촉에 대한 현재의 연구 요약은 Jones, Terry L. et al (eds.), *Polynesians in America: Pre-Columbian Contacts with the New World* (Lanham: 2011).

24 노르드인의 아이슬란드, 그린란드, 북아메리카 탐험에 관한 훌륭한 최근 연구는 Price, *Children of Ash and Elm*, pp. 474-94.

25 Ibid. p. 491.

26 서기 1000년 무렵에 '세계화'가 이루어졌다는 생각에 대해서는 Hansen, Valerie, *The Year*

1000: When Explorers Connected the World – and Globalization Began (London: 2020).

27 영어로 쓰인 '항해자' 엔히크의 표준적인 전기는 Russell, P. E., *Henry the Navigator: A Life* (New Haven/London: 2000).

28 주앙 1세 즉위 배경에 관한 간단한 요약은 Disney, A. R., *A History of Portugal and the Portuguese Empire I* (Cambridge: 2009), pp. 122–8.

29 Cervantes, Fernando, *Conquistadores: A New History* (London: 2020), p. 6.

30 해마다 최대 30톤의 금이 아프리카 광산에서 지중해 시장으로 들어왔다. 다음을 참조, Kea, Ray A. 'Africa in World History, 1400–1800', Bentley, Jerry H., Subrahmanyam, Sanjay and WeisnerHanks, Merry E. *The Cambridge World History VI: The Construction of a Global World 1400–1800 C.E.* / Part I: Foundations (Cambridge: 2015), p. 246.

31 Gomes Eanes de Zurara, translated in Newitt, Malyn, *The Portuguese in West Africa, 1415–1670: A Documentary History* (Cambridge: 2010), p. 27.

32 15세기의 항해 기술에 관해서는 Parry, J. H., *The Age of Reconnaissance: Discovery, Exploration and Settlement, 1450–1650* (London: 1963), pp. 53–68, 88.

33 Alvise da Cadamosto, translated in Newitt, *The Portuguese in West Africa*, pp. 55–7.

34 Gomes Eanes de Zurara translated in ibid. p. 150.

35 Ibid. p. 151.

36 This translation, Adiele, Pius Onyemechi, *The Popes, the Catholic Church and the Transatlantic Enslavement of Black Africans 1418–1839* (Hildesheim: 2017), pp. 312–3.

37 From Pereira's *Esmeraldo de Situ Orbis*, translated in Newitt, *The Portuguese in West Africa*, p. 44.

38 이 일과 무함마드가 했다는 말에 대해서는 Drayton, Elizabeth, *The Moor's Last Stand: How Seven Centuries of Muslim Rule in Spain Came to an End*, (London: 2017), pp. 113–27.

39 Cohen, J. M. (trans.), *Christopher Columbus / The Four Voyages* (London: 1969), p. 37.

40 Bale, Anthony (ed.), *John Mandeville / Book of Marvels and Travels* (Oxford: 2012).

41 Ibid. p. 37.

42 Cohen (trans.), *Christopher Columbus / The Four Voyages*, p. 40.

43 Ibid. p 53.

44 Ibid.

45 Ibid. p. 55.

46 Bergreen, Laurence, *Columbus: The Four Voyages 1492–1504* (New York: 2011), p. 14.

47 Cohen (trans.) *Christopher Columbus / The Four Voyages*, p. 56.

48 Ibid. p. 81.

49 Ibid. p. 89.

50 Ibid. p. 96.

51 Ibid. p. 114.

52 This translation Parry, *The Age of Reconnaissance*, p. 154.

53 Cohen (trans.), *Christopher Columbus / The Four Voyages*, p. 123.

54 Ibid. pp. 117–9.

55 Cervantes, *Conquistadores* (London: 2020), p. 31.

56 Cohen (trans.), *Christopher Columbus / The Four Voyages*, p. 319.

57 Ravenstein, E. G. (trans.), *A Journal of the First Voyage of Vasco da Gama, 1497-1499* (London: 1898), p. 113.

58 Ibid. p. 5.

59 Ibid. p. 13.

60 Ibid. p. 21.

61 Ibid. pp. 49-50.

62 마갈량이스에 관해서는 Bergreen, Laurence, *Over the Edge of the World: Magellan's Terrifying Circumnavigation of the Globe* (New York: 2003).

16장 개신교도들

1 This translation, Davies, Martin, 'Juan de Carvajal and Early Printing: The 42-line Bible and the Sweynheym and Pannartz Aquinas', *The Library* 17 (1996), p. 196.

2 영국박물관 웹사이트에서 종이판과 피지판의 온라인 페이지들을 검색할 수 있다: www.bl. uk/treasures/gutenberg. 이것은 또한 두 권짜리의 멋진 복제판으로도 볼 수 있다. Füssel, Stephan (ed.), *The Gutenberg Bible of 1454: With a commentary on the life and work of Johannes Gutenberg, the printing of the Bible, the distinctive features of the Göttingen copy, the 'Göttingen Model Book' and the 'Helmasperger Notarial Instrument'* (Köln: 2018).

3 Eisenstein, Elizabeth L., 'Some Conjectures about the Impact of Printing on Western Society and Thought: A Preliminary Report', *The Journal of Modern History* 40 (1968), pp. 1-56.

4 Bacon, Francis, 'Novum Organum', in Montagu, Basil (trans.), *The Works of Francis Bacon, Lord Chancellor of England: A New Edition* vol. 14 (London: 1831), p. 89.

5 Ing, Janet, 'The Mainz Indulgences of 1454/5: A review of recent scholarship', *The British Library Journal* 9 (1983), p. 19.

6 그러나 연옥과 참회 행위에 대한 대중의 열의에는 지역적 편차가 있어 흥미롭다. 다음을 참조, MacCulloch, Diarmaid, *Reformation: Europe's House Divided 1490-1700* (London: 2003), pp. 10-16.

7 Eisermann, Falk, 'The Indulgence as a Media Event: Developments in Communication through Broadsides in the Fifteenth Century' in Swanson, R.N. (ed.), *Promissory Notes on the Treasury of Merits Indulgences in Late Medieval Europe* (Leiden: 2006), pp. 312-3.

8 오컴의 윌리엄에 관해, 그리고 이 번역은 MacCulloch, *A History of Christianity*, p. 559.

9 Buck, Lawrence P. '"Anatomia Antichristi": Form and Content of the Papal Antichrist', *The Sixteenth Century Journal* 42 (2011), pp. 349-68.

10 간략한 역사는 Shaffern, Robert W., 'The Medieval Theology of Indulgences' in Swanson (ed.), *Promissory Notes*, pp. 11-36.

11 *Geoffrey Chaucer / The Canterbury Tales* (London: 1996), p. 315.

12 Macek, Josef, *The Hussite Movement in Bohemia* (Prague: 1958), p. 16.

13 Eisenstein, Elizabeth, *The Printing Press as an Agent of Change: Communications and Cultural*

Transformations in Early-Modern Europe (Cambridge: 1979), p. 375.

14 Eisermann, 'The Indulgence as a Media Event', p. 327 n. 50.

15 MacCulloch, *Reformation*, p. 15; Duffy, Eamon, *The Stripping of the Altars: Traditional Religion in England 1400-1580* (New Haven: 1992), p. 288.

16 이 문서를 보려면 Jenks, Stuart (ed.), *Documents on the Papal Plenary Indulgences 1300-1517 Preached in the Regnum Teutonicum* (Leiden: 2018), pp. 224-66.

17 Croiset Van Uchelen, Ton and Dijstelberge, Paul, 'Propaganda for the Indulgence of Saintes' in Blouw, Paul Valkema et al, *Dutch Typography in the Sixteenth Century: The Collected Works of Paul Valkema Blouw* (Leiden: 2013), p. 25.

18 Collinson, Patrick, *The Reformation* (London: 2003), pp. 34-5.

19 Füssel, Stephan, *Gutenberg and the impact of printing* (Aldershot: 2003), p. 149.

20 Ibid. pp. 151-2.

21 Ibid. pp. 155-6.

22 〈95개조 반박문〉의 영어판은 Russell, William R. (trans.), *Martin Luther / The Ninety-Five Theses and Other Writings* (New York: 2017), pp. 3-13.

23 Smith, Preserved, 'Luther and Henry VIII', *The English Historical Review* 25 (1910), p. 656.

24 Translated in Shaffern, 'Medieval Theology of Indulgences', p. 15.

25 Russell (trans.), *Martin Luther / The Ninety-Five Theses* pp. 4-6.

26 Ibid. p. 12.

27 MacCulloch, *Reformation*, p. 121.

28 See Collinson, Patrick, *The Reformation* (London: 2003), p. 27.

29 Wace, Henry and Buccheim (trans.) C.H., *Luther's Primary Works: Together with his Shorter and Larger Catechisms*, (London: 1846), p. 175.

30 St. Clare Byrne, Muriel (ed.) *The Letters of King Henry VIII* (New York: 1968), p. 11.

31 《일곱 가지 성례에 대한 주장》의 진짜 저자를 따지는 골치 아픈 문제에 관해서는 Rex, Richard, 'The English Campaign against Luther in the 1520s: The Alexander Prize Essay', *Transactions of the Royal Historical Society* 39 (1989), pp. 85-106.

32 O'Donovan, Louis (ed.), *Assertio Septem Sacramentorum or Defence of the Seven Sacraments by Henry VIII, king of England* (New York: 1908), pp. 188-9.

33 Brewer, J. S., (ed.) *Letters and Papers, Foreign and Domestic, Henry VIII, Volume 3, 1519-1523* (London: 1867), No. 1510, p. 622.

34 Luis Quijada, translated in Parker, Geoffrey, *Emperor: A New Life of Charles V* (New Haven: 2019), xvii.

35 Forell, George W., Lehmann, Helmut T. (eds.), *Luther's Works* vol. 32, (Philadephia: 1958), pp. 112-3.

36 This translation, Hendrix, Scott H., *Martin Luther: Visionary Reformer* (New Haven: 2015), p. 105.

37 Rupp, E. Gordon and Watson, Philip S. (trans.), *Luther and Erasmus: Free Will and Salvation* (London: 1969), p. 37.

38 Graus, František 'From Resistance to Revolt: The Late Medieval Peasant Wars in the

Context of Social Crisis' in Bak, Janos (ed.), *The German Peasant War of 1525* (Abingdon: 2013), p. 7.

39 Cohn, Henry J., 'The Peasants of Swabia, 1525' in ibid., p. 10. See also Sreenivasan, Govind P., 'The Social Origins of the Peasants' War of 1525 in Upper Swabia', *Past & Present* 171 (2001), pp. 30-65.

40 An English translation is provided in ibid. pp. 13-18.

41 에어푸르트의 혼란에 관한 공식 기록을 보려면 Scott, Tom, and Scribner, Bob (trans.), *The German Peasants' War: A History in Documents* (Amherst: 1991), pp. 185-8.

42 Translated in ibid. pp. 157-8.

43 반란에 대한 귀족의 대응에 관해서는 Sea, Thomas F., 'The German Princes' Responses to the Peasants' Revolt of 1525', *Central European History* 40 (2007), pp. 219-40.

44 Translated in ibid. p. 291.

45 Ibid. p. 318.

46 Hook, Judith, *The Sack of Rome 1527* (2nd edn.) (Basingstoke: 2004), p. 46.

47 See Parker, *Emperor*, p. 162.

48 Hook, *Sack of Rome*, p. 156.

49 Parker, *Emperor*, p. 168.

50 McGregor, James H. (trans.), *Luigi Guicciardini / The Sack of Rome* (New York: 1993), p. 78.

51 Kneale, *Rome: A History in Seven Sackings*, p. 194.

52 McGregor, *Luigi Guicciardini*, pp. 81-2. See also Hook, *Sack of Rome*, p. 161.

53 McGregor, *Luigi Guicciardini*, p. 97.

54 McGregor, *Luigi Guicciardini*, p. 98.

55 Kneale, *Rome: A History in Seven Sackings*, p. 201.

56 McGregor, *Luigi Guicciardini*, p. 98.

57 Ibid. p. 114.

58 Sherer, Idan, 'A bloody carnival? Charles V's soldiers and the sack of Rome in 1527', *Renaissance Studies* 34 (2019), p. 785. See also Hook, *Sack of Rome*, p. 177.

59 Parker, *Emperor*, p. 172.

60 개신교가 정치 체제와 가치관에 남긴 보다 광범위한 유산에 대해서는 Ryrie, Alec, *Protestants: The Faith that Made the Modern World* (New York: 2017), pp. 1-12.

61 Russell (trans.), *Martin Luther / The Ninety-Five Theses* p. 121.

참고문헌

1차 자료

_____, *Calendar of Various Chancery Rolls: Supplementary Close Rolls, Welsh Rolls, Scutage Rolls, A.D. 1277-1326*, London: HM Stationery Office, 1912.

_____, *Cronica di Giovanni Villani: A Miglior Lezione Ridotta* V, Florence: Per Il Magheri, 1823.

_____, *Geoffrey Chaucer / The Canterbury Tales*, London: Penguin Popular Classics, 1996.

Andrea, Alfred J. (trans.), *The Capture of Constantinople: The Hystoria Constantinoplitana of Gunther of Pairis*, Philadelphia: University of Pennsylvania Press, 1997.

anon., *The Ecclesiastical History of Socrates... Translated from the Greek, with some account of the author, and notes selected from Valesius.*, London: Henry G. Bohn, 1853

Babcock, Emily Atwater and Krey, A. C. (trans.), *A History of Deeds Done Beyond the Sea: By William Archbishop of Tyre* (2 vols.), New York: Columbia University Press, 1943.

Bale, Anthony (ed.), *John Mandeville / Book of Marvels and Travels*, Oxford: Oxford University Press, 2012.

Barber, Malcolm and Bate, Keith (ed. and trans.), *The Templars: Selected Sources*, Manchester: Manchester University Press, 2002.

Barber, Malcolm and Bate, Keith (eds.), *Letters from the East: Crusaders, Pilgrims and Settlers in the 12th-13th Centuries*, Farnham: Ashgate, 2013.

Barney, Stephen A., Lewis, W. J., Beach, J. A, Berghof, Oliver (eds.), *The Etymologies of Isidore of Seville*, Cambridge: Cambridge University Press, 2006.

Barton, Simon and Fletcher, Richard, *The World of El Cid: Chronicles of the Spanish Reconquest*, Manchester: Manchester University Press, 2000.

Bédier, J. and Aubry, P. (eds.), *Les Chansons de Croisade avec Leurs Melodies*, Paris: Champion, 1909.

Bernardo, Aldo (trans.), *Francesco Petrarch / Letters on Familiar Matters (Rerum Familiarium Libri): Vol. 1: Books I-VIII*, New York: Italica Press, 1975.

Berry, Virginia Gingerick, *Odo of Deuil / De Profectione Ludovici VII in Orientam*, New York: W. W. Norton, 1948.

Bettenson, Henry (trans.), *Saint Augustine / City of God*, London: Penguin Classics, 2003.

Bird, Jessalyn, Peters, Edward and Powell, James M. (eds.), *Crusade and Christendom: Annotated Documents in Translation from Innocent III to the Fall of Acre, 1187-1291*, Philadelphia: University of Pennsylvania Press, 2013.

Blankinship, Khalid Yahya (trans.), *The History of al-Tabari Vol. XI: The Challenge to the Empires*, New York: State University of New York Press, 1993.

Bouquet, Martin (ed.), *Receuil des historiens des Gaules et de la France 21*, Paris: V. Palmé, 1855.

Boyle, J.A. (trans.), *Genghis Khan: The History of the World-Conqueror / 'Ala-ad-Din 'Ata Malik Juvaini* (revd. edn.), Manchester: Manchester University Press, 1997.

Brewer, J. S., (ed.), *Letters and Papers, Foreign and Domestic, Henry VIII, Volume 3, 1519-1523*, London: HM Stationery Office, 1867.

Brehaut, Earnest (trans.), *Gregory bishop of Tours / History of the Franks*, New York: Columbia University Press, 1916.

Burgess, Glyn (trans.), *The Song of Roland*, London, Penguin Classics, 1990.

Chabot, J-B (trans.) *Chronique de Michel le Syrien, patriarche jacobite d'Antioche, 1166-1199*, Vol. 2, Paris: E. Leroux, 1901.

Christiansen, Eric (trans.), *Dudo of St. Quentin / History of the Normans*, Woodbridge: The Boydell Press, 1998.

Church, Alfred John and Brodribb, William Jackson (trans.), Lane Fox, Robin (intro.), *Tacitus / Annals and Histories*, New York: Alfred A. Knopf, 2009

Cohen, J. M. (trans.), *Christopher Columbus / The Four Voyages*, London: Penguin Classics, 1969.

Cohn Jr, Samuel K. (trans.), *Popular Protest in Late Medieval Europe*, Manchester: Manchester University Press, 2004.

Colbert, Benjamin (ed.), *The Travels of Marco Polo*, Ware: Wordsworth Editions, 1997.

Cowdrey, H. E. J. (trans.), *The Register of Pope Gregory: 1073-1085: An English Translation*, Oxford: Oxford University Press, 2002.

Cross, Samuel Hazzard and Sherbowitz-Wetzor, Olgerd P. (trans.), *The Russian Primary Chronicle: Laurentian Text*, Cambridge, Mass.: The Medieval Academy of America, 1953.

Dass, Nirmal (trans.), *Viking Attacks on Paris: The Bella parisiacae urbis of Abbo of Saint-Germain-des-Prés*, Paris: Peeters, 2007.

Davis, Raymond (trans.), *The Lives of the Eighth-Century Popes (Liber Pontificalis)*, Liverpool: Liverpool University Press, 1992.

de Rachewiltz, Igor (trans.), *The Secret History of the Mongols: A Mongolian Epic Chronicle of the Thirteenth Century* (2 vols.), Leiden: Brill, 2006.

de Sélincourt, Aubrey (ed.) *Livy / The Early History of Rome*, (revd. edn.), London: Penguin Books, 2002.

de Vere, Gaston du C. (trans.), *Giorgio Vasari / Lives of the Painters, Sculptors and Architects*, 2 vols, London: Everyman's Library, 1996.

Dewing, H. B. (trans.), *Procopius / History of the Wars, I, Books 1-2*, Cambridge, Mass.: Harvard University Press, 1914.

Dewing, H. B. (trans.), *Procopius / History of the Wars, II, Books 3-4*, Cambridge, Mass.: Harvard University Press, 1916.

Dewing, H. B. (trans.), *Procopius / On Buildings,* Cambridge, Mass.: Harvard University Press, 1940.

Dobson, R. B. (ed.), *The Peasants' Revolt of 1381* (2nd edn.), London: The Macmillan Press Ltd., 1983.

Douie, Decima L. and Farmer, David Hugh, *Magna Vita Sancti Hugonis / The Life of St Hugh of Lincoln* (2 vols.), Oxford: Clarendon Press, 1985.

Dümmler, Ernst (ed.), *Poetae latini aevi Carolini* I, Berlin: Apud Weidmannos 1881.

Edgington, Susan (trans.), *Albert of Aachen / Historia Ierosolominitana: History of the Journey to Jerusalem*, Oxford: Clarendon Press, 2007.

Evans, Allan (ed.), *Francesco Balducci Pegolotti / La Practica della Mercatura*, Cambridge, Mass.: The Medieval Academy of America, 1936.

Fischer Drew, Katherine (trans.), *The Laws of the Salian Franks*, Philadelphia: University of Pennsylvania Press, 1991.

Fishbein, Michael, *The History of al-Tabari, Vol. VIII: The Victory of Islam*, New York: State University of New York Press, 1997.

Forell, George W. and Lehmann, Helmut T. (eds.), *Luther's Works* vol. 32, Philadelphia: Muhlenberg Press, 1958.

Friedmann, Yohanan, *The History of al-Tabari, Vol. XII: The Battle of al-Qadisiyyah and the Conquest of Syria and Palestine*, New York: State University of New York Press, 1991.

Fremantle, W.H. (trans.) *Saint Jerome / Select Letters and Works,* New York: Christian Literature Company, 1893.

Fry, Timothy (trans.), *The Rule of St. Benedict In English*, Collegeville: Liturgical Press, 2018.

Füssel, Stephan (ed.), *The Gutenberg Bible of 1454: With a commentary on the life and work of Johannes Gutenberg, the printing of the Bible, the distinctive features of the Göttingen copy, the Göttingen Model Book and the 'Helmasperger Notarial Instrument'*, Köln: Taschen, 2018.

Gardner, Edmund G. (ed.), *The Dialogues of Saint Gregory the Great*, Merchantville: Evolution Publishing, 2010.

Gantz, Jeffrey (trans.), *The Mabinogion*, London: Penguin Classics, 1973.

Ganz, David (trans.), *Einhard and Notker the Stammerer: Two Lives of Charlemagne*, London: Penguin Classics, 2008.

Garton, Charles (trans.), *The Metrical Life of St Hugh of Lincoln*, Lincoln: Honywood Press, 1986.

George, William and Waters, Emily (trans.), *Vespasianio da Bisticci / The Vespasiano Memoirs:*

Lives of Illustrious Men of the XVth Century, London: George Routledge & Sons, 1926.

Gibb, H.A.R. (trans.), *Ibn Battuta / Travels in Asia and Africa 1325-1354*, London: Routledge & Kegan Paul Ltd., 1929.

Given, John (trans.), *The Fragmentary History of Priscus: Attila, the Huns and the Roman Empire, AD 430-476*, Merchantville: Evolution Publishing, 2014.

Graves, Robert (trans.) and Rives J. B. (rev. and intro), *Suetonius / The Twelve Caesars*, London: Penguin Books, 2007.

Greenia, M. Conrad (trans.), *Bernard of Clairvaux / In Praise of the New Knighthood* (revd. edn.), Trappist: Cistercian Publications, 2000.

Hamilton, Walter (trans.) and Wallace-Hadrill (intro.), *Ammianus Marcellinus / The Later Roman Empire (A.D. 354-378)*, London: Penguin Books, 1986.

Hammond, Martin (trans.), *Marcus Aurelius / Meditations*, London: Penguin Classics, 2014.

Hankins, James (trans.), *Leonardo Bruni / History of the Florentine People Volume I: Books I-IV*, Cambridge, Mass.: Harvard University Press, 2001.

Hildinger, Erik (trans.), *Giovanni da Pian del Carpine, Archbishop of Antivari, d. 1252 / The story of the Mongols who we call the Tartars*, Boston: Branden Publishing Company, 1996.

Hill, John Hugh and Hill, Laurita L. (trans.), *Raymond d'Aguilers / Historia Francorum Qui Ceperunt Iherusalem*, Philadelphia: American Philosophical Society, 1968.

Hill, Rosalind (ed.), *Gesta Francorum et Aliorum Hierosoliminatorum: The Deeds of the Franks and the Other Pilgrims to Jerusalem*, Oxford: Clarendon Press, 1962.

Holden, A. J. (ed), Gregory, S. (trans.) and Crouch D., *History of William Marshal (3 vols.)*, London: Anglo-Norman Text Society, 2002–06.

Holland, Tom (trans.), *Herodotus / The Histories*, London: Penguin, 2013.

Hollander, Lee M. (trans.), *Snorri Sturluson / Heimskringla: History of the Kings of Norway*, Austin: University of Texas Press, 1964.

Horrox, Rosemary (trans. and ed.), *The Black Death*, Manchester: Manchester University Press, 1994.

Humphreys, R. Stephen (trans.), *The History of al-Tabari, Vol. XV: The Crisis of the Early Caliphate*, New York: State University of New York Press, 1990.

Huygens, R. B. C. (trans.), *Lettres de Jacques de Vitry*, Edition Critique, Leiden: Brill, 1960.

Jackson, Peter (ed.), *The Mission of Friar William of Rubruck*, London: Hakluyt Society, 1990.

Jeffreys, Elizabeth, Jeffreys, Michael and Scott, Roger (eds.), *The Chronicle of John Malalas*, Leiden: Brill, 1986.

Jenks, Stuart (ed.), *Documents on the Papal Plenary Indulgences 1300-1517 Preached in the Regnum Teutonicum*, Leiden: Brill, 2018.

Johnson, Allan Chester, Coleman-Norton, Paul R and Bourne, Frank Card (eds.), *Ancient Roman Statutes: A Translation With Introduction, Commentary, Glossary, and Index*, Austin: University of Texas Press, 1961.

Jones, Horace Leonard (trans.), *The Geography of Strabo*, vol VI, Cambridge, Massachusetts: Harvard University Press, 1929.

Jones, John Harris (trans.), *Ibn Abd al-Hakam / The History of the Conquest of Spain*, New York: Burt Franklin, 1969.

Juynboll, Gautier H. A. (trans.), *The History of al-Tabari vol. XIII: The Conquest of Iraq, Southwestern Persia and Egypt*, New York: State University of New York Press, 1989.

Kenney, E.J. (trans.), *Apuleius / The Golden Ass* (revd. ed.), London: Penguin Books, 2004.

Kibler, William W. (ed.), *Chrétien de Troyes / Arthurian Romances* (revd. edn.), London: Penguin Classics, 2001.

Kline, A.S. (trans.), *Petrarch / The Complete Canzoniere*, Poetry in Translation, 2001.

Latham, Ronald (trans.), *Marco Polo / The Travels*, London: Penguin Books, 1958.

Lewis, Robert E. (ed.), *Lotario dei Segni (Pope Innocent III) / De Miseria Condicionis Humane*, Athens, GA: University of Georgia Press, 1978.

Luard, H. R. (ed.), *Annales Monastici* vol. 4, London: Longmans, Green, Reader and Dyer, 1869.

Lumby, J. R. (ed.), *Chronicon Henrici Knighton vel Cnitthon, Monachi Leycestrensis* II, London: Rolls Series, 1895.

Mabillon, Jean (ed.), *Annales ordinis S. Benedicti occidentalium monachorum patriarchæ*, vol. 4., Paris, 1707.

Magoulias, Harry J. (trans.), *O City of Byzantium, Annals of Niketas Choniates*, Detroit: Wayne State University Press, 1984.

Magoulias, Harry J. (trans.), *Decline and Fall of Byzantium to the Ottoman Turks*, Detroit: Wayne State University Press, 1975.

Mango, Cyril and Scott, Roger (trans.), *The Chronicle of Theophanes Confessor: Byzantine and Near Eastern History AD 284-813*, Oxford: Clarendon Press, 1997.

Mariev, Sergei (trans.), *Ioannis Antiocheni Fragmenta quae supersunt Omnia*, Berlin: W. de Gruyter, 2008.

McCauley, Leo. P. et al, *Funeral Orations by Saint Gregory and Saint Ambrose (The Fathers of the Church, Volume 22)*, Washington: The Catholic University of America Press, 2010.

McDermott, Timothy (ed.), *Aquinas / Selected Philosophical Writings*, Oxford: Oxford University Press, 2008.

McGregor, James H. (trans.), *Luigi Guicciardini / The Sack of Rome*, New York: Ithaca Press, 1993.

Michael, Maurice (trans.), *The Annals of Jan Długosz: Annales Seu Cronicae Incliti Regni Poloniae*, Chichester: IM Publications, 1997.

Michell, Robert and Forbes, Nevill (trans.), *The Chronicle of Novgorod 1016-1471*, London: Camden Society Third Series, 1914.

Middlemore, S. (trans.), *Burckhardt, Jacob / The Civilization of the Renaissance in Italy*, London: Penguin Classics, 1990.

Montagu, Basil (trans.), *The Works of Francis Bacon, Lord Chancellor of England: A New Edition* vol. 14, London: William Pickering, 1831.

Moyle, John Baron (trans.), *The Institutes of Justinian*, (Oxford: Clarendon Press, 1906).

Myers, A. R. (ed.), *English Historical Documents IV, 1327-1485*, London: Eyre & Spottiswoode, 1969.

Newitt, Malyn (ed.), *The Portuguese in West Africa, 1415-1670: A Documentary History*, Cambridge: Cambridge University Press, 2010.

O'Donovan, Louis (ed.), *Assertio Septem Sacramentorum or Defence of the Seven Sacraments by Henry VIII, king of England*, New York: Benziger Brothers, 1908.

Panofsky, Erwin and Panofsky-Soergel, Gerda (eds.), *Abbot Suger on the Abbey Church of St.-Denis and its Art Treasures* (2nd. ed.), Princeton: Princeton University Press, 1979.

Peters, Edward (ed.), *Christian Society and the Crusades 1198-1229. Sources in Translation including 'The Capture of Damietta' by Oliver of Paderborn*, Philadelphia, University of Pennsylvania Press, 1971.

Platnauer, Maurice (trans.), *Claudian* (2 vols), New York: G. P. Putnam's Sons, 1922.

Poupardin, René (ed.), *Monuments de l'histoire des Abbeyes de Saint-Philibert*, Paris: Alphones Picard et Fils, 1905.

Radice, Betty (trans.), *The Letters of the Younger Pliny*, London: Penguin Books, 1969.

Ravenstein, E. G. (trans.), *A Journal of the First Voyage of Vasco da Gama, 1497-1499*, London: Hakluyt Society, 1898.

Richards, D.S. (trans.), *The Chronicle of Ibn al-Athir for the Crusading Period from al-Kamil fi'l Ta'rikh* (3 vols.), Farnham: Ashgate, 2006.

Richter, Irma A. and Wells, Thereza (eds.), *Leonardo da Vinci / Notebooks*, Oxford: Oxford University Press, 2008.

Ridley, Ronald T. (trans.), *Zosimus / New History*, Leiden: Brill, 1982.

Riggs, Charles T. (trans.), *Mehmed the Conqueror / by Kritovoulos*, Princeton: Princeton University Press, 1954.

Riley-Smith, Jonathan and Louise (eds.), *The Crusades: Idea and Reality, 1095-1274*, London: Edward Arnold, 1981.

Riley, H.T. (ed.), *Chronica Monasterii S. Albani III*, London: Rolls Series, 1866.

Riley, Henry Thomas (ed.), *The Comedies of Plautus* vol. 1, London: Henry G. Bohn, 1912.

Robinson, George W. (trans.), *Eugippius / The Life of Saint Severinus*, Cambridge, Mass: Harvard University Press, 1914.

Robinson, I. S. (trans.), *Eleventh Century Germany: The Swabian Chronicles*, Manchester: Manchester University Press, 2008.

Robinson, James Harvey (ed.), *Readings in European History* vol. 1, Boston: Ginn & Company, 1904.

Rothwell, Harry (ed.), *English Historical Documents III: 1189-1327* (new edn.), London: Routledge, 1996.

Rudd, Niall (trans.), *Cicero / The Republic and The Laws*, Oxford: Oxford University Press, 1998.

Rupp, E. Gordon and Watson, Philip S. (trans.), *Luther and Erasmus: Free Will and Salvation*, London: John Knox Press, 1969.

Ryan, Frances Rita and Fink, Harold S. (eds.), *Fulcher of Chartres: A History of the Expedition to Jerusalem, 1095–1127*, Knoxville: University of Tennessee, 1969.

St. Clare Byrne, Muriel (ed.), *The Letters of King Henry VIII*, New York: Funk & Wagnalls, 1968.

Schroeder, H. J. (trans.), *Disciplinary Decrees of the General Councils: Text, Translation and Commentary*, St Louis: B. Herder, 1937.

Scott, Tom, and Scribner, Bob (trans.), *The German Peasants' War: A History in Documents*, Amherst: Humanity Books, 1991.

Sewter, E. R. A (trans.) and Frankopan, Peter (intro.), *Anna Komnene / The Alexiad* (revd. edn.), London: Penguin Classics, 2009.

Sherley-Price, Leo (trans.), *Bede / A History of the English Church and People* (revd. edn.), Harmondsworth: Penguin Classics, 1968.

Sitwell, G. (trans.), *St. Odo of Cluny: being the Life of St. Odo of Cluny / by John of Salerno. And, the Life of St. Gerald of Aurillac by St. Odo*, London: Sheed & Ward, 1958.

Sprenger, Aloys (trans.), *El-Masudi's Historical Encyclopaedia Entitled Meadows of Gold and Mines of Gems* vol. I, London: Oriental Translation Fund of Great Britain and Ireland, 1841.

Sweetenham, Carole (trans.), *Robert the Monk's History of the First Crusade: Historia Iherosolimitana*, Abingdon: Routledge, 2016.

Thompson, Edward Maunde, (ed.), *Adae Murimuth Continuatio Chronicarum / Robertus De Avesbury De Gestis Mirabilibus Regis Edwardi Tertii*, London: Rolls Series, 1889.

Wace, Henry and Buccheim, C.H. (trans.), *Luther's Primary Works: Together with his Shorter and Larger Catechisms*, London: Hodder & Stoughton: 1846.

Wallace-Hadrill, J.M. (trans.), *The Fourth Book of the Chronicle of Fredegar, with its continuations*, Westport: Greenwood Press, 1960.

Waterfield, Robin (trans.), *Polybius / The Histories*, Oxford: Oxford University Press, 2010.

Watts, Victor (trans.), *Boethius / The Consolation of Philosophy* (revd. ed.), London: Penguin Books, 1999.

Webb, J. F. (trans.), *The Age of Bede* (revd. edn.), London: Penguin Classics, 1998.

Weiskotten, Herbert T. (trans.), *The Life of Augustine: A Translation of the Sancti Augustini Vita by Possidius, Bishop of Calama*, Merchantville, NJ.: Evolution Publishing, 2008.

West, David (trans. and ed.), *Virgil / The Aeneid* (revd. edn.), London: Penguin Books, 2003.

Whitelock, Dorothy (ed.), *English Historical Documents I 500–1042* (2nd edn.), London: Routledge, 1979.

Wilkinson, John, Hill, Joyce and Ryan, W. F., *Jerusalem Pilgrimage 1099–1185*, London: The Hakluyt Society, 1988.

William R. (trans.), *Martin Luther / The Ninety-Five Theses and Other Writings*, New York: Penguin Classics, 2017.

Williamson, G.A. (trans.), *Eusebius / The History of the Church* (revd. edn.), London: Penguin Books, 1989.

Williamson, G. A. and Sarris, Peter (trans.), *Procopius / The Secret History* (revd. edn.), London: Penguin, 2007.

Wilson, William Burton (trans.), *John Gower / Mirour de l'Omme (The Mirror of Mankind)*, Woodbridge: Boydell & Brewer, 1992.

Winterbottom, Michael (trans.), *Gildas / The Ruin of Britain and other works*, Chichester: Phillimore, 1978.

Witakowski, Witold (trans.), *Pseudo-Dionysius of Tel-Mahre, Chronicle (known also as the Chronicle of Zuqnin) part III*, Liverpool: Liverpool University Press, 1996.

Wolf, Kenneth Baxter (trans.), *Conquerors and chroniclers of early medieval Spain*, Liverpool: Liverpool University Press, 1990.

Womersley, David (ed.), *Edward Gibbon / The History of the Decline and Fall of the Roman Empire*, vol. III, London: Penguin Classics, 1996.

Wright, F.A. (trans.), *Jerome / Select Letters*, Cambridge: Harvard University Press, 1933.

Zenokovsky, Serge (ed.), *Medieval Russia's Epics, Chronicles and Tales*, New York: E. P. Dutton, 1974.

2차 자료

Abu-Lughod, Janet L., *Before European Hegemony: The World System A.D. 1250-1350*, New York: Oxford University Press, 1991.

Adiele, Pius Onyemechi, *The Popes, the Catholic Church and the Transatlantic Enslavement of Black Africans 1418-1839*, Hildesheim: Georg Olms Verlag, 2017.

Angold, Michael, *The Fourth Crusade: Event and Context*, Abingdon: Routledge, 2014.

Asbridge, Thomas, *The Greatest Knight: The Remarkable Life of William Marshal, the Power Behind Five English Thrones*, London: Simon & Schuster, 2015.

Ashe, Geoffrey, *Land to the West: St Brendan's Voyage to America*, London: Collins, 1962.

Aurell, Jaume, *Medieval Self-Coronations: The History and Symbolism of a Ritual*, Cambridge: Cambridge University Press, 2020.

Babinger, Franz, *Mehmed the Conqueror and His Time*, Princeton: Princeton University Press, 1978.

Bagge, Sverre, Gelting, Michael H., and Lindkvist, Thomas (eds.), *Feudalism: New Landscapes of Debate*, Turnhout: Brepols, 2011.

Bak, Janos (ed.), *The German Peasant War of 1525*, Abingdon: Routledge, 2013.

Barber, Malcolm, *The New Knighthood: A History of the Order of the Temple*, Cambridge: Cambridge University Press, 1994.

Barber, Richard, *The Knight and Chivalry* (revd. edn.), Woodbridge: Boydell Press, 1995.

Beach, Alison I. and Cochelin, Isabelle (eds.), *The Cambridge History of Medieval Monasticism in the Latin West* (2 vols.), Cambridge: Cambridge University Press, 2020.

Beard, Mary, *SPQR: A History of Ancient Rome*, London: Profile Books, 2015.

Benjamin, Craig (ed.), *The Cambridge World History vol. 4: A World with States, Empires and*

Networks, 1200 BCE–900 CE, Cambridge: Cambridge University Press, 2015.

Bentley, Jerry H., Subrahmanyam, Sanjay and Weisner-Hanks, Merry E., *The Cambridge World History VI: The Construction of a Global World 1400-1800 C.E. / Part I: Foundations*, Cambridge: Cambridge University Press, 2015.

Bergreen, Laurence, *Columbus: The Four Voyages 1492-1504*, New York: Viking, 2011.

Bergreen, Laurence, *Over the Edge of the World: Magellan's Terrifying Circumnavigation of the Globe*, New York: William Morrow, 2003.

Blouw, Paul Valkema et al, *Dutch Typography in the Sixteenth Century: The Collected Works of Paul Valkema Blouw*, Leiden: Brill, 2013.

Bony, Jean, *French Gothic Architecture of the 12th and 13th Centuries*, Berkeley: University of California Press, 1983.

Bowersock, G. W., *The Crucible of Islam*, Cambridge, Mass., Harvard University Press, 2017.

Bowlus, Charles R., *The Battle of Lechfeld and its Aftermath, August 955*, Aldershot: Ashgate, 2006.

Boynton, S. and Reilly D. J. (eds.), *Resounding Image: Medieval Intersections of Art, Music, and Sound*, Turnhout: Brepols, 2015.

Bumke, Joachim, *The Concept of Knighthood in the Middle Ages*, New York: AMS Press, 1982.

Cameron, Averil et al (eds.), *The Cambridge Ancient History XIV: Late Antiquity, Empire and Successors, A.D. 42--600*, Cambridge: Cambridge University Press, 2000.

Castor, Helen, *Joan of Arc: A History*, London: Faber & Faber, 2014.

Chazan, Robert, *In the Year 1096: The First Crusade and The Jews*, Philadelphia: Jewish Publication Society, 1996.

Christiansen, Eric, *The Northern Crusades* (2nd edn.), London: Penguin, 1997.

Clark, James G., *The Benedictines in the Middle Ages*, Woodbridge: Boydell Press, 2011.

Cohn, Norman, *The Pursuit of the Millennium: Revolutionary Millenarians and Mystical Anarchists of the Middle Ages*, London: Temple Smith 1970.

Collins, Roger, *Charlemagne*, Basingstoke: Palgrave Macmillan, 1998.

Collinson, Patrick, *The Reformation*, London: Weidenfeld and Nicholson, 2003.

Colvin, H. M. (ed.), *The History of the King's Works I: The Middle Ages*, London: HM Stationery Office, 1963.

Crouch, David, *Tournament*, London: Hambledon & London, 2005.

Crowley, Roger, *Constantinople: The Last Great Siege, 1453*, London: Faber & Faber, 2005.

Curry, Anne, *Agincourt*, Oxford: Oxford University Press, 2015.

de la Bédoyère, Guy, *Roman Britain: A New History* (revd. edn.), London: Thames & Hudson, 2013.

De la Vassière, Étienne, *Sogdian Traders: A History*, Leiden: Brill, 2005.

De Rachewiltz, Igor, *Papal Envoys to the Great Khans*, London: Faber & Faber, 1971.

De Ridder-Symoens, H., *A History of the University in Europe* I, Cambridge: Cambridge University Press, 1992.

DeVries, Kelly and Smith, Robert Douglas, *Medieval Military Technology* (2nd edn.), Ontario:

University of Toronto Press, 2012.

Disney, A. R., *A History of Portugal and the Portuguese Empire* vol. I, Cambridge: Cambridge University Press, 2009.

Donner, Fred M., *The Articulation of Early Islamic State Structures*, London: Routledge, 2017.

Drayton, Elizabeth, *The Moor's Last Stand: How Seven Centuries of Muslim Rule in Spain Came to an End*, London: Profile Books, 2017.

Eisenstein, Elizabeth, *The Printing Press as an Agent of Change: Communications and Cultural Transformations in Early-Modern Europe*, Cambridge: Cambridge University Press, 1979.

Erlande-Brandenburg, Alain, *The Cathedral Builders of the Middle Ages*, London: Thames & Hudson, 1995.

Ettinghausen, Richard, Grabar, Oleg, and Jenkins-Madina, Marilyn, *Islamic Art and Architecture 650-1250* (2nd edn.), New Haven/London: Yale University Press, 2001.

Falk, Seb, *The Light Ages: A Medieval Journey of Discovery*, London: Allen Lane, 2020.

Ferguson, Robert, *The Hammer and the Cross: A New History of the Vikings*, London: Allen Lane, 2009.

Firnhaber-Baker, Justine, *The Jacquerie of 1358: A French Peasants' Revolt*, Oxford: Oxford University Press, 2021.

Firnhaber-Baker, Justine and Schoenaers, Dirk, *The Routledge History Handbook of Medieval Revolt*, Abingdon: Routledge, 2017.

Fletcher, Richard, *The Quest for El Cid*, Oxford: Oxford University Press, 1989.

Foyle, Jonathan, *Lincoln Cathedral: The Biography of a Great Building*, London: Scala, 2015.

Frankopan, Peter, *The First Crusade: The Call From the East*, London: Vintage, 2012.

Frankopan, Peter, *The Silk Roads: A New History of the World*, London: Bloomsbury, 2015.

Freely, John, *The Grand Turk: Sultan Mehmet II - Conqueror of Constantinople, Master of an Empire and Lord of Two Seas*, London: I. B. Taurus, 2010.

Fried, Johannes, *Charlemagne*, Cambridge, Mass.: Harvard University Press, 2016.

Füssel, Stephan, *Gutenberg and the Impact of Printing*, Aldershot: Ashgate, 2003.

Garnsey, Peter and Saller, Richard (eds.), *The Roman Empire: Economy, Society and Culture* (2nd edn.), London/New York: Bloomsbury Academic, 2014.

Ghosh, K. and Gillespie, V. (eds.), *After Arundel: Religious Writing in Fifteenth-Century England*, Turnhout: Brepols, 2011.

Gibbon, Edward, *The History of the Decline and Fall of the Roman Empire: Abridged Edition*, London: Penguin Classics, 2000.

Gilson, Simon, *Dante and Renaissance Florence*, Cambridge: Cambridge University Press, 2005.

Goodman, Martin, van Kooten, George H. and van Buiten, JTAGM (eds.), *Abraham, the Nations, and the Hagarites: Jewish, Christian, and Islamic Perspectives on Kinship with Abraham*, Leiden: Brill, 2010.

Grabar, Oleg, *The Dome of the Rock*, Cambridge, Mass.: Belknap Press, 2006.

Haldon, John, *The Byzantine Wars*, Stroud: The History Press, 2008.

Halsall, Guy, *Barbarian Migrations and the Roman West 376-568*, Cambridge: Cambridge

University Press, 2007.

Hansen, Valerie, *The Year 1000: When Explorers Connected the World – and Globalization Began*, London: Viking, 2020.

Harper, Kyle, *The Fate of Rome: Climate, Disease, & the End of an Empire*, Princeton/Oxford: Princeton University Press, 2017.

Harper, Kyle, *Slavery in the Late Roman World, AD 275–425*, Cambridge: Cambridge University Press, 2011.

Harris, Jonathan, *Constantinople: Capital of Byzantium* (2nd edn.), London: Bloomsbury, 2017.

Harris, William V. (ed.), *The Ancient Mediterranean Environment Between Science and History*, Leiden: Brill, 2013.

Harriss, Gerald, *Shaping the Nation: England 1360-1461*, Oxford: Oxford Univeristy Press, 2005.

Haskins, Charles Homer, *The Renaissance of the Twelfth Century*, Cambridge, Mass: Harvard University Press, 1927.

Heather, Peter, *The Fall of the Roman Empire: A New History of Rome and the Barbarians*, Oxford: Oxford University Press, 2006.

Heather, Peter, *The Goths*, Oxford: Blackwell Publishing, 1996.

Hendrix, Scott H., *Martin Luther: Visionary Reformer*, New Haven: Yale University Press, 2015.

Hibbert, Christopher, *Florence: The Biography of a City*, London: Penguin, 1993.

Hollaender A. E. J. and Kellaway, William, *Studies in London History*, London: Hodder & Staunton, 1969.

Hollingsworth, Mary, *The Medici*, London: Head of Zeus, 2017.

Holton, R. H. and Aston, T. H., *The English Rising of 1381*, Cambridge: Cambridge University Press, 1984.

Hook, Judith, *The Sack of Rome 1527* (2nd edn.), Basingstoke: Palgrave Macmillan, 2004.

Hornblower, Simon, Spawforth, Anthony and Eidinow, Esther (eds.), *The Oxford Classical Dictionary* (4th edn.), Oxford: Oxford University Press, 2012.

Hoyland, Robert G., *In God's Path: The Arab Conquests and the Creation of an Islamic Empire*, Oxford: Oxford University Press, 2015.

Hunt, Edwin S., *The Medieval Super-Companies: A Study of the Peruzzi Company of Florence*, Cambridge: Cambridge University Press, 1994.

Hunt, Edwin S. and Murray, James M., *A History of Business in Medieval Europe, 1200-1550*, Cambridge: Cambridge University Press, 1999.

Hunt, Noreen, *Cluny Under Saint Hugh, 1049-1109*, London: Edward Arnold, 1967.

Hunt, Noreen (ed.), *Cluniac Monasticism in the Central Middle Ages*, London: Macmillan, 1971.

Hyland, Ann, *The Medieval Warhorse: From Byzantium to the Crusades*, London: Grange Books, 1994.

Isaacson, Walter, *Leonardo da Vinci: The Biography*, London: Simon & Schuster, 2017.

Jackson, Peter, *The Mongols and The West, 1221-1410*, Abingdon: Routledge, 2005.

Jacoby, David, *Medieval Trade in the Eastern Mediterranean and Beyond*, Abingdon: Routledge, 2018.

Johns, Catherine, *The Hoxne Late Roman Treasure: Gold Jewellery and Silver Plate*, London: The British Museum Press, 2010.

Johnston, David (ed.), *The Cambridge Companion to Roman Law*, New York: Cambridge University Press, 2015.

Jones, Dan, *Crusaders: An Epic History of the Wars for the Holy Lands*, London: Head of Zeus, 2019.

Jones, Dan, *The Templars: The Rise and Fall of God's Holy Warriors*, London, Head of Zeus: 2017.

Jones, Dan, *Summer of Blood: The Peasants' Revolt of 1381*, London: William Collins, 2009.

Jones, Dan, *The Hollow Crown: The Wars of the Roses and the Rise of the Tudors*, London: Faber & Faber, 2014.

Jones, Terry L. et al (eds.), *Polynesians in America: Pre-Columbian Contacts with the New World*, Lanham: AltaMira Press, 2011.

Jordan, William C., *The Great Famine: Northern Europe in the Early Fourteenth Century*, Princeton: Princeton Universtiy Press, 1996.

Kaeigi, Walter, *Muslim Expansion and Byzantine Collapse in North Africa*, Cambridge: Cambridge University Press, 2010.

Kaeuper, Richard W., *Medieval Chivalry*, Cambridge: Cambridge University Press, 2016.

Kedar, Benjamin Z. and Weisner-Hanks, Merry E. (eds.),*The Cambridge World History Vol. 5: Expanding Webs of Exchange and Conflict, 500 C.E.-1500 C. E.*, Cambridge: Cambridge University Press, 2013.

Keen, Maurice, *Chivalry*, New Haven/London: Yale University Press, 1984.

Kelly, Christopher, *Attila the Hun: Barbarian Terror and the Fall of the Roman Empire*, London: The Bodley Head, 2008.

Kemp, Martin, *Leonardo by Leonardo*, New York: Callaway, 2019.

Kennedy, Hugh, *The Great Arab Conquests*, London: Weidenfeld & Nicolson, 2007.

Kim, Hyun Jin, *The Huns*, London/New York: Routledge, 2016.

King, Peter, *Western Monasticism: A History of the Monastic Movement in the Latin Church*, Kalamazoo: Cistercian Publications, 1999.

King, Ross, *Brunelleschi's Dome: The Story of the Great Cathedral in Florence*, London: Penguin Books, 2000.

Klibancky, Raymond, *The continuity of the Platonic tradition during the middle ages, outlines of a Corpus platonicum medii aevi*, London: Warburg Institute, 1939.

Licence, Tom, *Edward the Confessor*, New Haven/London: Yale University Press, 2020.

Lings, Martin, *Muhammad: His Life Based on the Earliest Sources*, Cambridge: The Islamic Texts Society, 1991.

Lloyd, T. H., *The English Wool Trade in the Middle Ages*, Cambridge: Cambridge University Press, 1977.

Loengard, J. S. (ed.), *Magna Carta and the England of King John*, Woodbridge: Boydell & Brewer, 2010.

Lopez, Robert S., *The Commercial Revolution of the Middle Ages, 950-1350*, Cambridge: Cambridge University Press, 1976.

Luttwak, Edward N., *The Grand Strategy of the Roman Empire: From the First Century A.D. to the Third*, Baltimore/London: The Johns Hopkins University Press, 1976.

Maas, Michael (ed.), *The Cambridge Companion to The Age of Attila*, Cambridge: Cambridge University Press, 2015.

Maas, Michael (ed.), *The Cambridge Companion to the Age of Justinian*, Cambridge: Cambridge University Press, 2005.

MacCulloch, Diarmaid, *A History of Christianity*, London: Allen Lane, 2009.

MacCulloch, Diarmaid, *Reformation: Europe's House Divided 1490-1700*, London: Allen Lane, 2003.

Macek, Josef, *The Hussite Movement in Bohemia*, Prague: Orbis, 1958.

MacGregor, Neil, *A History of the World In 100 Objects*, London: Allen Lane, 2010.

Mallia-Milanes (ed.), *The Military Orders, Volume 3: History and Heritage*, London: Routledge, 2008.

Marani, Pietro C., *Leonardo da Vinci: The Complete Paintings* (new edn.), New York: Abrams, 2019.

Martens, Maximiliaan et al (eds.), *Van Eyck*, London: Thames & Hudson, 2020.

Martin, Janet, *Medieval Russia, 980-1584* (2nd edn.), Cambridge: Cambridge University Press, 2007.

Mattingly, David, *An Imperial Possession: Britain in the Roman Empire*, London: Allen Lane, 2006.

McCormick, Michael, *Origins of the European Economy: Communications and Commerce, A.D. 300-900*, Cambridge: Cambridge University Press, 2001.

McKitterick, Rosamond, *Charlemagne: The Formation of a European Identity*, Cambridge: Cambridge University Press, 2008.

McKitterick, Rosamond, *The Frankish Kingdoms under the Carolingians*, London/New York: Longman, 1983.

McKitterick, Rosamond (ed.), *The New Cambridge Medieval History II c.700 - c.900*, Cambridge: Cambridge University Press, 1995.

McLynn, Frank, *Genghis Khan: The Man Who Conquered the World*, London: Bodley Head, 2015.

Merrills A. H. (ed.), *Vandals, Romans and Berbers: New Perspectives on Late Antique North Africa*, Abingdon: Routledge, 2016.

Merrills, Andy and Miles, Richard, *The Vandals*, Oxford: Blackwell Publishing, 2010.

Moore, R. I., *The First European Revolution, c.970-1215*, Oxford: Blackwell Publishing, 2000.

Morris, Colin, *The Papal Monarchy: The Western Church, 1050-1250*, Oxford: Clarendon Press, 1989.

Morris, Marc, *A Great and Terrible King: Edward I*, London: Hutchison, 2008.

Mullins, Edwin, *In Search of Cluny: God's Lost Empire*, Oxford: Signal Books, 2006.

Nicholson, Helen, *The Knights Hospitaller*, Woodbridge: The Boydell Press, 2001.

Noble, Thomas F. X. and Smith, Julia M. H., *The Cambridge History of Christianity III: Early Medieval Christianities c.600–c.1100*, Cambridge: Cambridge University Press, 2008.

Norman, Diana (ed.), *Siena, Florence and Padua: Art, Society and Religion 1280–1400 Volume II: Case Studies*, New Haven: Yale University Press, 1995.

O'Callaghan, Joseph F., *A History of Medieval Spain*, Ithaca: Cornell University Press, 1975.

Orme, Nicholas, *Medieval Schools: Roman Britain to Renaissance England*, New Haven: Yale University Press, 2006.

Ormrod, Mark, *Edward III*, New Haven: Yale University Press, 2011.

Parker, Deborah, *Commentary and Ideology: Dante in the Renaissance*, Durham/London: Duke University Press, 1993.

Parker, Geoffrey, *Emperor: A New Life of Charles V*, New Haven: Yale University Press, 2019.

Parry, J. H., *The Age of Reconnaissance: Discovery, Exploration and Settlement, 1450–1650*, London: Weidenfeld and Nicholson, 1963.

Phillips, Jonathan, *The Second Crusade: Extending the Frontiers of Christianity*, New Haven: Yale University Press, 2008.

Phillips, Jonathan, *The Life and Legend of the Sultan Saladin*, London: Bodley Head, 2019.

Phillips, Jonathan, *The Fourth Crusade and the Sack of Constantinople*, London: Jonathan Cape, 2011.

Pope-Hennessy, John, *Italian Gothic Sculpture*, London: Phaidon Press, 1955.

Power, E., *The Wool Trade in Medieval English History*, Oxford, 1941.

Price, Neil, *The Children of Ash and Elm: A History of the Vikings*, London: Allen Lane, 2020.

Putnam, B. H., *The Enforcement of the Statutes of Labourers During the First Decade After the Black Death, 1349–59*, New York: Columbia University Press, 1908.

Reeve, Benjamin, *Timothy Richard, D.D., China Missionary, Statesman and Reformer*, London: S. W. Partridge & Co., 1912.

Riley-Smith, Jonathan, *The First Crusaders, 1095–1131*, Cambridge: Cambridge University Press, 1997.

Robin, Diana, *Filelfo in Milan*, Princeton: Princeton University Press, 2014.

Rubies, Joan-Pau, *Medieval Ethnographies: European Perceptions of the World Beyond*, Abingdon: Routledge, 2016.

Russell, P. E., *Henry the Navigator: A Life*, New Haven/London: Yale University Press, 2000.

Ryrie, Alec, *Protestants: The Faith that Made the Modern World*, New York: Viking, 2017.

Sainty, Guy Stair and Heydel-Mankoo, Rafal (eds.), *World Orders of Knighthood and Merit* (2 vols.), Wilmington: Burke's Peerage & Gentry, 2006.

Sarti, Laury, *Perceiving War and the Military in Early Christian Gaul (ca. 400–700 A.D.)*, Leiden: Brill, 2013.

Schwoebel, Robert, *The Shadow of the Crescent: The Renaissance Image of the Turk, 1453-1517*, New York: St Martin's Press, 1967.

Scott, Robert A., *The Gothic Enterprise: A Guide to Understanding the Medieval Cathedral*, Berkeley: University of California Press, 2003.

Shaver-Crandell, Annie and Gerson, Paula, *The Pilgrim's Guide to Santiago de Compostela: A Gazetteer with 580 Illustrations*, London: Harvey Miller, 1995.

Smith, M. L., *The Early History of the Monastery of Cluny*, Oxford: Oxford University Press, 1920.

Stahl, Alan M., *Zecca: The Mint of Venice in the Middle Ages*, Baltimore: Johns Hopkins University Press, 2000.

Stalley, Roger, *Early Medieval Architecture*, Oxford: Oxford University Press, 1999.

Strathern, Paul, *The Artist, the Philosopher and the Warrior: Leonardo, Machiavelli and Borgia: A Fateful Collusion*, London: Jonathan Cape, 2009.

Strickland, Matthew, *Henry the Young King*, New Haven/London: Yale University Press, 2016.

Stump, Eleonore, *Aquinas*, London: Routledge, 2003.

Sumption, Jonathan, *Cursed Kings: The Hundred Years War* IV, London: Faber & Faber, 2015.

Swanson, R.N. (ed.), *Promissory Notes on the Treasury of Merits Indulgences in Late Medieval Europe*, Leiden: Brill, 2006.

Taleb, Nassim Nicholas, *The Black Swan: The Impact of the Highly Improbable*, London: Penguin, 2008.

Taylor, Arnold, *Studies in Castles and Castle-Building*, London: The Hambledon Press, 1985.

Tuchman, Barbara, *A Distant Mirror: The Calamitous Fourteenth Century*, New York: Albert A. Knopf, 1978.

Turner, Denys, *Thomas Aquinas: A Portrait*, New Haven: Yale University Press, 2013.

Turner, Marion, *Chaucer: A European Life*, Princeton: Princeton University Press, 2019.

Vallet, Françoise and Kazanski, Michel (eds.), *La noblesse romaine et les chefs barbares du IIIe au VIIe siècle*, Paris: AFAM and Museée des Antiquiteés Nationales, 1995.

Vaughan, Richard, *Philip the Good: The Apogee of Burgundy* (new edn.), Woodbridge: Boydell Press, 2002.

Weatherford, Jack, *Genghis Khan and the Quest for God*, New York: Viking, 2016.

West, Charles, *Reframing the Feudal Revolution: Political and Social Transformation between the Marne and the Moselle, c.800-c.1100*, Cambridge: Cambridge University Press, 2013.

Wheatley, Abigail, *The Idea of the Castle in Medieval England*, Woodbridge: York Medieval Press, 2004.

White, Jr., Lynn, *Medieval Technology & Social Change*, Oxford: Oxford University Press, 1962.

Whitehead, F., Divernes, A. H, and Sutcliffe, F. E. (eds.), *Medieval Miscellany Presented to Eugène Vinaver*, Manchester: Manchester University Press, 1965.

Wickham, Chris, *The Inheritance of Rome: A History of Europe from 400 to 1000*, London: Penguin Books, 2010.

Woolf, Greg, *Rome: An Empire's Story*, Oxford: Oxford University Press, 2012.

논문, 칼럼, 기사

Ailes, Marianne, 'Charlemagne "Father of Europe": A European Icon in the Making', *Reading Medieval Studies* 38 (2012).

Andersen, Thomas Barnebeck, Jensen, Peter Sandholt and Skovsgaard, Christian Stejner, 'The heavy plough and the agricultural revolution in medieval Europe', *Discussion Papers of Business and Economics* (University of Southern Denmark, Department of Business and Economics: 2013).

Aston T. H., 'Oxford's Medieval Alumni', *Past & Present* 74 (1977).

Barjamovic, Gojko, Chaney, Thomas, Cosar, Kerem and Hortaçsu, Ali, 'Trade, Merchants and the Lost Cities of the Bronze Age', *The Quarterly Journal of Economics* 134 (2019).

Barratt, Nick, 'The English Revenue of Richard I', *The English Historical Review* 116 (2001).

Barrett, James A., 'What caused the Viking Age?', *Antiquity* 82 (2008).

Bartsocas, Christos S., 'Two Fourteenth Century Greek Descriptions of the Black Death', *Journal of the History of Medicine and Allied Sciences* 21 (1966).

Baug, Irene, Skre, Dagfinn, Heldal, Tom and Janse, Øystein J., 'The Beginning of the Viking Age in the West', *Journal of Maritime Archaeology* 14 (2019) .

Besnier, G., 'Quelques notes sur Arras et Jeanne d'Arc', *Revue du Nord* 40 (1958).

Blegen, Nick, 'The earliest long-distance obsidian transport: Evidence from the ~200 ka Middle Stone Age Sibilo School Road Site, Baringo, Kenya', *Journal of Human Evolution* 103 (2017).

Blockmans, Wim, 'Transactions at the Fairs of Champagne and Flanders, 1249–1291', *Fiere e mercati nella integrazione delle economie europee secc. XIII–XVIII – Atti delle Settimane di Studi* 32 (2001).

Blumenthal, H. J., '529 and its sequel: What happened to the Academy?', *Byzantion* 48 (1978).

Bodel, John, 'Caveat emptor: Towards a Study of Roman Slave Traders', *Journal of Roman Archaeology* 18 (2005).

Brown, Elizabeth A. R., 'The Tyranny of a Construct: Feudalism and Historians of Medieval Europe', *The American Historical Review* 79 (1974).

Buck, Lawrence P., 'Anatomia Antichristi: Form and Content of the Papal Antichrist', *The Sixteenth Century Journal* 42 (2011).

Bury, J. B, 'The Nika Riot', *The Journal of Hellenic Studies* 17 (1897).

Campbell, Bruce M. S., 'Nature as historical protagonist: environment and society in pre-industrial England', *The Economic History Review* 63 (2010).

Cantor, Norman F., 'The Crisis of Western Monasticism, 1050–1130', *The American Historical Review* (1960).

Carty, Carolyn M., 'The Role of Gunzo's Dream in the Building of Cluny III', *Gesta* 27 (1988).

Cassidy-Welch, Megan, 'The Stedinger Crusade: War, Remembrance, and Absence in Thirteenth-Century Germany', *Viator* 44 (2013).

Conant, Kenneth J., 'The After-Life of Vitruvius in the Middle Ages', *Journal of the Society of Architectural Historians* 27 (1968).

Constantelos, Demetrios J., 'Paganism and the State in the Age of Justinian', *The Catholic Historical Review* 50 (1964).

Davies, Jonathan, 'Violence and Italian universities during the Renaissance', *Renaissance Studies* 27 (2013).

Davies, Martin, 'Juan de Carvajal and Early Printing: The 42-line Bible and the Sweynheym and Pannartz Aquinas', *The Library* 17 (1996).

De Mowbray, Malcolm, '1277 And All That – Students and Disputations', *Traditio* 57, (2002).

Dull, Robert A. et al, 'Radiocarbon and geologic evidence reveal Ilopango volcano as source of the colossal "mystery" eruption of 539/40 CE', *Quaternary Science Reviews* 222 (2019).

Eisenstein, Elizabeth L., 'Some Conjectures about the Impact of Printing on Western Society and Thought: A Preliminary Report', *The Journal of Modern History* 40 (1968).

Epstein, S. R., 'Regional Fairs, Institutional Innovation, and Economic Growth in Late Medieval Europe', *Economic History Review*, 47 (1994).

Firnhaber-Baker, Justine, 'The Social Constituency of the Jacquerie Revolt of 1358', *Speculum* 95 (2020).

Frankopan, Peter, 'Why we need to think about the global Middle Ages', *Journal of Medieval Worlds* 1 (2019).

Fryde, E. B., 'The Deposits of Hugh Despenser the Younger with Italian Bankers', *The Economic History Review* 3 (1953).

Galili, Ehud, Rosen, Baruch, Arenson, Sarah, Nir-El, Yoram, Jacoby, David, 'A cargo of lead ingots from a shipwreck off Ashkelon, Israel 11th–13th centuries AD', *International Journal of Nautical Archaeology* 48 (2019).

Gatward Cevizli, Antonia, 'Bellini, bronze and bombards: Sultan Mehmed II's requests reconsidered', *Renaissance Studies* 28 (2014).

Greatrex, Geoffrey, 'The Nika Riot: A Reappraisal', *The Journal of Hellenic Studies* 117 (1997).

Green, Monica H., 'Putting Africa on the Black Death map: Narratives from genetics and history', *Afriques* 9 (2018).

Green, William A., 'Periodization in European and World History', *Journal of World History* 3 (1992).

Grendler, Paul F., 'The University of Florence and Pisa in the High Renaissance', *Renaissance and Reformation* 6 (1982).

Gruhn, Ruth, 'Evidence grows for early peopling of the Americas', *Nature* 584 (August 2020).

Hahn, Cynthia, 'Collector and saint: Queen Radegund and devotion to the relic of the True Cross', *Word & Image* 22 (2006).

Harrison, Stuart, 'The Original Plan of the East End of St Hugh's Choir at Lincoln Cathedral

Reconsidered in the Light of New Evidence', *Journal of the British Archaeological Association* 169 (2016).

Hill, Brian E., 'Charles the Bald's "Edict of Pîtres" (864): A Translation and Commentary', Unpublished MA Thesis, University of Minnesota (2013).

Hinds, Martin, 'The Murder of the Caliph 'Uthman', *International Journal of Middle East Studies* 3 (1972).

Holum, Kenneth G., 'Archaeological Evidence for the Fall of Byzantine Caesarea', *Bulletin of the American Schools of Oriental Research* 286 (1992).

Hunt, Edwin S., 'A New Look at the Dealings of the Bardi and Peruzzi with Edward III', *The Journal of Economic History* 50 (1990).

Ing, Janet, 'The Mainz Indulgences of 1454/5: A review of recent scholarship', *The British Library Journal* 9 (1983).

Innes, Matthew, 'Land, Freedom and the Making of the Medieval West', *Transactions of the Royal Historical Society* 16 (2006).

Jackson, Peter, 'The Crusade against the Mongols', *Journal of Ecclesiastical History* 42 (1991).

Jamaluddin, Syed, 'Samarqand as the First City in the World under Timur', *Proceedings of the Indian History Congress* 56 (1995).

Jones, Dan, 'Meet the Americans Following in the Footsteps of the Knights Templar', *Smithsonian* (July 2018)

Kershaw, Ian, 'The Great Famine and Agrarian Crisis in England 1315–1322', *Past & Present* 59 (1973).

Kılınç, Gülşah Merve et al, 'Human population dynamics and Yersinia pestis in ancient northeast Asia', *Science Advances* 7 (2021).

Kulikowski, Michael, 'Barbarians in Gaul, Usurpers in Britain', *Britannia* 31 (2000).

Livesey, Edwina, 'Shock Dating Result: A Result of the Norman Invasion?', *Sussex Past & Present* 133 (2014).

MacCulloch, Diarmaid, 'The World Took Sides', *London Review of Books* 38 (2016).

Macmaster, Thomas J., 'The Origin of the Origins: Trojans, Turks and the Birth of the Myth of Trojan Origins in the Medieval World', *Atlantide* 2 (2014).

McPhail, Cameron, 'Pytheas of Massalia's Route of Travel', *Phoenix* 68 (2014).

Mengel, David C., 'A Plague on Bohemia? Mapping the Black Death', *Past & Present* 211 (2011).

Moderchai, Lee and Eisenberg, Merle, 'Rejecting Catastrophe: The Case of the Justinianic Plague', *Past & Present* 244 (2019).

Moore, John C., 'Innocent III's De Miseria Humanae Conditionis: A Speculum Curiae?', *The Catholic Historical Review* 67 (1981).

Musson, R. M. W., 'A History of British seismology', *Bulletin of Earthquake Engineering* 11 (2013).

Musson, R. M. W., 'The Seismicity of the British Isles to 1600', *British Geological Survey Open Report* (2008).

Mustard, Wilfrid P., 'Petrarch's Africa', *The American Journal of Philology* 42 (1921).

Oppenheimer, Clive, 'Climatic, environmental and human consequences of the largest known historic eruption: Tambora volcano (Indonesia) 1815', *Progress in Physical Geography: Earth and Environment* 27 (2003).

Pederson, Neil, Hessl, Amy E., Baatarbileg, Nachin, Anchukaitis, Kevin J. and Di Cosmo Nicola, 'Pluvials, droughts, the Mongol Empire, and modern Mongolia', *Proceedings of the National Academy of Sciences* (25 March 2014).

Pow, Stephen, 'Fortresses that Shatter Empires: A Look at Möngke Khan's Failed Campaign Against the Song Dynasty, 1258–9', *Annual of Medieval Studies at CEU* 23 (2017).

Pratt, Kenneth J., 'Rome as Eternal', *Journal of the History of Ideas* 26 (1965).

Puga, Diego and Trefler, Daniel, 'International Trade and Institutional Change: Medieval Venice's Response to Globalization', *The Quarterly Journal of Economics* 129 (2014).

Regn, Gerhard and Huss, Bernhard, 'Petrarch's Rome: The History of the Africa and the Renaissance Project', *MLN* 124 (2009).

Rex, Richard, 'The English Campaign against Luther in the 1520s: The Alexander Prize Essay', *Transactions of the Royal Historical Society* 39 (1989).

Robin, Diana, 'A Reassessment of the Character of Francesco Filelfo (1398–1481)', *Renaissance Quarterly* 36 (1983).

Roland, Alex, 'Secrecy, Technology, and War: Greek Fire and the Defense of Byzantium, 678–1204', *Technology and Culture* 33 (1992).

Sea, Thomas F., 'The German Princes' Responses to the Peasants' Revolt of 1525', *Central European History* 40 (2007).

Sherer, Idan, 'A bloody carnival? Charles V's soldiers and the sack of Rome in 1527', *Renaissance Studies* 34 (2019).

Slavin, Philip, 'The Great Bovine Pestilence and its economic and environmental consequences in England and Wales, 1318–50', *The Economic History Review* 65 (2012).

Slavin, Philip, 'Market failure during the Great Famine in England and Wales (1315–1317)', *Past & Present* 222 (2014).

Smith, Preserved, 'Luther and Henry VIII', *The English Historical Review* 25 (1910).

Smith, Terence, 'The English Medieval Windmill', *History Today* 28 (1978).

Sreenivasan, Govind P., 'The Social Origins of the Peasants' War of 1525 in Upper Swabia', *Past & Present* 171 (2001).

Sussman, George D., 'Was the Black Death in India and China?', *Bulletin of the History of Medicine* 85 (2011).

Swift, Emerson H., 'Byzantine Gold Mosaic', *American Journal of Archaeology* 38 (1934).

Taylor, A. J., 'Master James of St. George', *The English Historical Review* 65 (1950).

Taylor, David, 'The Early West Front of Lincoln Cathedral', *Archaeological Journal* 167 (2010).

Toker, Franklin, 'Arnolfo's S. Maria del Fiore: A Working Hypothesis', *Journal of the Society of Architectural Historians* 42 (1983).

Trimble, Jennifer, 'The Zoninus Collar and the Archaeology of Roman Slavery', *American*

Journal of Archaeology 120 (2016).

Ugent, Donald, Dillehay, Tom and Ramirez, Carlos, 'Potato remains from a late Pleistocene settlement in southcentral Chile', *Economic Botany* 41 (1987).

Underwood, Norman, 'When the Goths Were in Egypt: A Gothic Bible Fragment and Barbarian Settlement in Sixth-Century Egypt', *Viator* 45 (2014).

Vopřada, David, 'Quodvultdeus' Sermons on the Creed: a Reassessment of his Polemics against the Jews, Pagans, and Arians', *Vox Patrum* 37 (2017).

Wang, Xiaofeng, Yang, Bao and Ljungqvist, Fredrik Charpentier, 'The Vulnerability of Qilian Juniper to Extreme Drought Events', *Frontiers in Plant Science* 10 (2019).

Watts, Edward, 'Justinian, Malalas, and the End of Athenian Philosophical Teaching in A.D. 529', *The Journal of Roman Studies* 94 (2004).

Werkmeister, O. K., 'Cluny III and the Pilgrimage to Santiago de Compostela', *Gesta* 27 (1988).

Wilkins, Ernest H., 'Petrarch's Coronation Oration', *Transactions and Proceedings of the Modern Language Association of America* 68 (1953).

Wolfe, Maury I. and Mark, Robert, 'The Collapse of the Vaults of Beauvais Cathedral in 1284', *Speculum* 51 (1976).

Wood, Jamie, 'Defending Byzantine Spain: frontiers and diplomacy', *Early Medieval Europe* 18 (2010).

Żemła, Michał and Siwek, Matylda, 'Between authenticity of walls and authenticity of tourists' experiences: The tale of three Polish castles', *Cogent Arts & Humanities* 1 (2020).

Zhou, TianJun, Li, Bo, Man, WenMin, Zhang, LiXia, and Zhang, Jie, 'A comparison of the Medieval Warm Period, Little Ice Age and 20th century warming simulated by the FGOALS climate system model', *Chinese Science Bulletin* 56 (2011).

도판 출처

1. Fine Art Images/Bridgeman Images
2. Pictorial Press Ltd/Alamy
3. JLImages/Alamy
4. 저자 제공
5. The Picture Art Collection/Alamy
6. Germanisches National Museum/Bridgeman Images
7. Science History Images/Alamy
8. Leemage/Getty
9. Album/Alamy
10. Granger Historical Picture Archive/Alamy
11. 저자 제공
12. World History Archive/Alamy
13. Photo 12/Alamy
14. Anonymousz/Shutterstock
15. ART Collection/Alamy
16. robertharding/Alamy
17. 저자 제공
18. 저자 제공
19. Pere Sanz/Shutterstock
20. Umberto Shtanzman/Shutterstock
21. Album/Alamy
22. Classic Image/Alamy
23. FineArt/Alamy
24. VCG Wilson/Corbis/Getty
25. Leemage/Corbis/Getty
26. World History Archive/Alamy
27. incamerastock/Alamy
28. Granger Historical Picture Archive/Alamy

중세인들

서로마 몰락부터 종교개혁까지,
중세 천년사를 이끈 16개 세력

1판 1쇄 2023년 10월 30일

지은이 | 댄 존스
옮긴이 | 이재황

펴낸이 | 류종필
편집 | 권준, 이정우, 이은진
경영지원 | 김유리
표지 디자인 | 석운디자인
본문 디자인 | 박애영
교정교열 | 이경민

펴낸곳 | (주) 도서출판 책과함께
　　　　 주소 (04022) 서울시 마포구 동교로 70 소와소빌딩 2층
　　　　 전화 (02) 335-1982
　　　　 팩스 (02) 335-1316
　　　　 전자우편 prpub@daum.net
　　　　 블로그 blog.naver.com/prpub
　　　　 등록 2003년 4월 3일 제2003-000392호

ISBN 979-11-92913-43-8　04900 (세트)